Amigas para sempre

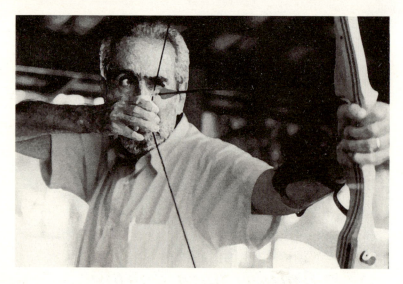

O Arqueiro

GERALDO JORDÃO PEREIRA (1938-2008) começou sua carreira aos 17 anos, quando foi trabalhar com seu pai, o célebre editor José Olympio, publicando obras marcantes como *O menino do dedo verde*, de Maurice Druon, e *Minha vida*, de Charles Chaplin.

Em 1976, fundou a Editora Salamandra com o propósito de formar uma nova geração de leitores e acabou criando um dos catálogos infantis mais premiados do Brasil. Em 1992, fugindo de sua linha editorial, lançou *Muitas vidas, muitos mestres*, de Brian Weiss, livro que deu origem à Editora Sextante.

Fã de histórias de suspense, Geraldo descobriu *O Código Da Vinci* antes mesmo de ele ser lançado nos Estados Unidos. A aposta em ficção, que não era o foco da Sextante, foi certeira: o título se transformou em um dos maiores fenômenos editoriais de todos os tempos.

Mas não foi só aos livros que se dedicou. Com seu desejo de ajudar o próximo, Geraldo desenvolveu diversos projetos sociais que se tornaram sua grande paixão.

Com a missão de publicar histórias empolgantes, tornar os livros cada vez mais acessíveis e despertar o amor pela leitura, a Editora Arqueiro é uma homenagem a esta figura extraordinária, capaz de enxergar mais além, mirar nas coisas verdadeiramente importantes e não perder o idealismo e a esperança diante dos desafios e contratempos da vida.

KRISTIN HANNAH

Amigas para sempre

Título original: *Firefly Lane*

Copyright © 2008 por Kristin Hannah
Copyright da tradução © 2014 por Editora Arqueiro Ltda.

Todos os direitos reservados. Nenhuma parte deste livro pode
ser utilizada ou reproduzida sob quaisquer meios existentes sem
autorização por escrito dos editores.

tradução: Cássia Zanon
preparo de originais: Sheila Til
revisão: Clarissa Peixoto, Jean Marcel Montassier e Magda Tebet
diagramação: Valéria Teixeira
capa: Michael Storrings
adaptação de capa e de sobrecapa: Miriam Lerner | Equatorium Design
ilustração de capa: Leah Fitts
impressão e acabamento: Lis Gráfica e Editora Ltda.

CIP-BRASIL. CATALOGAÇÃO NA PUBLICAÇÃO
SINDICATO NACIONAL DOS EDITORES DE LIVROS, RJ

H219a
    Hannah, Kristin, 1960-
       Amigas para sempre / Kristin Hannah ; [tradução Cássia Zanon]. -
[2. ed.] - São Paulo : Arqueiro, 2021.
       576 p. ; 20 cm.

       Tradução de : Firefly lane
       ISBN 978-65-5565-083-9

       1. Ficção americana. I. Zanon, Cássia. II. Título.

20-67548   CDD: 813
                       CDU: 82-3(73)

Camila Donis Hartmann - Bibliotecária - CRB-7/6472

Todos os direitos reservados, no Brasil, por
Editora Arqueiro Ltda.
Rua Funchal, 538 – conjuntos 52 e 54 – Vila Olímpia
04551-060 – São Paulo – SP
Tel.: (11) 3868-4492 – Fax: (11) 3862-5818
E-mail: atendimento@editoraarqueiro.com.br
www.editoraarqueiro.com.br

Dedicatória

Este livro é dedicado a "nós", as meninas. Amigas que se ajudam nos tempos difíceis, entra ano e sai ano. Vocês sabem quem são. Obrigada.

Às pessoas que fazem parte de tantas das minhas lembranças: meu pai, Laurence; meu irmão, Kent; minha irmã, Laura; meu marido, Benjamin; e meu filho, Tucker. Para onde quer que sigamos nesse mundo, vocês estarão no meu coração.

E à minha mãe, que inspira tantos dos meus livros; este mais do que todos.

"O melhor espelho é um velho amigo."

– GEORGE HERBERT

Um

❧

Elas eram conhecidas como as meninas da alameda dos Vaga-lumes. Isso foi muito tempo atrás – há mais de três décadas, para ser exata –, mas, agora, deitada na cama, escutando uma violenta tempestade de inverno do lado de fora, parece ter sido ontem.

Na última semana (sem dúvida os piores sete dias de sua vida), ela havia perdido a capacidade de se afastar das lembranças. Ultimamente, muitas vezes voltava a ser 1974 em seus sonhos. Ela era adolescente outra vez, chegando à puberdade à sombra de uma guerra perdida, andando de bicicleta com a melhor amiga numa escuridão tão absoluta que era como ser invisível. O lugar só era relevante como ponto de referência, mas ela se lembrava dele em detalhes muito vívidos: uma faixa sinuosa de asfalto delimitada dos dois lados por valas profundas de águas turvas e colinas de gramado denso e malcuidado. Antes de as duas se conhecerem, aquela rua parecia não levar a lugar nenhum, era apenas uma alameda do interior com o nome de um inseto que ninguém jamais vira naquele canto azul e verde do planeta.

Então elas enxergaram o lugar pelos olhos uma da outra. Quando ficavam de pé juntas no alto da colina, em vez de árvores altas e buracos enlameados e montanhas distantes cobertas de neve, elas viam todos os lugares aonde um dia iriam.

À noite saíam às escondidas de suas casas e se encontravam na rua. Às margens do rio Pilchuck, fumavam cigarros roubados, choravam com "Billy, Don't Be a Hero" e contavam tudo uma à outra, unindo suas vidas até que, ao final do verão, ninguém sabia onde terminava uma garota e começava a outra. Para todos que as conheciam, elas se tornaram simplesmente TullyeKate, e por mais de trinta anos essa amizade foi o alicerce de suas vidas: forte, durável, sólido.

A música pode ter mudado ao longo das décadas, mas a promessa feita na alameda dos Vaga-lumes permaneceu: melhores amigas para sempre.

Elas acreditaram que aquela promessa iria durar, que um dia seriam velhinhas numa varanda de piso barulhento, as duas sentadas em cadeiras de balanço, conversando sobre os melhores anos de suas vidas e dando risada.

Agora ela sabia, é claro. Havia mais de um ano que vinha dizendo a si mesma que estava tudo bem, que conseguiria seguir em frente sem uma melhor amiga. Às vezes, até acreditava nisso.

Então ouvia as músicas. As músicas das duas. "Goodbye Yellow Brick Road". "Material Girl". "Bohemian Rhapsody". "Purple Rain". No dia anterior, enquanto fazia compras, uma péssima versão de "You've Got a Friend" a fizera chorar, bem ao lado dos rabanetes.

Afastou as cobertas e saiu da cama, tendo cuidado para não acordar o homem que dormia ao seu lado. Por um instante, ficou ali parada, olhando fixamente para ele na escuridão cheia de sombras. Mesmo dormindo, tinha uma expressão preocupada.

Tirou o telefone da base e saiu do quarto, percorrendo o corredor silencioso até a varanda. Lá, olhou para a tempestade e tomou coragem. Enquanto digitava os números conhecidos, imaginou, depois de todos aqueles meses em silêncio, o que diria àquela pessoa que havia sido sua melhor amiga, como poderia começar. *Tive uma semana ruim... minha vida está desmoronando...* ou, simplesmente: *preciso de você.*

Do outro lado do estuário negro e turbulento, o telefone tocou.

Parte Um

Os anos 1970

"Dancing Queen"
Jovem e doce, apenas 17 anos

Dois

Para a maior parte do país, 1970 foi um ano de revoltas e mudanças, mas naquela casa de Magnolia Drive tudo estava sempre organizado e tranquilo. Do lado de dentro, aos 10 anos de idade, Tully Hart estava sentada num piso frio de madeira, montando uma pequena casinha de brinquedo para suas bonequinhas, que dormiam em minúsculos lenços de papel cor-de-rosa. Se estivesse no quarto, estaria tocando Jackson Five na vitrola, mas na sala não havia aparelho de som.

Sua avó não gostava muito de música, nem de televisão ou jogos de tabuleiro. Durante a maior parte do tempo – como naquele momento –, a vovó ficava sentada na cadeira de balanço ao lado da lareira fazendo bordados em ponto de cruz. Ela produzia centenas de toalhinhas, a maioria com citações da Bíblia. No período do Natal, ela as doava para a igreja, que as vendia em eventos beneficentes.

E o vovô... ele só conseguia ficar em silêncio. Desde seu derrame, passava o tempo todo na cama. Às vezes tocava sua sineta, e era apenas nesses momentos que Tully via a avó afobada. Ao primeiro toque, ela sorria, dizia "Minha nossa" e disparava pelo corredor o mais rápido que seus chinelos lhe permitiam.

Tully pegou seu duende de cabelos amarelos. Cantarolando bem baixinho, ela o fez dançar "Daydream Believer" com uma bonequinha de olhos grandes. Na metade da canção, alguém bateu à porta.

Era um som tão inesperado que Tully fez uma pausa na brincadeira e olhou para cima. A não ser aos domingos, quando o Sr. e a Sra. Beattle apareciam para levá-los à igreja, ninguém os visitava.

A vovó guardou o bordado na sacola plástica cor-de-rosa ao lado da cadeira e se levantou, atravessando a sala naquele passo lento e arrastado que havia se tornado normal nos últimos anos. Quando abriu a porta, houve um longo silêncio, e então ela disse "Minha nossa".

Tully notou algo estranho na voz da avó. Espiando de lado, ela viu uma mulher alta com longos cabelos despenteados e um sorriso que não parava no lugar. Era uma das mulheres mais bonitas que Tully já vira: pele branca feito leite, nariz fino e arrebitado e maçãs do rosto muito definidas acima do minúsculo queixo, olhos castanhos fluidos, que abriam e fechavam lentamente.

– Essa não é uma grande recepção para a filha que você não vê há tanto tempo.

A mulher passou pela vovó, caminhou diretamente até Tully e se abaixou:

– É a minha pequena Talullah Rose?

Filha? Isso queria dizer...

– Mamãe? – sussurrou ela, espantada, com medo de acreditar.

Havia esperado tanto tempo por isso, sonhado tanto. O retorno da mãe.

– Sentiu saudade de mim?

– Ah, *sim* – disse Tully, tentando não dar risada.

Mas ela estava feliz demais.

A vovó fechou a porta.

– Por que não vem até a cozinha para tomar um café?

– Eu não vim tomar café. Vim buscar a minha filha.

– Você não tem dinheiro – falou a avó com desânimo.

Sua mãe pareceu irritada:

– E daí?

– A Tully precisa...

– Acho que consigo descobrir do que a minha filha precisa.

Sua mãe parecia tentar endireitar a postura, mas não estava funcionando. Ela estava meio vacilante, com os olhos esquisitos. Ficava enrolando no dedo uma mecha dos cabelos compridos e ondulados.

A vovó se aproximou das duas.

– Criar um filho é uma grande responsabilidade, Dorothy. Talvez se você se mudasse para cá por um tempo e conhecesse melhor a Tully, estaria pronta... – Ela fez uma pausa, franziu a testa e disse baixinho: – Você está bêbada.

A mãe deu uma risadinha e piscou para Tully.

Tully piscou de volta. Estar bêbado não era tão ruim assim. O vovô costumava beber bastante antes de ficar doente. Até mesmo a vovó às vezes tomava uma taça de vinho.

– É meu aniversário, mãe; ou você se esqueceu?

– Seu aniversário? – disse Tully e se levantou num salto. – Espere aqui.

Ela saiu correndo até seu quarto.

Estava com o coração disparado enquanto remexia a gaveta da mesa de cabeceira, espalhando suas coisas, procurando o colar de macarrão e contas que havia feito para a mãe no catecismo no ano anterior. A vovó havia feito cara feia ao vê-lo, dizendo-lhe que não tivesse grandes esperanças, mas Tully não conseguira evitar. Ela estava cheia de esperanças fazia anos. Enfiou o colar no bolso e voltou correndo para a sala, bem a tempo de ouvir a mãe dizer:

– Eu não estou bêbada, mamãe querida. Eu estou com a minha filha novamente pela primeira vez em três anos. O amor é a melhor droga.

– Seis anos. Ela tinha 4 da última vez que você a deixou aqui.

– Faz tanto tempo assim? – disse a mãe de Tully, parecendo confusa.

– Volte para casa, Dorothy. Eu posso ajudar você.

– Como ajudou da última vez? Não, obrigada.

Última vez? Mamãe havia voltado antes?

A vovó suspirou e então retesou o corpo.

– Por quanto tempo mais você vai usar isso contra mim?

– Não é exatamente o tipo de coisa que tenha data de vencimento, é? Vamos, Talullah.

A mãe dela já estava indo na direção da porta.

Tully franziu a testa. Isso não estava certo. Não era assim que as coisas deveriam acontecer. Sua mãe não a havia abraçado, beijado ou mesmo perguntado como ela estava. E todo mundo sabia que era preciso fazer uma mala para ir embora. Ela apontou para a porta do quarto.

– As minhas coisas...

– Você não precisa dessa parafernália materialista, Talullah.

Tully não fazia ideia do que a mãe dela estava falando.

– Ahn?

A vovó foi até Tully, lhe deu um abraço que tinha um cheiro doce e familiar, de talco e spray de cabelos. Aqueles eram os únicos braços que haviam abraçado Tully, aquela era a única pessoa que sempre a fizera sentir-se segura e, de repente, a menina sentiu medo.

– Vovó? – disse, soltando-se. – O que está acontecendo?

– Você vem comigo – respondeu a mãe, segurando no batente da porta para se equilibrar.

A avó a soltou e deu um passo para trás.

– Você sabe o nosso telefone e o endereço, certo? Ligue se ficar assustada ou se alguma coisa der errado.

A vovó estava chorando. Ver a avó forte e tranquila chorar deixou Tully desnorteada. O que estava havendo? O que fizera de errado?

– Eu sinto muito, vovó, eu...

A mamãe se lançou sobre ela e a agarrou pelos ombros, sacudindo-a com força.

– *Nunca* peça desculpas. Faz você parecer patética. Vamos embora.

Pegou a mão de Tully e a puxou na direção da porta.

Tully saiu tropeçando atrás da mãe para fora da casa, desceu os degraus da entrada e atravessou a rua até uma Kombi enferrujada com adesivos de flores por todos os lados e um gigantesco símbolo da paz pintado em amarelo na lateral. A porta se abriu e uma fumaça espessa e cinza saiu de dentro da van. Através da névoa, ela viu três pessoas. Um rapaz negro com um enorme penteado afro e tiara vermelha estava no assento do motorista. No banco de trás havia uma mulher de colete de franjas e calças listradas com um lenço marrom amarrado nos cabelos loiros. Ao seu lado, um homem de calças boca de sino e camiseta amarfanhada. O piso da van estava coberto por tapetes marrons de retalhos e havia alguns cachimbos espalhados, misturados com garrafas de cerveja vazias, embalagens de comida e fitas magnéticas.

– Esta é a minha filha, Talullah – disse a mamãe.

Tully não disse nada, mas detestava ser chamada de Talullah. Diria isso à mãe mais tarde, quando as duas estivessem a sós.

– Incrível – falou alguém.

– Ela é igualzinha a você, Dot. Que louco.

– Entre – disse o motorista rispidamente. – Vamos nos atrasar.

O homem de camiseta suja estendeu o braço na direção de Tully, agarrou-a pela cintura e puxou-a para dentro da van, onde ela se posicionou cuidadosamente de joelhos.

A mãe entrou na Kombi e bateu a porta. Uma música estranha pulsava como um coração dentro da van. Tudo o que ela conseguiu entender foram algumas palavras. A fumaça deixava tudo suave e um tanto fora de foco.

Tully se aproximou da lateral de metal para abrir espaço ao seu lado, mas a mãe se sentou perto da moça com lenço na cabeça. Elas imediatamente começaram a falar sobre porcos e marchas e sobre um homem chamado Kent. Nada daquilo fazia sentido para Tully, e a fumaça a estava deixando zonza. Quando o homem ao lado dela acendeu o cachimbo, ela não conseguiu segurar um pequeno suspiro de decepção.

O homem escutou e se virou para ela. Soprando uma nuvem de fumaça cinza bem no rosto da menina, sorriu e disse:

– Apenas acompanhe o ritmo, garotinha.

– Olhe o jeito que a minha mãe a veste – disse sua mãe com amargura. – Como se ela fosse uma bonequinha. Como ela vai *cair na real* se não pode se sujar?

– Pode crer, Dot – falou o sujeito, exalando mais fumaça e recostando-se.

A mamãe olhou para Tully pela primeira vez. Olhou *de verdade*.

– Não se esqueça disso, garota. A vida é mais do que cozinhar, limpar e ter filhos. A vida é ser livre. Fazer o que se quer. Você pode ser a porra da presidente dos Estados Unidos, se quiser.

– Até que seria bom ter um novo presidente, sem dúvida – comentou o motorista.

A mulher com o lenço no cabelo deu um tapinha na coxa da mamãe:

– É isso aí. Passa esse bagulho para mim, Tommy – pediu, rindo.

Tully fez uma careta, sentindo um novo tipo de vergonha na boca do estômago. Ela achava que ficava bonita com aquele vestido. E não queria ser presidente. Queria ser bailarina.

Mas, acima de tudo, queria que sua mãe a amasse. Foi chegando para o lado até ficar perto o bastante da mãe para tocá-la.

– Feliz aniversário – disse baixinho.

Enfiando a mão no bolso, tirou de dentro o colar em que havia trabalhado tanto, sofrido, até, continuando a colar purpurina até muito depois de as outras crianças terem saído da aula para brincar.

– Eu fiz para você.

Mamãe pegou o colar sem jeito e fechou os dedos ao redor dele. Tully ficou esperando que a mãe agradecesse e o pusesse no pescoço, mas ela não fez isso. Simplesmente ficou ali sentada, dançando ao som da música e conversando com os amigos.

Por fim, Tully fechou os olhos. A fumaça a estava deixando com sono. Durante a maior parte de sua vida, ela havia sentido falta da mãe, e não do jeito que se sente falta de um brinquedo perdido ou de uma amiga que parou de brincar com você porque você não empresta seus brinquedos. Ela sentia *saudade* da mãe. Era um sentimento que estava sempre dentro dela, um espaço vazio que doía durante o dia e era quase insuportável à noite.

Prometera a si mesma que, se a mãe um dia voltasse, ela seria boazinha. Perfeita. O que quer que tivesse feito ou dito de tão errado, ela consertaria ou mudaria. Mais do que qualquer outra coisa, queria que a mãe sentisse orgulho dela.

Mas agora ela não sabia o que fazer. Em seus sonhos, as duas sempre iam embora juntas sozinhas, apenas as duas, de mãos dadas.

"Aqui estamos", a mamãe dos seus sonhos dizia quando as duas subiam uma colina que levava à casa delas. "Lar, doce lar." Então ela beijava Tully no rosto e sussurrava: "Senti tanto a sua falta. Eu não estava por perto porque..."

– Talullah. Acorde.

Tully acordou num salto. Estava com a cabeça latejando e a garganta doendo. Quando tentou dizer *Onde estamos?*, tudo o que saiu foi um resmungo.

Todos deram risada e continuaram rindo enquanto saíam da van.

Era uma rua movimentada do centro de Seattle com gente por todo lado, cantando, gritando e segurando cartazes que diziam *Faça amor, não faça guerra* e *Não iremos à guerra*. Tully nunca tinha visto tanta gente num único lugar.

A mamãe segurou sua mão e a puxou para perto dela.

O resto do dia foi uma confusão de gente gritando palavras de ordem e cantando. Tully passou todos os momentos apavorada que de alguma forma pudesse largar da mão da mãe e ser arrastada pela multidão. Ela não se sentiu nem um pouco mais segura quando os policiais apareceram, porque eles traziam armas nos cintos, carregavam cassetetes e usavam escudos de plástico que protegiam seus rostos.

Mas a multidão apenas marchou e a polícia apenas observou.

Quando escureceu, ela estava cansada, com fome e dor de cabeça, mas eles continuavam caminhando, uma rua depois da outra. A multidão estava muito diferente agora. Todos haviam deixado os cartazes de lado e estavam bebendo. Às vezes ela ouvia frases inteiras ou pedaços de conversas, mas nada fazia sentido.

– Viram aqueles porcos? Eles estavam *morrendo* de vontade de quebrar nossos dentes, mas nós estávamos em paz, cara. Eles não podiam nos tocar. Ei, Dot, você está monopolizando esse baseado.

Todo mundo ao redor deu risada, a mãe mais do que todos. Tully não conseguiu entender o que estava acontecendo e estava com uma dor de cabeça terrível. Havia muita gente ao redor deles, rindo e dançando. De algum lugar, vinha uma música que tomava conta da rua.

E então, de repente, ela não estava se segurando a nada.

– Mamãe! – gritou.

Ninguém respondeu nem se virou para ela, embora houvesse pessoas por todo lado. Ela começou a empurrar as pessoas à procura da mãe, chamando por ela até não ter mais voz. Por fim, voltou ao local onde a vira pela última vez e ficou esperando na beira da calçada.

Ela vai voltar.

Tully sentiu as lágrimas ardendo em seus olhos e rolando pelo rosto enquanto ela estava ali sentada, esperando, tentando ser corajosa.

Mas sua mãe não voltou.

Durante anos após esse dia, ela tentou se lembrar do que havia acontecido depois, o que ela havia feito, mas todas aquelas pessoas eram como uma nuvem obscurecendo suas lembranças. Tudo de que se lembrava era de acordar sobre um degrau imundo de cimento numa rua completamente deserta e ver um policial a cavalo.

Lá de cima, ele franziu a testa para ela e perguntou:

– Ei, pequenina, você está perdida?

– Estou.

Foi tudo o que ela conseguiu dizer sem chorar.

Ele a levou de volta à casa na Queen Anne Hill, onde sua avó a abraçou apertado, beijou seu rosto e lhe disse que não era culpa dela.

Mas Tully sabia que era. De alguma forma, ela cometera um erro, havia feito algo feio. Da próxima vez que sua mãe viesse, ela se esforçaria mais. Prometeria se tornar presidente do país e nunca, nunca mais pediria desculpas.

Tully conseguiu uma tabela com os nomes dos presidentes dos Estados Unidos e decorou todos, na ordem da posse. Ela dizia a quem quer que perguntasse que seria a primeira mulher presidente. Chegou inclusive a desistir das aulas de balé. Em seu aniversário de 11 anos, enquanto vovó acendia as velas de seu bolo e cantava uma versão desanimada e chorosa de "Parabéns pra Você", Tully ficou olhando sem parar para a porta, pensando *é agora*, mas ninguém bateu e o telefone não tocou. Mais tarde, com as caixas de presentes abertas ao seu redor, ela tentou continuar sorrindo. Na frente dela, em cima da mesa de centro, havia um álbum de recortes vazio. Não era o melhor dos presentes, mas sua avó sempre lhe dava coisas assim – projetos para mantê-la ocupada e quieta.

– Ela nem ligou – disse Tully, levantando o olhar.

A vovó suspirou, desanimada.

– A sua mãe tem... problemas, Tully. Ela é fraca e confusa. Eu já lhe disse isso cem vezes. Você precisa parar de fingir que as coisas são diferentes. O que importa é que você é forte.

Tinha ouvido esse conselho inúmeras vezes.

– Eu sei.

A vovó se sentou ao lado de Tully no velho sofá floral e a colocou no colo.

Tully adorava quando a avó lhe dava colo. Ela se aninhou e apoiou o rosto no peito macio da vovó.

– Eu gostaria que as coisas fossem diferentes com a sua mãe, Tully, e esta é a mais pura verdade, mas ela é uma alma perdida. Já faz muito tempo.

– É por isso que ela não me ama?

A vovó olhou para ela. Os óculos de aros escuros aumentavam seus olhos cinza-claros.

– Ela ama você do jeito dela. É por isso que sempre volta.

– Não parece amor.

– Eu sei.

– Eu acho que ela nem gosta de mim.

– É de mim que ela não gosta. Aconteceu uma coisa muito tempo atrás e eu não… Bem, isso não importa agora – falou a avó, e abraçou Tully com mais força. – Um dia ela vai se arrepender de não ter passado todos esses anos ao seu lado. Tenho certeza disso.

– Eu poderia mostrar meu álbum de recortes a ela.

A vovó não olhou para Tully.

– Isso seria legal.

Depois de um longo silêncio, a avó disse:

– Feliz aniversário, Tully. – E a beijou na testa. – Agora é melhor eu ficar um pouco com o seu avô. Ele não está se sentindo bem hoje.

Depois que a avó saiu da sala, Tully ficou sentada olhando para a primeira página em branco de seu novo álbum de recortes. Seria o presente perfeito para dar à mãe um dia, para mostrar o que ela havia perdido. Mas com o que Tully o preencheria? Tinha algumas fotos de si mesma, tiradas principalmente pelas mães das amiguinhas em festas e passeios, mas não muitas. Os olhos da vovó não eram bons o bastante para aquelas lentes minúsculas das câmeras fotográficas. E da mãe só tinha uma foto.

Ela pegou uma caneta e escreveu cuidadosamente a data no canto superior direito da página. Então franziu a testa. O que mais? *Querida mamãe. Hoje foi meu aniversário de 11 anos...*

Depois desse dia, ela começou a colecionar objetos que mostravam sua vida. Fotos da escola, fotos dela praticando esportes, ingressos de cinema. Durante anos, sempre que tinha um bom dia, voltava correndo para casa e escrevia a respeito, colando qualquer recibo ou notinha que provasse onde ela havia estado ou o que havia feito. A certa altura, começou a criar algumas coisas, de forma que parecesse melhor. Não eram mentiras, apenas exageros. Qualquer coisa que algum dia pudesse levar a mãe a dizer que tinha orgulho dela. Ela preencheu aquele álbum de recortes e então outro e depois outro. A cada aniversário, ganhava um álbum novo em folha, até chegar à adolescência.

Até que, um dia, algo aconteceu com ela. Ela não sabia ao certo o quê; talvez os seios que tivessem crescido mais rápido do que os de qualquer outra menina, ou talvez ela apenas houvesse ficado cansada de registrar a vida em pedaços de papel que ninguém nunca pedia para ver. Aos 14 anos, ela parou. Depositou todos os seus álbuns de menina numa caixa de papelão grande, que enfiou no fundo do armário, e pediu que a avó não comprasse mais nenhum.

– Tem certeza, querida?

– Tenho – respondeu.

Ela não se importava mais com a mãe e tentava nunca pensar nela. Na verdade, passou a dizer a todo mundo na escola que a mãe morrera num acidente de barco.

A mentira a libertou. Ela parou de comprar suas roupas no setor infantil e passou para a área juvenil. Comprava miniblusas justas que exibiam seus peitos e calças boca de sino de cintura baixa que deixavam seu bumbum bonito. Precisava esconder essas roupas da avó, mas isso era fácil: com um casaco largo e comprido e um aceno rápido, saía de casa usando o que bem entendesse.

Ela descobriu que, se usasse as roupas certas e agisse de determinada maneira, era aceita pelos meninos e meninas populares. Nas noites de sexta e sábado, dizia à avó que dormiria na casa de uma amiga e ia andar de patins em Lake Hills, onde ninguém nunca perguntava a ela sobre sua família ou olhava para ela como se ela fosse a "pobre Tully". Aprendeu a fumar sem tossir e a mascar chiclete para disfarçar o hálito.

Na oitava série, era uma das garotas mais populares da escola; e ter tantos amigos ajudava. Quando se ocupava, não pensava na mulher que não a queria.

Ela já não se sentia tão solitária. Mas em algumas ocasiões tinha a impressão de estar... à margem de tudo. Como se todas as pessoas com quem ela andava estivessem apenas fazendo figuração.

Era o que acontecia naquele momento. Estava em silêncio no lugar de sempre no ônibus escolar, ouvindo o zum-zum-zum das conversas ao redor. Todo mundo parecia estar falando sobre coisas de família. Ela não tinha nada a acrescentar a essas conversas. Não sabia nada sobre brigar com o irmão mais novo, ficar de castigo por responder aos pais ou ir ao shopping com a mãe. Felizmente, quando o ônibus parou em seu ponto, ela saiu rápido, dando um tchau animado para as amigas, rindo alto e acenando. Fingindo – o que se tornara um hábito nos últimos tempos.

Assim que o ônibus se afastou, ela pôs a mochila nos ombros e começou a longa caminhada para casa. Havia acabado de virar a esquina quando a viu.

Lá, estacionada do outro lado da rua, na frente da casa da avó, uma velha Kombi vermelha. Os adesivos de flores ainda estavam colados nas laterais.

Três

Ainda estava escuro quando o despertador de Kate Mularkey tocou. Ela resmungou e permaneceu deitada, olhando fixamente para o teto inclinado. Só de pensar em ir à escola, já se sentia mal.

Para ela, a oitava série era um horror: 1974 havia se revelado um ano péssimo, um deserto social. Graças a Deus, faltava apenas um mês para as aulas terminarem. Não que o verão prometesse ser melhor.

Na sexta série, ela tivera duas grandes amigas. Faziam tudo juntas – exibiam seus cavalos, frequentavam o grupo de jovens e andavam de bicicleta de casa em casa. No verão em que fizeram 12 anos, tudo acabou. As amigas piraram; não havia outra forma de descrever o que acontecera. Passaram a fumar maconha antes da escola, a matar aulas, e nunca perdiam uma festa. Como Kate não as acompanhava, elas a deixaram de lado. Ponto. E os meninos e meninas "bons" não se aproximavam dela porque ela fizera parte do clube das maconheiras. Agora, os livros eram seus únicos amigos. Havia lido *O Senhor dos Anéis* tantas vezes que era capaz de recitar cenas inteiras de cor.

Não era o tipo de coisa que a ajudasse a se tornar popular.

Suspirou e saiu da cama. No minúsculo closet do andar de cima que recentemente havia sido transformado em banheiro, ela tomou uma ducha rápida, fez uma trança nos cabelos louros lisos e pôs os óculos de aros grossos. Eles estavam absolutamente fora de moda – o que se usava agora eram óculos de lentes redondas sem aros, mas seu pai dissera que ainda não dava para comprar outra armação.

No andar de baixo, ela foi até a porta dos fundos, dobrou as calças até as canelas e calçou as imensas botas pretas de borracha que ficavam nos degraus de concreto. Caminhando como Neil Armstrong, ela atravessou o lamaçal até o galpão que ficava na parte de trás do terreno. A velha égua da família veio mancando até a cerca e a cumprimentou relinchando.

– Oi, Sweetpea – disse Kate, atirando um maço de feno no chão e coçando a orelha aveludada do animal. – Também senti sua falta.

E era verdade. Dois anos antes, elas tinham sido insepará-veis. Kate montara aquela égua durante todo o verão e ganhara vários prêmios na feira de Snohomish.

Mas as coisas mudavam rápido. Agora ela sabia disso. Um cavalo podia envelhecer da noite para o dia e ficar manco. Um amigo podia se tornar um estranho com a mesma rapidez.

– Tchau.

Ela claudicou o caminho escuro e enlameado de volta e deixou as botas na varanda.

Quando abriu a porta dos fundos, entrou num pande-mônio. Sua mãe estava dentro da pequena cozinha, prepa-rando o café da manhã e berrando uma resposta a alguma pergunta desconhecida. Como sempre, estava na frente do fogão usando seu vestido de flores desbotado e pantufas cor--de-rosa de pelo embolado, fumando um cigarro mentolado Eve e despejando massa sobre uma frigideira elétrica retangu-lar de bordas arredondadas. Os cabelos na altura dos ombros estavam presos em marias-chiquinhas mirradas, amarradas com fita cor-de-rosa.

– Ponha a mesa, Katie – pediu ela, sem levantar o olhar. – Sean! Desça.

Kate obedeceu. Pouco antes de terminar a tarefa, a mãe estava atrás dela, servindo leite nos copos.

– Sean… café! – berrou a mãe de novo para o andar de cima. Desta vez, acrescentou as palavras mágicas: – Já servi o leite.

Em segundos, seu irmão de 8 anos desceu correndo a escada e se atirou na direção da mesa de fórmica bege, dando risada ao tropeçar no filhote de labrador que havia entrado recentemente para a família.

Kate estava prestes a se sentar no lugar de sempre quando olhou para a sala do outro lado da cozinha. Pela janela grande que ficava acima do sofá, ela viu algo que a surpreendeu. Uma van de mudança virando na entrada de garagem da casa do outro lado da rua.

– Nossa.

Ela cruzou os dois cômodos carregando seu prato e ficou na janela, olhando através dos 12 mil metros quadrados de terreno da família e colina abaixo, para a casa do outro lado da rua, que estivera desocupada desde sempre.

Ouviu os passos da mãe, ruidosos sobre o piso de linóleo da cozinha que imitava tijolos e silenciosos ao passar para o tapete verde-musgo da sala de estar.

– Alguém está se mudando para o outro lado da rua – disse Kate.

– É mesmo?

Não. Estou mentindo.

– Talvez tenham uma menina da sua idade. Seria legal você ter uma amiga.

Kate conteve uma resposta irritada. Só as mães achavam que era fácil fazer amizades na escola.

– Tanto faz.

Ela se virou abruptamente, levando o prato para o corredor, onde terminou o café da manhã em paz embaixo do quadro de Jesus.

Como era de esperar, sua mãe a seguiu. Ficou parada ao lado do quadro de tapeçaria da Santa Ceia sem dizer nada.

– O que foi? – disparou Kate quando não conseguiu mais aguentar.

O suspiro da mãe foi tão baixinho que mal deu para escutar.

– Por que estamos sempre discutindo ultimamente?

– É você quem começa.

– Dizendo olá e perguntando como você está? É, eu sou uma bruxa.

– É você quem está dizendo.

– Não é minha culpa, sabe?

– O que não é sua culpa?

– Que você não tenha nenhum amigo. Se você…

Kate saiu de perto. Em nome de São Judas, se ouvisse mais um sermão na linha de que ela precisava se esforçar mais, iria vomitar.

Felizmente – para variar –, a mãe não a seguiu. Em vez disso, voltou à cozinha, chamando:

– Rápido, Sean. O ônibus escolar dos Mularkey sai em dez minutos.

O irmão dela riu. Kate revirou os olhos. Achava ele tão idiota. Como podia rir da mesma piada idiota todos os dias?

A resposta veio tão rápido quanto a pergunta: era porque ele tinha amigos. A vida com amigos tornava tudo mais fácil.

Ela se escondeu no quarto até ouvir a partida do motor da velha perua Ford. A última coisa que queria era que a mãe a levasse para a escola, para ficar gritando tchau e acenando feito uma participante de programa de TV quando Kate saísse do carro. Todo mundo sabia que era suicídio social ser levado à escola pelos pais. Quando ouviu o barulho dos pneus passando lentamente pelo cascalho da entrada da garagem, desceu novamente, lavou a louça, juntou suas coisas e saiu da casa. Do lado de fora, o sol estava brilhando, mas a chuva da noite anterior havia salpicado a entrada de carros com buracos de lama do tamanho de pneus. Sem dúvida, os veteranos da loja de ferragens já estavam começando a comentar sobre a enchente. A lama colava nas solas de seus sapatos, fazendo-a diminuir a velocidade. Estava tão preocupada em não estragar suas únicas meias coloridas que já estava no final da entrada de carros quando percebeu a menina parada do outro lado da rua.

Ela era maravilhosa. Alta e com peitos grandes, tinha cabelos castanho-avermelhados compridos e cacheados e o rosto da princesa Caroline de Mônaco, além de pele clara, lábios carnudos e cílios longos. E as *roupas*: ela estava usando uma calça jeans de cintura baixa com três botões muito bacana, com enormes retalhos de tecido em tie-dye na bainha formando bocas de sino. Seus sapatos plataforma de solado de cortiça tinham saltos de dez centímetros e a bata cor-de-rosa com mangas morcego exibiam pelo menos cinco centímetros de barriga.

Kate abraçou seus livros desejando que não tivesse espremido suas espinhas na noite anterior. Ou que não estivesse usando jeans masculinos da Sears.

– O-oi – disse ela, ao parar no seu lado da rua. – A parada do ônibus é do lado de cá – avisou.

Os olhos cor de chocolate com muito rímel preto e uma sombra azul brilhante a encararam sem revelar nada.

Naquele momento, o ônibus da escola chegou. Chiando e rangendo, parou na rua. Um menino por quem ela tinha uma queda enfiou a cabeça pela janela e gritou:

– Ei, Kootie, a enchente já baixou! – e deu risada.

Kate baixou a cabeça e entrou no ônibus. Depois de se sentar no costumeiro assento da frente – sozinha –, ela manteve a cabeça abaixada, esperando que a menina nova passasse por ela, mas ninguém mais embarcou. Quando as portas se fecharam e o ônibus arrancou, ousou olhar de volta para a rua.

A menina com o jeito mais bacana do mundo não estava lá.

Tully já não havia se encaixado. Levara duas horas escolhendo suas roupas naquela manhã – uma composição vinda diretamente das páginas da revista *Seventeen* – e tudo o que vestira estava inadequado.

Quando o ônibus escolar chegou, ela tomara uma decisão

rápida. Não iria à escola naquele lugar cheio de caipiras. Snohomish devia ficar a menos de uma hora do centro de Seattle, mas, para ela, parecia estar na lua. Eis quanto aquele lugar era esquisito.

Não.

De jeito nenhum.

Ela marchou pela entrada de carros feita de cascalho e empurrou a porta da frente com tanta força que a bateu contra a parede.

Havia aprendido que uma boa dramatização enfatizava as suas intenções.

– Você deve estar chapada – disse ela em voz alta, percebendo um pouco tarde demais que as únicas pessoas na sala eram os homens da mudança.

Um deles fez uma pausa e olhou sem ânimo para ela.

– Ahn?

Ela passou por eles, dando um encontrão tão forte no armário que eles praguejaram baixinho. Não que ela se importasse. Detestava ficar daquele jeito, bufando de raiva.

Não permitiria que sua suposta mãe a fizesse se sentir toda errada, não depois de todas as vezes que aquela mulher a abandonara.

Na suíte, sua mãe estava sentada no chão, recortando fotos da revista *Cosmopolitan*. Como sempre, seus cabelos compridos e ondulados estavam desgrenhados, com uma faixa antiquada de couro e contas. Sem olhar para cima, ela ficou olhando para a página seguinte, onde um sorridente Burt Reynolds nu cobria o pênis com uma das mãos.

– Eu *não* vou estudar nessa escola provinciana. Eles são um bando de caipiras.

– Ah – fez a mãe, que virou a página novamente, pegou a tesoura e começou a recortar um ramo de flores de um anúncio. – Tudo bem.

Tully quis gritar.

– Tudo bem? Tudo bem? Eu tenho 14 anos.

– Minha função é amar e apoiar você, não dar bronca.

Tully fechou os olhos, contou até dez e disse de novo:

– Eu não tenho nenhum amigo aqui.

– Faça novos amigos. Ouvi dizer que você era a Miss Popularidade na sua antiga escola.

– Qual é, mamãe, eu...

– Nuvem.

– Não vou chamá-la de Nuvem.

– Está bem, Talullah.

A mãe ergueu o olhar para se certificar de que ela havia sido clara. E havia.

– Meu lugar não é aqui.

– Você sabe muito bem que as coisas não são assim, Tully. Você é uma filha da terra e do céu, seu lugar é em todos os lugares. A Bhagavad Gita diz que...

– Chega.

Tully virou as costas e se afastou, deixando a mãe falando sozinha. A última coisa que queria ouvir era algum conselho sem sentido vindo de uma hippie drogada. Na saída de casa, tirou um maço de cigarros Virginia Slims da bolsa da mãe e seguiu para a rua.

❧

Durante a semana seguinte, Katie ficou observando a distância a menina nova.

Tully Hart era diferente, de um jeito ousado e bacana: tinha uma espécie de brilho que ofuscava todas as outras pessoas que passavam pelos corredores verdes desbotados da escola. Ela não tinha hora para voltar para casa e não se importava de ser flagrada fumando no bosque atrás da escola. Todo mundo estava falando sobre isso. Katie podia perceber o espanto nas vozes ao sussurrarem coisas sobre ela. Para os adolescentes que haviam crescido nas fazendas de gado leiteiro e nas casas de operários da fábrica de papel do vale Snohomish, Tully Hart era exótica. Todos queriam ser amigos dela.

A popularidade instantânea da vizinha tornou a exclusão de Kate ainda mais insuportável. Ela não sabia ao certo por que isso a feria tanto. Tudo o que sabia era que, todas as manhãs, quando as duas ficavam paradas no ponto de ônibus uma ao lado da outra e, no entanto, com um mundo de distância, separadas por um silêncio absoluto, Kate sentia um desejo desesperado de ser reconhecida por Tully.

Não que isso algum dia fosse acontecer.

– ... antes de o programa de Carol Burnett começar. Está pronto. Kate? Katie?

Kate levantou a cabeça. Havia caído no sono em cima do livro de estudos sociais na mesa da cozinha.

– Ahn? O que você disse? – perguntou ela, pondo de volta os óculos pesados.

– Preparei macarrão com carne para as nossas novas vizinhas. Quero que você leve.

– Mas... – Kate tentou pensar numa desculpa, qualquer coisa que a tirasse daquela situação. – Elas já se mudaram há uma semana.

– Então eu estou atrasada. As coisas andam meio complicadas ultimamente.

– Eu tenho muito dever de casa. Mande o Sean.

– Acho que Sean não vai conseguir fazer amizades lá, não é?

– Eu também não – respondeu Kate com certa melancolia.

A mãe a encarou. Os cabelos castanhos que ela enrolara e penteara com tanto cuidado naquela manhã haviam despencado durante o dia, e a maquiagem desbotara. Agora, seu rosto redondo de maçãs salientes parecia pálido e abatido. Seu colete roxo e amarelo – presente de Natal do ano anterior – estava abotoado de maneira errada. Encarando Kate, atravessou a cozinha e sentou à mesa.

– Você não fica furiosa comigo se eu disser uma coisa?

– Não posso garantir nada.

– Eu sinto muito em relação a você e Joannie.

De todas as coisas que Kate poderia esperar ouvir, aquela nem apareceria na lista.

– Não tem importância.

– Tem importância, sim. Ouvi falar que ela tem andado com um pessoal muito suspeito ultimamente.

Kate queria dizer que ela não se importava nem um pouco, mas, para seu horror, sentiu os olhos se encherem de lágrimas. Foi tomada pelas lembranças – de Joannie e ela andando na roda-gigante na última feira, das duas sentadas do lado de fora dos estábulos, conversando sobre como o próximo ano na escola seria legal. Ela deu de ombros.

– É.

– A vida é dura às vezes. Principalmente aos 14 anos.

Kate revirou os olhos. Se havia uma coisa de que tinha certeza era que a mãe não sabia nada sobre como a vida podia ser dura para uma adolescente.

– É uma merda mesmo.

– Vou fingir que não ouvi você dizer essa palavra. Vai ser fácil, porque nunca mais vou voltar a ouvir. Certo?

Kate desejou ser como Tully. Ela *jamais* recuaria com facilidade. Ela provavelmente acenderia um cigarro naquele momento e desafiaria a mãe a dizer alguma coisa.

A mãe revirou o bolso da saia e encontrou seus cigarros. Depois de acender um, analisou Kate.

– Sabe, eu amo você, eu a apoio e eu nunca deixaria ninguém magoá-la. Mas, Katie, eu preciso perguntar: o que é que você está esperando?

– O que você quer dizer?

– Você passa todo o seu tempo lendo e fazendo dever de casa. Como as pessoas vão conhecê-la se age dessa maneira?

– As pessoas não querem me conhecer.

A mãe tocou sua mão de forma gentil.

– Nunca é bom ficar sentada esperando que alguém ou alguma coisa mude a nossa vida. É por isso que mulheres como Gloria Steinem estão queimando sutiãs e fazendo protestos em Washington.

– Para que eu possa fazer amizades?

– Para que você saiba que pode ser o que quiser. A sua geração tem muita sorte. Vocês podem ser o que quiserem. Mas você precisa se arriscar às vezes. Se abrir para o mundo. Uma coisa que eu posso lhe dizer com certeza é o seguinte: na vida, a gente só se arrepende do que não faz.

Kate ouviu algo estranho na voz de sua mãe, uma tristeza que marcou a palavra "arrepende". Mas o que sua mãe poderia saber sobre o campo de batalha da popularidade do mundo escolar? Fazia décadas que ela havia sido adolescente.

– É, tá certo.

– É verdade, Kathleen. Um dia você vai ver como eu sou inteligente – garantiu a mãe, sorrindo e lhe dando um tapinha na mão. – Se você for como todos nós, isso vai acontecer mais ou menos quando você quiser que eu fique de babá para você pela primeira vez.

– Do que você está falando?

Sua mãe riu de alguma piada que Kate nem sequer entendeu.

– Estou feliz por termos conversado. Agora, vá. Vá fazer amizade com a nova vizinha.

É. Isso certamente ia acontecer.

– Use as luvas térmicas. Ainda está quente – avisou a mãe.

Perfeito. As luvas de cozinha.

Kate foi até o balcão e ficou olhando para a massa com molho marrom-avermelhado.

Desanimada, pôs um pedaço de papel-alumínio em cima, dobrou as pontas para baixo e então vestiu as luvas fofas de patchwork azul que sua tia Georgia havia feito. Na porta dos fundos, encaixou seus pés com meias nos sapatos que estavam na varanda e seguiu pela lama da entrada de carros.

A casa do outro lado da rua era comprida e baixa, uma construção em forma de L que ficava de costas para a rua. O teto estava coberto de limo. As laterais cor de marfim precisavam de pintura e as calhas estavam cheias de folhas e galhos. Arbustos gigantes de rododendros escondiam a maioria das janelas e zimbros criavam uma barreira verde e cheia de espinhos que percorria todo o comprimento da casa. Ninguém cuidava do quintal fazia anos.

Na porta da frente, Kate fez uma pausa e respirou fundo. Então, equilibrando a caçarola com a massa em uma das mãos, tirou uma luva e bateu.

Por favor, que não tenha ninguém em casa.

Quase que instantaneamente, ela ouviu passos lá dentro.

A porta se abriu, revelando uma mulher alta com uma túnica esvoaçante. Usava uma tiara indiana de contas em volta da testa e brincos que não combinavam. Os olhos dela tinham um embotamento estranho, como se precisasse de óculos, mas não os estivesse usando. Mesmo assim, era bonita, de um jeito elegante e delicado.

– Sim?

Uma música pulsante e esquisita parecia vir de vários lugares ao mesmo tempo. Embora as luzes estivessem desligadas, várias lâmpadas de lava estavam acesas e borbulhando em estranhas caixas verde e vermelhas.

– O-olá – gaguejou Kate. – Minha mãe preparou este macarrão para vocês.

– Falou – disse a mulher, tropeçando para trás e quase caindo.

De repente, Tully estava passando pela porta; deslizando, na verdade, movimentando-se com a graça e a confiança que lembrava mais uma estrela de cinema do que uma adolescente. Usando um minivestido de um azul forte e botas de cano alto brancas, ela parecia ter idade suficiente para dirigir. Sem dizer nada, agarrou o braço de Kate e a puxou pela sala até uma cozinha em que tudo era rosa-choque: as paredes, os armários, as cortinas, os azulejos, a mesa. Quando Tully olhou para ela, Kate acreditou ter visto algo que parecia vergonha naqueles olhos escuros.

– Aquela é a sua mãe? – perguntou Kate, sem saber o que dizer.

– Ela tem câncer.

– Ah. – Kate não soube o que dizer, exceto: – Sinto muito.

O ambiente ficou em silêncio. Em vez de olhar nos olhos de Tully, Kate analisou a mesa. Nunca na vida tinha visto tanta besteira num único lugar: biscoitos recheados, cereais açucarados, bolinhos, pacotes de salgadinhos.

– Nossa. Queria que a minha mãe me deixasse comer todas essas coisas.

Kate imediatamente desejou que não tivesse dito nada. Agora ela estava muito sem graça. Para ter alguma coisa a fazer e algo para que olhar além do rosto indecifrável de Tully, ela pôs a travessa em cima do balcão.

– Ainda está quente – disse, na verdade meio inutilmente, considerando que estava usando luvas de forno parecidas com orcas.

Tully acendeu um cigarro e se encostou na parede cor-de-rosa, olhando para ela.

Kate olhou para a porta que dava para a sala.

– Ela não se importa que você fume?

– Ela está doente demais para se importar.

– Ah.

– Quer um trago?

– Ahn… não. Obrigada.

– É. Eu imaginei.

Na parede, o relógio em forma de gato bateu o rabo.

– Bem, você provavelmente precisa voltar para casa para o jantar – disse Tully.

– Ah – fez Kate de novo, parecendo ainda mais nerd do que antes. – Certo.

Tully a guiou de volta até a sala, onde sua mãe agora estava atirada no sofá.

– Tchau, menina do outro lado da rua que faz coisas bacanas de vizinhos.

Tully abriu a porta. Do outro lado, a noite que caía era um retângulo roxo indistinto que parecia vívido demais para ser real.

– Obrigada pela comida – disse ela baixinho. – Eu não sei cozinhar e o cérebro da Nuvem está frito, se entende o que eu quero dizer.

– Nuvem?

– É o nome atual da minha mãe.

– Ah.

– Seria legal se eu soubesse cozinhar. Ou se tivéssemos uma cozinheira ou coisa parecida. Como a mamãe está com câncer, e tal – disse Tully, e olhou para ela.

Diga que você pode ensiná-la.

Arrisque-se.

Mas ela não conseguiu dizer. O potencial de humilhação era grande demais.

– Bem... tchau.

– Até mais tarde.

Kate passou por ela e saiu para ganhar a noite.

Estava no meio do caminho quando Tully a chamou:

– Ei, espere.

Kate se virou lentamente.

– Qual é o seu nome?

Ela sentiu um lampejo de esperança.

– Kate. Kate Mularkey.

Tully riu.

– Mularkey? Que nome esquisito.

Já não era mais engraçado esse tipo de comentário a respeito do sobrenome dela. Kate suspirou e se virou novamente.

– Eu não tive intenção de rir – disse Tully, mas não parou.

– Ok. Que seja.

– Ótimo. Aja como uma vaca, por que não?

Kate continuou caminhando.

Quatro

Tully ficou olhando a menina se afastar.

– Eu não devia ter dito aquilo – disse ela em voz alta, percebendo como sua voz não era nada diante da imensidão do céu estrelado.

Ela nem sabia ao certo por que dissera aquilo, por que de repente sentira necessidade de caçoar da vizinha. Dando um suspiro, voltou para dentro de casa. No instante em que entrou na sala, o cheiro de maconha a oprimiu, fazendo seus olhos arderem. Sua mãe estava no sofá com uma perna atirada sobre a mesa de centro e outra no encosto. Estava com a boca aberta, com baba brilhando nos cantos dos lábios.

E a menina da casa em frente vira aquilo. Tully sentiu uma onda de vergonha. Sem dúvida, os boatos já teriam chegado à escola na segunda-feira. *A mãe de Tully Hart é uma drogada.*

Era por isso que nunca convidava ninguém para ir à sua casa. Quando se guarda segredo, é preciso fazer isso sozinha, no escuro.

Ela teria dado qualquer coisa para ter o tipo de mãe que prepara o jantar para estranhos. Talvez por isso ela tivesse zombado do nome da menina. Esse pensamento a irritou, e ela bateu a porta com força atrás de si.

– Nuvem. Acorde.

Sua mãe respirou fundo, roncando, e se sentou.

– O que houve?

– É hora do jantar.

A mãe afastou os cabelos dos olhos e se esforçou para focar o relógio na parede.

– O que é isso… estamos num asilo? São cinco horas.

Tully se surpreendeu que a mãe ainda soubesse ver as horas. Foi até a cozinha, serviu a comida em dois pratos brancos e voltou para a sala.

– Pegue – disse, entregando o prato e um garfo para a mãe.

– De onde veio isso? Você cozinhou?

– Claro que não. A vizinha trouxe para nós.

Nuvem olhou ao redor como se estivesse perdida.

– Nós temos vizinhos?

Tully não se deu o trabalho de responder. A mãe sempre se esquecia sobre o que elas estavam falando mesmo. Isso tornava qualquer conversa impossível. Normalmente, Tully não se importava – tinha tanta vontade de conversar com Nuvem quanto de assistir a filmes em preto e branco. Mas, agora, depois da visita daquela menina, Tully sentia de um jeito ainda mais forte como sua situação era diferente da que os outros adolescentes viviam. Se tivesse uma família de verdade – uma mãe que preparasse comida e mandasse de presente para vizinhos novos –, ela não se sentiria tão sozinha. Sentou-se num dos pufes mostarda em formato de pera ao lado do sofá e disse:

– O que será que a vovó está fazendo agora?

– Provavelmente preparando um daqueles bordados horrorosos com orações. Como se isso fosse salvar a alma dela. Rá. Como está a escola?

Tully virou a cabeça rapidamente. Nem acreditou que a mãe houvesse perguntado sobre a vida dela.

– Um monte de gente anda comigo, mas... – começou, e franziu a testa.

Como poderia descrever sua insatisfação? Tudo o que sabia era que se sentia solitária ali, mesmo com os novos amigos.

– Eu fico querendo... – tentou continuar, e encolheu os ombros. – Não sei. Eu queria...

– Nós temos ketchup? – perguntou a mãe, olhando com ar intrigado para sua montanha de macarrão, cutucando-a com o garfo enquanto se balançava ao ritmo da música.

Tully detestou a decepção que sentiu. Sabia que não devia esperar nada da mãe.

– Vou para o meu quarto – disse ela, levantando-se.

A última coisa que ouviu antes de bater a porta do quarto foi a mãe dizendo: "Talvez ficasse melhor com queijo."

Mais tarde, muito depois de todos terem ido para a cama, Kate foi até o andar de baixo, calçou as enormes botas de borracha do pai e saiu. Aquilo vinha se tornando um hábito ultimamente: sair quando não conseguia dormir. Acima dela, o imenso céu negro estava salpicado de estrelas. Aquele céu fazia com que ela se sentisse pequena e desimportante. Uma menina solitária olhando para uma rua vazia que não dava em lugar algum.

Sweetpea relinchou e trotou na sua direção.

Ela subiu na madeira mais alta da cerca.

– Olá, garota – disse, tirando uma cenoura do bolso do casaco.

Kate olhou para a casa do outro lado da rua. Era meia-noite e as luzes ainda estavam acesas.

Sem dúvida, Tully estaria dando uma festa para todo o pessoal popular da escola. Eles provavelmente estavam rindo, dançando e falando sobre como eram bacanas.

Kate daria tudo o que tinha para ser convidada para apenas uma festa daquelas.

Sweetpea cutucou seu joelho e bufou.

– Eu sei. Eu estou sonhando.

Com um suspiro, ela desceu da cerca, fez um último carinho em Sweetpea e voltou para a cama.

Algumas noites mais tarde, depois de jantar bolinhos recheados e cereal, Tully tomou um banho demorado, raspou as pernas e as axilas cuidadosamente e secou os cabelos até eles ficarem lisos desde a raiz, sem um único cacho ou fio fora do lugar. Então foi até o armário e ficou tentando decidir o que vestir. Seria sua primeira festa do colegial. Ela precisava estar bem. Nenhuma das outras meninas do ginásio havia sido convidada. Ela era A Escolhida. Pat Richmond – o cara mais bonitão do time de futebol – havia escolhido Tully para ir com ele. Haviam se encontrado na lanchonete local na última quarta-feira à noite, o grupo de amigos dele e o dela. Bastou uma troca de olhares entre os dois. Pat se afastou do bando de caras enormes com quem estava e foi direto até Tully.

Ela o viu caminhando em sua direção e quase desmaiou. O jukebox tocava "Stairway to Heaven". Mais romântico, impossível.

– Eu poderia me encrencar só de conversar com você – disse ele.

Ela tentou parecer madura e experiente ao dizer:

– Eu gosto de encrencas.

O sorriso que ele lhe deu foi diferente de tudo o que ela já vira. Pela primeira vez na vida, se sentiu tão bonita quanto as pessoas sempre diziam que ela era.

– Quer ir à festa comigo na sexta-feira?

– Acho que posso dar um jeito – disse ela.

Era uma frase que ela vira Erica Kane dizer numa novela.

– Eu pego você às dez – falou ele. E, inclinando-se mais para perto dela, completou: – A menos que isso seja depois da sua hora de dormir, garotinha.

– Alameda dos Vaga-lumes, número 17. E eu não tenho hora de dormir.

Ele sorriu de novo.

– Meu nome é Pat, aliás.

– O meu é Tully.

– Bem, Tully, vejo você às dez.

Tully ainda não conseguia acreditar naquilo. Nas últimas 48 horas, ela havia pensado de forma obsessiva naquele primeiro encontro de verdade. Todas as outras vezes que ela saíra com meninos fora em grupo ou em algum baile da escola. Mas agora era muito diferente, e Pat era praticamente um homem.

Eles poderiam se apaixonar, ela sabia disso. E então, de mãos dadas com ele, ela deixaria de se sentir tão solitária.

Ela finalmente escolheu a roupa que iria usar.

Jeans de cintura baixa com três botões e boca de sino, uma blusa decotada de linha cor-de-rosa e seus sapatos plataforma de cortiça preferidos. Ela passou quase uma hora se maquiando, passando mais e mais maquiagem até ficar linda. Mal podia esperar para mostrar a Pat como podia ficar bonita.

Pegou um maço de cigarros da mãe e saiu do quarto.

Na sala, sua mãe levantou o olhar vidrado da revista que estava lendo.

– Ei, já são quase dez horas. Aonde você vai?

– Um cara me convidou para uma festa.

– Ele está aqui?

Claro. Como se Tully fosse convidar alguém para entrar.

– Eu vou me encontrar com ele na rua.

– Ah, ótimo. Não me acorde quando chegar em casa.

– Pode deixar.

Lá fora estava escuro e frio. A Via Láctea se estendia no céu como um caminho de estrelas.

Ela ficou esperando ao lado da caixa de correspondência, trocando o peso do corpo de um pé para o outro para se manter aquecida. Estava com os braços arrepiados. O anel do humor em seu dedo mudou de verde para roxo. Tully tentou lembrar o que isso significava.

Do outro lado da rua, ladeira acima, a bonita casinha de fazenda brilhava na escuridão. Cada janela era como um tablete de manteiga quente derretendo. Eles provavelmente estavam em casa, reunidos ao redor de uma mesa grande, jogando War. Ela imaginou o que eles fariam se ela simplesmente os visitasse um dia, aparecesse na varanda e dissesse "oi".

Ela ouviu o carro de Pat antes de ver os faróis. Com o rugido do motor, ela se esqueceu completamente da família do outro lado da rua e desceu da calçada, acenando.

O Dodge Charger verde parou ao lado dela. O carro parecia pulsar com o som vibrante. Ela se sentou no banco do carona. A música estava tão alta que ela teve certeza de que ele não escutaria o que ela dissesse.

Sorrindo para ela, Pat pisou no acelerador e os dois partiram feito um foguete, fazendo barulho na silenciosa rua rural.

Quando viraram numa rua de cascalho, ela viu a festa que estava acontecendo mais para baixo. Havia dezenas de carros parados, formando um imenso círculo num pasto, com os faróis acesos. "Taking Care of Business", do Bachman Turner Overdrive, retumbava dos rádios dos carros. Pat parou na fileira de árvores que ficava ao longo da cerca.

O pessoal estava espalhado por todo canto. Tinha gente reunida ao redor das chamas da fogueira, de pé ao lado dos barris de cerveja instalados no gramado. O chão estava cheio de copos plásticos vazios. Perto do celeiro, um grupo de rapazes jogava futebol americano. Era fim de maio, ainda faltava um tempo para o verão, e a maioria das pessoas estava usando casacos. Ela desejou não ter se esquecido do seu.

Pat segurou a mão dela com força, guiando-a através dos vários casais na direção de um barril de cerveja, do qual serviu dois copos cheios.

Com seu copo na mão, ela deixou que ele a levasse até um ponto tranquilo logo atrás do perímetro de carros. Lá, ele estendeu a jaqueta no chão e deixou que ela se sentasse.

– Eu não acreditei quando vi você – disse Pat, sentando-se perto dela, bebendo a cerveja. – Você é a garota mais bonita que esta cidade já viu. Todo mundo quer ficar com você.

– Mas é você quem está comigo – falou ela, sorrindo.

Tully tinha a sensação de estar mergulhando nos olhos escuros dele.

Ele tomou um grande gole de cerveja, praticamente esvaziando o copo, então se sentou e a beijou.

Outros caras já a haviam beijado antes. Na maior parte das vezes, foram tentativas atrapalhadas e nervosas enquanto dançavam uma música lenta. Desta vez foi diferente. A boca de Pat parecia mágica. Ela suspirou feliz, sussurrando o nome dele. Quando ele se afastou, estava olhando para ela com o mais puro e brilhante amor nos olhos.

– Estou feliz que você esteja aqui.

– Eu também.

Ele terminou a cerveja e se levantou.

– Preciso de mais cerveja.

Os dois estavam na fila do barril quando ele franziu a testa para ela.

– Ei, você não está bebendo. Achei que gostava de festas.

– E gosto.

Ela abriu um sorriso nervoso. Na realidade, nunca havia bebido antes, mas ele não ia querer ficar com ela se bancasse a nerd, e ela estava desesperada para que ele gostasse dela.

– Saúde – disse ela, virando o copo plástico nos lábios e bebendo toda a cerveja em tempo recorde.

Não conseguiu controlar um arroto quando terminou e deu uma risadinha.

– Legal! – disse ele, assentindo com a cabeça e servindo mais dois copos.

O segundo copo não desceu tão mal e, no terceiro, Tully havia perdido completamente o paladar. Quando Pat trouxe uma garrafa de vinho, ela bebeu um pouco também. Durante quase uma hora, ficaram sentados em cima do casaco dele, abraçados, bebendo e conversando. Ela não conhecia nenhuma das pessoas sobre quem ele falava, mas isso não tinha importância. O que importava era a forma como ele olhava para ela, o modo firme como segurava sua mão.

– Venha – sussurrou ele. – Vamos dançar.

Ela se sentiu zonza e meio mole ao se levantar. Estava sem equilíbrio e não parava de tropeçar enquanto os dois dançavam. Por fim, caiu no chão. Pat deu risada, estendeu a mão para ela se levantar e a levou para um canto escuro e romântico no meio das árvores. Rindo, ela seguiu caminhando desajeitadamente atrás dele e ficou sem ar quando ele a pegou nos braços e a beijou.

A sensação foi muito boa. Ela sentiu a pulsação acelerar e o corpo se aquecer. Tully se perdeu na intensidade do desejo dele. Ela se apertava contra ele como um gato, adorando o jeito como ele a fazia se sentir. A qualquer instante, ele iria se afastar, olhar para ela e dizer "Eu te amo", exatamente como Ryan O'Neal em *Love Story*.

Talvez Tully inclusive usasse uma fala do filme quando dissesse o mesmo para ele. A música deles seria "Stairway to Heaven". Eles contariam que quando se conheceram...

A língua dele invadiu sua boca, com força, dando uma volta. Aquilo pareceu uma espécie de sonda estranha, e a sensação, de algo empurrando e forçando, a assustou. De repente, não estava mais tão bom, não parecia certo. Ela tentou dizer para ele parar, mas sua voz não saiu. Ele estava sugando todo o ar dela.

As mãos dele estavam por todo lado: em suas costas, na sua cintura, puxando o sutiã, tentando abri-lo. Ela o sentiu sendo aberto com um barulhinho nauseante. E então Pat começou a tocar nos seios dela.

– Não... – choramingou ela, tentando empurrar as mãos dele.

Não era aquilo que ela queria. Ela queria amor, romance, magia. Alguém para amá-la. Não... aquilo.

Ele agarrou as mãos dela com facilidade, como se ela fosse um bebê, e a segurou com tanta força que ela não conseguiu se mexer.

– Não, Pat, não...

– Qual é, Tully. Você disse que gostava de encrencas. Não faça doce agora.

Ele a empurrou para trás, e ela tropeçou, caindo no chão com força e batendo a cabeça. Por um instante, sua visão ficou embaçada. Quando voltou ao normal, ele estava de joelhos entre suas pernas. Estava segurando as duas mãos dela com uma das mãos apenas, prendendo-a ao chão.

– Assim que eu gosto – disse ele, abrindo as pernas dela.

Empurrando a blusa de Tully para cima, ele olhou fixamente para o seio nu da garota.

– Ah, que beleza...

Ele segurou um seio e beliscou o mamilo com força. Enfiou a outra mão na calça dela, por dentro da calcinha.

– Pare. Por favor...

Tully tentava desesperadamente se soltar, mas quanto mais ela se remexia, mais ele parecia desejá-la.

Então ele enfiou, com força, os dedos no meio das suas pernas, mexendo-os dentro dela.

– Vamos lá, você vai gostar.

Ela sentiu que estava começando a chorar.

– Não...

– Ah, assim...

Ele cobriu o corpo dela com o dele, pressionando-a contra a grama molhada.

Agora ela estava chorando tanto que sentia o gosto das próprias lágrimas, mas ele não parecia se importar. Os beijos dele estavam diferentes – babados, chupando, mordendo. Doía, mas não tanto quanto o cinto dele batendo em sua barriga quando ele abriu as calças, ou quando ele enfiou o pênis...

Ela fechou os olhos bem apertado ao sentir a dor no meio das pernas, como se fosse rasgada por dentro.

Então, de repente, terminou. Ele rolou de cima dela e ficou deitado ao seu lado, abraçando-a e beijando-a no rosto, como se o que tivesse acabado de fazer fosse amor.

– Ei, você está chorando – constatou ele, tirando gentilmente os cabelos dela do rosto. – O que houve? Eu achei que você quisesse.

Ela não sabia o que dizer. Como qualquer garota, havia imaginado como seria perder a virgindade, mas em seus sonhos nunca tinha sido assim.

– Quisesse *isso*?

Ele franziu a testa com irritação.

– Vamos lá, Tully, vamos dançar.

A forma como ele disse isso, tão baixinho, como se realmente estivesse confuso com a reação dela, só piorou as coisas. Ela evidentemente fizera algo errado, provocara-o, e era isso que acontecia com meninas que brincavam assim.

Ele a encarou por mais um tempo, então se levantou e vestiu a calça.

– Que seja. Eu preciso de uma bebida. Vamos lá.

Ela se virou de lado.

– Vá embora.

Ela o sentiu ao seu lado, sabia que estava olhando para ela.

– Você agiu como se quisesse, caramba. Você não pode dar corda para um cara e depois simplesmente ficar fria. Cresça, garota. A culpa foi sua.

Ela fechou os olhos e o ignorou, agradecendo quando ele enfim saiu. Naquele momento, ficou contente por ser deixada sozinha.

Tully ficou deitada, sentindo-se quebrada, ferida e, o pior de tudo, burra. Depois de mais ou menos uma hora, ouviu que a festa chegava ao fim, os motores dos carros dando a partida e os pneus espalhando cascalho ao ir embora.

E ela continuou ali, quieta, sem conseguir se mexer. Aquilo era tudo culpa dela. Ele tinha razão. Ela era burra e nova demais. Tudo o que queria era alguém para amá-la.

– Burra – sibilou, sentando-se, afinal.

Movendo-se devagar, ela se vestiu e tentou ficar de pé. Com o movimento, sentiu-se enjoada e imediatamente vomitou em cima dos sapatos preferidos. Quando terminou, abaixou-se para pegar a bolsa, que segurou forte contra o peito, e percorreu o longo e doloroso caminho estrada acima.

Não havia carros na rua tão tarde da noite, e ela agradeceu por isso. Não queria ter de explicar a ninguém por que estava com os cabelos cheios de agulhas de pinheiro e os sapatos sujos de vômito.

Durante todo o caminho para casa, ela rememorou o que havia acontecido – a forma como Pat sorriu para ela ao convidá-la para a festa. O suave primeiro beijo que ele lhe deu. A maneira como ele conversou, dando a entender que ela era importante. Então o outro Pat, com as mãos ásperas e a língua e os dedos invasivos, enfiando o pênis dentro dela.

Quanto mais ela relembrava tudo, mais solitária e desolada se sentia.

Se ela ao menos tivesse alguém em quem confiasse para conversar. Talvez isso diminuísse um pouco essa dor. Mas, claro, não havia ninguém.

Este era mais um segredo que ela teria de guardar, como a mãe esquisitona e o pai desconhecido. As pessoas diriam que ela tinha pedido aquilo, uma menina do ginásio numa festa do colegial.

Quando se aproximava da garagem da sua casa, começou a caminhar um pouco mais devagar. A ideia de ir para casa, de estar tão sozinha num lugar que deveria ser um refúgio para ela, com uma mulher que deveria amá-la, de repente ficou insuportável.

O velho cavalo cinzento dos vizinhos trotou até a cerca e relinchou para ela.

Tully atravessou a rua e subiu a ladeira. Na cerca, ela arrancou um punhado de grama e deu para o bicho.

– Ei, garotão.

O cavalo cheirou o punhado de grama, deu um ronco molhado e foi embora.

– Ela gosta de cenouras.

Tully olhou para cima de repente e viu a vizinha sentada em cima da cerca.

Alguns segundos de silêncio se passaram entre as duas. O único barulho era o relinchar silencioso do cavalo.

– Está tarde – disse a menina da casa em frente.

– É.

– Eu adoro ficar aqui fora à noite. As estrelas brilham muito. Às vezes, quando ficamos olhando para o céu por tempo o bastante, podemos jurar que pequenos pontinhos começam a cair ao nosso redor, como vaga-lumes. Acho que foi por isso que nossa rua ganhou este nome. Você provavelmente acha que eu sou uma nerd só por dizer isso.

Tully queria responder, mas não conseguiu. Ela começava a tremer. Precisava de concentração total simplesmente para ficar parada. A menina tinha razão sobre as estrelas – elas eram muito brilhantes. Tudo o que Tully conseguia ver era como se sentia pequena naquele momento. E burra.

A menina – Kate, Tully se lembrou – desceu da cerca. Estava usando uma camiseta muito larga com uma estampa desbotada da Família Dó-Ré-Mi. Suas botas enormes afundavam na lama. Quando ela caminhava, seus pés produziam um barulho de sucção.

– Ei, você não parece muito bem – falou ela de um jeito chiado, por causa do aparelho. – E está com cheiro de vômito.

– Eu estou ótima – disse ela, ficando tensa quando Kate se aproximou.

– Você está bem? De verdade?

Para horror absoluto de Tully, ela começou a chorar.

Kate ficou ali parada por um tempo, olhando-a com olhos arregalados por detrás daqueles óculos de pateta. Então, sem dizer nada, abraçou Tully.

Tully se encolheu com o contato. Foi algo estranho e inesperado. Pensou em recuar, mas descobriu que não conseguia se mexer. Não conseguia se lembrar da última vez que alguém a havia abraçado daquela maneira e, de repente, estava agarrada àquela menina esquisita, com medo de se soltar, com medo de que, sem Kate, ela ficasse como um barco à deriva, perdido no mar.

– Tenho certeza de que ela vai melhorar – disse Kate quando as lágrimas de Tully diminuíram.

Tully recuou, franzindo a testa. Levou um instante para compreender.

O câncer. Kate achava que ela estava preocupada com a mãe.

Era a desculpa perfeita. Então por que ela sentia tanta vontade de contar àquela menina a história verdadeira e perguntar o que ela havia feito de tão errado?

– Você quer conversar sobre o assunto? – perguntou Kate, tirando o aparelho e deixando-o em cima de um esteio da cerca.

Tully a encarou. Sob a luz prateada da lua cheia, ela não viu nada além de compaixão nos olhos verdes ampliados de Kate, e quis conversar. Teve uma vontade tão grande que chegou a se sentir nauseada. Mas não sabia como começar.

– Vamos lá – disse Kate.

Ela a levou até a varanda da frente da casa. Lá, sentou-se no degrau e puxou a camiseta surrada por cima dos joelhos.

– A minha tia Georgia teve câncer – disse ela. – Foi uma droga. Ela perdeu todos os cabelos. Mas está bem agora.

Tully se sentou ao lado dela e largou a bolsa no chão. O cheiro de vômito estava forte.

Ela acendeu um cigarro para disfarçar o fedor. Antes de se dar conta, disse:

– Fui a uma festa na beira do rio hoje à noite.

– Uma festa do colegial? – perguntou Kate, parecendo impressionada.

– Pat Richmond me convidou.

– O zagueiro? Nossa. Minha mãe não me deixaria nem ficar na mesma fila de um formando do colegial. Ela é tão idiota!

– Ela não é idiota.

– Ela acha que meninos de 18 anos são perigosos. Ela os chama de pênis com mãos e pés. Isso não é idiota?

Tully olhou para o campo e respirou fundo. Não podia acreditar que ia contar àquela menina o que havia acontecido, mas a verdade estava queimando dentro dela. Se não se livrasse daquilo, iria pegar fogo.

– Ele me estuprou.

Kate se virou para ela. Tully sentiu aqueles olhos verdes fixos em seu perfil, mas não se mexeu, não se virou. Sentia uma vergonha tão imensa que não poderia vê-la refletida nos olhos de Kate. Esperou que Kate dissesse alguma coisa, que a chamasse de idiota, mas o silêncio continuou. Finalmente, ela não suportou mais e olhou para o lado.

– Você está bem? – perguntou Kate de um jeito suave.

Tully reviveu tudo naquelas poucas palavras. Sentiu os olhos serem tomados de lágrimas, que borraram sua visão.

Mais uma vez, Kate a abraçou. Tully se deixou ser confortada pela primeira vez desde que era criança. Quando enfim se afastou, tentou sorrir.

– Eu estou afogando você.

– A gente devia contar a alguém.

– De jeito nenhum. Vão dizer que foi culpa minha. Este é o nosso segredo, está bem?

– Está bem – concordou Kate, com uma ruga na testa.

Tully secou os olhos e tragou o cigarro novamente, fazendo um esforço para se reequilibrar. De repente, sentiu-se tonta.

– Por que está sendo tão legal comigo?

– Você pareceu sozinha. Acredite em mim, eu sei como é isso.

– Sabe? Mas você tem uma família.

– Eles *precisam* gostar de mim – suspirou Kate. – O pessoal na escola me trata como se eu tivesse uma doença contagiosa. Eu tinha amigas, mas… Você provavelmente não sabe do que eu estou falando. Você é tão popular…

– Ser popular só significa que um monte de gente pensa que conhece você.

– Eu aceitaria isso.

As duas ficaram em silêncio. Tully terminou o cigarro e o apagou. Ela e Kate eram tão diferentes, contrastavam tanto quanto aquele campo escuro banhado pelo luar. Mas parecia tão absolutamente fácil conversar com ela. Tully se pegou quase sorrindo por isso, na pior noite da sua vida. Isso era incrível.

As duas passaram uma hora sentadas conversando em silêncio. Elas não disseram nada muito importante nem dividiram mais segredos, apenas conversaram.

Finalmente, Kate bocejou e Tully se levantou:

– Bem, é melhor eu ir para casa.

As duas se levantaram e caminharam até a rua. Na caixa de correspondências, Kate parou.

– Então, tchau.

– Tchau.

Tully ficou ali parada por um instante, sentindo-se esquisita. Queria abraçar Kate, talvez até mesmo se agarrar a ela e lhe dizer quanto aquela noite havia ficado melhor por sua causa, mas não ousou fazer isso.

Ela havia aprendido uma ou outra coisa sobre vulnerabilidade com sua mãe, e se sentia frágil demais naquele momento para arriscar uma humilhação. Ao se virar, seguiu para casa. Lá dentro, foi direto para o chuveiro. No banho, com a água quente caindo em seu corpo, pensou no que havia acontecido a ela naquela noite – o que ela havia deixado acontecer porque queria ser bacana – e chorou. Quando terminou, e as lágrimas haviam se tornado apenas um nozinho apertado em sua garganta, pôs numa gaveta no fundo da mente a lembrança daquela noite. Ela a guardou junto com as lembranças das vezes em que Nuvem a havia abandonado e começou imediatamente a tratar de esquecer que ela estava lá.

Cinco

Kate ficou acordada na cama durante muito tempo depois de Tully ir embora. Finalmente, atirou as cobertas para longe e se levantou.

No andar de baixo, encontrou o que estava procurando: uma pequena estátua da Virgem Maria, uma vela votiva num castiçal de vidro vermelho, uma caixa de fósforos e o antigo rosário da avó. Levou tudo de volta ao quarto, montou um pequeno altar em cima da cômoda e acendeu a vela.

– Pai do céu – rezou, com a cabeça abaixada e as mãos postas –, por favor, proteja Tully Hart e a ajude a atravessar esses tempos difíceis. E também, por favor, cure o câncer da mãe dela. Eu sei que o Senhor pode ajudá-las. Amém.

Rezou algumas Ave-Marias e voltou para a cama.

Mas passou a noite toda se revirando no colchão, sonhando com o encontro com Tully, imaginando o que aconteceria de manhã. Será que ela devia conversar com Tully na escola hoje, sorrir para ela? Ou deveria fingir que nada havia acontecido? A popularidade tinha regras, códigos secretos escritos em tinta invisível que apenas garotas como Tully conseguiam ler. Tudo o que Kate sabia era que não queria cometer um erro e passar vergonha. Ouvira dizer que às vezes as meninas populares eram "amigas secretas" de nerds: sorriam e davam "oi" quando não estavam na escola ou quando seus pais eram amigos. Talvez fosse ser assim com ela e Tully.

Quando o despertador tocou, ela pulou da cama. Vestiu o robe e desceu para a cozinha escura e silenciosa.

Na sala de estar, o pai estava lendo o jornal da noite anterior.

– Madrugou? Ei, Katie Scarlett, venha dar um abraço no seu pai.

Ela pulou no colo dele e apoiou o rosto na lã áspera de sua camisa.

Ele prendeu uma mecha de cabelos atrás da orelha dela. Kate pôde ver como ele parecia cansado. Estava trabalhando demais, dobrando turnos na Boeing para poder pagar as férias anuais da família.

– Como estão as coisas na escola?

Era a mesma pergunta que ele sempre fazia. Uma vez, muito tempo atrás, ela havia respondido com sinceridade: "Não muito bem, papai", e ficara esperando por seu conselho, palavra de conforto ou coisa parecida, mas não foi o que recebeu. Ele havia escutado o que queria escutar, não o que ela dissera. Sua mãe lhe explicara depois que era porque ele trabalhava muitas horas na fábrica.

Kate podia ter ficado chateada com a distração dele, mas na verdade isso fazia com que o amasse ainda mais. Ele nunca gritava com ela ou a mandava prestar atenção ou a lembrava que ela era responsável pela própria felicidade. Essas eram palavras de sua mãe. O pai dela apenas continuava a amá-la incondicionalmente.

– Ótimas – respondeu ela, sorrindo para reforçar a mentira.

– Como poderiam não estar? – disse ele, beijando sua testa. – Você é a menina mais bonita da cidade, né? E a sua mãe lhe deu o nome de uma das melhores personagens femininas de todos os tempos.

– É. Scarlett O'Hara e eu temos muita coisa em comum.

– Você vai ver – disse ele, dando risada. – Ainda tem uma porção de vida pela frente, mocinha.

Ela olhou para o pai.

– Acha que eu vou ser bonita quando crescer?

– Ah, Katie – disse ele. – Você já é uma beleza rara.

Ela guardou aquelas palavras no bolso. Eram como as pedras que os gregos antigos esfregavam para aliviar as preocupações. De vez em quando, enquanto se arrumava para ir à escola, ela as tocava, revirando-as nos dedos.

Quando estava vestida e pronta para sair, a casa estava vazia. O ônibus da família Mularkey havia deixado sua garagem.

Ela estava tão nervosa que chegou ao ponto de ônibus antes da hora. Cada minuto que passava parecia uma eternidade, mas ainda não havia sinal de Tully quando o ônibus apareceu e parou fazendo muito barulho.

Kate abaixou a cabeça e pegou um lugar na primeira fileira.

Durante todas as aulas da manhã, ela procurou Tully, mas não a viu. Na hora do almoço, passou apressadamente pelo grupo de alunos populares, que se ocupavam de furar a fila do refeitório sempre que tinham vontade e sentavam numa das mesas compridas que ficava no final do refeitório.

Ao redor, todos riam, conversavam e se empurravam. Porém, aquelas mesmas mesas na Sibéria social eram tristemente silenciosas. Kate, como as outras pessoas que se sentavam perto dela, raramente olhava para cima.

Era uma habilidade de sobrevivência que os alunos não populares aprendiam logo. O ginásio era como as selvas do Vietnã: era melhor se abaixar e ficar quieto. Ela estava tão atenta ao almoço que quando alguém se aproximou e disse "Oi", ela praticamente deu um salto da cadeira.

Tully.

Mesmo naquele dia frio de maio, ela estava usando uma minissaia curtíssima, botas brancas de cano longo, meias-calças pretas brilhantes e uma blusa tomara que caia. Vários colares com o símbolo da paz pulavam em seu decote.

Os cabelos dela cintilavam com mechas cobre. Ela trazia uma imensa bolsa de macramê pendurada na altura da coxa.

– Você contou a alguém sobre ontem à noite?

– Não. Claro que não.

– Então somos amigas, não é?

Kate não soube o que a surpreendeu mais: a pergunta ou a expressão vulnerável nos olhos de Tully ao fazê-la.

– Somos.

– Ótimo.

Tully tirou um pacote de bolinhos recheados da bolsa e sentou ao lado de Kate.

– Agora vamos falar de transformação. Você precisa desesperadamente de uma, e eu não estou sendo uma vaca. Sério. É que eu entendo de moda. É um dom. Posso tomar um gole do seu leite? Que bom. Obrigada. Você vai comer esta banana? Eu poderia ir até a sua casa depois da escola...

❧

Kate ficou parada do lado de fora da farmácia, olhando para todos os lados da rua para ver se havia algum conhecido da sua mãe.

– Você tem certeza disso?

– Absoluta.

A resposta foi mero consolo, na verdade. No dia em que as duas se tornaram oficialmente amigas, Kate aprendeu uma coisa sobre Tully: ela era uma menina que fazia Planos.

E o plano de hoje era uma transformação.

– Você não confia em mim?

Eis a grande questão. Era como um desafio sem resposta certa. No instante em que Tully fez a pergunta, Kate perdeu o jogo. Ela precisava confiar na nova amiga.

– É claro que confio. É só que eu não tenho permissão para usar maquiagem.

– Acredite em mim, eu sou tão boa nisso que a sua mãe nunca vai saber. Venha.

Tully percorreu as gôndolas decidida, escolhendo as cores "certas" para Kate, e, então – impressionantemente –, pagou tudo. Quando Kate começou a dizer alguma coisa, Tully a cortou, feliz:

– Nós somos amigas, não somos?

Na saída da loja, Tully lhe deu uma trombada no ombro.

Kate riu e deu outra de volta. As duas percorreram o caminho até a cidade e seguiram o rio até em casa. Durante todo o trajeto, conversaram sobre roupas, música e a escola. Por fim, entraram em sua rua e seguiram até a entrada da garagem da casa de Tully.

– A minha avó ficaria maluca se visse este lugar – disse Tully, parecendo envergonhada dos arbustos do tamanho de balões que cobriam as laterais da casa. – Esta casa é dela, sabe?

– Ela visita vocês?

– Não. É mais fácil esperar.

– Pelo quê?

– Que a minha mãe se esqueça de mim de novo.

Tully passou por cima de um monte de jornais e contornou um trio de latas de lixo, então abriu a porta. Lá dentro, o ambiente estava cheio de fumaça.

A mãe dela estava na sala, deitada no sofá, com os olhos semiabertos.

– O-olá, Sra. Hart – disse Kate. – Eu sou Kate, a vizinha.

A Sra. Hart tentou se levantar, mas estava, sem dúvida, fraca demais para isso.

– Olá, menina vizinha.

Tully agarrou a mão de Kate, puxou-a pela sala até seu quarto e bateu a porta. Imediatamente começou a remexer na pilha de discos, de onde tirou *Goodbye Yellow Brick Road*, que pôs para tocar. Quando a música começou, ela atirou uma revista *Tiger Beat* para Kate e arrastou uma cadeira até a frente da penteadeira.

– Pronta?

O nervosismo de Kate começou a crescer. Sabia que teria problemas com isso, mas como faria amizades ou se tornaria popular se não corresse alguns riscos?

– Pronta.

– Ótimo. Sente-se. Vamos arrumar o seu cabelo primeiro. Ele precisa de umas luzes. É exatamente o que Maureen McCormick usa.

Kate olhou para Tully pelo espelho.

– Como você sabe disso?

– Li na *Teen* do mês passado.

– Imagino que ela vá a profissionais.

Kate abriu a *Tiger Beat* e tentou se concentrar na matéria: "A Namorada dos sonhos de Jack Wild – Poderia ser você!"

– Retire o que disse. Eu li as instruções duas vezes.

– Existe alguma chance de eu acabar careca?

– Quase nenhuma. Agora fique quieta. Estou lendo as instruções de novo.

Tully dividiu os cabelos de Kate em mechas e começou a borrifar o clareador em cada uma.

– Quando eu terminar, você vai estar igual à Marcia Brady.

– Como é ser popular?

Kate não tinha a intenção de fazer essa pergunta, mas escapou.

– Você vai ver. Mas vai continuar sendo minha amiga, não vai?

Kate riu com isso.

– Engraçadinha. Ei, isso está ardendo um pouco.

– É mesmo? Isso não deve ser bom. E tem cabelo caindo.

Kate deu um jeito de não fazer uma careta. Se ficar careca fosse o preço para ficar amiga de Tully, ela o pagaria.

Tully pegou o secador e o ligou, colocando o vento quente para soprar os cabelos de Kate.

– Menstruei – anunciou Tully. – Então pelo menos o cretino não me engravidou.

Kate ouviu a bravata na voz da amiga e a viu em seus olhos.

– Eu rezei por você.

– Rezou? – perguntou Tully. – Nossa! Obrigada.

Kate não sabia como responder àquilo. Para ela, rezar era como escovar os dentes antes de dormir. Simplesmente, era algo que se fazia.

Tully desligou o secador e sorriu, mas pareceu preocupada de novo. Talvez fosse o cheiro de cabelo queimado.

– Certo. Tome um banho e enxágue isso.

Kate fez o que Tully mandou. Alguns minutos depois, saiu do banheiro, se secou e se vestiu.

Tully agarrou a mão dela e a levou de volta à cadeira.

– O seu cabelo está caindo?

– Um pouco – admitiu.

– Se você ficar careca, eu raspo a minha cabeça. Prometo.

Tully penteou e secou os cabelos de Kate.

Kate não podia olhar. Fechou os olhos e deixou a voz de Tully se fundir ao barulho do secador.

– Abra os olhos.

Kate não se apressou para olhar. Daquela distância, ela não precisava dos óculos, mas a força do hábito a fez se inclinar para a frente. A menina no espelho tinha cabelos loiros lisos e com mechas, repartidos com precisão e perfeitamente secos. Pareciam macios e bonitos, em vez de finos e escorridos. Os reflexos mais claros destacavam os olhos verdes e o tom rosado de seus lábios. Ela estava quase bonita.

– Nossa – disse ela, emocionada e grata demais para falar qualquer outra coisa.

– Espere até ver o que o rímel e o blush podem fazer – disse Tully. – E o corretivo para essas espinhas na sua testa.

– Eu vou ser sua amiga para sempre – disse Kate, achando que havia sussurrado a promessa; mas, quando Tully sorriu, soube que havia sido escutada.

– Que bom. Agora, vamos para a maquiagem. Você viu a minha lâmina de barbear?

– Para que você precisa de uma lâmina de barbear?

– Para as sobrancelhas, sua boba. Ah, ali está. Feche os olhos.

Kate não pensou duas vezes.

– Está bem.

Kate nem se deu o trabalho de esconder o rosto quando chegou em casa, tamanha era a sua autoconfiança naquele momento. Pela primeira vez na vida, sabia que estava bonita.

O pai estava na sala, sentado em sua poltrona. Quando Kate entrou, ele olhou para ela.

– Meu Deus – disse, largando a bebida na mesa lateral em estilo provençal. – Margie!

A mãe dela saiu da cozinha limpando as mãos no avental. Estava usando seu uniforme de dias de semana: blusa listrada de poliéster cor de ferrugem e verde-oliva, calça boca de sino de veludo cotelê marrom e um avental amarrotado que dizia "Lugar de mulher é na cozinha… e no Senado". Quando viu Kate, parou. Tirou o avental lentamente e o largou em cima da mesa.

O silêncio repentino atraiu Sean e o cachorro, que entraram correndo na sala, tropeçando um no outro.

– A Katie está parecendo um gambá – zombou Sean. – Fiu-fiu.

– Vá lavar as mãos para jantar – ordenou a mãe enfaticamente. – Agora – acrescentou por ele ter ficado ali.

Sean resmungou e subiu a escada.

– Você deu permissão para ela fazer isso com os cabelos, Margie? – perguntou o pai da sala.

– Deixe isso comigo, Bud – falou a mãe, franzindo a testa para Kate ao atravessar a sala. – Foi a vizinha que fez isso em você?

Kate assentiu, tentando manter na mente como era se sentir bonita.

– Você gostou?

– Gostei.

– Bem, então eu também gostei. Lembro de quando a sua tia Georgia tingiu meu cabelo de ruivo. A vovó Peet ficou furiosa – contou, e sorriu. – Mas você devia ter me pedido. Ainda é muito nova, Kathleen; não importa o que vocês pensem. Agora, o que você fez com as sobrancelhas?

– A Tully raspou. Só para dar forma.

A mamãe fez uma careta engraçada, como se estivesse tentando não rir.

– Entendo. O melhor mesmo é tirar com pinça. Eu já devia ter lhe mostrado como fazer. Achei que você ainda fosse nova demais.

Ela suspirou e procurou pelos cigarros, que encontrou em cima da mesa. Então acendeu um.

– Depois do jantar, eu lhe mostro. E imagino que você possa usar um pouco de brilho labial e rímel para ir à escola. Vou ensiná-la a usar deixando a aparência natural.

Kate abraçou a mãe.

– Eu amo você.

– Eu amo você também. Agora vá cuidar do pão de milho. E, Katie, estou feliz que você tenha feito uma amiga; mas sem desobedecer mais regras, está bem? É assim que meninas como você se metem em encrencas.

Kate não pôde deixar de pensar na festa a que Tully fora.

– Está bem, mamãe.

❦

Em uma semana, Kate se tornou popular por tabela. O pessoal delirava com sua nova aparência e não se afastava dela nos corredores. Ser amiga de Tully Hart queria dizer que ela era bacana.

Até mesmo seus pais notaram a diferença. Na hora do jantar, Kate não era mais a menina quieta de sempre. Pelo contrário, ela não ficava quieta um instante. Contava uma história depois da outra. Quem estava namorando quem, quem havia vencido na peteca, quem fora suspenso por usar uma camiseta *Faça amor, não faça guerra* na escola, onde Tully havia cortado os cabelos (em Seattle, com um cara chamado Gene Juarez – não era o máximo?), e qual filme estava passando no drive-in no final de semana.

Ela ainda estava falando sobre Tully depois do jantar, enquanto ela e a mãe lavavam a louça.

– Mal posso esperar para você conhecê-la. Ela é o máximo. Todo mundo gosta dela, até os malucos.

– Malucos?

– Os drogados. Os chapados.

– Ah.

A mãe pegou a fôrma refratária da mão dela e a secou.

– Eu... eu andei perguntando sobre essa menina, Katie. Ela tenta comprar cigarros com a Alma na loja de conveniências.

– Ela provavelmente vai comprar para a mãe dela.

A mãe largou a fôrma em cima do balcão.

– Só me faça um favor, Katie. Pense com sua própria cabeça quando estiver com essa menina. Não quero que você se envolva em problemas indo atrás dela.

Kate atirou o pano de prato com borda de crochê dentro da água ensaboada.

– Não acredito! E os seus discursos sobre "correr riscos"? Há anos você está me dizendo para fazer amigos e, no instante em que eu encontro alguém, você a chama de vadia.

– Eu nem passei perto de chamá-la de...

Kate trovejou cozinha afora. A cada passo, ela esperava que a mãe a chamasse de volta e a pusesse de castigo, mas tudo o que se seguiu à sua saída dramática foi o silêncio.

Lá em cima, entrou no quarto e bateu a porta, para dar um efeito dramático. Então sentou na cama e ficou esperando. Quando entrasse lá, sua mãe estaria arrependida. Uma vez ao menos, Kate havia sido a forte.

Mas a mãe não apareceu e, perto das dez horas, Kate estava começando a se sentir mal. Será que havia magoado a mãe? Ela se levantou e começou a andar de um lado para outro dentro do quarto.

Às dez em ponto, alguém bateu à porta.

Ela se atirou rapidamente na cama, tentando parecer entediada.

– Que foi?

A porta foi se abrindo devagar. Sua mãe estava ali parada, usando seu roupão vermelho comprido aveludado, outro presente do último Natal.

– Posso entrar?

– Como se eu pudesse impedir.

– Você poderia – disse sua mãe baixinho. – Posso entrar?

Kate deu de ombros, mas foi um pouco para a esquerda para abrir espaço para a mãe.

– Sabe, Katie, a vida é...

Kate não pôde deixar de gemer. Mais um sermão do tipo "a vida é".

A mãe a surpreendeu dando uma risada.

– Está bem, chega de sermões. Talvez você esteja velha demais para isso.

Ela parou por um instante diante do altar em cima da cômoda.

– Você não fazia um desses desde a quimioterapia da Georgia. Quem está precisando das nossas orações?

– A mãe da Tully tem câncer, e ela foi es...

Kate fechou a boca de repente, horrorizada pelo que quase revelara. Durante toda a vida sempre contara tudo para a mãe. Só que agora tinha uma melhor amiga e precisava tomar cuidado.

– O que foi?

Kate encolheu os ombros.

– Eu não sei que tipo de câncer, mas ela está muito doente.

– É mesmo? Eu não sabia disso.

A mãe se sentou na cama ao lado de Kate, exatamente como as duas faziam depois de toda briga.

– É uma carga muito grande para uma menina da sua idade.

– A Tully parece estar lidando bem com isso.

– É mesmo?

– Ela parece lidar bem com qualquer coisa – disse Kate, sem conseguir evitar o tom de orgulho na voz.

– Como assim?

– Você não entenderia.

– Eu sou velha demais, é?

– Não foi o que eu disse.

A mãe afastou o cabelo da testa de Kate com um toque que era tão familiar quanto respirar. Kate sempre se sentia com 5 anos quando a mãe fazia isso.

– Eu sinto muito que você tenha achado que eu estava julgando a sua amiga.

– E deve sentir mesmo.

– E você sente muito por estar sendo tão cruel comigo, certo?

Kate não pôde deixar de sorrir.

– Certo.

– Vamos fazer o seguinte: por que você não convida a Tully para jantar aqui na sexta-feira?

– Você vai adorar a Tully. Eu sei que vai.

– Tenho certeza disso – assegurou a mãe, dando-lhe um beijo na testa. – Boa noite.

– Boa noite, mamãe.

Muito tempo depois de a mãe ter saído do quarto e a casa estar em completo silêncio, Kate ainda estava deitada de olhos abertos, agitada demais para dormir. Mal podia esperar para convidar Tully para jantar. Depois, as duas poderiam assistir a *Jeannie é um gênio*, jogar Operação ou treinar maquiagens novas. Talvez Tully inclusive fosse querer dormir lá. Elas poderiam…

Poc.

… conversar sobre meninos, sobre beijos e…

Poc.

Kate se sentou. Não era o barulho de um passarinho no telhado ou de um rato nas paredes.

Poc.

Era o barulho de uma pedrinha batendo no vidro!

Ela saiu de sob as cobertas, foi correndo até a janela e abriu a vidraça.

Tully estava no quintal, segurando uma bicicleta.

– Desça – disse ela, um pouco alto demais, fazendo um gesto para que Kate se apressasse.

– Você quer que eu saia escondida?

– Ahn. Dã.

Kate nunca havia feito nada parecido, mas não podia agir feito uma nerd agora. Pessoas descoladas desobedeciam às regras e saíam escondidas de casa. Todo mundo sabia disso. Todo mundo sabia também que isso podia dar problemas. E era exatamente disso que sua mãe estava falando.

Pense com sua própria cabeça quando estiver com essa menina.

Kate não se importava com isso. O que importava era Tully.

– Estou indo.

Depois de fechar a janela, ela procurou roupas. Por sorte, seu macacão jeans estava no canto, cuidadosamente dobrado embaixo de um moletom preto. Ela tirou o velho pijama do Scooby-Doo e se vestiu com rapidez. Então percorreu em silêncio o corredor. Quando passou pela porta do quarto dos pais, seu coração estava batendo de forma tão acelerada que ela se sentia zonza. Os degraus rangeram a cada passo, mas, no fim, ela conseguiu.

Na porta dos fundos, fez uma pausa longa o bastante apenas para pensar: *eu posso ter muitos problemas com isso,* e então abriu a porta.

Tully estava esperando por ela. Trazia a bicicleta mais incrível que Kate já vira. Tinha o guidom ondulado e um banco minúsculo em forma de feijão sobre uma plataforma com um monte de cabos e fios.

– Nossa! – exclamou ela.

Precisaria juntar muito dinheiro colhendo frutas para comprar uma bicicleta daquelas.

– Tem dez marchas – disse Tully. – A minha avó me deu no Natal passado. Quer andar nela?

– De jeito nenhum.

Kate fechou a porta em silêncio. Na garagem, pegou sua velha

65

bicicleta cor-de-rosa com o guidom em forma de U, um assento comprido cheio de adesivos de flores e uma cesta branca trançada. Era absolutamente sem graça. Bicicleta de menininha.

Tully nem pareceu notar. As duas montaram em suas bicicletas e andaram pela saída de carros molhada e esburacada até o asfalto. Então viraram à esquerda e seguiram em frente. Na colina Summer, Tully disse:

– Olhe isto. Faça como eu.

As duas desceram a ladeira voando. Os cabelos de Kate esvoaçaram, e ela sentiu os olhos se encherem de lágrimas. Ao redor, árvores escuras sussurravam na brisa. As estrelas brilhavam no céu negro.

Tully se atirou para trás e estendeu os braços. Dando risada, ela olhou para Kate.

– Experimente.

– Não consigo. Estamos indo rápido demais.

– Por isso mesmo.

– É perigoso.

– Vamos lá. Solte-se. Deus não gosta de covardes. – Então, baixinho, acrescentou: – Confie em mim.

Agora Kate não tinha escolha. Confiar fazia parte da amizade, e Tully não andaria com uma covarde.

– Vamos lá – disse a si mesma, tentando dar um tom grave.

Respirou fundo, fez uma oração e ergueu os braços.

Estava voando, navegando pelo céu da noite, descendo a ladeira. O ar tinha o cheiro do estábulo próximo, de cavalos e feno. Ela ouviu a amiga dando risada ao seu lado, mas, antes que conseguisse sequer sorrir, alguma coisa deu errado. Seu pneu dianteiro bateu numa pedra. A bicicleta corcoveou feito um touro bravo e virou de lado, pegando o aro do pneu de Tully.

Ela gritou, levou as mãos ao guidom, mas era tarde demais. Ela estava no ar, agora voando de verdade. Ela foi de encontro ao asfalto, caindo e derrapando com força, até aterrissar toda torta numa vala cheia de lama.

Tully rolou pelo asfalto e bateu nela. As bicicletas caíram no chão com estrondo.

Tonta, Kate olhou para o céu da noite. Sentia dor por todo o corpo. O tornozelo esquerdo parecia estar quebrado. Estava inchado e dolorido. Ela podia sentir onde o asfalto havia arrancado pedaços de sua pele.

– Isso foi incrível – disse Tully, dando risada.

– Você está brincando? A gente poderia ter morrido.

– Justamente.

Kate se encolheu de dor ao tentar levantar.

– Vamos sair da vala. Um carro pode aparecer...

– Mas não foi o máximo? Espere até contarmos para o pessoal.

O pessoal da escola. Esta seria uma *história*, e Kate seria uma das estrelas. Todos escutariam atentamente, com espanto, dizendo coisas como *Vocês saíram escondidas de casa? A colina Summer sem as mãos? Vocês devem estar mentindo...*

E, de repente, Kate também estava dando risada.

As duas ajudaram uma à outra a se levantar e pegaram as bicicletas. Quando chegaram ao outro lado da rua, Kate nem lembrava mais onde havia se machucado. De repente, estava se sentindo outra garota – mais ousada, mais corajosa, disposta a experimentar qualquer coisa. E daí se uma noite como essa pudesse trazer problemas? O que era um tornozelo torcido ou um joelho ensanguentado diante de uma aventura? Nos últimos dois anos ela havia obedecido a todas as regras e ficado sozinha nas noites de fim de semana. Nunca mais.

Elas deixaram as bicicletas na rua e foram mancando até o rio. Sob a luz do luar, tudo parecia leitoso e bonito – as ondas prateadas, as pedras irregulares ao longo da margem.

Tully se sentou ao lado de um toco de árvore coberto de limo num lugar onde a grama era espessa como um carpete.

Kate se sentou ao lado dela. Estavam tão perto uma da outra que seus joelhos quase se tocavam. Juntas, ficaram olhando para o céu estrelado. A música do rio flutuou até elas, parecendo a risada de uma menina. Naquele momento, com o mundo parado e silencioso, foi como se a brisa tivesse trazido o frescor e as deixado a sós naquele lugar que até então havia sido apenas mais uma curva num rio que transbordava a cada outono.

– Por que será que escolheram esse nome, alameda dos Vaga-lumes? – perguntou Tully. – Nunca vi nenhum vaga--lume aqui.

Kate encolheu os ombros.

– Perto da ponte velha tem uma rua que se chama Missouri. Talvez algum fundador da cidade estivesse com saudade de casa. Ou perdido.

– Ou talvez seja *mágica*. Esta pode ser uma rua mágica – cogitou Tully, virando-se para a outra. – Isso poderia significar que nós nascemos para ser amigas.

Kate estremeceu com a força daquilo.

– Antes de você se mudar para cá, eu achava que era apenas uma rua que não dava em lugar nenhum.

– Agora é a nossa rua.

– A gente pode ir a todos os tipos de lugares quando crescer.

– Lugares não importam – disse Tully.

Kate ouviu alguma coisa na voz da amiga. Uma tristeza que não compreendia. Ela se virou de lado. Tully estava olhando fixamente para o céu.

– Está pensando na sua mãe? – perguntou Kate com hesitação.

– Eu tento não pensar nela.

Houve uma longa pausa e então ela pegou um cigarro Virginia Slim dentro do bolso e o acendeu.

Kate cuidou para não fazer careta por causa da fumaça.

– Quer uma tragada?

Kate sabia que não tinha escolha.

– Ahn, claro.

– Se a minha mãe fosse normal… quero dizer, se ela não

fosse doente... eu poderia ter contado a ela o que aconteceu comigo na festa.

Kate deu uma pequena tragada, tossiu forte e disse:

– Você pensa muito no que aconteceu?

Tully se recostou no toco de árvore, pegando o cigarro de volta. Depois de uma longa pausa, ela disse:

– Eu tenho pesadelos com o que aconteceu.

Kate desejou saber o que dizer.

– E o seu pai? Você não pode conversar com ele?

Tully não olhou para ela.

– Não acho que ela saiba quem ele é – disse, e a voz falhou. – Ou então ele ficou sabendo de mim e fugiu.

– Que dureza.

– A vida é dura. Além disso, eu não preciso deles. Eu tenho você, Katie. Foi você quem me ajudou a enfrentar o que aconteceu.

Kate sorriu. O cheiro forte de fumaça preencheu o ar entre as duas e ardeu em seus olhos, mas ela não se importou. O que importava era estar ali, com sua nova melhor amiga.

– É para isso que servem as amigas.

※

Na noite seguinte, Tully estava no último capítulo de *Vidas sem rumo* quando ouviu a mãe gritando pela casa.

– Tully! Atenda a porcaria da porta.

Ela fechou o livro com força e desceu até a sala, onde a mãe estava atirada em cima do sofá, fumando um baseado e assistindo à TV.

– Você está ao lado da porta.

A mãe deu de ombros:

– E daí?

– Esconda isso.

Dando um suspiro dramático, Nuvem se inclinou para a frente e pôs o baseado embaixo da mesinha que ficava ao lado do sofá. Só um cego não o veria, mas aquilo era o melhor que ela poderia fazer.

Tully afastou os cabelos do rosto e abriu a porta.

Ali, parada na varanda, havia uma mulher segurando um prato de comida coberto com papel-alumínio. De cabelos curtos e escuros, vestindo jeans desbotado e um blusão de acrílico com estampa indiana, a mulher sorria alegremente. Uma sombra azul acentuava seus olhos escuros e um blush rosado forte demais criava a ilusão de bochechas fundas naquele rosto arredondado.

– Você deve ser a Tully – falou a mulher num tom de voz que era mais alto do que ela esperava. Era uma voz de menina, cheia de entusiasmo, e combinava com o brilho em seus olhos. – Eu sou a mãe de Kate. Desculpe aparecer sem avisar, mas o telefone estava ocupado.

Tully visualizou o telefone fora do gancho ao lado da cama da mãe.

– Ah.

– Enfim, eu trouxe um refogado de atum para você e a sua mãe jantarem. Imagino que ela não tenha muita vontade de cozinhar. Minha irmã teve câncer há uns anos, então eu sei como é.

Ela sorriu e ficou ali parada. No fim, seu sorriso murchou.

– Vai me convidar para entrar?

Tully gelou. Aquilo não ia dar certo.

– Ahn… claro.

– Obrigada.

A Sra. Mularkey entrou na casa, passando por ela.

Nuvem estava deitada no sofá, ainda meio que largada. Agora estava com um montinho de maconha em cima da barriga. Sorrindo com ar estúpido, ela tentou se levantar, mas não conseguiu. A tentativa fracassada fez com que ela dissesse alguns palavrões e caísse na risada. A casa toda fedia a maconha.

A Sra. Mularkey estacou. Seu rosto foi tomado por uma expressão confusa.

– Sou a Margie, da casa em frente – disse ela.

– Sou a Nuvem – apresentou-se a mãe, tentando sentar novamente. – Bacana conhecer você.

– Digo o mesmo.

Durante um terrível instante de constrangimento, as duas ficaram apenas se encarando. Tully não teve dúvidas de que o olhar afiado da Sra. Mularkey viu tudo – o baseado embaixo da mesa lateral, o saco de erva no chão, a garrafa de vinho vazia virada e as caixas de pizza em cima da mesa.

– Eu também queria que soubesse que fico em casa na maior parte dos dias e teria prazer em levá-la ao médico ou ajudá-la com coisas da casa. Sei como a quimioterapia pode fazer mal.

Nuvem franziu a testa lentamente.

– Quem está com câncer?

A Sra. Mularkey se virou para Tully, que quis se encolher num canto e morrer.

– Ah – disse ela.

– Bem, se me mostrar onde fica o fogão, eu já estou indo.

– Tully, mostre à nossa vizinha bacana onde fica a cozinha.

Tully saiu quase correndo em direção à cozinha. No inferno cor-de-rosa, onde embalagens de comida pronta cobriam a mesa, louça suja cobria toda a pia e cinzeiros cheios estavam espalhados por todos os cantos, ela se virou para enfrentar a situação.

A Sra. Mularkey passou por ela, se abaixou no fogão, pôs a comida dentro do forno, fechou a porta com o quadril e se virou para olhar para Tully.

– A minha Katie é uma boa menina – disse ela, afinal.

Lá vem.

– Sim, senhora.

– Ela está rezando para que a sua mãe se recupere do câncer. Ela inclusive montou um pequeno altar no quarto.

Tully olhou para o chão, envergonhada demais para responder. Como poderia explicar por que havia mentido?

Nenhuma resposta seria boa o bastante, não para uma mãe como a Sra. Mularkey, que amava os filhos. Com isso, uma onda de pura inveja se juntou à vergonha que estava tomando conta dela. Talvez, se Tully tivesse uma mãe que a amasse, não acharia tão fácil – tão necessário – mentir, antes de mais nada. E agora ela iria perder a única coisa que importava para ela: Katie.

Ela engoliu o nó que tinha na garganta. Katie era a única amiga de verdade que tivera na vida, e ela havia estragado tudo.

– Acha legal mentir para os seus amigos?

– Não, senhora.

Ela estava encarando tão firmemente o chão que se assustou quando um toque delicado em seu queixo a forçou a olhar para cima.

– Você vai ser uma boa amiga para a Kate? Ou do tipo que a envolve em problemas?

– Eu jamais magoaria a Katie.

Tully queria falar mais, talvez cair de joelhos e jurar que seria uma boa pessoa, mas estava tão à beira das lágrimas que não ousou se mexer ou falar. Ela encarou os olhos escuros da Sra. Mularkey e viu algo que jamais esperaria: compreensão.

Na sala, Nuvem foi tropeçando até a TV e mudou de canal. De onde estava, Tully conseguia enxergar a tela através do lixo da sala; Jean Enerson apresentava as principais notícias do dia.

– É você que faz tudo, não é? – deduziu a Sra. Mularkey, falando baixinho como se Nuvem pudesse estar ouvindo atrás da porta. – Paga as contas, faz as compras, limpa a casa. De onde vem o dinheiro?

Tully engoliu em seco. Ninguém nunca havia enxergado sua vida com tanta clareza antes.

– Minha avó manda um cheque toda semana.

A Sra. Mularkey assentiu e sentou ao lado dela. Depois de um instante, disse:

– Meu pai era alcoólatra, e a cidade inteira sabia disso – disse ela com uma voz suave que combinava com a expressão do seu olhar. – Ele era mau, também. Nas noites de sexta-feira e sábado, minha irmã, Georgia, precisava ir até o bar e arrastá-lo de volta para casa. Ele vinha pelo caminho batendo nela e xingando-a. Ela era como um daqueles palhaços de rodeio que sempre ficam entre o touro e o peão. Quando eu estava quase me formando, entendi por que ela andava com desajustados e bebia demais.

– Porque não queria que as pessoas olhassem para ela com pena.

A Sra. Mularkey assentiu.

– Ela detestava aquele olhar. Mas o que importa não são as outras pessoas, isso eu aprendi. Quem a sua mãe é e como decidiu viver não são um reflexo de quem *você* é. Você pode fazer as próprias escolhas. E não tem nada do que se envergonhar. Mas você vai ter de sonhar alto, Tully – disse, e olhando para a sala, emendou: – Como aquela Jean Enerson ali, na TV. Uma mulher que chega a uma posição como a dela na vida sabe ir atrás do que deseja.

– Como eu vou saber o que quero?

– Fique de olhos abertos e faça a coisa certa. Vá para a faculdade. Mas você vai precisar ser forte, Tully Hart. E confiar nos seus amigos.

– Eu confio na Kate.

– Então você vai contar a verdade a ela?

– Eu preciso contar? E se eu prometer que...

– Uma de nós duas vai contar, Tully. Acho que deveria ser você.

Tully respirou fundo. Embora dizer a verdade contrariasse todo e qualquer instinto que tivesse, na verdade não tinha escolha. Ela queria que a Sra. Mularkey sentisse orgulho dela.

– Está bem.

– Ótimo. Então espero você para o jantar amanhã à noite. Às cinco horas. Vai ser a sua chance de recomeçar.

Na noite seguinte, Tully trocou de roupa pelo menos quatro vezes, tentando encontrar o visual certo. Quando ficou pronta, estava tão atrasada que precisou correr todo o caminho ladeira acima do outro lado da rua.

A mãe de Kate abriu a porta. Estava usando calça boca de sino de gabardine roxa e uma blusa listrada com decote V e mangas morcego. Sorrindo, ela disse:

– Já vou avisando que as coisas aqui são barulhentas e malucas.

– Eu adoro barulho e maluquices – disse Tully.

– Então vai se sentir à vontade.

A Sra. Mularkey passou um braço no ombro de Tully e a levou até a sala de estar de paredes bege com carpete felpudo verde-musgo, sofá vermelho-vivo e uma poltrona reclinável preta. Um pequeno quadro de Jesus com moldura dourada e outro de Elvis eram as únicas peças decorativas nas paredes, mas dezenas de fotos da família se amontoavam na parte de cima da TV. Tully não pôde deixar de pensar na TV da casa dela. A parte de cima estava sempre coberta de cinzeiros lotados e embalagens de cigarro vazias. Não havia uma única foto de família em lugar algum.

– Bud? – A Sra. Mularkey chamou o homem robusto de cabelos escuros sentado na poltrona. – Esta é a nossa vizinha Tully Hart.

O Sr. Mularkey sorriu para ela e largou a bebida.

– Ora, ora. Então é sobre você que ouvimos tanto falar. Que bom tê-la aqui, Tully.

– É bom estar aqui.

A Sra. Mularkey deu um tapinha no ombro dela.

– O jantar só é servido às seis. A Katie está no quarto dela, lá em cima. É o que fica no final da escada. Tenho certeza de que vocês duas têm muito o que conversar.

Tully entendeu o recado e assentiu, sem conseguir dizer

nada. Agora que estava ali, naquela casa quente que tinha cheiro de comida caseira, parada ao lado da mãe mais perfeita do mundo, não podia imaginar perder tudo aquilo, deixar de ser bem-vinda.

– Eu nunca mais vou mentir para ela – prometeu.

– Ótimo. Agora vá.

Dando um último sorriso, a Sra. Mularkey a deixou e foi para a sala de estar.

O Sr. Mularkey passou o braço na cintura da mulher e a puxou para a poltrona com ele. Imediatamente, os dois aproximaram a cabeça um do outro.

Tully sentiu algo tão forte e inesperado que não conseguiu se mexer. Tudo teria sido diferente para ela se ela houvesse tido uma família assim. Ela não queria sair dali ainda.

– Estão vendo o noticiário? – perguntou Tully.

O Sr. Mularkey olhou para ela.

– Nunca deixamos de ver.

– Jean Enerson está mudando o mundo – disse a Sra. Mularkey, sorrindo. – Ela é uma das primeiras mulheres a ser âncora de um noticiário noturno.

– Eu vou ser repórter – disse Tully de repente.

– Que maravilha! – falou a Sra. Mularkey.

– Você está aí – disse Kate, aparecendo ao lado dela. – Que legal que todo mundo me avisou que você havia chegado – reclamou em voz alta.

– Eu estava contando aos seus pais que vou ser repórter de TV – falou Tully.

A Sra. Mularkey ficou encantada com aquilo. Em seu sorriso, Tully viu tudo o que estava faltando em sua vida.

– Não é um grande sonho, Katie?

Kate pareceu confusa por um instante. Então enganchou o braço no de Tully e a puxou para fora da sala, escada acima. Em seu pequeno quarto no sótão, Kate foi até uma pequena pilha de discos. Quando escolheu um deles – *Tapestry*, de Carole King –, Tully estava na janela, olhando para a noite cor de lavanda.

A adrenalina da chegada havia diminuído, deixando em seu rastro uma espécie de tristeza silenciosa. Ela sabia o que tinha de fazer agora, mas pensar nisso a deixava nauseada.

Conte a verdade a ela.

Se não contar, a Sra. Mularkey vai contar.

– Comprei a nova *Seventeen* e a *Tiger Beat* – disse Kate, deitando no tapete felpudo azul. – Quer ler? Nós podemos fazer o teste "Você Pode Ser Namorada de Tony DeFranco?".

Tully deitou ao lado dela.

– Claro.

– Jan-Michael Vincent é tão gato – disse Kate, folheando a revista até encontrar uma foto do ator.

– Ouvi dizer que ele enganava a namorada – disse Tully, olhando de lado para a amiga.

– Eu odeio gente que engana os outros – falou Kate, virando a página. – Quer mesmo ser repórter de TV? Você nunca me disse isso.

– Quero – disse Tully.

Só então imaginou aquilo de verdade. Talvez ela pudesse ser famosa. Então todo mundo iria admirá-la.

– Mas você também vai ter de ser – emendou. – Porque a gente faz tudo juntas.

– Eu?

– Nós seríamos uma equipe, como Bob Woodward e Carl Bernstein, só que mais bonitas e com roupas melhores.

– Eu não sei...

Tully deu um encontrão nela.

– Sabe, sim. O Sr. Ramsdale falou para a turma inteira que você escreve muito bem.

Kate riu.

– É verdade. Está bem. Eu vou ser repórter também.

– Quando ficarmos famosas, vamos dar uma entrevista a Mike Wallace e dizer que não teríamos vencido uma sem a outra.

Depois disso, as duas ficaram em silêncio, folheando a revista. Por duas vezes, Tully tentou puxar o assunto da mãe, mas nas duas vezes Kate a interrompeu, e então ouviram um grito de "Jantar!" e sua chance de abrir o jogo havia escapado.

Durante toda a melhor refeição de sua vida, Tully sentiu o peso da mentira. Quando tiraram a mesa e lavaram e secaram a louça, ela estava se sentindo extremamente tensa. Nem mesmo sonhar com a fama na televisão a acalmava.

– Ei, mamãe – disse Kate, guardando o último prato branco. – A gente vai andar de bicicleta no parque, está bem?

– *Nós* vamos – corrigiu a mãe, pegando o guia de TV no bolso lateral da poltrona reclinável. – Mas esteja de volta às oito.

– Ahhh, mamãe...

– Oito – reforçou o pai, da sala.

Kate olhou para Tully.

– Eles me tratam como se eu fosse um bebê.

– Você não sabe a sorte que tem. Venha, vamos pegar as bicicletas.

Foram pedalando a toda a velocidade, descendo a rua esburacada, rindo o caminho todo. Na colina Summer, Tully abriu os braços, e Kate a imitou.

Quando chegaram ao parque do rio, largaram as bicicletas perto das árvores e deitaram na grama, lado a lado, olhando para o céu e ouvindo o rio gorgolejar nas pedras.

– Tem uma coisa que eu preciso contar – falou Tully.

– O que é?

Tully respirou fundo e disse:

– A minha mãe não tem câncer. Ela é uma maconheira.

– A sua mãe fuma maconha. Ah, tá, tá bom.

– É verdade. Ela está sempre chapada.

Kate se virou para ela.

– É mesmo?

– É.

– Você *mentiu* para mim?

Tully mal conseguia olhar para Kate de tanta vergonha.

– Eu não queria ter mentido.

– As pessoas não mentem sem querer. Não é como tropeçar numa calçada.

– Você não sabe como é sentir vergonha da própria mãe.

– Você está brincando? Você devia ver o que a minha mãe usou para sair para jantar na…

– Não – disse Tully. – Você não sabe.

– Então me diga como é.

Tully sabia o que Kate estava pedindo. Ela queria saber o motivo da mentira, mas Tully não sabia se conseguiria contar, se poderia transformar sua dor em palavras e passá-la adiante como cartas de um baralho. Guardara esses segredos durante toda a sua vida. Se contasse a verdade a Kate e então perdesse sua amizade, seria insuportável.

Porém, se não contasse, perderia a amizade com certeza.

– Eu tinha 2 anos – disse ela, afinal – quando a minha mãe me largou pela primeira vez na casa dos meus avós. Ela foi à cidade para comprar leite e voltou quando eu estava com 4 anos. Quando eu tinha 10, ela apareceu de novo e eu fiquei toda empolgada. Achei que queria dizer que me amava. Dessa vez, ela me largou no meio de uma multidão. Eu só voltei a vê-la de novo aos 14 anos. A minha avó nos deixou morar nesta casa e nos manda dinheiro toda semana. Isso vai durar até a minha mãe dar no pé de novo. O que ela certamente vai fazer.

– Eu não estou entendendo.

– Claro que não está. A minha mãe não é como a sua. Esse é o período mais longo que já morei com ela. Mais cedo ou mais tarde ela vai ficar entediada e vai embora sem mim.

– Como uma mãe pode fazer isso?

Tully encolheu os ombros.

– Acho que tem alguma coisa errada comigo.

– Não tem nada errado com você. Ela que é a trouxa. Mas ainda não entendi por que você mentiu para mim.

Tully finalmente olhou para ela.

– Eu queria que você gostasse de mim.

– *Você* estava preocupada *comigo*?

Kate explodiu numa gargalhada. Tully estava prestes a perguntar o que era tão engraçado quando ela parou de rir e disse:

– Chega de mentiras, está bem?

– Pode ter certeza disso.

– Nós vamos ser melhores amigas para sempre – disse Kate com sinceridade. – Combinado?

– Você quer dizer que sempre estará do meu lado?

– Sempre – respondeu Kate. – Não importa o que aconteça.

Tully sentiu uma emoção se abrir dentro dela feito uma flor exótica. Quase podia sentir seu aroma doce no ar. Pela primeira vez na vida, ela se sentia totalmente segura com alguém.

– Para sempre – prometeu. – Não importa o que aconteça.

※

Kate sempre se lembraria do verão depois da oitava série como um dos melhores períodos de sua vida. Todos os dias de semana, ela fazia suas tarefas matinais sem reclamar e cuidava do irmão até as três da tarde, quando a mãe voltava da rua e do trabalho voluntário com jovens. Depois disso, Kate estava liberada. Os fins de semana, na maior parte do tempo, eram todos seus.

Ela e Tully andavam de bicicleta por todo o vale e passavam horas boiando no rio Pilchuck. Nos finais de tarde, deitavam sobre toalhas minúsculas, usando biquínis de crochê em cores neon, com a pele escorregadia por causa de uma mistura de óleo de bebê e iodo. Ficavam ouvindo as top quarenta no rádio de que nunca se separavam e conversando. Conversavam sobre tudo: moda, música, meninos, a guerra e o que ainda estava acontecendo por lá, como seria ser uma dupla de repórteres, filmes. Nada ficava de fora. Nenhuma questão ficava de lado.

Um dia, no final de agosto, as duas estavam no quarto de Kate, finalizando a maquiagem para irem à feira. Como sempre, Kate teria de trocar de roupa e se maquiar depois de sair de casa. Pelo menos se quisesse ficar com uma aparência bacana. Sua mãe ainda achava que ela era jovem demais para tudo.

– Pegou o seu tomara que caia? – perguntou Tully.

– Peguei.

Sorrindo uma para a outra por conta de seu plano brilhante, as duas desceram a escada, onde o pai de Kate estava vendo TV sentado no sofá.

– Estamos indo para a feira – anunciou Kate.

Estava contente por a mãe não estar em casa. Ela perceberia que a bolsa era grande demais para uma ida à feira do condado. Sua visão de raios X provavelmente veria as roupas, os sapatos e a maquiagem através do exterior de macramê.

– Cuidem-se, vocês duas – disse ele, sem desviar o olhar da tela.

Era o que ele sempre dizia, desde que garotas começaram a desaparecer em Seattle. Nos últimos dias, o noticiário estava se referindo ao assassino como "Ted" porque uma menina no parque estadual Lake Sammamish havia conseguido escapar e feito uma descrição à polícia. Jovens de todo o estado estavam apavoradas. Ninguém via um Fusca amarelo sem se preocupar que pudesse ser o carro de Ted.

– Tomaremos muito cuidado – disse Tully, sorrindo.

Ela adorava quando os pais da amiga se preocupavam com elas.

Kate atravessou a sala para dar um beijo de despedida no pai, que passou o braço em torno dela e lhe deu uma nota de 10 dólares.

– Divirtam-se.

– Obrigada, papai.

Ela e Tully saíram pela entrada de carros balançando suas bolsas alegremente.

– Você acha que o Kenny Markson vai estar na feira? – perguntou Kate.

– Você se preocupa demais com os meninos.

Kate deu um encontrão de quadril na amiga.

– Ele tem uma queda por você.

– Grande coisa. Eu sou mais alta do que ele.

De repente, Tully parou.

– Ai, Tully, pare de andar feito uma retardada. Eu quase caí...

– Ah, merda – sussurrou Tully.

– O que houve?

Então Kate viu o carro de polícia parado na frente da casa da amiga.

Tully agarrou a mão de Kate e praticamente a arrastou. As duas atravessaram a rua e foram até a porta da frente das Hart, que estava aberta.

Um policial esperava na sala.

Quando as viu, seu rosto gorducho se contorceu, ficando parecido com o de um palhaço.

– Olá, meninas. Eu sou o policial Dan Myers.

– O que ela fez desta vez? – perguntou Tully.

– Houve um protesto pela coruja-pintada no lago Quinault que saiu do controle ontem. A sua mãe e várias outras pessoas fizeram uma manifestação que custou um dia inteiro de trabalho à madeireira. Pior: alguém atirou um cigarro na mata. – Ele fez uma pausa. – O incêndio acabou de ser controlado.

– Deixe eu adivinhar: ela vai para a cadeia.

– O advogado dela está pedindo tratamento voluntário para vício em drogas. Se tiver sorte, ela vai ficar no hospital por um tempo. Se não...

Ele deixou a frase no ar.

– Alguém ligou para a minha avó?

O policial assentiu.

– Ela está esperando por você. Precisa de ajuda para arrumar suas coisas?

Kate não estava entendendo o que se passava. Então se virou para a amiga:

– Tully?

Os olhos castanhos de Tully estavam terrivelmente inexpressivos, e Kate entendeu de repente que aquilo era importante, o que quer que fosse.

– Preciso voltar para a casa da minha avó – disse Tully, passando por Kate e indo até seu quarto.

Kate correu atrás dela.

– Você *não pode* ir! Eu não quero que você vá.

Tully tirou uma mala do armário e a abriu.

– Não tenho escolha.

– Eu faço a sua mãe voltar. Vou dizer a ela que…

Tully parou de arrumar suas coisas e olhou para Kate.

– Você não tem como consertar isso – disse ela de modo suave, parecendo uma adulta: cansada e ferida.

Pela primeira vez, Kate compreendeu de verdade todas as histórias sobre a mãe sem noção de Tully. Elas riam de Nuvem, faziam piada sobre o uso de drogas, as roupas malucas e suas histórias; mas não tinha graça. E Tully sempre soubera que aquilo iria acontecer.

– Prometa – disse ela, afinal, com a voz embargada – que seremos sempre a melhor amiga uma da outra.

– Sempre – foi tudo o que Kate pôde dizer.

Tully terminou de arrumar suas coisas e fechou a mala. Sem dizer nada, voltou para a sala. No rádio, estava tocando "American Pie", e Kate se perguntou se algum dia conseguiria ouvir aquela música novamente sem se lembrar daquele momento. O dia em que a música morreu, como dizia a letra. Seguiu Tully até a saída da garagem. Lá, as duas caíram no choro e ficaram abraçadas até que o policial Dan gentilmente afastasse Tully da amiga.

Kate não conseguiu nem sequer acenar. Apenas ficou ali parada, anestesiada, com lágrimas escorrendo pelo rosto, assistindo à melhor amiga ir embora.

Seis

Pelos três anos seguintes, elas trocaram cartas religiosamente. Isso se tornou mais do que uma tradição, uma espécie de dependência. Todo domingo à noite, Tully se sentava diante da escrivaninha de seu quarto rosa e lilás de menina e derramava seus pensamentos, sonhos e frustrações numa folha de caderno. Às vezes escrevia sobre coisas que não tinham importância – o corte de cabelo à la Farrah Fawcett que havia feito e que a deixara linda, o vestido que usara no baile de formatura do ginásio –, mas, de vez em quando, ela falava de assuntos mais profundos e contava a Katie sobre as vezes em que não conseguia dormir ou sobre como sonhava com a mãe voltando e dizendo que sentia orgulho dela. Quando seu avô morreu, foi a Kate que Tully recorreu. Ela não havia chorado por ele até receber o telefonema da melhor amiga que começou com "Ah, Tul, eu sinto muito". Pela primeira vez na vida, Tully não estava mentindo ou dourando a pílula (bem, não muito). A maior parte do tempo era simplesmente ela mesma, e isso bastava para Kate.

Agora era o verão de 1977. Em poucos meses, as duas estariam no último ano, cada uma em sua escola.

E hoje era o dia para o qual Tully vinha se preparando havia meses. Finalmente, ela iria começar a percorrer o caminho que a Sra. Mularkey havia mostrado a ela fazia tantos anos.

Ser a próxima Jean Enerson.

Aquelas palavras haviam se tornado seu mantra, um código secreto que abrigava a enormidade de seu sonho e fazia com que ele parecesse possível. As sementes daquele sonho, plantadas tanto tempo antes na cozinha da casa de Snohomish, brotaram sem poda e fincaram raízes no fundo do seu coração. Ela não havia se dado conta de quanto precisava de um sonho. Mas ele a transformara, fizera com que a pobre Tully abandonada e sem mãe virasse uma menina pronta para ganhar o mundo. Ter um objetivo tornara sua história de vida desimportante, dera a ela algo para buscar, algo em que se apegar. E isso orgulhava a Sra. Mularkey. Ela sabia disso pelas cartas. Sabia também que Kate compartilhava esse sonho com ela. As duas seriam repórteres juntas, indo atrás de histórias e as escrevendo. Uma equipe.

Agora ela estava parada na calçada olhando fixamente para o prédio diante de si, sentindo-se como uma assaltante de banco olhando para o Fort Knox.

Surpreendentemente, a afiliada da ABC, apesar de todo poder e glória, ficava num pequeno prédio nos arredores do centro da cidade. Não tinha uma vista que chamasse atenção, nenhuma parede impressionante de janelões ou um saguão repleto de obras de arte. Na verdade, havia um balcão de recepção em forma de L, uma recepcionista bonitinha e um trio de cadeiras mostarda de plástico.

Tully respirou fundo, endireitou os ombros e entrou no prédio. Apresentou-se à recepcionista e se sentou numa cadeira perto da parede. Cuidou para não se remexer nem bater com os pés no chão durante a longa espera pela entrevista.

Nunca se sabe quem está olhando.

– Srta. Hart? – chamou a recepcionista, afinal, olhando para ela. – Ele vai recebê-la agora.

Tully deu um sorriso ensaiado para as câmeras e se levantou.

– Obrigada.

Acompanhou a recepcionista até outra sala de espera.

Lá, viu-se diante do homem para quem vinha escrevendo todas as semanas havia quase um ano.

– Olá, Sr. Rorbach – cumprimentou-o, apertando sua mão. – É um prazer finalmente conhecê-lo.

Ele parecia cansado. E mais velho do que ela esperava

também. Tinha uns poucos fios de cabelos, grisalhos avermelhados, na careca reluzente, e nenhum deles estava onde deveria. O terno azul-claro tinha detalhes pespontados.

– Venha até a minha sala, Srta. Hart.

– Sra. Hart – corrigiu ela.

Era sempre melhor começar com o pé direito. Gloria Steinem não era apenas jornalista, mas também feminista, e dizia que não se consegue respeito sem exigi-lo.

O Sr. Rorbach olhou para ela um tanto perplexo.

– Perdão?

– Prefiro que me chame de senhora, se não se importar, e sei que não se importa. Como alguém com diploma em literatura inglesa de Georgetown poderia ser resistente a mudanças? Tenho certeza de que o senhor é bastante avançado em termos de consciência social. Posso ver em seus olhos. Aliás, gostei dos seus óculos.

Ele a encarou boquiaberto por alguns segundos antes de parecer se lembrar de onde estava.

– Venha comigo, Sra. Hart.

Ele a guiou pelo corredor branco sem graça até a última porta de madeira falsa à esquerda, que abriu.

Era uma pequena sala de quina, com uma janela que dava para o elevado de cimento feito para o monotrilho. As paredes eram completamente nuas.

Tully se sentou numa cadeira preta dobrável localizada diante da mesa dele.

O Sr. Rorbach se sentou e a encarou.

– Cento e doze cartas, Sra. Hart – começou ele, e bateu com o dedo sobre o grosso arquivo de papel pardo em cima da mesa.

Ele havia guardado todas as cartas que ela mandara. Isso devia significar alguma coisa. Ela puxou da pasta a última versão do seu currículo e a colocou em cima da mesa.

– Vai perceber que o jornal da escola diversas vezes destacou meus trabalhos na primeira página. Além disso, incluí um artigo mais sério sobre o terremoto na Guatemala, uma atualização sobre Karen Ann Quinlan e um olhar sentimentalista sobre os últimos dias de Freddy Prinze. Estou certa de que eles demonstrarão a minha capacidade.

– Você tem 17 anos.

– Sim.

– No mês que vem, vai começar o último ano do colegial.

Todas aquelas cartas funcionaram. Ele sabia tudo a respeito dela.

– Exatamente. Acho que esta é uma boa pauta, aliás. O último ano de escola, a turma de 1978. Talvez possamos fazer reportagens mensais sobre o que realmente acontece atrás das portas de um colégio local. Tenho certeza de que seus telespectadores...

– Sra. Hart – falou ele, e apoiou o queixo nos dedos, olhando para Tully.

Ela ficou com a impressão de que ele estava se esforçando para não rir.

– Sim, Sr. Rorbach?

– Esta é uma afiliada da ABC, pelo amor de Deus. Nós não contratamos alunos do colegial.

– Mas vocês têm estagiários.

– Da Universidade de Washington e de outras faculdades. Nossos estagiários sabem como funciona uma emissora de TV. A maioria já trabalhou nas TVs universitárias. Eu sinto muito, mas você simplesmente não está pronta ainda.

– Ah.

Os dois ficaram se encarando.

– Eu estou neste trabalho há tempos, Sra. Hart, e poucas vezes vi alguém com tanta ambição quanto você – disse ele, e voltou a bater na pasta com suas cartas. – Vamos fazer o seguinte: você continua me mandando seus textos, e eu ficarei atento.

– Então, quando eu estiver pronta para ser repórter, o senhor vai me contratar?

Ele deu risada.

– Continue me mandando os textos. E tire boas notas e entre na faculdade, está bem? Depois a gente vê.

Tully voltou a se sentir animada.

– Vou lhe mandar uma atualização por mês. O senhor vai me contratar um dia, Sr. Rorbach. O senhor vai ver.

– Eu não apostaria no contrário, Hart.

Os dois conversaram por mais alguns instantes, então o Sr. Rorbach a levou até a saída. A caminho da escada, ele parou diante da estante de troféus, onde vários Emmys e outros prêmios de jornalismo cintilavam.

– Um dia, eu vou ganhar um Emmy – disse ela, tocando a vitrine com as pontas dos dedos.

Ela se recusava a se deixar abater por aquele contratempo. E era apenas isso: um contratempo.

– Sabe de uma coisa, Talullah Hart? Eu acredito em você. Agora vá para o colegial e aproveite seu último ano de escola. A vida real chega rápido demais.

Do lado de fora, o visual era o de um cartão-postal de Seattle: o tipo de dia com céu azul e sem nuvens que levava as pessoas a venderem suas casas em lugares mais sem graça e menos espetaculares para se mudarem para lá. Se soubessem como aqueles verões de Seattle eram curtos… Chegavam com muita rapidez naquela parte do mundo e iam embora com a mesma velocidade.

Segurando a pasta de couro pesada contra o peito como um escudo, ela subiu a rua até a parada de ônibus. Num elevado acima da cabeça dela, o monotrilho passou trovejando e fez o chão tremer.

No caminho para casa, ficou dizendo para si mesma que na realidade aquela seria uma oportunidade. Agora ela poderia provar seu valor na faculdade e conseguir um emprego ainda melhor.

Mas, por mais que ela tentasse reformular o que havia acontecido, não conseguia deixar de ter a sensação de que havia fracassado. Quando chegou em casa, estava se sentindo menor, com os ombros pesados.

Abriu a porta da frente e entrou, atirando a pasta de couro em cima da mesa da cozinha.

Na sala, sua avó estava sentada no velho sofá surrado, descansando os pés sobre o pufe de veludo, com um bordado inacabado no colo. Dormia, roncando baixinho.

Ao ver a avó, Tully precisou forçar um sorriso.

– Oi, vovó – disse ela baixinho, entrando na sala e se abaixando para tocar a mão nodosa e sentar ao lado dela.

A avó acordou lentamente. Atrás das lentes grossas dos óculos de armação antiquada, seu olhar confuso clareou.

– Como foi?

– O diretor-assistente de jornalismo achou que eu era qualificada demais, acredita? Ele disse que o cargo seria um beco sem saída para alguém com a minha capacidade.

A vovó apertou a mão dela.

– Você é jovem demais, é?

As lágrimas que ela estava segurando arderam em seus olhos. Encabulada, ela as limpou com as mãos.

– Eu sei que vão me oferecer um emprego assim que eu entrar na faculdade. Você vai ver só. Vai sentir orgulho de mim.

A avó lhe deu o olhar de pobre Tully:

– Eu já sinto orgulho de você. É a atenção da Dorothy que você quer.

Tully se apoiou no ombro magro da avó e se deixou ser abraçada. Sabia que, em alguns instantes, a dor diminuiria de novo, como uma queimadura de sol que se curava sozinha e deixava a pele ligeiramente mais resistente.

– Eu tenho a senhora, vovó. Então ela não tem importância.

A avó deu um suspiro cansado.

– Por que não liga para a sua amiga Katie? Só não fique muito tempo. É caro.

A simples ideia de conversar com Kate deixou Tully mais

animada. Com o preço das chamadas interurbanas, as duas raramente falavam ao telefone.

– Obrigada, vovó. Vou ligar.

Na semana seguinte, Tully conseguiu um emprego no *Queen Anne Bee*, o jornal semanal do bairro em que morava. Suas funções estavam bem de acordo com o salário miserável que lhe pagavam por hora, mas ela não se importava. Ela estava no mercado de trabalho. Passou quase todas as horas em que estava acordada no verão de 1977 na redação pequena e apertada, absorvendo todo e qualquer conhecimento que pudesse. Quando não estava na cola dos repórteres, fazendo cópias ou servindo café, estava em casa, jogando cartas com a avó. Toda noite de domingo, sem falta, ela escrevia a Kate e contava os mínimos detalhes da semana.

Sentada diante da escrivaninha de criança que tinha no quarto, releu a carta de oito páginas daquela semana, assinou *Melhores amigas para sempre, Tully* ♥ e dobrou em três os papéis, cuidadosamente.

Sobre a escrivaninha, a encarava o último cartão-postal de Kate, que estava no acampamento anual de férias da família Mularkey. Kate chamava a viagem de Semana Infernal com Mosquitos, mas Tully tinha inveja de cada momento, tudo aquilo lhe parecia perfeito. Ela desejava desesperadamente que tivesse podido ir com eles. Recusar o convite havia sido uma das coisas mais difíceis que já fizera. Mas com seu emprego de verão – a que dava tanta importância – e a saúde debilitada da avó, não tivera muita escolha, na verdade.

Ela olhou para o bilhete da amiga, relendo as palavras que já havia decorado. *Jogando cartas à noite, assando marshmallow, nadando no lago congelado...*

Ela se obrigou a desviar o olhar. Não adiantava nada se

consumir pelo que não se podia ter. Seus dias com Nuvem lhe ensinaram isso.

Ela colocou a carta num envelope, escreveu nele o endereço, e então desceu para conferir como estava a avó, que já havia caído no sono.

Sozinha, Tully assistiu a seus programas preferidos de domingo à noite, depois trancou a casa e foi para a cama. O último pensamento que teve ao cair no sono lentamente foi imaginar o que os Mularkey estariam fazendo.

Na manhã seguinte, ela acordou no horário de sempre, às seis, e se vestiu para trabalhar. Às vezes, quando chegava bem cedo à redação, um dos repórteres a deixava ajudar com as matérias do dia.

Ela seguiu às pressas até o quarto da avó e bateu à porta. Embora detestasse acordá-la, era a regra da casa. Não se saía sem se despedir.

– Vovó?

Ela bateu novamente e abriu a porta devagar, chamando:

– Vovó... estou indo trabalhar.

Suaves sombras de lavanda cobriam os peitoris das janelas. Os bordados emoldurados que decoravam as paredes eram caixas sem forma.

A avó de Tully estava deitada na cama. Mesmo da porta, ela podia ver sua silhueta, os cachos dos cabelos brancos, as pregas da camisola... e a imobilidade de seu peito.

– Vovó?

Ela deu um passo para a frente e tocou o rosto aveludado e enrugado da avó. A pele estava gelada. Nenhum ar saía dos lábios frouxos.

O mundo de Tully pareceu sair do prumo, escorregar para fora das bases. Precisou juntar todas as suas forças para ficar ali parada, olhando para o rosto sem vida da avó.

No começo, suas lágrimas rolaram quentes, demorando para se formar. Era como se cada uma delas fosse de sangue e tão espessa que não passaria pelos canais lacrimais. As lembranças vieram à sua mente como um caleidoscópio: a avó trançando seus cabelos para o aniversário de 7 anos, dizendo que sua mãe poderia aparecer se ela rezasse bastante e, anos mais tarde, admitindo que às vezes Deus não respondia às preces de menininhas, ou de mulheres também. Ou então as duas jogando cartas na semana anterior, dando risada quando ela pegou todo o descarte – de novo – dizendo: "Tully, você não precisa ter todas as cartas, o tempo todo...", ou lhe dando gentilmente um beijo de boa-noite.

Ela não fazia ideia de quanto tempo ficara ali parada, mas quando se inclinou para a frente e beijou o rosto enrugado da avó, a luz do sul estava entrando através das cortinas finas, iluminando o quarto. A claridade surpreendeu Tully. Sem sua avó, parecia que aquele quarto deveria ser escuro.

– Vamos lá, Tully – disse ela.

Tinha coisas a fazer agora, sabia disso. Ela e a avó haviam conversado sobre isso, haviam cuidado do que Tully deveria fazer. Ela tinha certeza, porém, de que nenhuma palavra poderia tê-la preparado para aquilo.

Ela foi até a mesa de cabeceira da avó, onde havia uma bonita caixa de jacarandá embaixo da foto de seu avô, ao lado da enorme quantidade de remédios.

Levantou a tampa sentindo-se meio ladra, mas a avó esperava que ela fizesse isso. *Quando eu for para casa*, sua avó sempre dizia, *vou lhe deixar uma coisa na caixa que o vovô comprou para mim.*

Lá dentro, em cima do monte de bijuterias baratas que Tully mal lembrava de ver a avó usando, estava um papel cor-de-rosa dobrado com o nome de Tully escrito.

Lentamente, pegou a carta e a abriu.

Minha adorada Tully,
eu sinto muito. Sei quanto você tem medo de ficar sozinha ou de ser deixada para trás, mas Deus tem um plano para cada um de nós. Eu teria ficado mais tempo com você se pudesse.

Seu avô e eu sempre estaremos olhando por você do Céu.
Você nunca vai estar sozinha se acreditar nisso.
Você foi a maior alegria da minha vida.
Com amor,
Vovó

Foi.

A avó não estava mais com ela.

❧

Tully ficou parada do lado de fora da igreja observando o fluxo de pessoas mais velhas passar por ela. Algumas das amigas de sua avó a reconheceram e foram lhe dar as condolências.

Eu sinto muito, querida…

… mas ela está num lugar melhor…

… com seu amado Winston.

… não gostaria que você chorasse.

Ela aceitou o máximo que pôde daquilo porque sabia que a avó iria querer isso, mas, perto das onze horas, estava prestes a gritar. Será que nenhuma daquelas pessoas bem-intencionadas *via* ou se dava conta de que Tully era uma menina de 17 anos vestida de preto e completamente sozinha no mundo?

Se ao menos Katie e os Mularkey estivessem lá, mas ela não fazia ideia de como entrar em contato com eles no Canadá. E como eles só chegariam em casa dentro de dois dias, ela precisava passar por aquilo sozinha. Com eles ao seu lado, como uma família, talvez ela conseguisse chegar ao fim da cerimônia.

Sem eles, ela simplesmente não suportou. Em vez de ficar assistindo às terríveis e desoladoras lembranças da avó, ela se levantou na metade do funeral e foi embora.

Do lado de fora, sob o sol quente de agosto, conseguiu respirar novamente, embora as lágrimas estivessem sempre perto da superfície, assim como a pergunta sem sentido: "Como você pôde me deixar assim?"

Cercada por carros velhos empoeirados, ela tentou não chorar. Mais do que tudo, tentou não se lembrar ou se preocupar com o que iria acontecer com ela.

Perto dali, um galho se partiu, e o barulho fez Tully erguer os olhos. A primeira coisa que viu foram os carros estacionados aleatoriamente.

Então a avistou.

Perto do limite do terreno, onde uma fileira de enormes árvores marcava o começo do parque da cidade, Nuvem estava parada à sombra, fumando um cigarro. Usava uma velha calça boca de sino de veludo cotelê e uma bata suja, cercada por um muro de cabelos castanhos arrepiados. Parecia extremamente magra. O advogado devia ter conseguido encontrá-la... e ela aparecera!

Tully não conseguiu evitar o pequeno salto de alegria em seu coração. Afinal, ela não estava sozinha. Nuvem podia ser meio maluca, mas tinha voltado quando os problemas apareceram. Tully correu para ela, sorrindo. Iria perdoar a mãe por todos os anos perdidos, todo o abandono. O que importava era que estava ali agora, quando Tully mais precisava dela.

– Graças a Deus você está aqui – disse ela, parando, sem fôlego. – Estou precisando de você.

A mãe se atirou na direção dela, rindo ao quase cair.

– Você é um belo espírito, Tully. Tudo o que precisa é de ar e liberdade.

Tully sentiu um frio no estômago.

– De novo não – disse ela, implorando por ajuda com os olhos.

– Sempre.

A voz de Nuvem tinha um tom duro agora, uma precisão que desmentia a expressão vidrada em seus olhos.

– Eu sou sangue do seu sangue e estou precisando de você. Sem você, vou ficar sozinha.

Tully sabia que estava sussurrando, mas não conseguiu dar um volume maior à própria voz.

Nuvem tropeçou. A tristeza nos olhos dela era inequívoca, mas Tully não se importava. As pseudoemoções de sua mãe iam e vinham como o sol em Seattle.

– Olhe para mim, Tully.

– Estou olhando.

– Não. *Preste atenção.* Eu estou acabada. Não posso ajudar você.

– Mas eu preciso de você.

– Esta é a porra da tragédia – disse sua mãe, dando uma longa tragada no baseado e soltando a fumaça alguns segundos depois.

– Por quê? – perguntou Tully.

Ela ia acrescentar *você não me ama?*, mas antes que pudesse transformar a dor em palavras, o funeral terminou e uma pequena multidão de pessoas vestidas de preto encheu o estacionamento. Tully olhou para o lado por um instante – apenas pelo tempo necessário para secar suas lágrimas – e, quando olhou de volta, a mãe não estava mais lá.

❧

A assistente social foi seca. Tentava dizer as palavras certas, mas Tully percebeu que ela não parava de olhar para o relógio enquanto esperava à porta.

Tully estava arrumando a mala.

– Ainda não entendo por que preciso ir. Eu tenho quase 18 anos. A minha avó já quitou a hipoteca da casa. Eu sei porque fui eu quem pagou as contas este ano. Tenho idade suficiente para morar sozinha.

– O advogado está nos esperando – foi a única resposta da mulher. – Ainda falta muito?

Tully guardou a pilha de cartas de Kate na mala, puxou a tampa e a fechou. Como não conseguiu formar as palavras *estou pronta*, apenas pegou a mala, atirou a bolsa de macramê no ombro e se dirigiu até a porta.

– Ótimo – disse a mulher, virando-se rapidamente e percorrendo o corredor.

Tully lançou mais um último e demorado olhar para o quarto, percebendo como se pela primeira vez coisas que havia deixado passar durante anos: os lençóis amarrotados lilás e branco da cama de solteiro, a fileira de cavalos de plástico – agora empoeirados – no peitoril da janela, a boneca em cima da cômoda e a caixa de joias da Miss América com a bailarina cor-de-rosa em cima.

Vovó havia decorado aquele quarto para a menininha que fora largada ali tantos anos antes. Cada item havia sido escolhido com cuidado, mas agora todos seriam encaixotados e armazenados no escuro, junto com as lembranças que traziam. Tully se perguntou quanto tempo levaria para que conseguisse pensar na avó sem chorar.

Ela fechou a porta atrás de si e seguiu a mulher pela casa agora em silêncio. Desceu os degraus da entrada até a rua, onde um velho Ford amarelo as aguardava.

– Ponha a sua mala atrás.

Tully fez o que lhe foi dito e se sentou no banco do carona.

Quando a mulher ligou o carro, o som começou a tocar num volume ensurdecedor. Era "Don't Give up on Us", de David Soul. Que ironia: "não desista de nós". A mulher imediatamente abaixou o som, murmurando:

– Desculpe.

Tully achou que aquela música valia o pedido de desculpas tanto quanto qualquer outra, então só encolheu os ombros e ficou olhando pela janela.

– Sinto muito por sua avó, se ainda não disse isso.

Tully ficou olhando para seu reflexo esquisito na janela. Era como olhar para uma versão em negativo de seu rosto, sem cor e sem nada por dentro. Era como estava se sentindo, na verdade.

– Pelo que dizem, ela foi uma mulher excepcional.

Tully não respondeu. Não conseguia falar direito, de qualquer maneira. Desde o encontro com a mãe, ela estava seca, vazia.

– Bem, chegamos.

Estavam estacionadas diante de uma casa vitoriana bem cuidada em Ballard. Uma placa pintada à mão na frente dizia BAKER E MONTGOMERY, ADVOGADOS.

Tully levou um instante para sair do carro. Quando saiu, a mulher estava lhe dando um sorriso suave e compreensivo.

– Você não precisa levar a sua mala.

– Eu prefiro levar, obrigada.

Se havia algo que Tully compreendia era a importância de uma mala feita.

A mulher assentiu e a guiou pelo caminho cimentado com veios de grama até a porta branca de entrada. Dentro do espaço extremamente singular, ela se sentou no saguão, perto da mesa de recepção vazia. Desenhos bonitinhos de crianças de olhos arregalados enfeitavam as paredes cobertas de papel de parede estampado. Exatamente às quatro horas, um homem gorducho, careca e de óculos com aro grosso foi até elas.

– Olá, Talullah. Eu sou Elmer Baker, o advogado da sua avó.

Tully o seguiu até uma sala pequena no andar de cima com duas poltronas e uma antiga mesa de mogno com muitos blocos de anotação amarelos. No canto, um ventilador zunia, mandando ar quente na direção da porta. A assistente social se acomodou junto à janela.

– Aqui. Aqui. Sente-se, por favor – disse ele, indo até a própria cadeira, atrás da mesa elegante. – Agora, Talullah...

– Tully – corrigiu ela baixinho.

– Muito bem. Eu me lembro de Ima dizer que você preferia Tully.

Ele pôs os cotovelos em cima da mesa e se inclinou para a

frente. Seus olhos saltados piscavam ampliados pelas lentes grossas dos óculos.

– Como você sabe, sua mãe se recusou a ficar com a sua custódia.

Tully usou todas as suas forças para assentir, embora na noite anterior ela tivesse ensaiado todo um monólogo sobre como deveria ter autorização para morar sozinha. Agora, ali, ela se sentia pequena e jovem demais.

– Eu sinto muito – disse ele, numa voz gentil.

Tully chegou a se encolher com essas palavras. Havia começado a verdadeiramente desprezar aquele sentimento idiota e inútil.

– É – disse ela, cerrando os punhos na lateral do corpo.

– A Sra. Gulligan encontrou uma ótima família para você. Você será uma de várias adolescentes sob os cuidados dela. A melhor notícia é que você poderá continuar na mesma escola. Tenho certeza de que ficará feliz com isso.

– Felicíssima.

O Sr. Baker pareceu momentaneamente desconcertado pela resposta.

– Certo. Agora, quanto à sua herança: Ima deixou todos os bens, duas casas, um carro, contas bancárias e ações, para você. Ela deixou instruções para que você mantenha os pagamentos mensais à filha, Dorothy. Sua avó acreditava que essa era a melhor e única forma de saber por onde ela andava. Dorothy se mostrou bastante propensa a entrar em contato quando há dinheiro em questão.

Ele limpou a garganta.

– Agora... se vendermos as duas casas, você não vai precisar se preocupar com dinheiro por um bom tempo. Podemos cuidar para...

– Mas daí eu não vou ter onde morar.

– Eu sinto muito quanto a isso, mas Ima foi bastante clara nesse sentido. Ela queria que você pudesse entrar para qualquer universidade que escolhesse – explicou, e, olhando para ela, disse: – Você vai ganhar o Pulitzer um dia. Pelo menos foi o que ela me falou.

Tully não podia acreditar que ia chorar de novo, e na frente daquelas pessoas. Levantou-se num salto.

– Preciso ir ao toalete.

O Sr. Baker franziu a testa pálida.

– Ah, sim. Claro. Lá embaixo. A primeira porta à esquerda da entrada.

Tully se levantou, pegou a mala e saiu hesitante da sala. No corredor, fechou a porta atrás de si e se encostou na parede, tentando não chorar.

Ser alojada na casa de estranhos *não podia* ser o futuro dela.

Ela olhou para o pulso, para o relógio comemorativo do bicentenário da independência do país.

Os Mularkey estariam em casa no dia seguinte.

A volta para casa de British Columbia, no Canadá, pareceu durar uma eternidade. Como o ar-condicionado do carro estava quebrado, um vento morno inútil saía das aberturas de ar. Todo mundo estava com calor, cansado e suado. E ainda assim a mãe e o pai de Kate queriam cantar. E ficavam insistindo para que os filhos cantassem com eles.

Kate não estava mais aguentando aquilo.

– Mamãe, pode, *por favor*, mandar o Sean parar de cutucar meu ombro?

O irmão arrotou e começou a rir.

No banco da frente, o pai se inclinou e ligou o rádio. A voz de John Denver saiu dos alto-falantes com "Thank God I'm a Country Boy".

– Eu vou cantar, Margie. Se eles não quiserem cantar junto... tudo bem.

Kate voltou para o livro que estava lendo. O carro pulava tanto que as palavras dançavam nas páginas, mas isso não importava. Não depois de todas as vezes que ela já havia lido *O Senhor dos Anéis*.

Estou feliz que esteja aqui comigo. Aqui, no fim de todas as coisas.

– Katie. Kathleen.

Ela levantou o olhar.

– Que foi?

– Chegamos – disse o pai. – Largue esse bendito livro e nos ajude a tirar as coisas do carro.

– Posso ligar para a Tully antes?

– Não. Vamos descarregar o carro primeiro.

Kate fechou o livro com força. Fazia sete dias que vinha esperando para fazer essa ligação. Mas tirar as coisas do carro era mais importante.

– Tudo bem, mas é bom que o Sean ajude.

Sua mãe suspirou.

– Preocupe-se só com você, Kathleen.

Saíram do carro fedido e começaram o ritual final das férias. Quando terminaram, estava escuro. Kate deixou as últimas peças de roupa suja na pilha no chão da lavanderia, colocou a primeira carga da máquina e foi falar com a mãe, que estava sentada no sofá com o pai. Os dois estavam encostados um no outro, parecendo em transe.

– Posso ligar para a Tully agora?

O pai consultou o relógio.

– Às nove e meia? Tenho certeza de que a avó dela vai gostar muito disso.

– Mas...

– Boa noite, Katie – o pai disse com firmeza, passando o braço ao redor da esposa e puxando-a para mais perto.

– Isso não é justo.

A mãe riu.

– Quem disse para você que a vida era justa? Agora vá para a cama.

✤

Durante quase quatro horas, Tully ficou parada na esquina de sua casa, vendo os Mularkey descarregarem o carro. Pensou várias vezes em subir correndo a ladeira e simplesmente aparecer diante deles, mas ainda não estava pronta para a agitação da família inteira. Queria ficar a sós com Kate, em algum lugar tranquilo onde pudessem conversar.

Assim, ela esperou até as luzes serem apagadas e atravessou a rua. No gramado abaixo da janela de Kate, ela aguardou durante mais trinta minutos, só por garantia.

Em algum lugar à sua esquerda, pôde ouvir Sweetpea relinchando para ela e batendo os cascos no chão. Sem dúvida, a velha égua também queria companhia. Durante a viagem da família, o vizinho lhe dera comida, o que era diferente de receber amor.

– Eu entendo, garota – disse Tully, sentando no chão.

Abraçou as próprias pernas. Talvez devesse ter telefonado em vez de aparecer daquela maneira. Mas não queria correr o risco de a Sra. Mularkey dizer para ela ir no dia seguinte, que eles estavam cansados da longa viagem; Tully não conseguiria esperar. Aquela solidão era mais do que ela era capaz de suportar sozinha.

Finalmente, às onze horas, ela se levantou, limpou a grama do jeans e atirou um cascalho na vidraça do quarto de Kate.

Teve de jogar outros três para que a amiga enfiasse a cabeça para fora da janela.

– Tully!

Ela voltou para dentro do quarto e fechou a janela com barulho. Levou menos de um minuto para aparecer na lateral da casa. Usando uma camisola da Mulher Biônica, os velhos óculos de armação preta e aparelho nos dentes, Kate gritou e correu para Tully de braços abertos.

Tully sentiu os braços de Kate ao seu redor e, pela primeira vez depois de dias, sentiu-se segura.

– Eu senti tanta saudade – disse Kate, abraçando-a mais apertado.

Tully não conseguiu responder. Era tudo o que podia fazer para não chorar. Ela se perguntou se Kate tinha noção de quão importante era aquela amizade para ela.

– Peguei as nossas bicicletas – disse ela, dando um passo para trás para que Kate não visse seus olhos cheios de lágrimas.

– Legal.

Em poucos minutos, as duas estavam no caminho delas, voando colina Summer abaixo, com as mãos estendidas para sentir o vento. No final da ladeira, largaram as bicicletas perto das árvores e caminharam pela longa e sinuosa estradinha que levava até o rio. Ao redor, as árvores conversavam entre si. O vento suspirava e folhas caíam dos galhos, num primeiro sinal do outono que se aproximava.

Kate se atirou no antigo lugar das duas, apoiando as costas num toco de árvore cheio de limo, com as pernas esticadas na grama, que havia crescido na ausência delas.

Tully sentiu uma inesperada pontada de nostalgia do tempo em que as duas eram mais novas. Elas haviam passado a maior parte de um verão ali, unindo suas vidas solitárias na amizade. Ela deitou ao lado de Kate, tão perto a ponto de os ombros se tocarem. Depois dos últimos dias, precisava saber que sua melhor amiga estava finalmente ao seu lado. Posicionou seu radinho bem perto e aumentou o volume.

– A Semana Infernal com Mosquitos foi pior do que o normal – disse Kate. – Mas convenci o Sean a comer uma lesma, o que valeu a semana de mesada que perdi – contou ela, dando risada. – Você precisava ver a cara dele quando comecei a rir. Tia Georgia tentou conversar comigo sobre métodos anticoncepcionais. Acredita nisso? Ela disse até que eu deveria...

– Você tem ideia da sorte que tem?

As palavras saíram antes que Tully pudesse contê-las, cuspidas como balas de goma de uma máquina.

Kate mudou de posição e se virou de lado na grama, para olhar para Tully.

– Você sempre quer saber tudo sobre as nossas férias.

– É. Tive uma semana ruim.

– Foi demitida?

– Esta é a sua ideia de uma semana ruim? Eu quero a sua vida perfeita só por um dia.

Kate recuou, franzindo a testa.

– Você parece estar brava comigo.

– Não é com você – suspirou Tully e tentou sorrir. – Você é a minha melhor amiga.

– Então com quem você está brava?

– Com Nuvem. Com a vovó. Com Deus. Pode escolher – falou ela, depois respirou fundo e disse: – A vovó morreu enquanto você estava viajando.

– Ah, Tully.

E ali estava o que Tully vinha esperando a semana inteira: alguém que a amava e realmente lamentava por ela. Seus olhos se encheram de lágrimas e, sem se dar conta, ela começou a soluçar. Soluços fortes que sacudiram seu corpo e não a deixaram respirar direito. E Kate a abraçou, deixando que ela chorasse, sem dizer nada.

Quando não tinha mais lágrimas, Tully deu um sorriso frágil.

– Obrigada por não dizer que sente muito por mim.

– Mas eu sinto.

– Eu sei.

Tully se recostou no toco de árvore e olhou para o céu.

Queria admitir que estava com medo e que, por mais solitária que tivesse se sentido antes, ela agora sabia como era a verdadeira solidão. Mas não conseguiu dizer isso, nem mesmo para Kate. Pensamentos – até mesmo medos – são coisas feitas de ar e sem forma, até que os tornamos sólidos com a nossa voz. E depois que lhes damos esse peso, eles podem nos esmagar.

Kate esperou um instante e disse:

– E o que vai acontecer?

Tully secou os olhos e tirou um maço de cigarros do bolso. Depois de acender um, ela deu uma tragada e tossiu. Fazia anos que não fumava.

– Tenho que ficar com uma família substituta. Mas vai ser por pouco tempo. Quando fizer 18 anos, vou poder morar sozinha.

– Você não vai morar com estranhos – assegurou Kate enfaticamente. – Vou procurar Nuvem e obrigá-la a fazer a coisa certa.

Tully não se deu o trabalho de responder. Ela amava a amiga por dizer aquilo, mas as duas viviam em mundos diferentes, ela e Kate. No mundo de Tully, as mães não ajudavam. O que importava era fazer as coisas do seu jeito.

O que importava era não se importar.

E a melhor maneira de não se importar era se cercar de barulho e pessoas. Ela havia aprendido essa lição muito tempo atrás. Ela não tinha mais muito tempo ali, em Snohomish. Em breve as autoridades a encontrariam e a arrastariam de volta para sua encantadora nova família, composta de adolescentes abandonados e adultos pagos para ficar com eles.

– Precisamos ir àquela festa. Aquela de que você falou na última carta.

– Na casa da Karen? A festa de fim de verão?

– Exatamente.

Kate fez uma careta.

– Meus pais teriam um troço se descobrissem que eu fui a uma festa onde há cerveja.

– Vamos dizer a eles que você vai ficar na minha casa, do outro lado da rua. A sua mãe vai acreditar que Nuvem voltou por um dia.

– Se eu for pega...

– Isso não vai acontecer.

Tully viu como a amiga estava preocupada, e entendeu que devia interromper aquele plano imediatamente. Era imprudente, talvez até perigoso. Mas ela não podia parar o trem. Se não fizesse alguma coisa drástica, seria afogada na escuridão dramática dos próprios medos. Ela pensaria na mãe que a abandonara tantas vezes, nos estranhos com quem estaria morando em breve e na avó que morrera.

– Nós não vamos ser pegas. Eu prometo – garantiu e se virou para Kate para confirmar: – Você confia em mim, não confia?

– Claro – disse Kate ainda hesitante.

– Ótimo. Então nós vamos à festa.

– Crianças! O café está pronto.

Kate foi a primeira a chegar à mesa.

A mãe havia acabado de servir um prato de panquecas quando alguém bateu à porta.

Kate deu um salto.

– Eu atendo.

Foi correndo até a porta, que abriu com força.

– Mamãe, olhe. É a Tully. Nossa, eu não vejo você *há tanto tempo*!

De braços dados, as duas entraram na cozinha.

Sua mãe estava parada perto da mesa, vestindo seu robe longo vermelho e as pantufas cor-de-rosa.

– Oi, Tully, que bom revê-la! Sentimos sua falta no acampamento este ano, mas sei quanto seu emprego é importante.

Tully deu um passo à frente. Olhou para cima e tentou dizer algo, mas nenhum som saiu de sua boca. Ela ficou parada, olhando para a mãe de Kate.

– O que foi? – a mãe disse, indo na direção da menina. – O que aconteceu?

– Minha avó morreu – disse Tully baixinho.

– Ah, querida...

A mãe de Kate puxou Tully para um abraço apertado, que manteve por um longo tempo. Por fim, recuou, passou um braço ao redor de Tully e a levou até o sofá da sala de estar.

– Desligue o fogo, Katie – pediu a mãe sem olhar para trás.

Franzindo a testa, Kate desligou o fogo e as seguiu até a sala. Ficou um pouco para trás, parada embaixo do arco que separava os dois ambientes. Nenhuma das duas parecia dar importância à presença dela.

– Nós perdemos o funeral? – perguntou a mãe de Kate de forma gentil, segurando a mão de Tully.

Tully assentiu.

– Todo mundo disse que sentia muito. Passei a odiar essa frase.

– As pessoas não sabem o que dizer, só isso.

– A minha preferida foi a popular "ela está num lugar melhor". Como se estar morta fosse melhor do que ficar comigo.

– E a sua mãe?

– Vamos dizer que ela não se refere a si mesma como Nuvem por acaso. Ela apareceu, depois foi embora – falou Tully, depois olhou para Kate e acrescentou rapidamente: – Mas ela está aqui comigo agora.

– Claro que está – disse a mãe de Kate. – Ela sabe que você precisa dela.

– Posso dormir lá esta noite, mamãe? – perguntou Kate.

Seu coração estava batendo tão rápido e tão forte que ela tinha certeza de que sua mãe podia escutá-lo. Tentou parecer confiável, mas, como estava mentindo, imaginava que a mãe perceberia.

A mãe nem olhou para Kate.

– É claro. Vocês duas precisam ficar juntas. E você não se esqueça nunca, Tully Hart: você é a próxima Jessica Savitch. Você vai sobreviver a isso. Eu juro.

– A senhora acha mesmo? – perguntou Tully.

– Eu tenho certeza. Você tem um dom raro, Tully. E pode ter certeza de que a sua avó está no céu cuidando de você.

Kate sentiu uma vontade súbita de se intrometer, de se aproximar e perguntar se ela acreditava que a filha era capaz de mudar o mundo. Chegou a se aproximar e abrir a boca, mas, antes que pudesse fazer a pergunta, ouviu Tully dizer:

– Vou deixar a senhora com orgulho de mim, Sra. M. Prometo que vou.

Kate estacou. Não fazia ideia de como deixar a mãe com orgulho dela. Não era como Tully. Não tinha um dom raro.

Mas seria de esperar que a própria mãe achasse que ela tinha um dom raro e que dissesse isso à filha. Em vez disso, a mãe dela – como todo mundo – orbitava o campo gravitacional da estrela Tully.

– Nós duas vamos ser repórteres – disse Kate com mais rispidez do que pretendia.

Quando as duas olharam para ela espantadas, ela se sentiu uma idiota.

– Venham – chamou ela, forçando um sorriso desta vez. – Vamos comer antes que esfrie.

A festa foi uma má ideia. Tão ruim quanto ir ao baile de formatura de Carrie, a estranha.

Tully sabia disso, mas não podia voltar atrás. Nos dias que se seguiram ao funeral da avó e a mais um abandono de Nuvem, seu sofrimento fora substituído por raiva. Ela percorria seu sangue como um predador, enchendo-a de emoções que não podiam ser bloqueadas ou contidas. Sabia que estava sendo irresponsável, mas não podia mudar de curso. Se diminuísse o ritmo, ainda que por um instante, seu medo a alcançaria. Agora estavam no antigo quarto de Nuvem, supostamente se arrumando.

– Ai, meu Deus! – disse Kate com voz de espanto. – Você precisa ler isto.

Tully foi até a cama do canto, tirou o livro de bolso da mão de Kate e o atirou do outro lado do quarto.

– Ei!

Kate tentou se sentar, desequilibrada no colchão d'água.

– Wulfgar estava amarrando ela na cama. Eu preciso descobrir...

– Nós vamos a uma festa, Kate. Chega desses romances baratos. E, que fique registrado, amarrar uma mulher na cama é DO-EN-TI-O.

– É – disse Kate hesitante, franzindo a testa. – Eu sei, mas...

– Nada de *mas*. Vá se vestir.

– Está bem, está bem.

Kate remexeu a pilha de roupas que Tully havia separado para ela mais cedo. Uma calça jeans e um corpete justo de cor bronze.

– A minha mãe morreria se soubesse que eu saí assim.

Tully não respondeu. Na realidade, desejou não ter escutado aquilo. A Sra. M. era a última pessoa em quem ela queria pensar naquele momento. Preferiu focar no que vestiria. Jeans, tomara que caia cor-de-rosa e sandálias de amarrar azul-marinho com salto plataforma. Abaixou a cabeça e escovou os cabelos para ficarem volumosos ao estilo Farrah Fawcett e passou spray suficiente para derrubar um mosquito no voo. Quando teve certeza de que estava com o visual perfeito, virou-se para Kate.

– Você já...

Kate estava vestida para a festa e lendo de novo em cima da cama.

– Você é *tão* patética.

Kate se deitou de costas e sorriu.

– É romântico, Tully. Não estou brincando.

Tully pegou o livro de novo. Não sabia bem por quê, mas aquilo realmente a irritava. Talvez fosse o idealismo sonhador de Kate. Como ela podia acompanhar a vida de Tully e ainda acreditar em finais felizes?

– Vamos lá.

Sem esperar para ver se Kate estava vindo atrás dela, Tully foi até a garagem, abriu as portas e sentou no velho banco do motorista do Queen Victoria da avó, ignorando que o estofamento incomodava suas costas. Bateu a porta.

– Você pegou o carro dela? – perguntou Kate, abrindo a porta do passageiro e enfiando a cabeça para dentro.

– Tecnicamente, o carro agora é meu.

Kate se sentou e fechou a porta.

Tully enfiou uma fita do Kiss no toca-fitas e aumentou o volume. Então engatou a marcha a ré e pisou no acelerador.

As duas foram cantando a plenos pulmões por todo o caminho até a casa de Karen Abner, onde já havia pelo menos cinco carros estacionados. Vários outros estavam escondidos entre as árvores. Bastava alguns pais estarem fora da cidade para a notícia se espalhar e muitas festas acontecerem.

Lá dentro, era um festival de fumaça. O cheiro doce, um misto de maconha e incenso, era quase opressor. A música estava tão alta que fazia doerem os ouvidos. Tully agarrou a mão de Kate e a guiou até a sala de jogos no porão.

O ambiente enorme tinha paredes com painéis de madeira falsa e carpete verde-limão. No centro, havia uma lareira cônica cercada por um sofá em meia-lua e vários pufes marrons em formato de pera. À esquerda, alguns meninos jogavam totó, gritando a cada virada das barras. Outros dançavam loucamente, cantando junto com a música. Dois garotos estavam chapados no sofá, e uma menina estava perto da porta, virando uma cerveja aos pés de um quadro imenso de um toureiro espanhol.

– Tully!

Antes que ela pudesse responder, seus velhos amigos a cercaram e a afastaram de Kate. Ela foi primeiro até o barril e um dos meninos lhe deu um copo cheio de cerveja dourada e espumante. Ela olhou para o copo, assaltada pela lembrança que ele trouxe: *Pat empurrando-a no chão...*

Procurou por Kate, mas não conseguiu ver a amiga no meio de tanta gente.

Então todo mundo começou a cantar seu nome:

– Tu-lly.

– Tu-lly.

Ninguém iria machucá-la. Não ali. Amanhã, talvez, quando as autoridades a encontrassem, mas não agora. Ela virou a cerveja e estendeu o copo, pedindo mais, e gritando o nome de Kate.

A amiga apareceu imediatamente, como se estivesse apenas escondida, esperando que fosse chamada.

Tully empurrou a cerveja para ela.

– Tome.

Kate sacudiu a cabeça. Foi um movimento leve, quase imperceptível, mas Tully viu e se envergonhou por ter lhe oferecido a cerveja, mas então ficou com raiva por a amiga ser tão inocente. Tully nunca fora inocente. Pelo menos não que pudesse se lembrar.

– Ka-tie, Ka-tie – cantou Tully, encorajando todos a acompanhá-la. – Vamos lá, Katie – disse baixinho. – Somos melhores amigas, não somos?

Kate olhou com nervosismo para todas as pessoas ao seu redor.

Tully sentiu aquela vergonha de novo – e a inveja. Ela podia parar com aquilo imediatamente, proteger Katie...

Kate pegou a cerveja e virou o copo.

Mais da metade da cerveja derramou em seu queixo e no top, fazendo o tecido brilhante colar aos seios, mas ela não pareceu perceber.

Então a música mudou. "Dancing Queen", do ABBA, começou a soar a toda a altura dos alto-falantes. *You can dance, you can j-ive...*

– Eu amo esta música – disse Kate.

Tully agarrou a mão de Kate e a arrastou até onde um grupo dançava. Lá, Tully se soltou e se deixou envolver pela música e pelo movimento.

Quando a música mudou e ficou mais lenta, ela estava respirando com dificuldade e rindo com facilidade.

Mas era Kate quem estava mais mudada. Talvez tivesse sido aquela única cerveja, ou a batida da música, Tully não sabia ao certo. Tudo o que sabia era que Kate de repente estava maravilhosa, com os cabelos loiros cintilando à luz do lustre e a pele clara e delicada corada por causa do esforço.

Quando Neal Stewart se aproximou e tirou Kate para dançar, Kate foi a única a ficar surpresa. Ela se virou para Tully.

– O Neal quer dançar comigo – ela gritou numa pausa da música. – Ele deve estar bêbado.

Então, jogando os braços para o ar, saiu dançando com Neal, deixando Tully sozinha na multidão.

❧

Kate encostou o rosto na camiseta macia de Neal.

Era tão boa a forma como os braços estavam ao redor dela, com as mãos pouco acima do bumbum. Sentia o quadril dele se mover junto com o dela. Isso fazia seu coração disparar, acelerava sua respiração. Foi dominada por uma sensação nova. Era uma espécie de expectativa tensa. Ela queria... o quê?

– Kate?

Ela ouviu o jeito hesitante como ele disse seu nome e, de repente, se deu conta: será que ele sentia todas aquelas coisas também?

Lentamente, olhou para cima.

Neal sorriu para ela. Ele quase não se movia.

– Você está linda – disse ele.

Então ele a beijou, bem ali, no meio da pista de dança. Kate respirou fundo e ficou tensa nos braços dele. Foi tão inesperado que ela não soube o que fazer.

A língua dele entrou em sua boca, fazendo com que ela afastasse um pouco os lábios.

– Nossa – disse ele baixinho quando terminou.

Nossa o quê? *Nossa, você é uma pateta!* ou *Nossa, que beijo?*

Atrás dela, alguém gritou:

– Polícia!

Num instante, Neal havia desaparecido e Tully estava ao lado dela de novo, segurando sua mão. Elas saíram correndo desesperadamente da casa, subiram a ladeira e passaram pelos arbustos que levavam até as árvores. Quando chegaram ao carro, a cabeça de Kate estava girando, e ela sentia um forte enjoo.

– Eu vou vomitar.

– Ah, não vai não.

Tully abriu a porta do carona e jogou Kate dentro do carro.

– Nós *não* vamos ser pegas.

Tully deu a volta correndo pela frente do carro e abriu a porta do motorista. Sentando rapidamente, enfiou a chave na ignição, engatou a marcha a ré e pisou no acelerador.

O carro disparou para trás, fazendo Kate voar para a frente e bater a testa no painel, antes de ser jogada de volta ao banco quando bateram em cheio em alguma coisa. Kate abriu os olhos, zonza, e tentou focar a visão.

Tully estava ao lado dela, abrindo a janela.

Lá, no escuro, estava o bom e velho policial Dan, o homem que havia levado Tully embora de Snohomish três anos antes.

– Eu sabia que essas garotas da alameda dos Vaga-lumes ainda iriam me dar trabalho.

– Puta que pariu! – falou Tully.

– Bela linguagem, Talullah. Agora, poderia, por favor, sair do carro? – pediu, e, abaixando-se para ver Kate: – Você também, Kate Mularkey. A festa acabou.

111

A primeira coisa que fizeram na delegacia foi separar as duas.

– Alguém virá falar com você – disse o policial Dan, guiando Tully até uma sala no fim do corredor.

O cômodo era iluminado por uma lâmpada forte, com uma mesa metálica cinza e duas cadeiras. As paredes eram de um verde medonho e o piso, de cimento esburacado. Havia também um fedor estranho no ar, uma mistura de suor, urina e café velho.

A parede da esquerda era um grande espelho. Bastava ter visto um episódio de *Starsky e Hutch* para saber que era um espelho falso.

Tully imaginou se a assistente social já estaria lá, sacudindo a cabeça de decepção e dizendo "Agora aquela ótima família não vai aceitá-la"; ou o advogado, que não saberia o que dizer.

Ou os Mularkey.

Pensar nisso a fez soltar um gemido de horror. Como podia ter sido tão burra? Os Mularkey gostavam dela. Até aquela noite, porque agora ela jogara tudo no lixo; e por quê? Porque estava deprimida pela rejeição da mãe? A essa altura, já devia estar acostumada. Por acaso algum dia havia sido diferente?

– Eu não vou ser idiota assim de novo – disse ela, olhando para o espelho. – Se me derem outra chance, eu vou ser boa.

Depois disso, ela esperou que alguém entrasse na sala para pegá-la, talvez trazendo algemas, mas os minutos apenas se seguiram em silêncio. Ela levou a cadeira de plástico preta até um canto e se sentou.

Eu devia saber que não haveria ninguém.

Ela fechou os olhos, pensando nisso sem parar. Mas outro pensamento, outra lembrança também a assombrava: *Você vai ser uma boa amiga para a Kate?*

– Como eu pude ser tão burra?

Desta vez, Tully nem olhou para o espelho. Não havia ninguém lá. Quem estaria olhando para ela, a garota que ninguém queria?

Do outro lado da sala, a maçaneta girou.

Tully ficou tensa. Apertou as coxas com os dedos.

Seja uma boa garota, Tully. Concorde com tudo o que disserem. É melhor ir para uma família substituta do que para um reformatório.

A porta se abriu, e a Sra. Mularkey entrou na sala. Usando um vestido floral e um tênis branco velho, ela parecia cansada e mal-ajambrada, como se tivesse sido acordada no meio da noite e vestido qualquer coisa que tivesse encontrado no escuro.

O que, é claro, era exatamente o que havia acontecido.

A Sra. Mularkey pegou um cigarro no bolso do vestido e o acendeu. Ficou observando Tully através da fumaça. Emanava uma tristeza e uma decepção tão reais e visíveis quanto a fumaça.

Tully foi tomada pela vergonha. Ali estava uma das poucas pessoas que acreditaram nela, e ela a havia decepcionado.

– Como está a Kate?

A Sra. Mularkey soltou mais fumaça.

– Bud a levou para casa. E não acredito que ela vá poder sair de lá por um bom tempo.

– Ah.

Tully se remexeu desconfortavelmente. Todas as suas falhas estavam expostas, tinha certeza disso. As mentiras que contara, os segredos que guardara, as lágrimas que chorara. A Sra. M. via tudo.

E ela não gostava do que estava vendo.

Tully não podia culpá-la.

– Eu sei que decepcionei a senhora.

– É, decepcionou mesmo.

A Sra. Mularkey pegou a outra cadeira e se sentou na frente de Tully.

– Querem mandar você para o reformatório – falou.

Sem conseguir suportar a decepção que via no rosto da Sra. M., Tully encarou as próprias mãos.

– A família substituta não vai me querer mais.

– Fiquei sabendo que sua mãe se recusou a ficar com a sua custódia.

– Grande surpresa.

Tully notou quão embargada estava sua voz. Sabia que isso revelava quanto estava magoada, mas não havia como esconder. Não da Sra. M.

A Sra. Mularkey se recostou na cadeira. Tragou o cigarro, exalou a fumaça e disse em voz baixa:

– Katie acha que é possível encontrar outra família para você.

– É, bem, a Katie vive num mundo diferente do meu.

A Sra. Mularkey se recostou na cadeira. Deu uma tragada no cigarro, soltou a fumaça e falou de forma tranquila:

– Ela quer que você vá morar conosco.

O simples fato de ouvir aquilo foi um golpe no coração. Teve certeza de que precisaria de muito tempo para esquecer aquelas palavras.

– É, tá bom.

E isso foi um instante antes que a Sra. Mularkey dissesse:

– Uma menina que morasse conosco teria de fazer parte do serviço da casa e seguir nossas regras. O Sr. Mularkey e eu não vamos aturar nenhuma gracinha.

Tully levantou a cabeça rapidamente.

– O que a senhora está dizendo?

Nem conseguia traduzir em palavras essa súbita esperança.

– E, sem dúvida, nada de fumar.

Tully encarou a Sra. M., sentindo as lágrimas queimarem seus olhos, mas essa dor em nada se comparava com o que estava acontecendo dentro dela. De repente, parecia que ela estava prestes a cair.

– Está dizendo que eu posso morar com vocês?

A Sra. M. se inclinou para tocar o rosto de Tully.

– Eu sei como a sua vida foi dura até hoje, Tully, e eu não suporto pensar em você voltando para aquilo.

A queda se transformou em voo, e de repente Tully estava chorando por tudo – pela avó, pela família substituta, por Nuvem. Aquele alívio era a maior emoção que ela já havia sentido. Com as mãos trêmulas, tirou de dentro da bolsa um maço de cigarros amassado e pela metade e o entregou à Sra. M.

– Bem-vinda à nossa família, Tully – disse a Sra. M. afinal, puxando Tully para seus braços e deixando-a chorar.

Pelo resto da vida, Tully se lembraria desse momento como o começo de algo novo para ela. O surgimento de uma nova pessoa. Enquanto viveu com a barulhenta, maluca e amorosa família Mularkey, ela descobriu alguém diferente dentro de si. Ela não guardava segredos, nem inventava ou fingia ser quem não era, e nem uma vez sequer eles agiram como se ela não fosse querida ou boa o bastante. Aonde quer que fosse, o que quer que fizesse ou com quem estivesse, ela sempre se lembraria daquele momento e daquelas palavras: *Bem-vinda à nossa família, Tully*. Ao longo de sua existência ela pensaria naquele último ano do colegial, quando se tornou inseparável de Kate e virou parte da família, como o melhor ano de sua vida.

Oito

—Meninas! Chega de enrolar. Vamos pegar muito trânsito se não sairmos agora.

No velho quarto do sótão, Kate estava parada na beira da cama, olhando para a mala que continha todos os seus mais valiosos pertences. Um porta-retratos com a imagem dos avós estava por cima de tudo, apoiado entre uma foto dela com Tully na formatura e um maço com as cartas que recebera da amiga.

Embora esperasse por esse momento fazia meses (ela e Tully haviam sonhado acordadas inúmeras noites, sempre começando com as palavras *quando estivermos na faculdade*), agora que o momento chegara, ela estava relutante em sair de casa.

Durante o último ano na escola, as duas amigas haviam se tornado um par. TullyeKate. Todo mundo na escola dizia o nome das duas como se fosse um só. Quando Tully se tornou editora do jornal da escola, Kate estava ao lado dela, ajudando a editar as matérias. Ela vivia indiretamente através das conquistas da amiga, surfava na onda da popularidade dela, mas tudo acontecia num lugar que ela conhecia, em que se sentia segura.

– E se eu estiver esquecendo alguma coisa?

Tully atravessou o quarto e parou do lado de Kate. Puxou a tampa da mala da amiga e a fechou.

– Você está pronta.

– Não, *você* está pronta. Você está sempre pronta – disse Kate, tentando não deixar transparecer o tamanho de seu medo.

De repente ficou claro quanto sentiria falta dos pais e até mesmo do irmão.

Tully a encarou.

– Nós somos uma equipe, não somos? As meninas da alameda dos Vaga-lumes.

– Somos, mas…

– Nada de *mas*. Nós vamos para a faculdade juntas, vamos entrar para a mesma república de estudantes e seremos contratadas pelo mesmo canal de TV. Ponto. É isso. Nós vamos conseguir.

Kate sabia o que era esperado dela, por Tully e por todo mundo: ela devia ser forte e corajosa. Se ao menos ela sentisse isso mais profundamente... Mas, como não sentia, ela fez o que costumava fazer nos últimos tempos perto de Tully. Sorriu e fingiu.

– Tem razão. Vamos lá.

O caminho de carro de Snohomish até o centro de Seattle, que em geral levava cerca de 35 minutos, passou num piscar de olhos. Kate mal falou, não parecia estar encontrando a própria voz, ao passo que Tully e sua mãe não pararam de tagarelar sobre a semana de apresentação nas repúblicas. A mãe parecia estar mais empolgada do que Kate com a aventura universitária das duas.

No Haggett Hall, as duas percorreram os corredores barulhentos e lotados até chegarem a um pequeno e lúgubre quarto de alojamento universitário no décimo andar. Ali ambas ficariam durante a semana de apresentação. Quando terminasse, elas se mudariam para uma república.

– Bem. Então é isso – disse o Sr. Mularkey.

Kate foi até os pais e atirou os braços ao redor deles, formando o famoso abraço da família Mularkey.

Tully ficou afastada, parecendo estranhamente posta de lado.

– Ande, Tully, venha cá – chamou a mãe de Kate.

Tully correu até eles e se deixou ser abraçada.

Durante a hora seguinte, eles desfizeram as malas, conversaram e tiraram fotos. Então, no fim, o pai de Kate disse:

– Bem, Margie, está na hora. Não queremos ficar presos no trânsito.

Houve mais uma rodada de abraços. Kate se agarrou à mãe, lutando contra as lágrimas.

– Vai ficar tudo bem – garantiu a mãe. – Confie em todos os sonhos que você tem. Você e Tully serão as melhores repórteres que este estado já teve. Seu pai e eu temos muito orgulho de você.

Kate assentiu e olhou para a mãe em meio a lágrimas.

– Eu te amo, mamãe.

Cedo demais, tudo estava terminado.

– Vamos ligar todos os domingos – assegurou Tully, indo atrás deles. – Logo depois da igreja.

E então, de repente, eles não estavam mais lá.

Tully se atirou na cama.

– Como será que vai ser a semana de apresentação? Aposto que todas as repúblicas vão querer a gente. Como poderiam não querer?

– Elas vão querer você – disse Kate baixinho.

Pela primeira vez em meses, ela se sentiu a menina que todos chamavam de Kootie tantos anos antes, a menina de óculos fundo de garrafa e calças jeans da Sears. Não importava que ela agora usasse lentes de contato, tivesse tirado o aparelho e aprendido a se maquiar para realçar seus traços. As meninas das repúblicas veriam tudo isso.

Tully se sentou.

– Você sabe que eu só vou entrar para uma república se entrarmos juntas, certo?

– Mas isso não é justo com você.

Kate foi para a cama e sentou ao lado dela.

– Lembra da alameda dos Vaga-lumes? – disse Tully, falando mais baixo.

Com o passar dos anos, aquelas palavras haviam se tornado uma frase-chave, uma espécie de atalho para suas lembranças. Depois de pronunciadas, elas se transformavam numa rede de pesca que trazia tesouros. Era o jeito delas de anunciar que uma amizade que começara aos 14 anos – quando David Cassidy era bacana e uma música podia fazer chorar – duraria para sempre.

– Eu não me esqueci.

– Mas você não entende – disse Tully.

– Não entendo o quê?

– Quando a minha mãe me abandonou, quem estava lá para me ajudar? Quando a minha avó morreu, quem segurou a minha mão e me aceitou? – disse e se virou para

Kate. – Você. Esta é a resposta. Nós somos uma equipe, Kate. Amigas para sempre, haja o que houver. Certo?

Ela deu um encontrão em Kate, fazendo a amiga sorrir.

– Você sempre consegue o que quer.

Tully riu.

– Claro que consigo. É um dos meus traços mais encantadores. Agora, vamos planejar o que vestir no primeiro dia...

❧

A Universidade de Washington era tudo o que Tully esperava e mais um pouco. Espalhada por vários quilômetros e constituída de centenas de edifícios góticos, era um mundo em si mesma. O tamanho de tudo assombrava Kate, mas não Tully. Ela imaginava que, se vencesse ali, venceria em qualquer lugar. No momento em que se mudaram para a república, ela começou a se preparar para seu trabalho de repórter de TV. Além de cursar as principais disciplinas de comunicação, lia pelo menos quatro jornais por dia e via o maior número de noticiários possível. Quando a sua grande oportunidade chegasse, ela estaria pronta.

Ela precisara da maior parte das primeiras semanas de aula para se orientar e visualizar qual deveria ser a Fase Um de seu plano acadêmico. Ela havia se reunido com o orientador da Escola de Comunicação tantas vezes que ele chegava a evitá-la nos corredores. Mas ela não se importava. Quando tinha perguntas, queria respostas.

O problema, mais uma vez, era sua pouca idade. Ela não conseguiu se matricular nas turmas avançadas de jornalismo ou telejornalismo. Não havia charme ou insistência que fossem capazes de transpor a gigantesca burocracia daquela imensa universidade. Ela simplesmente teria de esperar sua vez.

Não era algo que soubesse fazer bem.

Ela se inclinou e sussurrou para Kate:

– Por que tem uma disciplina obrigatória de ciências? Eu não preciso saber geologia para ser repórter.

– Psiu.

Tully franziu a testa e se recostou na cadeira. As duas estavam no Kane Hall, um dos maiores auditórios do campus. Da cadeira na parte mais alta da plateia, espremida entre quase quinhentos outros alunos, ela mal podia ver o professor, que não era professor coisa nenhuma, mas seu assistente.

– Podemos comprar anotações da palestra. Vamos embora. A redação do jornal abre às dez.

Kate nem olhou para a amiga, apenas continuou escrevendo.

Tully resmungou e se sentou irritada, cruzando os braços e contando os minutos para o fim da aula. No instante em que o sinal tocou, ela se levantou.

– Graças a Deus. Vamos embora.

Kate terminou as anotações e juntou as páginas, organizando tudo metodicamente.

– Você está *montando os cadernos* do jornal? Vamos lá. Quero me encontrar com o editor.

Kate se levantou e jogou a mochila sobre um ombro.

– Nós não vamos conseguir um trabalho no jornal, Tully.

– A sua mãe disse para você não ser tão negativa, lembra?

As duas desceram e se misturaram à barulhenta multidão de alunos.

Do lado de fora, o sol brilhava sobre o pátio de piso de tijolos. Perto da biblioteca Suzzallo, um grupo de estudantes de cabelos compridos estava reunido embaixo de um cartaz que dizia *Fechem a usina nuclear de Hanford*.

– Pare de usar a minha mãe quando não consegue as coisas do jeito que quer – reclamou Kate quando as duas estavam a caminho do local. – Nós não podemos nem fazer disciplinas de jornalismo antes do penúltimo ano.

Tully parou.

– Você realmente não vai comigo?

Kate sorriu e continuou caminhando.

– Nós não vamos conseguir o trabalho.

– Mas você vai comigo, não vai? Nós somos uma equipe.

– É claro que eu vou com você.

– Eu sabia. Você só estava implicando.

As duas continuaram conversando enquanto percorriam a área externa onde as cerejeiras estavam viçosas e verdes como a grama. Dezenas de estudantes usando shorts muito coloridos e camisetas jogavam frisbee e altinho.

Na redação do jornal, Tully parou.

– Pode deixar que eu falo.

– Nossa, estou chocada.

Dando risada, as duas entraram no prédio, se apresentaram na recepção a um rapaz de aparência desleixada e foram encaminhadas à sala do editor.

Toda a reunião durou menos de dez minutos.

– Eu disse que você era jovem demais – repetiu Katie enquanto as duas voltavam para a república.

– Que saco. Às vezes me pego pensando que você nem quer ser repórter comigo.

– Isso é mentira. Você quase nunca pensa.

– Vaca.

– Bruxa.

Kate passou um braço ao redor de Tully.

– Vamos lá, Barbara Walters, eu acompanho você até em casa.

❧

Tully estava tão deprimida com a reunião no jornal que Kate passou o resto do dia agradando-a para animá-la.

– Vamos lá – disse ela, afinal, horas mais tarde, quando as duas estavam de volta ao minúsculo quarto que dividiam na república. – Vamos nos arrumar. Queremos estar lindas para a festa.

– E de que me serve uma festa idiota? Caras de repúblicas estão longe de ser o meu ideal.

Kate se esforçou para não rir. Tudo em Tully era grandioso – seus altos eram altíssimos e seus baixos, no fundo do poço. Estar na universidade só aumentava essas tendências. O curioso era que aquele mesmo campus imenso e lotado de gente que tinha de alguma forma aumentado as extravagâncias de Tully havia exercido um efeito oposto e tranquilizador em Kate. Ela se sentia mais forte a cada dia ali, cada vez mais pronta para a vida adulta.

– Você é tão dramática! Eu deixo você fazer a minha maquiagem.

Tully levantou o olhar.

– Deixa mesmo?

– É uma oferta com tempo limitado. É melhor você se mexer.

Tully se levantou num salto, segurou a mão dela e a arrastou pelo corredor até o banheiro, onde dezenas de meninas já estavam tomando banho, secando-se e arrumando os cabelos.

As duas esperaram por sua vez, tomaram banho e voltaram para o quarto. Felizmente, as outras duas colegas de quarto não estavam lá. O lugar minúsculo, ocupado principalmente por cômodas e escrivaninhas e um conjunto de beliches, mal tinha espaço suficiente para as duas se virarem.

Tully passou quase uma hora arrumando os cabelos e fazendo a maquiagem das duas, então pegou o tecido que haviam comprado para as togas – dourado para Tully e prateado para Kate – e criou um par de roupas mágicas que ficavam presas por cintos apertados e alfinetes com strass.

Kate examinou o próprio reflexo quando as duas ficaram prontas. O tecido prateado brilhante favorecia sua pele clara e os cabelos dourados e destacava o verde de seus olhos. Depois de todos os anos sendo nerd, às vezes ainda se surpreendia por conseguir ficar tão bonita.

– Você é um gênio – disse ela.

Tully deu um rodopio.

– Como eu estou?

A toga dourada ressaltava os seios grandes e a cintura minúscula da amiga, e uma profusão de cabelos cor de mogno cacheados e volumosos caíam sobre seus ombros à Jane Fonda em *Barbarella*.

Sombra azul e delineador marcado nos olhos lhe davam uma aparência exótica.

– Você está maravilhosa. Os rapazes vão cair aos seus pés.

– Você se importa demais com amor. Deve ser por causa de todos aqueles romances que você lê. Esta é a *nossa* noite. Os rapazes que se fodam.

– Eu não quero foder com eles, mas sair com alguém seria legal.

Tully agarrou o braço de Kate e a guiou até o corredor, que estava cheio de meninas se arrumando, rindo e conversando, correndo de um lado para outro com secadores, modeladores de cabelos e toalhas.

No andar de baixo, na sala de estar, uma garota ensinava às outras alguns passos de dança.

Do lado de fora, Kate e Tully se misturaram à multidão que descia a rua. Havia gente por todos os lados naquela noite agradável de final de setembro. A maioria das repúblicas estava dando festas naquela noite. Havia garotas fantasiadas, algumas usando roupas comuns e outras quase sem roupa caminhando em grupos rumo a seus vários destinos.

A casa Pi Delta era grande e quadrada, uma mistura relativamente moderna de vidro, metal e tijolos, localizada numa esquina. Por dentro, tinha paredes descascadas, mobília quebrada, rasgada e feia e uma decoração presa aos anos 1950. Não que desse para ver muita coisa com aquela multidão.

As pessoas estavam espremidas feito sardinhas, tomando cerveja em copos plásticos e balançando no ritmo da música.

"Shout!" retumbava dos alto-falantes e todos estavam cantando junto, pulando com a música.

"A little bit softer now…"

Todos se abaixaram, pararam e então ergueram as mãos e se levantaram novamente, cantando juntos.

Como sempre, no instante em que Tully entrou na festa, ela ficou "ligada". Não havia mais resquício da depressão, do sorriso hesitante e da irritação por não ter conseguido o emprego. Kate observava Tully com espanto: a amiga atraía a atenção de todos instantaneamente.

– "Shout!" – gritou Tully, rindo.

Alguns meninos se aproximaram, atraídos por ela como mariposas pelo fogo, mas Tully mal parecia perceber. Ela invadiu a pista de dança, arrastando Kate atrás de si.

Kate se divertiu como não fazia havia muito tempo.

Depois de ter dançado em grupo "Brick House", "Twistin' the Night Away" e "Louie Louie", estava suada e com calor.

– Eu já volto! – gritou para Tully, que assentiu com a cabeça.

Foi para o lado de fora, onde se sentou na mureta de tijolos que demarcava o limite do terreno. O ar frio da noite refrescou seu rosto suado. Ela fechou os olhos e ficou balançando ao ritmo da música.

– A festa é lá dentro, sabia?

Ela olhou para cima.

O garoto que havia falado com ela era alto, tinha os ombros largos e cabelos cor de trigo que caíam sobre os olhos muito azuis.

– Posso me sentar com você?

– Claro.

– Meu nome é Brandt Hanover.

– Kate Mularkey.

– É a sua primeira festa de república?

– Está tão na cara assim?

Ele sorriu e passou de bonito para maravilhoso.

– Só um pouquinho. Eu me lembro do meu primeiro ano

aqui. Era como estar em Marte. Eu sou de Moses Lake – disse ele, como se isso explicasse tudo.

– Cidade pequena?

– Um pontinho no mapa.

– Às vezes é mesmo meio opressivo.

A conversa continuou com facilidade a partir dali. Ele falou sobre coisas com que Kate se identificava. Fora criado numa fazenda, dava de comer a vacas antes do amanhecer e dirigia a caminhonete cheia de feno do pai aos 13 anos. Ele sabia como era se sentir ao mesmo tempo perdido e achado num lugar tão grande e espaçoso como a Universidade de Washington.

Dentro da casa, a música mudou. Alguém aumentou o volume. Estava tocando ABBA, "Dancing Queen".

Tully saiu correndo da casa.

– Kate! – chamou, rindo. – Aí está você.

Brandt se levantou no mesmo instante.

Tully franziu a testa para ele.

– Quem é este?

– Brandt Hanover.

Kate sabia exatamente o que ia acontecer a seguir. Por conta do que havia acontecido com Tully num bosque escuro anos antes, ela não confiava em rapazes, não queria ter nada com eles, e estava comprometida em proteger Kate de qualquer mágoa ou coração partido. Infelizmente, porém, Kate não tinha medo. Ela *queria* namorar, se divertir e até mesmo, quem sabe, se apaixonar.

Mas como poderia dizer isso, se Tully estava apenas tentando protegê-la?

Tully a agarrou pelo braço e a puxou, fazendo-a se levantar.

– Sinto muito, Brandt – disse ela, rindo um pouco alto demais enquanto arrastava Kate. – Esta é a nossa música.

※

– Vi o Brandt hoje. Ele sorriu para mim.

Tully se esforçou para conter a vontade de revirar os olhos. Nos seis meses desde aquela primeira festa, Kate havia encontrado uma maneira de mencionar Brandt Hanover pelo menos uma vez por dia. Dava para pensar que os dois estivessem namorando, de tanto que o nome dele era pronunciado.

– Deixe eu adivinhar: você fingiu não perceber.

– Eu sorri para ele também.

– Nossa. Um dia memorável.

– Pensei em convidá-lo para o baile da primavera. A gente podia ir em dois casais.

– Preciso escrever um artigo sobre o aiatolá Khomeini. Acho que, se eu continuar mandando matérias para o jornal, eles vão acabar publicando alguma coisa. Não seria nada mau você fazer um pouco mais de esforço para...

Kate parou de repente e se virou para a amiga.

– *Já sei!* Eu renuncio à nossa amizade. Sei que você não tem interesse na nossa vida social, mas eu tenho. Se você não for...

Tully deu risada.

– Peguei você.

Kate não pôde deixar de rir.

– Vaca.

Deu o braço a Tully. Juntas, elas percorreram a calçada salpicada de grama da Rua 21 até o campus.

No posto de segurança do campus, Kate disse:

– Estou indo para o Meany Hall. E você?

– Drama/TV.

– É isso aí! A sua primeira disciplina de telejornalismo... e com aquele cara famoso sobre quem você fala desde que chegamos aqui.

– Chad Wiley.

– Quantas cartas você precisou escrever para conseguir entrar?

– Umas mil. E você devia estar indo comigo. Nós duas precisamos dessa disciplina.

– Eu vou fazer quando estiver no penúltimo ano. Quer que eu vá com você até lá?

Tully adorava a amiga por isso. De alguma forma, Kate sabia que, apesar de toda a coragem que exibia, ela estava nervosa. Tudo o que ela mais desejava poderia começar naquele dia.

– E como vou fazer minha entrada triunfal se tiver companhia?

Ficou observando Kate se afastar. Ali parada, sozinha em meio à multidão de alunos que ia de um prédio para outro, Tully respirou fundo, tentando se acalmar. Precisava parecer tranquila.

Foi caminhando com confiança e entrou no prédio de Drama/TV, onde fez uma primeira parada no banheiro.

Lá dentro, parou diante do espelho. Seus cachos estavam arrumados, perfeitos, assim como a maquiagem. A calça boca de sino e a bata branca com cinto dourado e colarinho indiano davam um ar ao mesmo tempo sexy e profissional.

Quando tocou o sinal, ela se apressou pelo corredor, com a mochila batendo no bumbum conforme ela se mexia. No auditório, desceu ousadamente até a primeira fileira e se sentou.

Na frente da sala, o professor estava atirado numa cadeira de metal.

– Eu sou Chad Wiley – disse ele num tom de voz sexy e rouco de uísque. – Quem me reconhecer tira nota máxima nesta disciplina.

Uma onda de risos percorreu a sala. A risada de Tully foi a mais alta de todas. Ela sabia mais do que o nome dele, conhecia toda a história de sua vida. Ele havia saído da faculdade como uma espécie de garoto prodígio do jornalismo televisivo. Ele tivera uma rápida ascensão, tornando-se âncora antes dos 30. Então, simplesmente, ele se perdeu. Foi pego duas vezes dirigindo alcoolizado, sofreu um acidente de carro que lhe quebrou as duas pernas e feriu uma criança; então sua estrela caiu. Durante uns dois ou três anos, ninguém nem sequer falou nele, até que, afinal, ele reapareceu na Universidade de Washington, dando aulas.

Wiley se levantou. Estava mal-arrumado, com os cabelos castanhos compridos e barba de três dias, mas a inteligência em seus olhos escuros não havia diminuído nada. Ainda ostentava o selo da grandeza. Não era de admirar que houvesse conseguido vencer.

Ele entregou um plano de estudos a ela e começou a seguir em frente.

– A sua cobertura do caso Karen Silkwood foi inspiradora – disse ela, com um largo sorriso.

Ele fez uma pausa e olhou para ela. Havia alguma coisa inquietante na forma como ele a encarou – intensamente, mas apenas por um instante, como um raio laser sendo ligado e desligado – e passou por ela, rumo ao próximo aluno.

Ele a achara só mais uma bajuladora que se sentava na primeira fila.

Ela precisaria tomar mais cuidado no futuro. Nada importava mais naquele momento do que impressionar Chad Wiley. Ela pretendia aprender tudo o que pudesse com ele.

Parte Dois

Os anos 1980

"Love Is a Battlefield"

Mágoa após mágoa, nós aguentamos

Nove

No final do segundo ano, Tully não tinha dúvida de que Chad Wiley sabia quem ela era. Ela havia feito duas de suas disciplinas: jornalismo televisivo I e II. Qualquer que fosse a disciplina que ele desse, ela se inscrevia. O que quer que ele pedisse, ela fazia. Qualquer coisa. Sem pestanejar.

O problema era o seguinte: ele não parecia reconhecer o talento dela. Os alunos haviam passado toda a semana anterior lendo notícias num teleprompter. Toda vez que ela terminava, olhava imediatamente para ele, que mal erguia o olhar das anotações. Pelo contrário, ele desfiava uma crítica como se estivesse passando uma receita a um vizinho aborrecido e então chamava:

– Próximo.

Dia após dia, semana após semana, aula após aula, Tully esperava que ele reagisse a seu evidente talento dizendo que ela estava pronta para a KVTS. Agora era a primeira semana de maio. Faltando apenas seis semanas para o fim do ano letivo, ela ainda esperava.

Muitas coisas haviam mudado em sua vida nos últimos dois anos. Ela cortara os cabelos na altura dos ombros e estava de franja. Seu ícone de moda deixara de ser Farrah Fawcett-Majors e passara a ser Jessica Savitch. Os anos 1980 foram feitos para Tully: cabelos grandes, maquiagem colorida, tecidos brilhantes e ombreiras. Nada de cores suaves e estilo de menina de república para ela. Quando Tully chegava, as pessoas notavam.

Exceto, é claro, Chad Wiley.

Mas isso estava prestes a mudar. Desta vez, Tully tinha certeza. Na semana anterior, finalmente acumulara créditos suficientes para se candidatar a um estágio na KVTS, a emissora de programação pública local instalada no campus. Havia se levantado às seis da manhã para que seu nome aparecesse em primeiro lugar na folha de inscrições. Quando recebeu o texto para o teste, foi para casa e o praticou incansavelmente, experimentando pelo menos uma dúzia de formas diferentes até encontrar o tom de voz que combinava de modo perfeito com a história. Fizera o teste no dia anterior. Tinha certeza de que fora aprovada. Agora, finalmente, havia chegado a hora de descobrir que vaga conseguira.

– Como estou?

Kate não levantou os olhos de *Pássaros feridos*.

– Incrível.

Tully sentiu uma pontada de irritação que já se tornara habitual. Às vezes bastava olhar para Kate para sentir o sangue subir à cabeça. Mal conseguia não gritar.

O problema era o amor. Kate havia passado todo o primeiro ano sonhando com o tal Brandt de cabelos mal cortados. Quando os dois enfim saíram, foi uma decepção que terminou rápido. Mesmo assim, Kate pareceu não se importar. Durante a maior parte do segundo ano, ela saiu com Ted, que supostamente a amava, e depois com Eric, que certamente não. Kate ia de uma festa de república a outra e, embora nunca tivesse se apaixonado por nenhum dos panacas com quem saía – e com quem não fazia sexo –, falava sobre eles o tempo todo. Nos últimos tempos, cada frase parecia começar com o nome de algum cara. Pior ainda, ela quase não falava em telejornalismo. Parecia bastante contente de ter aulas em outros departamentos. Sempre que uma das colegas da república ficava noiva, Kate corria para integrar o grupo de meninas que se derretiam diante do anel de noivado.

Na realidade, Tully estava cansada. Continuava escrevendo reportagens que o jornal da escola não publicava e rodando o edifício do canal de TV do campus, onde ninguém lhe dava uma chance, e, em meio a todo esse fracasso, quando ela precisava tanto do apoio da melhor amiga, Kate não parava de falar sobre o último cara com quem havia saído.

– Você nem olhou.

– Eu não preciso olhar.

– Você não sabe quanto isto é importante para mim.

Kate, por fim, olhou para ela.

– Você está ensaiando a mesma notícia há duas semanas. Até quando me levanto para fazer xixi no meio da noite, escuto você ensaiando. Acredite, já entendi o seu nível de fissura.

– Então por que está sendo tão indiferente em relação a isso?

– Eu não estou sendo indiferente. Apenas sei que você vai conseguir a vaga.

Tully sorriu.

– Eu vou conseguir, não vou?

– Claro que vai. Você é boa demais. Você será a primeira aluna de penúltimo ano a ir ao ar.

– Desta vez o professor Wiley vai ter de admitir meu talento – falou Tully, jogando a mochila no ombro. – Quer ir comigo?

– Não posso. Vou me encontrar com o Josh para um grupo de estudos na biblioteca Suzzallo.

– Isso sem dúvida se encaixa na categoria de encontro chato, mas cada um sabe de si.

Tully pegou os óculos de sol em cima da cômoda e saiu do quarto.

O campus estava banhado pela luz suave do sol naquele dia de maio. Todas as plantas estavam florescendo e o gramado estava tão espesso e viçoso que parecia pedaços de veludo verde presos cuidadosamente embaixo de faixas de cimento. Ela caminhou com confiança até o prédio que abrigava a KVTS.

Lá, fez uma pequena pausa apenas para ajeitar os cabelos cheios de spray e entrou no saguão silencioso de aparência utilitária. À esquerda havia um mural de recados repleto de avisos. *Procura-se colega de quarto que goste de erva* foi o primeiro que chamou sua atenção. Ela notou que todos os canhotos com o número de telefone haviam sido destacados, enquanto o anúncio exatamente ao lado (*Procura-se colega de quarto: preferência por cristão renascido*) permanecia tristemente intacto.

A sala 214 estava fechada. Nem sinal de luz embaixo da porta. Ao lado, havia um pedaço de papel preso ao mural.

Vagas de estágio de verão/Departamento

Âncora-Notícias ....Steve Landis
Previsão do tempo.................................Jane Turner
Marketing & Notícias locais ....Gretchen Lauber
Esportes ....Dan Bluto
Planejamento da tarde........................Eileen Hutton
Pesquisa/Checagem de informações .... Tully Hart

Tully sentiu uma pontada de decepção, depois fúria. Abriu a porta com força e entrou no auditório escuro, onde ninguém podia vê-la, resmungando.

– Chad Wiley, seu bundão fracassado. Você seria incapaz de reconhecer um talento mesmo se ele agarrasse o seu pinto minúsculo e apertasse...

– Imagino que esteja falando sobre mim.

Ela deu um salto com o som da voz dele.

Chad Wiley estava a pouco mais de cinco metros dela, parado na escuridão. Os cabelos escuros estavam mais desalinhados do que de costume, com os cachos caindo sobre os ombros.

Ele se aproximou, passando os dedos pelas costas da cadeira à sua direita.

– Pergunte por que você não é estagiária do noticiário da noite, que eu respondo.

– Eu não dou a mínima.

– É mesmo?

Ele olhou para ela por mais um longo minuto, sem sorrir, então se afastou, desceu o corredor e subiu no palco. Ela podia manter o orgulho ou arriscar seu futuro. Quando tomou a decisão e saiu correndo, ele estava nos bastidores.

– Está bem... – falou, com a sensação de que a pergunta estava presa na garganta. – Por quê?

Ele deu um passo na direção de Tully. Pela primeira vez, ela notou as rugas no rosto do professor, as marcas de expressão nas bochechas. A luz fraca acentuava cada falha, cada buraco, cada marca na pele.

– Sempre que vem à aula, eu percebo que você escolheu as roupas com cuidado e dedicou muito tempo ao cabelo e à maquiagem.

Agora ele a estava olhando, *enxergando*. E ela podia vê-lo também. Além dos cabelos desalinhados. Percebia a estrutura óssea que um dia fizera dele um homem tão bonito. Mas foram os olhos que a prenderam: castanhos e tristes, falaram às áreas vazias dentro dela.

– Ok. E daí?

– Você sabe que é bonita – disse ele.

Ele não gaguejou, falou sem desespero. Estava tranquilo e firme. Ao contrário dos meninos que ela conhecia em festas de república ou no campus ou nos bares, jogando bilhar, ele não estava embriagado nem desesperado por um amasso.

– Eu sou talentosa também.

– Um dia, talvez.

A forma como ele disse isso a irritou. Ela estava se preparando para dar uma resposta mordaz quando ele diminuiu a distância entre os dois. Tudo o que ela teve tempo de dizer foi um espantado "O que você..." antes de ele beijá-la.

Ao toque dos lábios dele, gentil, mas firme, Tully sentiu

algo delicioso e suave desabrochar dentro dela. Sem nenhum motivo, começou a chorar. Ele deve ter sentido o gosto das lágrimas, porque recuou e franziu a testa.

– Você é uma mulher, Tully Hart, ou uma menina?

Ela sabia o que ele estava perguntando. Por mais que tentasse esconder sua inocência, ele a havia percebido, sentido.

– Mulher – mentiu ela, com a voz ligeiramente trêmula no "m".

E então ela entendeu, depois de apenas um beijo, que o que quer que houvesse para saber sobre sexo, seu patético estupro no meio do bosque não lhe ensinara. Embora não fosse virgem, de alguma maneira ela era algo pior, um reservatório de lembranças ruins e dolorosas. No entanto, com Chad, pela primeira vez ela soube como era querer mais.

Era assim que ela havia se sentido com Pat naquela noite também.

Não. Aquilo era diferente. Ela estava muito longe de ser aquela menina desesperada e solitária capaz de entrar em qualquer bosque escuro para ser amada.

Ele a beijou de novo, murmurando "Que bom". Desta vez, o beijo continuou e continuou, aprofundando-se até se tornar algo que a remexeu por dentro e fez com que ela se contorcesse de desejo. Quando ele começou a pressionar o quadril contra ela, acendendo um fogo no meio de suas pernas, ela havia se esquecido completamente de como era sentir medo.

– Você quer mais? – sussurrou ele.

– Quero.

Ele a pegou nos braços e a levou até um sofá quebrado encostado contra uma parede escura. Lá, ele a deitou sobre as almofadas ásperas e empelotadas e, gentilmente, começou a despi-la. Tully sentiu o sutiã se abrindo e a calcinha saindo como se estivesse longe dali. E o beijo dele continuava e continuava, alimentando o fogo dentro dela.

Quando os dois estavam nus, ele se abaixou até o sofá e

a abraçou. As molas cederam ao peso deles, rangendo em protesto.

– Ninguém nunca dedicou tempo a você, não é, Tully?

Ela viu o próprio desejo refletido nos olhos dele e, pela primeira vez, não sentiu medo nos braços de um homem.

– É isso que você vai fazer... dedicar seu tempo a mim?

Ele afastou os cabelos úmidos do rosto dela.

– Eu vou lhe ensinar coisas, Tully. Não era o que você queria de mim?

⁂

Tully levou quase duas horas para encontrar Kate. Ela começou a busca pelas mesas de estudo no porão da república. Em seguida, passou pela sala de TV e pelo quarto delas. Chegou até a conferir a varanda onde havia camas, que, no entanto, estava compreensivelmente vazia às quatro horas de uma tarde ensolarada de maio. Tentou a biblioteca da graduação e a seção preferida de Kate, depois a sala de leitura da pós-graduação, onde vários estudantes mais velhos com jeito de hippies pediram silêncio por ela apenas caminhar. Estava prestes a desistir quando se lembrou do Anexo.

É claro.

Correu pelo imenso campus até a casinha de dois andares com telhado pontudo que chamavam de Anexo. Dezesseis meninas ricas e sortudas conseguiam sair da casa principal e se mudar para lá a cada trimestre. Era uma central de festas. Não havia monitoras, ninguém controlando as portas. Era o mais próximo do mundo real a que qualquer uma delas conseguiria chegar até deixar a república.

Ela abriu a porta da frente e chamou o nome de Kate. Alguém respondeu de outro cômodo.

– Acho que ela está na laje.

Tully pegou dois refrigerantes na geladeira e subiu. Num

quarto dos fundos, a janela estava aberta. Ela se inclinou através da abertura e olhou para a cobertura da garagem.

Lá estava Kate, sozinha, num biquíni de crochê branco mínimo, deitada numa toalha de praia, lendo um romance qualquer.

Tully subiu na beirada da janela e cruzou a laje, que todos chamavam de praia preta.

– Oi – disse ela, oferecendo um refrigerante a Kate. – Deixe eu adivinhar: está lendo um romance.

Kate entortou a cabeça e apertou os olhos contra o sol, sorrindo.

– *O segredo de uma promessa*, de Danielle Steel. É muito triste.

– Quer ouvir uma história real de romance?

– Como se você soubesse alguma coisa a respeito. Você não saiu com ninguém desde que chegamos aqui.

– Não é preciso sair com alguém para fazer sexo.

– A maioria das pessoas precisa.

– Eu não sou a maioria das pessoas. Você sabe disso.

– Ok – disse Kate. – Estou superacreditando que você transou.

Tully estendeu uma das toalhas que haviam sido deixadas ali fora e se deitou. Tentando não sorrir, ela olhou para o céu azul e disse:

– Três vezes, para ser exata.

– Mas você tinha ido saber sobre o estágio de verão... – falou Kate, depois arfou e se sentou. – Você *não* fez isso.

– Você vai dizer que a gente não deve fazer sexo com os professores. Eu acho que na realidade é mais uma recomendação. Uma diretriz. Ainda assim, você não pode contar para ninguém.

– Você transou com o Chad Wiley.

Tully suspirou com o som da frase.

– Foi o máximo, Katie. Estou falando sério.

– Nossa. O que você fez? O que ele fez? Doeu? Você ficou com medo?

– Eu fiquei com medo – disse Tully baixinho. – No começo, eu só conseguia pensar sobre... você sabe... aquela noite com o Pat. Achei que ia vomitar, ou correr, mas daí ele me beijou.

– E?

– E... eu simplesmente meio que derreti. Ele tirou as minhas roupas antes que eu me desse conta.

– Doeu?

– Doeu, mas não como da outra vez.

Tully ficou surpresa com a facilidade com que de repente falou sobre a noite em que foi estuprada. Pela primeira vez, aquela noite era apenas uma lembrança distante, uma coisa ruim que acontecera quando ela era menina. A gentileza de Chad havia mostrado a ela que sexo não precisava doer, que podia ser bonito.

– Depois de um tempo, ficou incrivelmente bom. Agora eu sei do que tratam todas aquelas matérias da *Cosmopolitan*.

– E ele disse que amava você?

Tully riu, mas, no fundo, não tinha tanta graça quanto ela gostaria.

– Não.

– Isso é bom.

Tully não esperava por isso.

– Por quê? Eu não sou boa o bastante para alguém se apaixonar? Isso é só para meninas católicas boazinhas como você?

– Ele é seu professor, Tully.

– Ah, por isso. Eu não me importo com esse tipo de coisa – argumentou, e olhou para a amiga. – Pensei que você fosse vir com romance para cima de mim e me dizer que era uma espécie de conto de fadas.

– Eu preciso conhecê-lo – disse Kate com firmeza.

– Nós não vamos poder sair em casais.

– Então acho que vou segurar vela. Ei, talvez ele ganhe desconto de terceira idade se sairmos para jantar.

Tully riu.

– Vaca.

– Pode ser, mas eu sou uma vaca que quer mais detalhes. Quero saber de *tudo*. Importa-se se eu tomar notas?

⁂

Kate desceu do ônibus e ficou parada na calçada, olhando para o endereço na mão.

Era ali.

As pessoas tinham de desviar dela para passar. Várias esbarraram nela. Ela endireitou os ombros e foi até a porta. Não havia motivo para se preocupar com aquele encontro – com o qual ela vinha se preocupando havia mais de um mês, período em que ela também estava sendo bastante chata. Não havia sido fácil fazer Tully concordar com aquela noite.

Mas, no fim, Kate dissera as palavras mágicas, lançara os dados: *Você não confia em mim?* Depois disso, faltara apenas marcar a data.

Assim, naquela noite quente de primavera, ela estava indo na direção de um prédio que parecia um bar, numa missão para salvar a melhor amiga de cometer o maior erro da vida.

Dormir com um professor.

Sinceramente, o que de bom poderia sair disso?

Dentro do Last Exit on Brooklyn, Kate se viu num mundo diferente de qualquer outro que vira antes. Para começar, o lugar era imenso. Devia haver mais de setenta mesas – de mármore ao longo das paredes e outras grandes, de madeira rústica, no centro do salão. Um piano e um pequeno palco pareciam ser o ponto focal de tudo. Na parede ao lado do piano, um pôster envelhecido e ondulado do poema *Desiderata* chamava a atenção. *Siga placidamente, por entre o ruído e a pressa, e lembre-se da paz que pode haver no silêncio.*

Não que houvesse paz ou silêncio ali. Ou ar respirável.

Havia uma fumaça espessa cinza-azulada pairando no ar,

acumulada no pé-direito alto. Quase todo mundo estava fumando. Cigarros subiam e desciam por todo o salão, presos entre dedos que gesticulavam a cada palavra. Inicialmente, ela não viu mesas vazias; todas estavam cheias de gente jogando xadrez, lendo cartas de tarô ou discutindo política. Havia várias pessoas sentadas em cadeiras ao redor do microfone, dedilhando seus violões.

Ela passou por entre as mesas a caminho do fundo do salão. Por uma porta aberta, pôde ver outra área lá atrás cheia de mesas de piquenique, onde havia mais gente sentada, conversando e fumando.

Tully estava numa mesa bem ao fundo, enfiada no canto escuro. Quando viu Kate, ela se levantou e acenou.

Kate passou por uma mulher que fumava um cigarro de cravo e contornou uma coluna.

Foi quando o viu.

Chad Wiley.

Ele estava longe de ser o que ela esperava. Estava atirado na cadeira, com uma das pernas estendidas. Mesmo com toda aquela fumaça e à sombra, ela pôde ver quanto era bonito. E não *parecia* velho.

Cansado, talvez, mas num sentido de cansado da vida. Como um atirador ou astro de rock envelhecido. Deu um sorriso que começou lentamente, franzindo os olhos, e, naqueles olhos, ela viu uma compreensão que a surpreendeu, que fez com que ela se desequilibrasse.

Ele sabia por que ela estava ali: a melhor amiga indo evitar que a outra cometesse um grande erro saindo com o homem errado.

– Você deve ser Chad – disse ela.

– E você deve ser Katie.

Ela hesitou com o uso inesperado de seu apelido. Foi uma forma de fazê-la lembrar que Chad também conhecia Tully.

– Sente-se – convidou Tully. – Vou chamar uma garçonete.

Ela se levantou e saiu antes que Kate pudesse impedi-la.

Kate olhou para Chad; ele olhou para ela sorrindo, como se os dois compartilhassem um segredo.

– Lugar interessante – falou, para puxar conversa.

– É tipo um bar sem cerveja – disse ele. – O tipo de lugar em que podemos mudar quem somos.

– Eu achei que a mudança começasse de dentro.

– Às vezes. Às vezes somos forçados a ela.

Aquelas palavras o deixaram com uma expressão sombria, com algum tipo de emoção. De repente, ela se lembrou da história dele, da carreira incrível que havia perdido.

– Você seria demitido da universidade se descobrissem sobre Tully, não seria?

Ele dobrou a perna e se endireitou na cadeira.

– Então é assim que você quer jogar. Tudo bem. Eu gosto das coisas diretas. Sim. Seria o fim desta carreira também.

– Você é algum tipo de viciado em perigo?

– Não.

– Já dormiu com alunas antes?

Ele riu.

– De jeito nenhum.

– Então por quê?

Ele olhou para os lados, para Tully, que estava no bar lotado, tentando fazer um pedido.

– Você, entre todas as pessoas do mundo, não deveria precisar perguntar isso. Por que ela é a sua melhor amiga?

A resposta a deixou sem fôlego.

– Ela é especial.

– Exatamente.

– Mas e a carreira dela? Ela estaria acabada se soubessem que está com você. Diriam que ela só se formou por dormir com o professor.

– Muito bem, Katie. Você deve mesmo cuidar dela. Ela precisa disso. Ela é… frágil, a nossa Tully.

Kate não sabia o que a incomodava mais – ele descrever Tully como frágil ou a forma como disse *nossa Tully*.

– Ela é um rolo compressor. Eu não a chamo de Tempestade Tropical Tully por acaso.

– Isso é por fora. Para se exibir.

Kate se atirou para trás, surpresa.

– Você se importa com ela.

– O que é péssimo, imagino. O que você vai dizer a ela?

– Sobre o quê?

– Você veio aqui para encontrar uma forma de convencê-la a não sair mais comigo, não foi? Você certamente pode dizer que eu sou velho demais. Ou o principal: sou o professor dela. É bom que saiba que eu bebo demais também.

– Você quer que eu diga tudo isso a ela?

Ele olhou para Kate.

– Não, eu não quero que você diga tudo isso a ela.

Atrás deles, um jovem com cabelos desalinhados e calças amarfanhadas foi para a frente do microfone. Ele se apresentou como Kenny Gorelick e começou a tocar um saxofone. A canção era extremamente romântica e cheia de vida. Por alguns instantes, o volume das conversas diminuiu. Kate se sentiu envolvida pela música, transportada por ela. Aos poucos, porém, a música virou ruído de fundo, e ela olhou para Chad. Ele a estava examinando atentamente. Ela entendeu quanto aquela conversa e Tully significavam para ele. Isso virava a mesa. Ela se surpreendeu pela rapidez dessa virada. Agora, sentada ali, estava preocupada que Tully arruinasse aquele homem, que, francamente, parecia não ter forças para suportar outro golpe assim. Antes que ela pudesse responder à pergunta que ele havia feito, Tully estava de volta, arrastando uma garçonete de cabelos roxos com ela.

– E então – disse ela, franzindo a testa e um pouco sem fôlego –, já ficaram amigos?

Chad foi o primeiro a olhar para ela.

– Ficamos.

– Excelente – disse Tully, sentando no colo dele. – Agora, quem quer uma torta de maçã?

Chad as deixou a duas quadras da república, numa rua escura cheia de velhas casas de pensão habitadas por estudantes que não prestavam atenção ao que jovens de repúblicas faziam ou deixavam de fazer.

– Foi bom conhecer você – disse Kate, pegando a bolsa e saindo do carro.

Ficou parada na calçada esperando que Tully terminasse de beijá-lo. Afinal, Tully saiu do carro e acenou enquanto o Ford Mustang preto de Chad se afastava.

– E então? – perguntou ela de repente, virando-se para Kate. – Ele é lindo, não é?

Kate assentiu com a cabeça.

– E como é.

– E bacana, né?

– Definitivamente bacana.

Ela começou a caminhar, mas Tully a segurou pela manga, fazendo-a parar e dar meia-volta.

– Você gostou dele?

– É claro que gostei. Ele tem um ótimo senso de humor.

– Mas...?

Kate mordeu o lábio, tentando ganhar tempo. Ela não queria magoar Tully nem irritá-la, mas que tipo de amiga ela seria se mentisse? A verdade era que *havia* gostado de Chad e acreditava que ele realmente gostava de Tully. Era também verdade que ela tivera um mau pressentimento sobre aquele relacionamento e conhecê-lo só havia piorado as coisas.

– Qual é, Katie, você está me assustando.

– Eu não ia dizer nada, Tully, mas como você está me obrigando... Eu não acho que você deva sair com ele.

Depois que sua opinião derrubou a barreira, ela não conseguiu mais parar.

– Quero dizer, ele está com 31 anos. Tem ex-mulher e uma

filha de 4 anos que nunca vê. Você não pode ser vista em público com ele, senão ele é demitido. Que tipo de relacionamento é esse? Você está perdendo os seus anos de faculdade.

Tully deu um passo para trás.

– Perdendo meus anos de faculdade? Você se refere a ir a festas com fantasias taitianas para virar cerveja? Ou sair com caras como os nerds que você parece escolher, quase todos só um pouco mais inteligentes do que uma porta?

– Talvez a gente deva concordar em discordar.

– Você acha que eu estou com ele por causa da minha carreira, não é? Para tirar notas mais altas ou conseguir uma vaga na emissora de TV?

– E não está? Nem um pouquinho?

Kate soube imediatamente que não devia ter dito isso.

– Eu sinto muito – disse ela, estendendo a mão para a amiga. – Eu não quis dizer isso.

Tully se afastou.

– É claro que quis. A Srta. Perfeitinha com a melhor família e as notas máximas. Eu nem sei por que você anda comigo, uma vadia carreirista.

– Espere! – gritou Kate.

Mas Tully já saíra correndo pela rua escura.

Dez

Tully correu todo o caminho até a parada de ônibus na Rua 45.

– Vaca – murmurou, secando os olhos.

Quando o ônibus chegou, ela embarcou e pagou a passagem,

resmungando "Vaca" mais duas vezes depois que encontrou um lugar e sentou.

Como Kate podia ter dito aquelas coisas para ela?

– Vaca – resmungou de novo, mas desta vez a palavra saiu com desolação.

O ônibus parou a menos de uma quadra da casa de Chad. Ela correu pela calçada a caminho da casinha ao estilo dos anos 1930 e bateu à porta.

Ele atendeu quase que imediatamente, usando uma calça velha de moletom cinza e uma camiseta dos Rolling Stones. Pelo sorriso dele, Tully percebeu que a esperava.

– Oi, Tully.

– Vamos para a cama – sussurrou ela com a voz rouca, levando as mãos por baixo da camiseta dele e tirando-a pela cabeça.

Os dois atravessaram a casa se beijando e abraçando, até chegarem ao pequeno quarto localizado nos fundos. Tully ficou colada nele, com os braços firmes, beijando-o intensamente. Não olhou para ele, não conseguiu, mas isso não tinha importância. Quando caíram na cama, estavam ambos nus e ansiosos.

Tully se perdeu e entregou-se à própria dor no prazer que encontrou nas mãos e na boca dele. Quando acabou, os dois ficaram deitados na cama, enroscados, e ela tentou não pensar em nada exceto em quanto ele a fazia sentir-se bem.

– Você quer conversar sobre isso?

Ela se afastou um pouco dele, deitando nos travesseiros, e ficou olhando fixamente para o teto liso que havia se tornado tão familiar para ela quanto os próprios sonhos.

– O que você quer dizer?

– Qual é, Tully?

Ela virou de lado e o encarou, segurando a cabeça com a mão. Ele a tocou no rosto com um carinho suave.

– Você e Kate brigaram por minha causa, e eu sei quanto a opinião dela é importante para você.

As palavras dele a surpreenderam, embora não devessem ter surpreendido. Depois que ficaram juntos, ela de alguma forma havia começado a revelar pedaços de si mesma a ele. Começara acidentalmente, um comentário aqui, outro ali, depois de transarem ou enquanto bebiam, e de alguma forma a coisa crescera. Ela se sentia segura na cama dele, livre de qualquer julgamento ou censura. Eram amantes que não se amavam, e isso tornava a conversa mais fácil. Ainda assim, naquele momento ela percebeu que ele havia prestado atenção a todo o seu falatório e deixado que as palavras formassem uma imagem. Saber disso fez com que ela de repente se sentisse menos solitária e, embora a assustasse, foi algo que não deixava de reconfortá-la.

– Ela acha que é errado estarmos juntos.

– É errado. Nós dois sabemos disso.

– Eu não me importo – disse ela de modo enfático, secando os olhos. – Ela é a minha melhor amiga. Ela deve me apoiar haja o que houver.

A voz de Tully embargou nas últimas palavras, na promessa que as duas fizeram uma à outra tantos anos antes.

– Ela está certa, Tully. Você deveria ouvi-la.

Ela ouviu alguma coisa na voz dele, um estremecimento quase aparente que fez com que ela olhasse no fundo dos olhos dele, onde viu uma tristeza que a confundiu.

– Como pode dizer uma coisa dessas?

– Estou me apaixonando por você, Tully, e queria que isso não estivesse acontecendo – falou ele, com um sorriso triste. – Não fique tão assustada. Sei que você não acredita nisso.

A verdade daquelas palavras pesou no coração de Tully, fez com que se sentisse velha subitamente.

– Talvez um dia eu acredite.

Pelo menos era nisso que queria acreditar.

– Espero que sim – disse ele, dando-lhe um beijo suave nos lábios. – E agora, o que vai fazer a respeito de Kate?

– Ela não quer falar comigo, mamãe.

Kate se apoiou na parede estofada do minúsculo cubículo conhecido como sala do telefone. Havia precisado esperar por mais de uma hora até chegar sua vez naquela tarde de domingo.

– Eu sei. Acabei de falar com ela.

É claro que Tully ligaria primeiro. Kate não sabia por que isso a irritava. Ouviu o barulho de um cigarro sendo aceso do outro lado da linha.

– O que ela lhe contou?

– Que você não gosta do namorado dela.

– Só isso?

Kate precisava ser cautelosa. A mãe iria pirar se descobrisse a idade de Chad e Tully ficaria *muito* furiosa se Kate virasse a mãe contra ela.

– Tem mais?

– Não – respondeu ela com rapidez. – Ele é completamente errado para ela, mamãe.

– A sua vasta experiência com homens lhe diz isso?

– Ela não foi à última festa porque ele não quis ir. Ela está deixando de aproveitar a vida universitária.

– Você realmente achou que Tully seria uma garota de república igual a qualquer outra? Qual é, Katie? Ela é… dramática. Cheia de sonhos. Não faria mal a você ter um pouco desse fogo, aliás.

Kate revirou os olhos. Sempre havia a sutil – ou nem tão sutil – pressão para ela ser como Tully.

– Não estamos falando sobre o meu futuro. Foco, mamãe.

– Só estou dizendo que…

– Eu ouvi o que você disse. Então o que eu faço? Ela está me evitando. Eu estava tentando ser uma boa amiga.

– Às vezes, ser uma boa amiga é não dizer nada.

– Então eu devo apenas ficar assistindo a ela cometer um erro.

– Às vezes, sim. E depois você fica por perto para juntar os cacos. Tully tem uma personalidade muito forte. É fácil esquecer o passado dela e como ela se magoa com facilidade.

– Então o que eu faço?

– Só você pode responder isso. Meus dias como seu Grilo Falante já passaram há muito tempo.

– Acabaram os sermões sobre a vida, é? Que ótimo. Justamente quando eu precisava de um.

Do outro lado da linha, o barulho de fumaça sendo assoprada.

– Eu sei que ela vai estar na sala de edição da KTVS à uma hora.

– Tem certeza?

– Foi o que ela me disse.

– Obrigada, mamãe. Eu te amo.

– Também te amo.

Kate desligou o telefone e voltou correndo para o quarto, onde se vestiu rápido e passou um pouco de maquiagem. Basicamente corretivo, para cobrir as espinhas que haviam pipocado na sua testa desde a briga das duas.

Atravessou o campus em tempo recorde. Foi fácil. Naquela altura do mês, as pessoas estavam ocupadas, estudando para as provas finais. Na porta da KTVS, fez uma pausa, preparou-se como se estivesse indo para uma batalha, e entrou.

Encontrou Tully onde a mãe dissera: numa ilha de edição, debruçada sobre uma pilha de fitas. Quando Kate entrou, ela ergueu o olhar.

– Ora, ora – disse, levantando e se endireitando. – Se não é a líder das moralistas de plantão.

– Eu sinto muito – disse Kate.

Tully fez uma careta, como se estivesse prendendo a respiração, e por fim a soltou.

– Você foi uma verdadeira vaca.

– Eu não devia ter dito tudo aquilo. É só que… nós nunca escondemos nada uma da outra.

– Então este foi o nosso erro.

Tully engoliu em seco e tentou sorrir. Não conseguiu.

– Eu não a magoaria de propósito por nada no mundo. Você é a minha melhor amiga. Eu sinto muito.

– Jure que não vai acontecer de novo. Nenhum cara vai voltar a ficar entre nós.

– Nunca.

Kate foi absolutamente sincera. Se precisasse grampear a própria língua para não repetir aquele erro, faria isso. A amizade das duas era mais importante do que qualquer relacionamento. Namorados vão e vêm, amigas são para sempre.

– Agora é a sua vez.

– O que você quer dizer?

– Jure que não vai mais virar as costas para mim e ficar sem falar comigo. Os últimos três dias foram horríveis.

– Eu juro.

Tully não sabia muito bem como havia acontecido, mas, de alguma forma, dormir com o professor se transformara num caso de amor verdadeiro. Talvez Kate estivesse certa, e a história *tivesse* começado como uma espécie de investimento na carreira para ela. Mas não se lembrava mais. Tudo o que realmente sabia era que, nos braços dele, ela se sentia contente, e essa era uma emoção nova.

E, é claro, ele *era* seu mentor. No tempo que passavam juntos, ele lhe ensinava coisas que ela levaria anos para descobrir sozinha.

O mais importante: ele havia lhe mostrado como era fazer amor. A cama dele havia se tornado seu porto seguro. Os braços dele, sua boia salva-vidas. Quando Tully o beijava e o deixava tocá-la com uma intimidade inimaginável, ela se esquecia de que não acreditava no amor. A primeira vez, naquele bosque escuro em Snohomish, foi desaparecendo aos poucos de sua memória, até que um dia, afinal, descobriu que não carregava mais aquilo dentro de si. Sempre seria parte dela, uma cicatriz em sua alma, mas, como todas as cicatrizes, havia se transformado de algo chamativo e vermelho em uma linha fina e clara que só podia ser vista às vezes.

Mas, mesmo com tudo isso, com tudo o que ele havia mostrado e dado a ela, estava começando a não ser o bastante. No primeiro semestre de seu ano de formatura, Tully estava começando a ficar impaciente com o mundo tranquilo da universidade. A CNN havia mudado a cara do telejornalismo. No mundo real, as coisas estavam acontecendo, coisas importantes. John Lennon havia sido assassinado do lado de fora do prédio onde morava em Nova York. Um cara chamado Hinkley atirara no presidente Reagan numa tentativa patética de impressionar Jodie Foster. Sandra Day O'Connor se tornara a primeira mulher na Suprema Corte. Diana Spencer havia se casado com o príncipe Charles numa cerimônia de conto de fadas tão perfeita que todas as meninas dos Estados Unidos passaram o verão inteiro acreditando no amor e em finais felizes. Kate falava sobre o casamento com tanta frequência e com tanta riqueza de detalhes que dava para achar que ela tinha ido à cerimônia.

E tudo isso havia sido manchete. Fatos ocorridos durante a vida de Tully. Porém, como ela estava na faculdade, ocorreram antes do seu tempo. Claro que ela havia escrito artigos sobre essas notícias para o jornal universitário, e às vezes inclusive lia alguns trechos no ar, mas era tudo de faz de conta, exercícios de aquecimento para um jogo que ela ainda não tinha permissão de jogar.

Ela ansiava por nadar nas verdadeiras águas das notícias locais ou nacionais. Havia ficado ainda mais cansada das festas das repúblicas e do zum-zum-zum que se fazia cada vez que alguém ficava noiva. Fugia à sua compreensão por que todas aquelas garotas das repúblicas queriam isso para suas vidas. Elas não sabiam o que estava acontecendo no mundo, não viam as possibilidades?

Ela havia aproveitado tudo o que a Universidade de Washington tinha a oferecer, frequentado todas as aulas de telejornalismo e jornalismo impresso importantes e aprendido o que pudera durante um ano de estágio na emissora pública. Estava na hora de entrar no feroz mundo do noticiário de TV. Queria se enfiar numa multidão de repórteres e se acotovelar entre todos até chegar à frente.

– Você não está pronta – disse Chad, com um suspiro.

Era a terceira vez que ele dizia isso em três minutos.

– Você está errado – rebateu ela, inclinando-se na direção do espelho acima da cômoda e passando mais uma camada de rímel.

Nos deslumbrantes primeiros anos da década de 1980, não havia excesso de maquiagem ou cabelos armados demais.

– Você me preparou, e nós dois sabemos disso. Você me fez deixar os cabelos com essa aparência sem graça, estilo Jane Pauley. Todos os meus blazers são pretos e meus sapatos parecem os de uma dona de casa de subúrbio.

Pôs o bastão do rímel de volta no tubo e o girou lentamente, depois examinou as unhas postiças que havia colocado naquela manhã.

– Do que mais eu preciso?

Chad se sentou na cama. Daquela distância, ele parecia ou entristecido ou cansado da discussão. Ela não sabia ao certo o quê.

– Você sabe a resposta dessa pergunta – disse ele de forma suave.

Ela revirou a bolsa em busca de outra cor de batom.

– Estou cansada da faculdade. Preciso entrar no mundo real.

– Você não está pronta, Tully. Um repórter precisa ter a mistura perfeita de objetividade e compaixão. Você é objetiva demais, fria demais.

Esta era a crítica que a incomodava, e ele sabia disso. Ela

passara anos *sem sentir* nada. Agora, de repente, devia ser compassiva e objetiva ao mesmo tempo. Empática, mas profissional. Não conseguia fazer isso direito, e tanto ela quanto Chad sabiam disso.

– Eu ainda não estou falando em rede nacional. É só uma entrevista para um emprego de meio período até a formatura.

Tully foi até a cama. Com o terninho preto e a camisa branca, era o retrato da elegância conservadora. Havia inclusive domado a sensualidade dos cabelos na altura dos ombros ao prendê-lo num coque banana. Sentada na beira do colchão, afastou uma mecha de cabelos dos olhos dele.

– Você simplesmente não está pronto para me soltar no mundo.

Ele suspirou e tocou no queixo dela com o nó dos dedos.

– É verdade que eu prefiro você na minha cama a fora dela.

– Admita: eu estou pronta.

Ela tinha a intenção de parecer sexy e adulta, mas o tremor vulnerável na voz a traiu. Ela precisava da aprovação dele da mesma forma como precisava de ar e de sol. Claro que conseguiria seguir em frente sem ela, mas com menos confiança. E naquele momento ela precisava de toda a confiança que pudesse angariar.

– Ah, Tully – disse ele, afinal. – Você nasceu pronta.

Sorrindo triunfantemente, ela o beijou – com vontade –, então se levantou e pegou a pasta de vinil. Dentro dela havia um punhado de currículos impressos em papel marfim grosso, vários cartões de visita que diziam *Talullah Hart, repórter de TV* e uma fita com uma matéria que ela havia feito ao vivo para a KVTS.

– Boa sorte – Chad disse.

– Obrigada.

Tully pegou o ônibus na frente da banca do Kidd Valley Hamburger. Embora fosse formanda, não levara seu carro para a faculdade. Estacionar era difícil e caro. Além disso, os Mularkey adoravam a lata-velha de sua avó.

Por todo o trajeto do distrito da universidade até a ponte do lago Union, pensou sobre o que sabia a respeito do homem com quem conversaria. Aos 26 anos, ele já era um respeitado ex-repórter que havia ganhado alguns importantes prêmios de jornalismo durante um conflito na América Central. Alguma coisa – nenhum dos artigos dizia o quê – o havia trazido de volta para casa, onde ele mudara o rumo da carreira. Agora, era produtor do menor escritório de uma das estações de TV locais. Tully havia ensaiado sem parar o que iria dizer.

Prazer em conhecê-lo, Sr. Ryan.

Sim, eu tenho uma experiência impressionante para uma mulher da minha idade.

Estou empenhada em me tornar uma jornalista de primeira linha e espero, não, pretendo…

O ônibus parou fazendo barulho e fumaça na esquina da Rua 1 com a Broad.

Tully desceu apressada. Enquanto estava parada embaixo da placa do ponto consultando suas anotações, começou a chover – não forte o bastante para exigir um capuz ou um guarda-chuva, mas o suficiente para estragar os cabelos e borrar a maquiagem dos olhos. Abaixou a cabeça para proteger a maquiagem e correu a quadra que a separava de seu destino.

O pequeno edifício de concreto com janelas sem cortinas ficava na metade da quadra, com um estacionamento ao lado. Dentro dele, consultou o quadro na parede e encontrou o que queria: KCPO – Sala 201.

Endireitou a postura, sorriu profissionalmente e foi até a sala 201.

Lá, abriu a porta e quase deu um encontrão em alguém.

Por um instante, Tully ficou perplexa. O homem na frente dela era lindo – cabelos pretos desalinhados, olhos azuis fortes e uma barba rala. Nem um pouco parecido com o que estava esperando.

– Você é Talullah Hart?

Ela estendeu a mão.

– Sou. Sr. Ryan?

– O próprio – disse, apertando a mão dela. – Entre.

Ele a guiou através de uma sala pequena repleta de papéis, câmeras e pilhas de jornais por todo lado. Duas portas abertas revelavam outras salas vazias. Havia outro homem parado num canto, fumando. Era enorme, com pelo menos 1,95 metro, cabelos loiros desgrenhados e roupas com as quais parecia ter passado a noite. Sua camiseta ostentava uma gigantesca folha de maconha. Quando os dois passaram, ele ergueu o olhar.

– Esta é Talullah Hart – o Sr. Ryan a apresentou.

– É a das cartas? – resmungou o sujeito grandalhão.

– Ela mesma – confirmou o Sr. Ryan, sorrindo para Tully.
– Ele é o Mutt. Nosso cinegrafista.

– Prazer em conhecê-lo, Sr. Mutt.

Isso fez os dois darem risada, e o barulho da risada deles apenas confirmou sua ansiedade de que era jovem demais para aquilo.

Ele a levou até uma sala de canto e apontou para uma cadeira de metal diante de uma mesa de madeira.

– Sente-se – disse, fechando a porta atrás de si.

Ele se sentou atrás da mesa e olhou para ela.

Tully endireitou a postura, tentando parecer mais velha.

– Então é você que anda entupindo a minha caixa de correspondência com fitas e currículos. Tenho certeza de que, com toda a sua ambição, você pesquisou a nosso respeito. Nós somos a equipe de Seattle que trabalha para a KCPO em Tacoma. Não temos programa de estágio.

– Foi o que as suas cartas disseram.

– Eu sei. Eu as escrevi.

Ele se recostou na cadeira e pôs as mãos atrás da cabeça.

– Você leu meus textos e viu a minha fita?

– Na verdade, é por isso que você está aqui. Quando me dei conta de que você não iria parar de me mandar fitas de testes, achei que era melhor assistir a uma.

– E aí?

– E você vai ser boa um dia. Tem o que é preciso…

Um dia? Vai ser?

– Mas ainda está longe de estar pronta.

– É por isso que quero este estágio.

– O estágio que não existe, você quer dizer.

– Eu posso trabalhar de vinte a trinta horas por semana de graça, e não me importo se vou receber créditos para a faculdade ou não. Posso escrever textos, fazer checagens e pesquisa. Qualquer coisa. O que você tem a perder?

– Qualquer coisa? – repetiu ele, e agora a olhava com atenção. – Você faria café, passaria aspirador e limparia os banheiros?

– Quem faz tudo isso hoje?

– O Mutt e eu. E a Carol, quando ela não está fazendo reportagem.

– Então eu certamente farei isso.

– Então você fará o que for preciso.

– Sim.

Ele se recostou na cadeira, observando-a com atenção.

– Você entende que será pau para toda obra e não receberá nada por isso.

– Entendo. Posso trabalhar às segundas, quartas e sextas.

– Está bem, Talullah Hart – disse ele por fim, e se levantou. – Vamos ver o que você pode fazer.

– Deixe comigo – respondeu ela, com um sorriso. – E é Tully.

Ele a levou de volta até a sala principal.

– Ei, Mutt, esta é a nossa nova estagiária, Tully Hart.

– Legal – disse Mutt, sem levantar os olhos da câmera que tinha no colo.

Na porta, o Sr. Ryan fez uma pausa e olhou para ela.

– Espero que tenha a intenção de levar este trabalho a sério, Srta. Hart. Ou esta será uma experiência com prazo de validade menor do que o do leite.

– Pode contar comigo, Sr. Ryan.
– Pode me chamar de Johnny. Vejo você na sexta-feira. Às oito da manhã?
– Estarei aqui.

Ela passou e repassou o encontro em sua mente enquanto caminhava rapidamente pela rua até a parada de ônibus.

Na realidade, ela havia acabado de criar o próprio estágio. Um dia, quando Phil Donahue a entrevistasse, ela contaria essa história para demonstrar sua determinação e ousadia.

Sim, Phil. Foi uma atitude ousada, mas você sabe como é o telejornalismo. É um mundo muito competitivo, e eu era uma garota que sonhava alto.

Mas ela contaria a Katie primeiro. Nada era totalmente perfeito até ela compartilhar com a amiga.

Aquele era o começo do sonho delas.

As cerejeiras marcavam a passagem do tempo melhor do que qualquer calendário. Com botões cor-de-rosa fartos na primavera, extremamente verdes nos dias quentes e tranquilos de verão, lindamente matizados no começo das aulas e, agora, nuas naquele dia de novembro de 1981.

Para Kate, a vida estava andando rápido demais. Ela estava anos-luz de distância da garota tímida e quieta que era ao chegar à universidade. Nos anos que passara na Universidade de Washington, havia aprendido a dirigir esquetes da semana de apresentação de calouros, a organizar e planejar uma festa para trezentas pessoas, a entornar um copo de cerveja e comer ostras cruas, a interagir com todos numa festa de república e se sentir confortável com pessoas que não conhecia, a escrever reportagens, a escolher o melhor ângulo para fazê-las ganhar a primeira página, e também a filmar essas mesmas reportagens. Seus professores lhe davam notas altas e lhe diziam sempre que ela tinha talento para o jornalismo.

O problema, aparentemente, era seu coração. Ao contrário de Tully, que era capaz de ir em frente e fazer qualquer pergunta, Kate achava difícil se intrometer na dor das pessoas. Cada vez mais, ela deixava de lado suas próprias reportagens e preferia editar as de Tully.

Ela não tinha o que era necessário para ser produtora de notícias de uma TV em rede nacional nem uma repórter de primeira linha. Todos os dias, quando comparecia às aulas de telejornalismo e comunicação, estava mentindo para si mesma.

Ultimamente, sonhava com outras coisas. Pensava em entrar para a faculdade de direito para poder combater as injustiças sobre as quais escrevia, em escrever romances que fizessem as pessoas verem o mundo de uma maneira melhor, mais positiva... ou – e este era o sonho mais secreto de todos – se apaixonar. Mas como ela poderia dizer essas coisas a Tully?

Tully, que havia segurado sua mão tantos anos antes, quando ninguém mais fazia isso, que havia criado o sonho diáfano de suas vidas como parceiras no noticiário de TV. Como ela poderia dizer à melhor amiga que não compartilhava mais do sonho dela?

Deveria ser algo fácil de dizer. Elas eram meninas na época em que decidiram embarcar numa vida em conjunto. Nos anos que se passaram desde então, o mundo havia mudado muito. A guerra no Vietnã havia sido perdida, Nixon havia renunciado, o monte Santa Helena entrara em erupção e a cocaína havia se popularizado junto a uma nova geração de festeiros. O time de hockey dos EUA havia obtido uma vitória milagrosa nas Olimpíadas e um ator de segundo escalão fora eleito presidente. Dificilmente sonhos poderiam se manter estáticos em tempos de tanta incerteza.

Ela simplesmente teria de enfrentar Tully, para variar, e lhe dizer a verdade, dizer *esses são seus sonhos, Tully, e eu tenho orgulho de você, mas não tenho mais 14 anos e não posso segui-la para sempre.*

– Quem sabe hoje – disse ela em voz alta, arrastando a mochila enquanto caminhava pelo campus cinzento e nebuloso.

Se ao menos ela tivesse seu próprio sonho, alguma coisa para substituir o da dupla de estrelas do jornalismo televisivo... Tully talvez aceitasse isso. O vago *Eu não sei* de Kate não seguraria muito a Tempestade Tropical Tully.

Na saída do campus, ela se misturou ao fluxo de alunos e atravessou a rua, sorrindo e acenando para amigos ao passar por eles. Na casa da república, foi direto para a sala de estar, onde as garotas estavam sentadas nos sofás e nas poltronas e por todo o tapete verde-claro.

Atirou a mochila no chão e encontrou um lugar para sentar entre Charlotte e Mary Kay.

– Já começou?

Umas trinta pessoas pediram silêncio quando a música-tema da novela começou a tocar. O rosto de Laura encheu a tela da TV. Ela estava linda e esvoaçante num maravilhoso vestido branco. Um suspiro coletivo percorreu a sala.

Então Luke apareceu em seu terno cinza, sorrindo para a noiva.

Exatamente neste instante, a porta da república se abriu num estrondo.

– Kate! – berrou Tully, entrando na sala.

– Psiiiiiu – todas fizeram em uníssono.

Tully se agachou atrás de Kate.

– Precisamos conversar.

– Psiu. Luke e Laura estão se casando. Você pode me contar da sua entrevista (você conseguiu: parabéns) quando terminar. Agora fique quieta.

– Mas...

– Psiu.

Tully se ajoelhou, resmungando.

– Como vocês todas podem ficar tão malucas por um branquelo magricela com um cabelo horroroso? Ele é um estuprador. Eu acho...

– PSIIIU!

Tully suspirou dramaticamente e cruzou os braços.

Assim que o capítulo terminou e a música começou a tocar de novo, ela se levantou.

– Vamos lá, Katie. Precisamos conversar.

Ela agarrou a mão da amiga e a levou para longe da falta de privacidade da sala de TV, percorrendo os corredores e descendo um lance de escada até o local secreto da república: o fumódromo. Era uma sala minúscula, atrás da cozinha, com dois pequenos sofás, uma mesa de centro repleta de cinzeiros cheios e o ar tão espesso e azulado que os olhos lacrimejavam, mesmo quando não havia ninguém lá. Era o lugar aonde se ia para fazer as fofocas pós-festas e para dar risada tarde da noite.

Kate detestava aquele lugar. O hábito que lhe parecera tão bacana e rebelde aos 13 anos de idade agora era nojento e idiota.

– E então? Conte tudo. Você conseguiu o estágio, certo?

Tully sorriu.

– Consegui. Segundas, quartas e sextas. Alguns finais de semana. Estamos no caminho, Katie. Vou me sair bem neste trabalho e, quando nos formarmos, vou convencê-los a contratarem você. Seremos uma equipe, exatamente como sempre dissemos que seríamos.

Kate respirou fundo. *Vá em frente. Conte a ela.*

– Você não deveria se preocupar comigo, Tully. Este é o seu dia, o seu começo.

– Não seja ridícula. Você ainda quer que formemos uma equipe, não quer?

Tully fez uma pausa e encarou Kate, que juntou coragem e abriu a boca. Então Tully riu.

– É claro que quer. Eu sabia. Você só estava brincando comigo. Engraçadinha. Vou falar com o Sr. Ryan, que é o meu novo chefe, assim que ele não puder mais viver sem mim. Agora, preciso correr. Chad quer saber da entrevista, mas eu precisava contar para você primeiro.

Tully a abraçou com força e saiu.

Kate ficou lá parada, na saleta feia que fedia a cigarros velhos, olhando para a porta aberta.

– Não – disse ela baixinho. – Eu não quero fazer isso.

Não havia ninguém escutando.

O Dia de Ação de Graças na casa dos Mularkey sempre era um espetáculo. Tia Georgia e tio Ralph chegavam de carro do leste de Washington, levando comida suficiente para alimentar uma cidade inteira. Nos anos anteriores, levavam os quatro filhos junto, mas agora eles eram todos adultos e às vezes recebiam outras famílias no feriado. Naquele ano, Georgia e Ralph estavam sozinhos e pareciam um pouco atordoados com a situação. Georgia se serviu de bebida antes mesmo de cumprimentar qualquer um na casa.

Kate sentou no braço surrado do sofá vermelho que era a peça central daquela sala desde que ela se conhecia por gente. Tully sentou com as pernas cruzadas no chão, aos pés da mãe de Kate. Era o lugar preferido da amiga nos feriados. Tully raramente ficava longe da mulher que considerava a mãe perfeita. A mãe de Kate estava sentada na poltrona do marido, de frente para Georgia, que estava no sofá.

Era a hora das meninas – uma tradição familiar. Georgia a havia inventado fazia muitos anos – antes de haver filhos com que se preocupar, ou pelo menos era o que dizia a lenda da família. Em todas as festas de fim de ano, durante uma hora, enquanto os homens assistiam ao futebol na TV, as mulheres se reuniam na sala de estar para tomar drinques e botar a conversa em dia. Todas sabiam que em breve haveria uma quantidade hercúlea de trabalho a fazer na cozinha, mas, durante sessenta minutos, ninguém se importava com isso.

Naquele ano, pela primeira vez, a mãe de Kate serviu taças de vinho branco para Tully e a filha. Kate estava se sentindo muito adulta sentada ali no braço do sofá, tomando seu vinho.

O primeiro disco de Natal do ano já estava tocando. Elvis, naturalmente, cantando sobre o menininho no gueto.

Era curioso como um disco, ou até mesmo apenas uma canção, era capaz de fazer a pessoa se lembrar de tantos momentos da vida. Kate achava que nunca houvera um evento familiar – Natal, Ação de Graças, Páscoa, a viagem anual de férias – em que não se tocasse Elvis. Simplesmente não seria um momento da família Mularkey sem ele. Mamãe e Georgia sempre se asseguravam disso. A morte dele não havia mudado a tradição em nada, mas, às vezes, dependendo de quanto bebessem, se abraçavam e choravam pela perda dele.

– Vocês precisam ver o que eu fiz esta semana – disse Tully, pondo-se de joelhos de tanta empolgação.

Kate não pôde deixar de notar que ela parecia estar suplicando, à espera da bênção da mãe.

– Sabem o caso do estuprador de Spokane? Bom – disse ela dramaticamente, atraindo-as para o relato –, o cara que eles prenderam, a mãe dele contratou alguém para matar o juiz e o procurador. Vocês acreditam nisso? E o Johnny, meu chefe, ele me deixou fazer a primeira versão de uma matéria. Eles inclusive usaram uma frase que eu escrevi. Foi tão legal! Na semana que vem, ele vai me deixar acompanhá-lo numa entrevista com um cara que inventou um computador.

– Você realmente está no seu caminho agora, Tully – disse a mãe de Kate, sorrindo.

– Não apenas eu, Sra. M. – disse Tully. – Vai dar certo para a Kate, também. Vou conseguir um estágio para ela na emissora, a senhora vai ver. Já estou começando a dar indiretas. Algum dia, a senhora vai ver nós duas na TV. A primeira dupla de âncoras femininas num noticiário nacional.

– Imagine só, Margie – disse Georgia em tom sonhador.

– Âncoras? – perguntou Kate, endireitando as costas. – Eu achei que fôssemos ser repórteres.

Tully sorriu.

– Com a nossa ambição? Você está brincando? Nós vamos direto para o topo, Katie.

Kate precisava dizer alguma coisa naquele momento. Aquilo estava saindo do controle e, sinceramente, aquele era um bom momento para abrir o jogo. Uma rodada de bebida havia deixado todas mais tranquilas.

– Eu preciso lhe dizer...

– Nós vamos ser mais famosas do que a Jean Enerson, Sra. M. – disse Tully, dando risada. – E definitivamente mais ricas.

– Imagine só ser rica – disse a Sra. Mularkey.

Tia Georgia deu um tapinha na coxa de Kate.

– Todos na família temos muito orgulho de você, Katie. Você vai fazer nosso nome ficar conhecido.

Kate suspirou. Mais uma vez perdera sua chance. Levantou-se e atravessou a sala, passando pelo canto onde logo estaria a árvore de Natal, e ficou na janela, olhando o pasto. Um manto branco e reluzente cobria o campo, criando montinhos cintilantes nos mourões do portão. O luar deixava tudo com um lindo tom branco e azul de aparência fria. Com o céu negro aveludado ao fundo, parecia um cartão de Natal. Na infância, ela esperava ansiosamente por esse clima, rezava meses a fio por ele, e não sem motivo. Coberta de neve, a alameda dos Vaga-lumes parecia cenário de conto de fadas, um lugar onde nada poderia dar errado, onde uma garota deveria conseguir simplesmente dizer à família que havia mudado de ideia.

Os últimos meses do ano de formatura das duas foram perfeitos. Embora Tully passasse mais de 25 horas por semana no estágio na TV e Kate trabalhasse a mesma quantidade de horas numa cafeteria, as duas conseguiam passar grande parte dos fins de semana juntas, jogando sinuca e tomando cerveja no Goldie's ou ouvindo música no Blue Moon. Muitas noites Tully ficava na casa de Chad, mas Kate não reclamava. Na verdade, estava se divertindo demais namorando para incomodar Tully falando sobre suas escolhas.

O único problema na vida de Kate – e era um problema e tanto – era a formatura que se aproximava.

Ela ia se formar no mês seguinte com honras. Receberia um diploma em Comunicação/Telejornalismo, e ainda não dissera a ninguém que essa não era a carreira dos seus sonhos.

Mas agora ela iria abrir o jogo. Estava numa das cabines telefônicas do terceiro andar, toda espremida, e havia acabado de discar o número de casa.

A mãe atendeu ao segundo toque.

– Alô?

– Oi, mamãe.

– Katie! Que ótima surpresa. Não me lembro de quando foi a última vez que você ligou no meio da semana. Você deve ser vidente: o papai e eu acabamos de chegar do shopping. Precisa ver o vestido que eu comprei para a formatura. É lindo. Se alguém disser que a J.C. Penney não tem roupas bonitas, não acredite.

– Como é o vestido?

Kate estava ganhando tempo. Sem dar muita atenção, ouviu a mãe descrever a roupa. Ela havia acabado de dizer alguma coisa sobre ombreiras e brilho quando Kate a interrompeu.

– Eu me candidatei a uma vaga de emprego numa loja de departamentos, mamãe. No setor de publicidade.

Houve uma pausa perceptível do outro lado da linha, então o revelador barulho de um cigarro sendo aceso.

– Ah. Publicidade, é? Achei que você e Tully iam ser...

– Eu sei – disse Kate, recostando na parede. – Uma dupla de repórteres. Ricas e mundialmente famosas.

– O que realmente está acontecendo, Kathleen?

Kate tentou transformar sua indecisão em palavras. Simplesmente não sabia o que queria fazer pelo resto da vida. Acreditava que tinha que haver alguma coisa especial para ela, um caminho que era só dela, com felicidade no fim, mas onde era o começo desse caminho?

– Eu não sou como a Tully – disse ela, afinal, admitindo a verdade que conhecia fazia muito tempo. – Eu não como, durmo e respiro notícias. Claro, sou boa o bastante para só tirar notas altas, e meus professores me adoram porque eu nunca atraso a entrega de um trabalho; mas o jornalismo, seja de TV ou impresso, é uma selva. Eu vou ser devorada viva pelas pessoas que, como a Tully, são capazes de fazer qualquer coisa por um furo de reportagem. Simplesmente não é realista pensar que eu posso dar certo no jornalismo.

– Realista? Realista somos seu pai e eu tentando pagar todas as nossas contas com a fábrica cortando as horas de trabalho dele. Realista é uma mulher inteligente como eu não conseguir nenhum emprego que pague mais do que o salário mínimo porque não tenho formação e tudo o que fiz foi criar meus filhos. Acredite em mim, Katie, você não quer ser realista na sua idade. Vai ter tempo suficiente para isso depois. Agora precisa sonhar alto e voar.

– Eu só quero algo diferente.

– O quê?

– Eu gostaria de saber.

– Ah, Katie... acho que você tem medo de ir atrás do seu sonho. Não tenha.

Antes que Katie pudesse responder, alguém bateu à porta.

– Está ocupada – gritou ela.

A porta se abriu e revelou Tully.

– Aí está você. Procurei por você em todos os lugares. Com quem está falando?

– Com a mamãe.

Tully arrancou o telefone da mão de Kate.

– Ei, Sra. M. Estou sequestrando a sua filha. Ligamos mais tarde. Tchau.

Desligou o telefone e se virou para Kate.

– Você vem comigo.

– Aonde estamos indo?

– Você vai ver.

Tully a levou para fora do prédio até o estacionamento, onde seu fusca azul novinho esperava.

Durante todo o caminho até o centro de Seattle, Kate ficou perguntando aonde as duas estavam indo e o que estava acontecendo, até que pararam em frente a um pequeno prédio comercial.

– É aqui que eu trabalho – disse Tully ao desligar o motor.

Kate revirou os olhos. Agora sabia por que estavam ali: Tully queria exibir algum novo triunfo dela. Uma fita, uma matéria que fizera e fora ao ar. Como sempre, Kate a seguiu.

– Olhe só, Tully – disse ela, enquanto as duas percorriam o corredor sem graça até a pequena área apertada que era o escritório da KCPO TV em Seattle. – Preciso dizer uma coisa.

Tully abriu a porta.

– Claro. Mais tarde. Este é o Mutt, aliás – falou Tully, apontando para um cara imenso de cabelos compridos que fumava ao lado da janela aberta.

– Oi – disse ele, mal erguendo um dedo para cumprimentá-la.

– A Carol Mansour, a repórter, está numa reunião no conselho municipal – explicou Tully, levando Kate até uma porta fechada.

Como se Kate não viesse ouvindo histórias sobre Carol Mansour desde sempre.

Tully parou diante de uma porta e bateu. Quando uma voz respondeu, ela abriu a porta e puxou Kate para dentro da sala.

– Johnny? Esta é a minha amiga, Katie.

Um homem ergueu o olhar de trás da mesa.

– Então você é Kate Mularkey?

Ele era, sem dúvida, o homem mais bonito que Kate vira na vida. Era mais velho do que elas, mas não muito, talvez cinco ou seis anos. Seus cabelos pretos compridos eram espessos e estavam penteados para trás, com cachos suaves nas pontas. Maçãs do rosto mais marcadas e um queixo menor podiam deixá-lo mais bonitinho, mas não havia nada de feminino nele. Quando sorriu, Kate respirou fundo, sentindo um golpe de atração física pura, diferente de tudo o que já sentira.

E ali estava ela, vestida para trabalhar: calça jeans, mocassins simples e suéter vermelho com gola V. Todos os cachos da noite anterior haviam desaparecido dos cabelos, e ela não os havia refeito naquela manhã. Não havia se dado o trabalho de pôr maquiagem também.

Ela ia matar Tully.

– Vou deixar vocês dois a sós – disse Tully, saindo da sala e fechando a porta atrás de si.

– Por favor, sente-se – disse ele, apontando para a cadeira vazia do outro lado da mesa.

Ela se sentou, encarapitando-se nervosa na ponta da cadeira.

– Tully me disse que você é um gênio.

– Bom, ela é a minha melhor amiga.

– Você tem sorte. Ela é uma garota especial.

– É, sim, senhor.

Ele deu risada. Foi um som forte e contagiante que a fez sorrir também.

– Por favor, não me chame de senhor. Isso me dá a impressão de que tem algum velho atrás de mim – falou ele, e se inclinou para a frente. – E então, Kate, o que você acha?

– Do quê?

– Do trabalho.

– Que trabalho?

Ele olhou para a porta e disse:

– Humm, que interessante.

Então olhou para ela de novo.

– Temos uma vaga para a parte administrativa. Carol costumava fazer todos os telefonemas e o arquivamento, mas ela vai ter um bebê, então o gerente muquirana da emissora enfim abriu a mão para contratarmos alguém para ajudar.

– Mas a Tully...

– Ela quer continuar como estagiária. Diz que, graças à avó, não precisa do dinheiro. Cá entre nós, de qualquer maneira ela não é muito boa atendendo telefone.

Tudo aquilo estava acontecendo rápido demais. Fazia apenas uma hora, ela finalmente havia admitido que não queria trabalhar na televisão, e agora estava recebendo uma oferta de trabalho pela qual todos os seus colegas da universidade seriam capazes de matar.

– Qual é o salário? – perguntou ela, ganhando tempo.

– Salário mínimo, é claro.

Fez as contas mentalmente. Com as gorjetas, ganhava quase o dobro disso na cafeteria.

– Vamos lá, Katie – disse ele, sorrindo. – Como pode recusar? Você pode ser secretária num escritório feioso ganhando quase nada. Não é o sonho de qualquer estudante universitário?

Ela não pôde deixar de rir.

– Falando dessa maneira, como eu poderia recusar?

– É um começo no glamoroso mundo do telejornalismo, certo?

O sorriso dele era como uma espécie de superpoder que confundia os pensamentos dela.

– É mesmo? Glamoroso, quero dizer.

Ele pareceu surpreso com a pergunta e, pela primeira vez, olhou de verdade para ela. O sorriso falso dele desapareceu, e a expressão em seus olhos azuis se tornou dura, descrente.

– Não aqui.

Ele mexeu com ela. Kate não sabia por quê, mas era poderosa aquela atração que estava sentindo. Nada parecido com o que os rapazes da universidade lhe causavam. Mais um motivo para não aceitar o emprego.

Atrás dela, a porta se abriu. Tully apareceu, praticamente saltitando.

– E então, você aceitou?

Era loucura aceitar um emprego por achar o chefe um gato. Por outro lado, ela estava com 21 anos, e ele estava lhe oferecendo um começo de carreira na televisão.

Não olhou para Tully. Se olhasse, sentiria que estava desistindo, seguindo-a novamente, e por todos os motivos errados.

Mas como poderia dizer não? Talvez num trabalho de verdade encontrasse aquela paixão e aquele brilho de que precisava. Quanto mais pensava a respeito, mais possível isso parecia. A faculdade não era o mundo real. Era por isso que o jornalismo não a havia conquistado. Ali, as matérias seriam interessantes.

– Claro – disse ela, afinal. – Vou tentar, Sr. Ryan.

– Pode me chamar de Johnny.

O sorriso que ele lhe deu foi tão desconcertante que ela precisou desviar o olhar. Teve certeza de que de alguma forma ele era capaz de enxergar dentro dela ou de escutar como fazia seu coração disparar.

– Está bem, Johnny.

– Muito bem – disse Tully, batendo palmas.

Kate não pôde deixar de perceber como a amiga atraiu instantaneamente a atenção total de Johnny. Ele estava agora sentado em cima da mesa, encarando Tully.

Foi quando Kate percebeu que havia cometido um erro.

Kate olhava para sua imagem no pequeno espelho oval da cômoda. Os cabelos louros compridos e lisos estavam presos numa faixa de veludo preto. Uma sombra azul-clara e duas camadas de rímel verde acentuavam a cor de seus olhos, enquanto brilho labial rosa-claro e um pouco de blush davam um pouco de cor ao rosto.

– Você vai aprender a amar o jornalismo – prometeu ela ao próprio reflexo. – E não está apenas indo atrás de Tully.

– Vamos logo, Kate – chamou Tully, batendo com força na porta do quarto. – Estou esperando no estacionamento.

– Está bem, talvez você *esteja* indo atrás dela.

Pegando a pasta de cima da cama, saiu do quarto e desceu a escada.

Naquela última semana de aulas, os corredores estavam movimentadíssimos, com meninas estudando para as provas finais, despedindo-se e arrumando suas coisas. Kate passou pela confusão e foi até o pequeno estacionamento localizado atrás da casa, onde Tully estava dentro do fusca, com o motor ligado.

No instante em que Kate sentou e bateu a porta, as duas saíram. A trilha sonora de *Purple Rain*, de Prince, tocava alto dentro do carro. Tully precisou gritar mais alto que a música.

– Não é o máximo? Nós finalmente vamos trabalhar juntas.

Kate assentiu com a cabeça.

– É mesmo.

Precisava admitir que estava empolgada. Afinal, ela havia se formado (ou se formaria em breve) e conseguido uma excelente oportunidade de começo na área que escolhera. Não importava que Tully tivesse conseguido o emprego para ela ou que ela estivesse basicamente indo atrás da melhor amiga. O que importava era fazer seu trabalho da melhor maneira possível e descobrir se o telejornalismo era para ela.

– Fale sobre o nosso chefe – disse ela, diminuindo o volume do aparelho.

– Johnny? Ele é ótimo no que faz. Foi correspondente de guerra. Em El Salvador ou na Líbia, sei lá. Ouvi dizer que ele sente falta do combate, mas é um ótimo produtor. Podemos aprender muito com ele.

– Você algum dia quis sair com ele?

Tully riu.

– Só porque dormi com o meu professor, não quer dizer que me interesse por qualquer chefe.

Kate ficou aliviada com isso. Mais do que deveria. Queria perguntar se Johnny era casado – fazia quase uma semana que queria perguntar isso –, mas não conseguia. Seria revelador demais.

– Chegamos.

Tully parou do lado de fora do prédio. Por todo o caminho até o saguão, falou sobre como seria ótimo trabalharem juntas, mas, assim que entraram no escritório apertado, foi direto até Mutt e se reuniu com ele.

Kate ficou lá parada, agarrada à pasta de couro falso, imaginando o que deveria fazer.

Havia acabado de decidir tirar o casaco quando Johnny surgiu, parecendo ao mesmo tempo incrivelmente bonito e profundamente furioso.

– Mutt! Carol! – gritou, embora todos estivessem bem ali. – Aquela nova empresa, a Microsoft, está anunciando alguma coisa. Não sei que droga vem a ser. Mike está mandando as informações por fax. Querem que vocês vão até a sede da empresa e vejam se conseguem falar com o chefão. Bill Gates.

Tully se apresentou.

– Posso ir também?

– Quem se importa? É uma matéria de merda – disse Johnny, voltando para sua sala e batendo a porta.

Os instantes seguintes foram um caos. Carol, Tully e Mutt reuniram o material de trabalho e saíram correndo.

Depois que todos saíram, Kate ficou parada no escritório vazio e silencioso, imaginando que diabos deveria fazer.

Ao seu lado, o telefone tocou.

Ela tirou o casaco, pendurou nas costas da cadeira e se sentou. Então atendeu:

– KCPO. Kathleen. Como posso ajudar?

– Oi, querida, é a mamãe e o papai. Só queríamos ligar para desejar um ótimo primeiro dia de trabalho. Estamos muito orgulhosos de você.

Kate não ficou exatamente surpresa. Algumas coisas nunca mudavam, e sua família era uma delas. E ela os amava por isso.

– Obrigada.

Durante as horas seguintes, Kate achou muito fácil preencher o tempo. O telefone tocava quase que constantemente e a caixa de entrada da sua mesa parecia não ter sido tocada por anos. Os arquivos estavam uma bagunça total.

Kate ficou tão envolvida no trabalho que, quando olhou para o relógio, era uma hora e ela estava faminta. Devia ter direito a um intervalo de almoço, não? Saiu de sua mesa e atravessou o escritório que agora estava limpo. À porta de Johnny, fez uma pausa, reunindo toda a sua coragem para bater, mas, antes que pudesse fazer qualquer movimento, ouviu berros dentro da sala. Ele estava ao telefone, discutindo com alguém.

Era melhor não interromper. Ligou a secretária eletrônica e correu até a delicatéssen ali perto. Comprou meio sanduíche de presunto e queijo. Por impulso, pegou um copo de sopa de marisco e um sanduíche de bacon também. Duas Cocas finalizaram o pedido. Com a sacola na mão, retornou ao escritório e desligou a secretária eletrônica.

Então voltou até a porta de Johnny. Fazia silêncio do outro lado. Bateu timidamente.

– Entre.

Kate abriu a porta.

Ele estava sentado atrás da mesa, com ar de cansado. Seus cabelos longos estavam uma bagunça, como se ele tivesse corrido os dedos por eles várias vezes para afastá-los do rosto. Dezenas de jornais cobriam a mesa, escondendo até mesmo o telefone.

– Mularkey – disse ele, suspirando. – Merda. Eu me esqueci que você começava hoje.

Kate quis fazer uma piada sobre a situação, mas sua voz não ajudou. Ela estava tão consciente da presença dele que era ligeiramente perturbador que ele nem a tivesse notado ali.

– Entre. O que é isso aí?

– Almoço. Achei que talvez estivesse com fome.

– Você comprou comida para mim?

– Não devia? Sinto muito, eu...

– Sente-se – falou ele, apontando para a cadeira em frente à sua mesa. – Muito obrigado, de verdade. Não me lembro de quando foi a última vez que comi alguma coisa.

Ela foi até a mesa e começou a abrir as embalagens do lanche. O tempo todo, sentiu que ele a estava observando, olhando atentamente para ela com aqueles olhos azuis. Isso a deixou tão nervosa que ela quase derramou a sopa.

– Sopa quente – disse ele, com a voz baixa, íntima. – Então você é desse tipo.

Ela se sentou, olhando para ele; era impossível não olhar.

– De que tipo?

– O tipo que cuida dos outros.

Ele pegou a colher.

– Deixe eu adivinhar: você cresceu numa família feliz. Dois filhos e um cachorro. Sem divórcio.

Ela riu.

– Isso. E você?

– Sem cachorro. Nem tão feliz.

– Ah – fez ela, e tentou pensar em alguma outra coisa para dizer. – Você é casado?

Escapou antes que ela pudesse se conter.

– Não. Nunca fui. E você?

Kate sorriu.

– Não.

– Bom para você. Este trabalho exige foco.

Kate se sentiu uma impostora. Ali estava ela, sentada diante do chefe, tentando dizer alguma coisa para fazê-lo admirá-la, mas não conseguia sequer fazer contato visual. Era loucura. Ele não era *tão* bonito assim. Alguma coisa nele simplesmente a atingira com tanta força que ela não conseguia pensar direito.

– Você acha que eles vão conseguir alguma coisa boa na Microsoft?

– Israel invadiu o Líbano ontem. Sabia disso? Mandaram os palestinos de volta para Beirute. Esta é a verdadeira história. E nós estamos num escritório horroroso, cobrindo frescuras – respondeu ele, e suspirou. – Sinto muito, só estou tendo um dia ruim. E é o seu primeiro dia.

Ele sorriu, mas não com os olhos.

– E você comprou sopa para mim. Amanhã eu vou ser legal. Prometo.

– Tully me contou que você foi correspondente de guerra.

– É.

– Imagino que adorasse isso, não?

Ela viu alguma coisa passar pelos olhos dele. Seu primeiro instinto seria rotular como tristeza, mas como ela poderia saber?

– Era uma loucura.

– Por que você parou?

– Você é jovem demais para entender.

– Eu não sou tão mais nova do que você. Tente.

Ele suspirou de novo.

– Às vezes a vida nos vence. Só isso. É como disseram os Stones: *you can't always get what you want*, nem sempre conseguimos o que queremos.

– A canção fala alguma coisa sobre conseguir o que se precisa em vez do que se quer.

Ele olhou para ela e, por uma fração de segundo, Kate teve certeza de que havia atraído sua atenção.

– Conseguiu encontrar o que fazer para se manter ocupada esta manhã?

– Os arquivos estavam uma bagunça. A caixa de entrada também. E eu organizei e guardei nas prateleiras todas aquelas fitas que estavam no canto.

Ele riu, o que transformou o rosto dele, deixando-o tão bonito que ela respirou fundo.

– Há meses que tentamos fazer com que Tully organize isso.

– Eu não queria...

– Não se preocupe. Você não prejudicou sua amiga. Acredite em mim. Eu sei o que esperar de Tully.

– Que é o quê?

– Paixão – disse ele simplesmente, enfiando o embrulho do sanduíche no copo de isopor.

Kate quase se encolheu com a forma como ele disse aquilo, e de repente entendeu que estava enrascada. Não importava quantas vezes lembrasse a si mesma que ele era seu chefe, não fazia diferença. No fim, o que contava era como se sentia perto dele.

Apaixonando-se. Não havia outra forma de descrever aquilo.

Ainda assim, durante o resto do dia, enquanto atendia a telefonemas e arquivava papéis, ela repassava mentalmente aquele último instante com ele e a maneira simples e direta como ele havia respondido à pergunta dela a respeito de Tully: *paixão*.

Mas, acima de tudo, ela se lembrava da forma como ele sorrira admirado ao dizer isso.

O verão depois da formatura foi o mais parecido com o paraíso que Tully poderia imaginar. Ela e Kate encontraram um apartamento no estilo dos anos 1960

numa ótima localização – em cima do mercado municipal. Levaram para lá móveis da casa da avó de Tully e encheram a cozinha de potes de plástico e pratos de cerâmica de 40 anos antes. Penduraram nas paredes seus pôsteres preferidos e puseram fotos delas mesmas em todas as mesinhas auxiliares. A Sra. Mularkey as surpreendera um dia com sacolas de compras e várias plantas artificiais, para dar uma sensação de aconchego ao lugar, ela dissera.

A vizinhança deu origem a um estilo de vida. Elas podiam ir a pé a vários bares – os preferidos eram o Athenian, dentro do mercado, e o velho e enfumaçado Virginia Inn, na esquina. Às seis da manhã, em meio ao barulho dos caminhões de entrega e buzinas de carros, elas atravessavam a rua para tomar um *latte* numa cafeteria da moda e comprar croissants numa padaria francesa.

Trabalhadoras solteiras, caíram numa rotina relaxada. Todas as manhãs, tomavam café sentadas em mesas de ferro na calçada e liam os vários jornais que reuniam: *The New York Times*, *The Wall Street Journal*, *Seattle Times* e *Post-Intelligencer* se tornaram suas bíblias. Quando terminavam a leitura, iam para o trabalho, onde a cada dia aprendiam algo novo sobre telejornalismo. Depois do expediente, vestiam túnicas brilhosas com ombreiras e calças fuseau e iam a uma das muitas casas noturnas do centro da cidade. Ouviam punk rock, new age, rock and roll, pop, o que quer que lhes desse vontade.

E como Tully não precisava mais esconder a existência de Chad, os três agora saíam juntos com frequência, e se divertiam à beça.

Era tudo o que ela e Kate haviam sonhado, tantos anos antes, nas margens escuras do rio Pilchuck, e Tully adorava cada minuto.

Agora estavam estacionando na frente do trabalho. Tinham conversado durante todo o caminho até lá.

Mas, no instante em que abriu a porta, Tully soube que alguma coisa estava acontecendo. Mutt estava perto da janela, arrumando às pressas o equipamento de gravação. Johnny estava em sua sala, berrando com alguém ao telefone.

– O que houve? – perguntou Tully, atirando a bolsa sobre a mesa impecável de Kate.

Mutt olhou para ela.

– Tem um protesto acontecendo. A história é nossa.

– Onde está a Carol?

– No hospital. Em trabalho de parto.

Era a chance de Tully. Ela foi direto para a sala de Johnny, sem sequer se dar o trabalho de bater.

– Me deixe entrar no ar. Eu sei que você acha que não estou pronta, mas eu estou. E quem mais poderia fazer isso?

Ele desligou o telefone e olhou para ela.

– Eu já disse à emissora que você vai fazer a reportagem. Era por isso que eu estava aos berros.

Deu a volta na mesa e se aproximou dela.

– Não me decepcione, Tully.

Tully sabia que aquilo seria pouco profissional, mas não conseguiu se segurar e lhe deu um abraço.

– Você é o máximo. Vai sentir orgulho de mim. Você vai ver.

Ela estava a caminho da porta quando ele limpou a garganta e a chamou de volta. Ela parou e se virou.

– Não quer ler o material de apoio antes? Ou vai chegar lá às cegas?

Tully sentiu o rosto queimar.

– Oooops. Vou ler.

Ele deu a ela um bolo de papel de fax.

– É sobre uma dona de casa de Yelm que recebe espíritos. J. Z. Knight.

Tully franziu a testa.

– Algum problema?

– Não. É só que... eu conheço alguém que mora lá. Só isso.

– Bom, não vai dar tempo de visitar amigos. Agora vá. Quero você de volta às duas, para editar.

Sem Mutt e Tully, o escritório estava em silêncio. Era a primeira vez em todo o verão que Kate ficava sozinha ali com Johnny. Um pouco nervosa por causa do silêncio – e por ver a porta do chefe aberta e sentir tão intensamente a presença dele do outro lado –, acabava atendendo ao telefone rápido demais e chegava a parecer um pouco esbaforida ao falar.

Quando Tully estava lá, havia barulho e comoção. Sua melhor amiga vivia para o telejornalismo e não deixava nada fora de seu campo de visão. O dia inteiro, todos os dias, ela enchia Johnny, Carol e Mutt de perguntas. Estava sempre em busca da orientação deles sobre o que quer que fosse.

Kate perdeu a noção das vezes em que vira Mutt revirar os olhos quando Tully se afastava de uma conversa. Carol era ainda menos paciente. A repórter principal mal falava com Tully ultimamente. Não que Tully parecesse se importar com isso. O que tinha importância era o jornalismo, em primeiro e em último lugar. Sempre.

Kate, por outro lado, se importava com as pessoas do escritório, mais do que com as reportagens que faziam. Havia se entendido quase que imediatamente com Carol, que costumava levá-la para almoçar para falar sobre o parto iminente e, com a mesma frequência, chamava Kate para ajudá-la a editar seus textos ou fazer pesquisas. Mutt também havia escolhido Kate como confidente. Passava longas horas conversando com ela sobre seus problemas familiares e a mulher que não quisera se casar com ele.

A única pessoa com quem Kate não havia criado laços era Johnny.

Ela ficava uma pilha de nervos quando estava perto dele. Tudo o que ele precisava fazer era olhar para ela e sorrir para que ela deixasse cair o que quer que estivesse em sua mão.

Sempre gaguejava ao lhe dar recados e vivia tropeçando no tapete da sala dele.

Era patético.

No começo, Kate achou que fosse pela aparência dele. Ele era o perfeito católico irlandês, com cabelos pretos e olhos azuis. Quando ele sorria, seu rosto se enrugava de tal forma que ela sentia a respiração presa na garganta.

Kate imaginou que a paixonite não iria durar, que, com o tempo, conforme ela o conhecesse melhor, sua aparência se tornaria menos arrebatadora. No mínimo, imaginou que desenvolveria alguma imunidade ao sorriso dele.

Mas não teve essa sorte. Tudo o que ele dizia e fazia apenas apertava mais o nó em seu peito. Por baixo do verniz cínico dele, ela via um idealista, e ainda mais: um idealista ferido. Alguma coisa ferira Johnny, deixara-o ali, à margem das histórias importantes, e o mistério em relação a isso a atormentava.

Ela foi até o canto do escritório, onde uma pilha de fitas estava esperando para ser guardada. Havia acabado de pegar uma braçada delas quando Johnny apareceu na porta de sua sala.

– Ei – disse ele. – Está ocupada?

Ela largou a pilha de fitas. *Idiota.*

– Não – respondeu. – Não muito.

– Vamos sair para almoçar de verdade. O dia está devagar, e eu estou cansado de comer sanduíches da delicatéssen.

– Ahn… claro.

Kate se concentrou nas atividades diante de si: ligar a secretária eletrônica, vestir o casaco e pegar a bolsa.

Ele chegou ao lado dela.

– Pronta?

– Vamos lá.

Ela caminhou ao lado dele pela quadra e depois atravessando a rua. De vez em quando, o corpo dele roçava no dela, e Kate tinha absoluta consciência de cada contato.

Quando os dois finalmente chegaram ao restaurante, ele a levou até uma mesa num canto que dava para a baía de Elliott e as lojas do Píer 70. Uma garçonete apareceu quase que imediatamente para anotar seus pedidos.

– Você tem idade para beber, Mularkey? – perguntou ele com um sorriso.

– Muito engraçado. Mas não bebo no horário de trabalho.

Ao dizer isso, que não poderia ser mais sem graça, ela estremeceu e se achou uma idiota de novo.

– Você é uma garota muito responsável – disse ele quando a garçonete se afastou, e estava claramente se esforçando para não sorrir.

– Mulher – corrigiu ela com firmeza, torcendo para não ficar vermelha.

Com isso ele sorriu.

– Eu estava tentando fazer um elogio.

– E escolheu *responsável*?

– O que você preferiria?

– Sexy. Brilhante. Linda – falou, nervosa, parecendo muito mais com uma garota do que gostaria. – Você sabe, as palavras que toda mulher quer ouvir.

Ela abriu um sorriso. Era sua chance de causar uma boa impressão, atrair a atenção dele como ele atraía a dela. Não queria perder a oportunidade.

Ele se recostou na cadeira, e ela teve esperanças de que não fosse por de repente querer aumentar a distância entre os dois. Na verdade, naquele momento ela desejou fervorosamente que tivesse ido para a cama com um dos namorados da faculdade. Tinha certeza de que ele podia ver o carimbo da virgindade nela.

– Você está conosco há, o quê... dois meses?

– Quase três.

– O que está achando?

– Estou gostando.

– Gostando? Que resposta estranha. Este é um negócio de

180

amor ou ódio – falou ele, e se inclinou para a frente, pondo os cotovelos sobre a mesa. – Você tem paixão pelo jornalismo?

Aquela palavra de novo: a palavra que a separava de Tully como o joio do trigo.

– S-sim.

Ele a analisou, depois deu um sorriso demonstrando que entendera. Kate imaginou quanto de sua alma aquele olhar azul havia alcançado.

– Tully com certeza tem essa paixão.

– É.

Ele tentou parecer casual ao perguntar:

– Ela está saindo com alguém?

Kate considerou um triunfo pessoal não ter se encolhido nem torcido a cara. Agora, pelo menos, sabia por que ele a havia convidado para almoçar. Devia ter imaginado. Queria dizer que sim, que ela estava com o mesmo homem havia anos, mas não ousou fazer isso. Tully podia não estar mais escondendo Chad, mas não o exibia também.

– O que você acha?

– Acho que ela sai com muitos homens.

Felizmente, a garçonete voltou com seus pedidos e Kate pôde parar de olhar nos olhos dele e fingir que estava fascinada pelo prato.

– E você? Tenho a sensação que você não é exatamente apaixonado pelo seu trabalho.

Ele ergueu o olhar rapidamente.

– O que a faz dizer isso?

Ela deu de ombros e continuou comendo, mas agora o estava observando.

– Talvez não – admitiu ele baixinho.

Ela se sentiu imobilizar. Ficou com o garfo parado no ar. Pela primeira vez, os dois não estavam jogando conversa fora. Ele acabara de revelar algo importante. Kate tinha quase certeza disso.

– Fale sobre El Salvador.

– Você sabe o que aconteceu lá? O massacre? Foi um banho de sangue. As coisas têm piorado ultimamente. Os esquadrões da morte estão matando civis, padres, freiras.

Kate não sabia de tudo aquilo, ou de nada daquilo, na realidade, mas assentiu com a cabeça mesmo assim, observando as emoções que atravessavam o rosto dele. Nunca o vira tão animado, tão intenso. Mais uma vez, havia uma emoção impossível de interpretar em seus olhos.

– Você fala como se adorasse aquilo. Por que veio embora?
– Eu não falo sobre isso.

Ele terminou a cerveja e se levantou.

– É melhor voltarmos ao trabalho.

Ela olhou para seus pratos, que mal haviam sido tocados. Era óbvio que fora longe demais, que se intrometera demais.

– Eu fui muito invasiva. Sinto muito...
– Não sinta. É uma história antiga. Vamos embora.

Durante todo o caminho de volta, ele não disse nada. Os dois subiram as escadas rapidamente e entraram no escritório.

Lá, ela não se conteve e tocou no braço dele.

– Eu sinto muito, de verdade. Não queria chatear você.
– Como eu disse, já passou.
– Mas não passou realmente, não é? – disse ela baixinho, e soube na hora que havia ultrapassado os limites mais uma vez.

– Volte ao trabalho – disse ele bruscamente, entrando em sua sala e batendo a porta atrás de si.

Yelm ficava no vale verdejante entre Olympia e Tacoma. Sempre fora o tipo de cidade em que os moradores usavam camisas de flanela e jeans desbotados e acenavam uns para os outros ao se cruzarem nas ruas.

Tudo isso havia mudado alguns anos antes, no dia em

que um velho guerreiro de 35 mil anos de Atlântida teria aparecido na cozinha de uma dona de casa comum.

As pessoas da cidade, que em geral se guiavam pelo "viver e deixar viver", fizeram vista grossa por muito tempo. Ignoraram os "malucos" que iam até Yelm (muitos deles em carros caros, usando roupas de grife – "tipos de Hollywood") e não deram atenção às placas de "vendido" que começaram a aparecer nos melhores terrenos.

Quando surgiram boatos de que J. Z. Knight estava se mobilizando para construir uma espécie de complexo para abrigar uma escola para seus seguidores, porém, o pessoal da cidade deu um basta.

Segundo o chefe do escritório da KCPO na região sul, havia um protesto na frente da propriedade de Knight.

A "multidão" que se opunha ao empreendimento era na verdade um grupo de cerca de dez pessoas que carregavam cartazes e conversavam umas com as outras. Parecia mais um chá da tarde do que uma manifestação. Até o carro da TV chegar. Aí as pessoas começaram a marchar e a gritar palavras de ordem.

– Ah! – disse Mutt. – O poder da mídia.

Parou no acostamento da estrada e se virou para Tully.

– Agora o que não ensinam na faculdade: vá para o meio deles. Misture-se. Se parecer que vai haver uma briga, eu quero você no meio, está bem? Não pare de fazer perguntas, de falar. E se eu der o sinal, saia de cena.

O coração de Tully estava a mil por hora enquanto pegava as orientações dele.

Os manifestantes se aproximaram deles. Todos estavam falando ao mesmo tempo, tentando defender suas ideias, acotovelando-se.

Mutt empurrou Tully com força. Ela cambaleou para a frente e se viu diante de um cara imenso e moreno com uma barba estilo Papai Noel, que segurava uma placa onde se lia *Diga não a Ramtha*.

– Sou Talullah Hart da KCPO. Por que o senhor está aqui hoje?

– Pegue o nome dele – gritou Mutt.

Tully se encolheu. *Merda.*

– Meu nome é Ben Nettleman – disse o homem. – Eu e a minha família vivemos em Yelm há quase oitenta anos. Não queremos ver a cidade se transformando num supermercado para esquisitões da nova era.

– A Califórnia está aí para isso! – gritou alguém.

– Fale-me sobre a Yelm que o senhor conhece – pediu Tully.

– É um lugar tranquilo, onde as pessoas cuidam umas das outras. Começamos nosso dia orando e normalmente não nos importamos com o que os vizinhos fazem... até eles começarem a construir merdas que nada têm a ver com o lugar e a trazer ônibus lotados de malucos.

– E o senhor diz malucos porque...

– Eles são! Aquela mulher incorpora um tal morto que diz que viveu em Atlântida.

– Eu também sei imitar sotaque de indiano. Isso não faz de mim uma Ramtha – berrou outra pessoa.

Durante os vinte minutos seguintes, Tully fez o que fazia melhor: conversou com as pessoas. Passados seis ou sete minutos, ela encontrou seu ritmo e lembrou o que havia aprendido. Ouviu as pessoas e fez as perguntas pertinentes, que teria feito a qualquer um num dia normal. Não fazia ideia se era a abordagem correta ou se estava se posicionando no lugar ideal, mas sabia que, depois da terceira entrevista, Mutt havia parado de dirigi-la e começara a deixar que ela tomasse a frente. E Tully se sentia *bem* fazendo aquilo. As pessoas realmente se abriam para ela, compartilhavam sentimentos, preocupações e medos.

– Muito bem, Tully – falou Mutt por trás dela. – Era isso. Terminamos.

No instante em que a câmera foi desligada, a multidão se dispersou.

– Consegui – sussurrou ela, controlando-se para não sair aos pulos. – Que barato.

– Você se saiu bem – afirmou Mutt, dando um sorriso que ela jamais esqueceria.

Mutt guardou os equipamentos em tempo recorde e entrou na caminhonete.

Tully estava tomada por adrenalina.

Então viu a placa do camping.

– Vire aqui – disse ela, surpreendendo a si mesma.

– Por quê? – perguntou Mutt.

– A minha mãe está... de férias. Ela está neste camping. Me dê cinco minutos para dar um alô.

– Vou fumar um cigarro. Isso lhe dará quinze minutos. Mas depois precisamos ir.

A caminhonete parou na frente da mesa de reservas do camping.

Tully foi até lá e perguntou sobre a mãe. O homem que estava atendendo assentiu com a cabeça.

– Lote 36. Diga a ela que precisa pagar o que deve.

Seguindo o caminho pelas árvores, Tully quase deu meia-volta uma dúzia de vezes. Sinceramente, não fazia ideia de por que estava ali. Não via nem falava com a mãe desde o funeral da avó e, embora tivesse se tornado a testamenteira aos 18 anos e responsável pela remessa mensal de dinheiro para Nuvem, nunca recebera um agradecimento sequer dela. Apenas uma série de cartões-postais dizendo *Me mudei, por favor mande o dinheiro para este endereço*. Aquele camping em Yelm era o mais recente.

Viu a mãe de pé, fumando ao lado de uma fileira de banheiros químicos. Usava um suéter cinza e calça tipo pijama. Parecia ter fugido de uma prisão feminina. Os anos haviam apagado parte de sua beleza e deixado uma rede de rugas finas nas bochechas fundas.

– Ei, Nuvem – disse ela, ao se aproximar.

A mãe tragou o cigarro e exalou lentamente, olhando para ela por entre as pálpebras pesadas.

Tully viu como a mãe estava mal, como as drogas a estavam envelhecendo rapidamente. Apesar de ainda não ter 40 anos, Nuvem parecia estar com 50 ou mais. Como sempre, seus olhos estavam com a aparência vidrada e fora de foco de um viciado em drogas.

– Estou aqui fazendo uma reportagem para a emissora de TV KCPO.

Tully tentou não deixar seu orgulho transparecer na voz, sabendo que era bobagem esperar qualquer coisa da mãe. Mas estava lá, de qualquer maneira, em seus olhos e em sua voz: o resquício sombrio daquela mininha patética que enchera doze álbuns de recortes para que a mãe um dia a conhecesse e tivesse orgulho dela.

– Vai ser minha primeira reportagem a ir ao ar. Eu disse que um dia eu apareceria na TV.

O corpo de Nuvem balançou muito levemente, como se estivesse tocando uma música que só ela conseguia ouvir.

– A TV é o ópio das massas.

Tully se recusou a se sentir atingida pela apatia da mãe.

– Bem, se existe alguém que entende de drogas, é você.

– Por falar nisso, estou meio dura este mês. Tem alguma grana aí?

Tully revirou a bolsa, encontrou a nota de 50 dólares que mantinha na carteira para emergências e a estendeu para a mãe.

– Não dê tudo ao primeiro traficante.

Nuvem deu um passo desajeitado para a frente e pegou o dinheiro.

Tully desejou que jamais tivesse ido até lá. Sabia o que esperar da mãe: nada. Por que não conseguia se lembrar disso?

– Vou mandar dinheiro para a sua próxima internação, Nuvem. Toda família tem as suas tradições, certo?

Depois disso, ela se virou e voltou para a caminhonete.

Mutt a esperava. Depois de jogar o cigarro no chão e apagá-lo com o calcanhar, sorriu para Tully.

– A mamãe ficou orgulhosa da filhinha universitária?

– Está brincando? – disse Tully, sorrindo alegremente e secando os olhos. – Ela chorou feito um bebê.

⁂

Quando Tully e Mutt voltaram, a equipe acelerou a marcha. Os quatro se apertaram dentro da sala de edição e transformaram 26 minutos de fita numa matéria precisa, focada e imparcial de trinta segundos de duração. Kate tentou manter-se concentrada na matéria, apenas na matéria, mas o almoço com Johnny havia anestesiado – ou estimulado – seus sentidos. Não sabia ao certo qual dos dois. Só tinha certeza de que qualquer paixonite escolar que tivesse sentido antes de ele convidá-la para almoçar havia se tornado outra coisa, mais profunda.

Quando terminaram o trabalho, Johnny pegou o telefone e ligou para o gerente da emissora de Tacoma. Conversou por alguns minutos, então desligou e olhou para Tully.

– Vão transmitir a matéria esta noite às dez, a menos que alguma coisa aconteça.

Tully deu um pulo e bateu palmas.

– Conseguimos!

Kate não pôde deixar de sentir uma pontada de inveja. Ao menos uma vez, queria que Johnny olhasse para ela da forma como olhava para Tully.

Se ao menos ela fosse como a amiga – confiante e sexy, disposta a ir atrás do que quer e de quem quer que desejasse. Talvez Kate tivesse alguma chance com Johnny; mas a ideia de ser rejeitada por ele, de receber um "Ahn?" indiferente, fazia com que se mantivesse na sombra.

Na sombra de Tully, para ser mais precisa. Como sempre, Kate era quem ficava nos bastidores, nunca sob os holofotes.

– Vamos comemorar – disse Tully. – O jantar é por minha conta.

– Não contem comigo – falou Mutt. – Darla está me esperando.

– Eu não posso jantar, mas que tal uns drinques às nove? – falou Johnny.

– Pode ser – concordou Tully.

Kate sabia que devia dizer não. A última coisa que queria era ficar sentada numa mesa vendo Johnny olhar para Tully. Mas que escolha tinha? Ela era a fiel escudeira. Aonde quer que Tully fosse, precisava ir atrás – ainda que isso lhe causasse uma dor profunda.

❧

Kate escolheu as roupas com cuidado: camiseta branca de mangas cavadas, colete de *jacquard* preto vintage e jeans justo com botas de cano curto. Depois de fazer cachos nos cabelos, prendeu-os num rabo de cavalo. Achou que estava superbem até entrar na sala e ver Tully dançando ao ritmo da música, usando um vestido de Jersey verde muito decotado com ombreiras e um cinto metálico largo.

– Tully, você está pronta?

Tully parou de dançar, desligou o aparelho de som e enganchou o braço em Kate.

– Vamos lá. Vamos nos mandar daqui.

Na rua, em frente ao apartamento delas, encontraram Johnny encostado no El Camino preto dele. Usava uma calça jeans desbotada e uma velha camiseta do Aerosmith. Estava totalmente sexy, de um jeito casual e desgrenhado.

– Aonde vamos? – perguntou Tully, e imediatamente prendeu o braço livre no dele.

– Eu tenho um plano – falou Johnny.

– Amo homens com planos – disse Tully. – Você também não ama, Kate?

O verbo amar perto do nome dele ficaria perto demais da verdade, então Kate preferiu não olhar para ele quando respondeu:

– Amo.

Lado a lado, os três saíram caminhando pela rua de para-lelepípedo do mercado vazio.

Na sex shop com luzes de neon da esquina, Johnny as fez virar para a direita.

Kate franziu a testa. Havia uma linha invisível, como o equador, que passava pela rua Pike. Ao sul, as coisas fica-vam feias. Era aonde turistas não iam, a menos que estives-sem atrás de drogas ou prostitutas. Os estabelecimentos dos dois lados da rua tinham aparência miserável. Passaram por duas livrarias e um cinema pornôs.

– Que máximo – disse Tully. – Kate e eu nunca viemos aqui.

Johnny parou ao lado de uma porta de madeira com apa-rência podre que um dia fora vermelha.

– Prontas? – perguntou ele com um sorriso.

Tully assentiu.

Johnny abriu a porta. A música era ensurdecedora.

Um homem negro imenso estava sentado num banquinho na entrada.

– Identidade, por favor – falou ele, e apontou uma lan-terna para as carteiras de motorista. – Podem entrar.

Tully e Kate seguiram em frente, pelo corredor estreito e escuro coberto de panfletos, cartazes e adesivos.

O corredor acabava num salão comprido e retangular que estava lotado de gente vestida de couro preto com apliques de metal. Kate nunca vira tantos cabelos esquisitos num único lugar. Havia dezenas de pessoas com moicanos de vinte centí-metros de altura perfeitamente eretos e tingidos com as cores do arco-íris.

Johnny atravessou com elas a pista de dança, passando por algumas mesas de madeira e indo até o bar, onde uma me-nina com cabelos espetados pintados de magenta e com um piercing na bochecha anotou seus pedidos. Na ponta do bar, suspensa no canto, havia uma TV de tamanho razoável que estava ligada na MTV. Ninguém prestava atenção.

Quando a moça voltou com as bebidas, Johnny deu a ela uma bela gorjeta e um sorriso enorme e levou Kate e Tully até uma mesa no canto, embaixo da TV.

Tully imediatamente ergueu sua margarita para um brinde:

– A nós. Fomos o máximo hoje.

Os três brindaram e beberam.

E beberam.

Na terceira rodada, Tully estava totalmente ligada. Quando começava a música certa – "Call Me", "Sweet Dreams (Are Made of This)"ou "Do You Really Wanna Hurt Me"? –, ela se levantava e ficava dançando sozinha ao lado da mesa.

Kate desejou conseguir ficar tão empolgada e à vontade, mas dois drinques não bastavam para desfazer quem ela era. Em vez disso, ela apenas ficou sentada, olhando Johnny olhar para Tully.

Ele só olhou para Kate quando Tully foi ao banheiro.

– Ela nunca diminui o ritmo, né?

Kate tentou pensar numa resposta que desviasse o assunto da melhor amiga, que talvez até revelasse seu próprio lado apaixonado, mas quem ela estava tentando enganar? Ela não tinha um lado apaixonado. Tully era seda vermelho-vivo. Kate era algodão bege.

– É.

Tully voltou correndo do banheiro e se aproximou meio bêbada do bar.

– Oi. São dez horas. Podemos mudar o canal da TV? Não tem ninguém assistindo mesmo.

– Pode ser.

A atendente, que parecia figurante de filme de guerra apocalíptico, subiu numa escadinha e mudou o canal.

Tully se aproximou da TV como uma fiel que estivesse perto do papa.

Então seu rosto encheu a tela. *Aqui é Talullah Hart, em Yelm, Washington. Esta cidade pacata foi hoje palco de um protesto quando os seguidores de J. Z. Knight e do espírito de*

35.000 anos que ela chama de Ramtha entraram em confronto com os moradores locais por causa do projeto de construção de um complexo...

Quando a matéria terminou, Tully se virou para Kate e perguntou, nervosa e com a voz baixa:

– E aí?

– Você matou a pau – disse Kate, sinceramente. – Excelente.

Tully jogou os braços ao redor de Kate e lhe deu um abraço apertado. Então, agarrou a mão da amiga.

– Vamos lá. Eu quero dançar. Você também, Johnny. Podemos dançar os três juntos.

Havia homens dançando juntos e mulheres se beijando ao som do Sex Pistols.

A menina ao lado dela, que usava minissaia de vinil e coturnos com meia arrastão, dançava sozinha.

Tully foi a primeira a começar a dançar, depois Johnny, e, finalmente, Kate. No começo, ela se sentiu constrangida – como se estivesse sobrando –, mas, no final da música, estava mais tranquila. O álcool funcionava um pouco como lubrificante, deixando seu corpo mais fluido, e quando a música ficou mais lenta, ela quase não hesitou em se aninhar nos braços de Tully e Johnny. Os três se movimentaram juntos com uma facilidade natural surpreendentemente sexy. Kate olhou para Johnny, que estava olhando para Tully, e não pôde deixar de desejar que, ao menos uma vez, ele olhasse para ela daquele jeito.

– Eu nunca vou me esquecer desta noite – disse Tully aos dois.

Ele se inclinou para a frente e beijou Tully. Kate estava bêbada o bastante para demorar um segundo para registrar o que via. Então sentiu a dor.

Tully recuou do beijo.

– Johnny, menino mau – falou ela, rindo, e o empurrou.

Ele passou a mão pelas costas de Tully, tentando puxá-la para perto novamente.

– Qual o problema de ser mau?

Antes que Tully pudesse responder, alguém a chamou e ela se virou.

Chad vinha abrindo caminho pela multidão que dançava. Com os cabelos pretos compridos e a camiseta puída de Bruce Springsteen, parecia um roqueiro num mundo nova era.

Tully correu até ele. Os dois se beijaram como se estivessem a sós no salão, e então Kate ouviu a amiga dizer:

– Me leve para a cama, meu velho.

Sem sequer acenar para dizer oi ou adeus, os dois desapareceram. Kate ficou lá parada, ainda nos braços de Johnny. Ele olhava fixamente para a porta, como se esperasse que Tully voltasse, gritasse que estava brincando e começasse a dançar com eles de novo.

– Ela não vai voltar – avisou Kate.

Johnny despertou. Depois de soltá-la, voltou para a mesa e pediu dois drinques. No silêncio que se seguiu, ela olhou para ele, pensando: olhe para *mim*.

– Aquele era Chad Wiley – disse ele.

Kate assentiu.

– Não é de admirar…

Ele ficou olhando fixamente para o corredor vazio do outro lado da pista de dança.

– Os dois estão juntos há muito tempo.

Kate examinou o perfil dele. Por um instante maluco, pensou em tomar a iniciativa, aproximar-se dele. Talvez conseguisse fazer com que se esquecesse de Tully ou mudasse de ideia. Talvez aquela noite ela não se importasse de ser sua segunda opção ou uma opção feita pela bebida. O amor podia nascer de uma paixão alcoolizada, não?

– Você achou que você e Tully poderiam…

Ele assentiu antes que ela terminasse.

– Vamos lá, Mularkey. Eu levo você para casa.

Durante todo o trajeto até o apartamento, ela disse a si mesma que era melhor que fosse assim.

– Bem, boa noite, Johnny – disse ela na porta do apartamento.

– Boa noite.

Ele se virou e foi na direção do elevador. Na metade do caminho, parou e se virou para ela.

– Mularkey?

Ela fez uma pausa e olhou para ele.

– Sim?

– Você se saiu muito bem hoje. Eu lhe disse isso? Você é uma das redatoras mais talentosas que já vi.

– Obrigada.

Mais tarde, deitada na cama, fixando a escuridão, ela se lembrou das palavras dele e de como ele as dissera.

De alguma forma, ele a havia notado hoje.

Talvez não fosse um caso totalmente perdido, como ela imaginava.

Treze

A partir do momento que a primeira reportagem de Tully foi ao ar, tudo mudou. Eles se tornaram o quarteto fantástico: Kate, Tully, Mutt e Johnny. Estavam sempre juntos, amontoados no escritório, trabalhando em reportagens, indo de um lugar a outro feito ciganos. A segunda reportagem que Tully fez foi sobre uma coruja-do-ártico que havia feito ninho num poste de luz na ladeira do Capitólio. Depois ela acompanhou a campanha governamental de Booth Gardner e, embora fosse uma das dezenas de repórteres que faziam essa cobertura, parecia que Gardner sempre respondia às perguntas dela primeiro. Quando os primeiros milionários da Microsoft começaram a andar pelas ruas do centro da cidade em suas Ferraris novas em folha ouvindo música geek em headphones imensos, todos na KCPO sabiam que Tully não duraria muito tempo no menor canal de TV local.

Todos sabiam, mas talvez Johnny fosse o mais ciente disso. Assim, embora os três não falassem sobre o futuro, eles sentiam sua presença sombria constantemente e, de alguma forma, isso tornava o tempo que passavam juntos mais doce e mais intenso. Nas raras noites em que não estavam trabalhando numa matéria, Johnny, Tully e Kate se encontravam no Goldie's para jogar sinuca e tomar cerveja. No final do segundo ano juntos, todos sabiam tudo o que havia para saber uns sobre os outros. Pelo menos tudo o que cada um estava disposto a compartilhar.

Exceto as coisas que realmente importavam. Kate achava irônico que três pessoas que reviravam o entulho da vida em busca de pedaços de verdade pudessem ser tão teimosamente cegas sobre suas próprias existências.

Tully não fazia ideia de que Johnny gostava dela, e ele não tinha a menor noção de que Kate gostava dele.

Assim, aquele triângulo esquisito e silencioso continuou, dia após dia, noite após noite. Tully sempre perguntava a Kate por que ela não saía com ninguém. Ela queria abrir o jogo, contar a verdade a Tully, mas sempre que começava a confessar, dava para trás. Como poderia contar a verdade sobre Johnny, depois de tudo o que dissera a Tully sobre Chad? Afinal, ficar com o chefe era pior do que com o professor.

Além disso, o que Tully sabia sobre amor não correspondido? A amiga simplesmente começaria a forçar Kate a convidar Johnny para sair. E aí o que Kate diria? *Não posso. Ele está apaixonado por você.*

No fundo, num lugar sombrio sobre o qual ela raramente tomava conhecimento, havia outro medo, um que ela só reconhecia em seus sonhos e pesadelos. Sob a fria luz do dia, não acreditava naquilo, mas, à noite, sozinha, ela se preocupava que, se Tully descobrisse sobre o amor de Kate, isso pudesse tornar Johnny mais atraente aos olhos dela. Este era o problema de sua melhor amiga. Ela não queria o que não podia ter. Ela queria tudo. E, cedo ou tarde, Tully conseguia o que queria. Kate não podia correr esse risco. Podia viver sem ter Johnny, mas não suportaria perdê-lo para Tully.

Assim, Kate manteve a cabeça abaixada, as mãos ocupadas e os sonhos escondidos. Sorria com facilidade quando a mãe, o pai ou Tully a provocavam por sua vida social, e brincava dizendo que seus padrões de exigência eram mais altos do que o de certas pessoas, o que sempre garantia boas risadas.

Tentava não ficar muito tempo sozinha com Johnny também, apenas por garantia. Embora não ficasse mais atrapalhada ou gaguejando quando estava perto dele, sempre tinha a impressão de que ele era muito perspicaz e que, se tivesse muitas oportunidades, poderia perceber o que ela se esforçava tanto para esconder.

Seu plano deu muito certo, levando tudo em consideração, até um dia frio de novembro de 1984, quando Johnny a chamou em sua sala.

Naquele dia os dois estavam a sós de novo. Tully e Mutt estavam atrás de um pé-grande nas matas de um parque nacional.

Kate passou a mão pelo suéter de lã e estampou no rosto um sorriso impessoal ao entrar na sala dele e encontrá-lo parado na frente da janela imunda.

– O que houve, Johnny?

Ele estava com uma aparência terrível. Arrasado.

– Lembra que eu lhe contei sobre El Salvador?

– Claro.

– Bom, ainda tenho amigos lá. Um deles, o padre Ramón, está desaparecido. A irmã dele acha que o levaram a algum lugar para torturá-lo ou que irão matá-lo. Ela quer que eu vá até lá para tentar ajudar.

– Mas é perigoso...

Ele sorriu, mas seu sorriso parecia um reflexo na água, distorcido e irreal.

– Perigo é o meu sobrenome.

– Isso não é brincadeira. Você pode morrer. Ou desaparecer como aquele jornalista no Chile durante o golpe. Ele nunca mais foi visto.

– Acredite – disse ele –, não estou brincando. Eu estive lá, lembra? Sei como é estar vendado e ser alvo de tiros.

Ele virou a cabeça. Seus olhos ganharam uma expressão vaga e fora de foco, e ela se perguntou do que ele estava se lembrando.

– Não posso virar as costas para as pessoas que me protegeram lá. Você poderia virar as costas para Tully se ela implorasse por sua ajuda?

– Eu jamais viraria as costas para ela, como você bem sabe. Porém, eu não espero vê-la numa zona de conflitos, a menos que você considere a liquidação de aniversário da Nordstrom.

– Eu sabia que você era a minha garota. Então posso contar que vai manter isso aqui funcionando enquanto eu estiver fora?

– Eu?

– Como eu disse uma vez, você é uma garota responsável.

Ela não conseguiu evitar; aproximou-se dele e olhou para cima. Ele ia viajar, corria o risco de se ferir, ou coisa pior.

– Mulher – corrigiu ela.

Ele a encarou, sério. Kate sentiu os poucos centímetros que havia entre os dois. Não precisaria de muita coisa, um movimento mínimo, para se tocarem.

– Mulher – repetiu ele.

Então ele a deixou lá parada, sozinha, cercada pelos fantasmas de palavras, as coisas que ela poderia ter dito.

Enquanto Johnny esteve fora, Kate descobriu como o tempo era elástico, como podia se estender a ponto de minutos parecerem horas. Bastaria um telefonema, porém, de alguma autoridade dizendo que sentia muito, para que tudo ruísse. Toda vez que o telefone tocava, ela ficava tensa. Ao final do primeiro dia, Kate estava com uma dor de cabeça terrível.

Aprendeu outra lição naquela primeira semana. A vida continuava. Os chefões de Tacoma continuavam ligando, e um produtor foi enviado para supervisionar as pautas que eles recebiam, mas, na verdade, da forma como as coisas funcionaram, Kate começou a assumir algumas das responsabilidades da produção.

Mutt e Tully confiavam nela, e Kate sabia como manter as coisas nos eixos com o orçamento miserável que tinham. Todo aquele desejo dela havia compensado. Aparentemente, Kate observara Johnny o suficiente para aprender o trabalho dele. Era uma costureira do ateliê dele, é claro, mas, mesmo assim, era boa o bastante. Na quinta-feira da primeira semana, o produtor externo se enfureceu, disse que tinha coisa melhor para fazer do que ficar correndo atrás de gente maluca o dia todo e voltou para Tacoma.

Na sexta-feira, Kate produziu seu primeiro segmento. Era um material leve e sem grande importância – sobre Brakeman Bill, um antigo astro infantil da TV –, mas era dela e foi ao ar.

Foi um barato de adrenalina ver seu trabalho na tela, mesmo que todos lembrassem apenas do rosto e da voz de Tully. Kate ligou para os pais e eles dirigiram até a cidade para assistir ao programa junto com ela e Tully. Depois, todos brindaram ao "sonho" e concordaram que ele estava perto de se tornar realidade.

– Sempre achei que a Katie e eu iríamos ao ar juntas, uma dupla de âncoras, mas acho que me enganei – disse Tully. – Em vez disso, ela vai ser a produtora do meu programa. E quando Barbara Walters me entrevistar, vou dizer que não conseguiria ter feito nada sem ela.

Kate ficou sentada, brindando quando era o que se esperava dela, sorrindo e revivendo cada momento por meio da conversa de Tully. Ela estava orgulhosa de si mesma, de verdade, e havia adorado preparar aquele material e comemorar com os pais. Foi especialmente emocionante quando sua mãe a levou para um canto e disse: "Estou orgulhosa de você, Katie. Você está no seu caminho agora. Não está feliz por não ter desistido?"

Mas, o tempo todo, uma parte dela estava olhando para o relógio, pensando em como o tempo andava devagar.

– Você está com uma aparência terrível – disse Tully no dia seguinte, largando uma pilha de fitas em cima da mesa de Kate.

O barulho a assustou. Ela se deu conta de que estava olhando fixamente para o relógio de novo.

– É, bom, você canta muito mal.

Tully riu.

– Todo mundo tem alguma coisa que não sabe fazer.

Tully pôs as mãos espalmadas em cima da mesa de Kate e se inclinou para a frente.

– Chad e eu vamos ao Backstage hoje à noite. O Junior Cadillac vai tocar. Quer ir conosco?

– Hoje, não.

Tully olhou para a amiga.

– Qual é o problema com você? Faz mais de uma semana que anda para baixo. Eu sei que não tem dormido, pois escuto você caminhando pela casa no meio da noite, e você não vai a lugar nenhum. Parece que estou morando com um elefante, de tão trombuda.

Kate não conseguiu deixar de olhar para a porta da sala de Johnny e então para a amiga. A saudade estava se acumulando dentro dela, com força. Se ao menos pudesse contar a verdade a Tully: que havia se apaixonado por Johnny sem querer e agora estava preocupada com ele… Tiraria um peso imenso de suas costas. Em dez anos, era a primeira coisa que escondia de Tully, e era algo que lhe causava dor física.

Mas seus sentimentos por Johnny eram muito frágeis. Ela sabia que a Tempestade Tropical Tully cairia sobre eles, destruindo-os.

– Só estou cansada – disse ela. – Esse trabalho de produção é difícil. Só isso.

– Mas você adora o trabalho, não?

– Claro. É ótimo. Agora vá embora, vá se encontrar com o Chad. Eu fecho tudo.

Depois que Tully saiu, Kate ficou um pouco no escritório escuro e silencioso. O estranho era que ela gostava de estar ali, sentia-se próxima dele.

– Você é uma idiota – disse ela em voz alta.

Na realidade, vinha repetindo isso a si mesma pelo menos duas vezes por dia ultimamente. Estava agindo e se sentindo como uma amante abandonada, mas era tudo imaginação dela. Pelo menos não estava tão fora de si que se esquecesse disso.

Foi para casa sozinha. O ônibus a deixou na esquina da Pike com a Pine. Em meio à multidão de turistas, esquisitões e hippies, comprou algo para comer. No apartamento, enroscou-se no sofá, jantou direto das caixas de papelão branco e assistiu ao noticiário da noite. Depois, anotou algumas ideias de pauta, telefonou para a mãe e ligou na NBC para assistir a seriados.

Na metade do segundo, a campainha tocou.

Franzindo a testa, ela foi até a porta.

– Quem é?

– Johnny Ryan.

O susto que Kate levou quase a derrubou. Alívio. Alegria. Medo. Sentiu as três emoções num único instante.

Deu uma olhada no espelho da parede ao seu lado e arfou. Parecia um retrato de "antes" de revista de moda, com os cabelos escorridos, sem maquiagem e as sobrancelhas por fazer.

Ele bateu à porta.

Ela abriu.

Ele estava apoiado no batente da porta usando uma calça Levi's suja e uma camiseta rasgada da turnê "Born in the USA". Estava com os cabelos desalinhados e, embora estivesse bronzeado, parecia cansado, mais velho. Ela sentiu cheiro de álcool também.

– Ei – disse ele, afastando os dedos da porta, numa saudação. Com o movimento, perdeu o equilíbrio e quase caiu.

Kate amparou-o e fez com que ele entrasse, fechou a porta com um chute e o levou até o sofá, onde ele se sentou cambaleante.

– Eu estava no Athenian – disse ele – tentando tomar coragem para vir até aqui – explicou, e olhou lentamente ao redor. – Onde está a Tully?

– Saiu – disse Kate, sentindo um aperto no coração.

– Ah.

Ela se sentou ao lado dele.

– Como foi em El Salvador?

Quando ele se virou para ela, a expressão em seus olhos era tão devastadora que ela estendeu a mão, passou o braço ao redor dele e o puxou para perto de si.

– Ele estava morto – disse Johnny depois de um longo silêncio. – Antes mesmo de eu chegar lá, ele estava morto. Mas eu precisava encontrá-lo.

Tirou uma garrafinha do bolso de trás e tomou um longo gole.

– Quer um pouco?

Kate tomou um gole e sentiu a bebida queimando-lhe a garganta e indo parar feito brasa quente na boca do estômago.

– É arrasador o que está acontecendo. E quase nada está sendo transmitido. Ninguém se importa.

– Você poderia ir como correspondente – disse ela, embora detestasse a ideia.

– Bem que eu gostaria… – a voz dele desapareceu, depois voltou firme. – Notícia velha.

Tomou mais um gole.

– Talvez você devesse ir com calma.

Kate tentou tirar a garrafa da mão de Johnny, mas ele agarrou seu pulso e a pôs no colo. Tocou seu rosto com a outra mão, acariciando sua bochecha como se fosse cego e estivesse tentando imaginar como ela era.

– Você é linda – sussurrou.

– Você está bêbado.

– Você continua sendo linda.

Ele deslizou uma mão pelo braço dela e a outra pelo pescoço, até abraçá-la. Kate sabia que ele ia beijá-la, sentia isso em cada terminação nervosa de seu corpo, da mesma maneira que estava ciente de que devia impedi-lo.

Ele a puxou na sua direção, e todas as boas intenções de Kate desapareceram. Ela cedeu à pressão das mãos dele e se deixou ser guiada até sua boca.

O beijo foi diferente de tudo o que ela já havia experimentado: suave e doce no começo, depois intenso e ansioso.

Ela se entregou a tudo, rendendo-se a ele como sonhara tanto em fazer. A língua dele a deixou elétrica, provocando um desejo novo e doloroso. Ela se sentiu ávida por ele, desesperada. Sem pensar, enfiou as mãos por baixo da camiseta, sentindo o calor da pele masculina, precisando ficar mais próxima...

Estava com as mãos nos ombros dele, puxando o tecido de algodão para cima, quando se deu conta de que Johnny estava imóvel.

Ficou tão confusa que levou um instante para entender a situação. Com a respiração ofegante, ansiando com aquela nova vontade, recuou o suficiente para olhar para ele.

Johnny estava recostado no sofá, com os olhos semicerrados. Levantou a mão lenta e desajeitadamente, quase como se não controlasse os próprios movimentos, e tocou nos lábios dela, traçando o contorno com a ponta dos dedos.

– Tully – sussurrou. – Eu sabia que seu gosto seria bom.

E, com esse golpe no coração de Kate, caiu no sono.

Kate não soube ao certo quanto tempo ficou sentada no colo dele, olhando fixamente para seu rosto enquanto ele dormia. Mais uma vez, o tempo parecia elástico entre eles. Ela sentiu estar sangrando – mas não era sangue que escorria dela, eram seus sonhos que sangravam. A fantasia de amor que havia construído sozinha e da qual cuidava com tanto carinho.

Saiu de cima dele e o ajeitou no sofá, tirando seus sapatos e cobrindo-o com uma manta.

Na cama, com uma porta fechada entre os dois, Kate ficou acordada por um longo tempo, tentando não repassar centenas de vezes o que havia acontecido, mas era impossível. Ela não parava de sentir o sabor dos lábios dele, de sentir a língua dele na dela e de ouvi-lo sussurrar *Tully*.

Quando finalmente caiu no sono, já passava bastante da meia-noite, e o amanhecer chegou rápido demais. Ela bateu com força no botão para desligar o despertador, escovou os dentes e os cabelos, vestiu um roupão e foi correndo até a sala.

Johnny estava acordado, sentado à mesa da cozinha, tomando café numa xícara de chá. Quando ela entrou, ele largou a xícara e se levantou.

– Oi – disse ele, passando os dedos pelos cabelos.

– Oi.

Os dois se encararam. Ela apertou o cinto do roupão atoalhado.

Ele olhou para a porta de Tully.

– Ela não está aqui – disse Kate. – Passou a noite com Chad.

– Então você me deitou no sofá e me cobriu.

– Foi.

Ele se aproximou dela.

– Eu estava muito bêbado ontem à noite. Sinto muito. Não deveria ter vindo.

Ela não sabia ao certo o que dizer.

– Mularkey – disse ele, afinal. – Eu sei que eu estava fora do ar…

– É, estava.
– Aconteceu... aconteceu alguma coisa? Quero dizer, eu detestaria pensar...
– Entre nós? Como poderia ter acontecido alguma coisa? – disse ela antes que ele pudesse terminar de dizer quanto lamentaria alguma ligação entre eles. – Não se preocupe. Não aconteceu nada.

O sorriso dele foi de tanto alívio que ela teve vontade de chorar.

– Então acho que vejo você no trabalho hoje, né? E obrigado por cuidar de mim.

– Claro – falou Kate, cruzando os braços. – Para que servem os amigos?

Quatorze

No final de 1985, Tully teve sua grande chance. Designada para fazer uma cobertura ao vivo de Beacon Hill, um bairro histórico de Boston, foi surpreendida por um ataque de nervos que fez seus dedos tremerem e a voz falhar, mas, quando tudo terminou, sentia-se invencível.

Ela havia se saído bem. Talvez até mesmo incrível.

Agora, estava sentada ereta no banco do passageiro da caminhonete da emissora, saltitando levemente de entusiasmo. Quando fechava os olhos, revivia cada instante: a forma como conseguira se posicionar diante da multidão e as perguntas que fizera, o encerramento perfeito diante do banco bem iluminado, com as luzes vermelhas e amarelas da polícia atravessando a noite que caía.

Depois de tudo, levaram uma eternidade para guardar os equipamentos e ir embora, mas ela não se importou. Quanto mais durasse aquela noite, melhor. Ela não havia sequer tirado o ponto do ouvido, o microfone com bateria às costas, nem o walkie-talkie. Eram seus distintivos de honra.

– Pare naquela loja de conveniência – Johnny disse do banco de trás. – Estou com sede. Mutt, enquanto estamos aqui, desça e faça umas imagens para situarmos a matéria. É a sua vez de buscar a bebida, Tully.

Mutt entrou no estacionamento.

– Legal.

Quando pararam, Tully recolheu o dinheiro dos outros dois e saiu da caminhonete a caminho do minimercado iluminado.

– Não venha com aquela Coca nova para mim – disse Johnny no ponto no ouvido dela.

Ela puxou o walkie-talkie do cinto, ligou e disse:

– Você me diz isso todas as vezes. Eu não sou idiota.

Dentro da loja iluminada, Tully procurou a geladeira de bebidas, avistou-a e foi na direção dela, seguindo pelo corredor das aspirinas.

– Ei, olha só – disse ela, falando no walkie-talkie –, tem vitamina para idosos. Quer uma caixa, Johnny?

– Engraçadinha – respondeu ele no ponto do ouvido.

Dando risada, ela estendeu a mão para a alça da geladeira quando, pelo vidro, notou uma sombra movimentando-se. Ao se virar, viu um homem usando uma máscara de esqui cinza apontar uma arma para o caixa.

– Ai, meu Deus.

– Você está falando de mim? – brincou Johnny. – Porque já estava mais do que na hora…

Ela tirou o volume do walkie-talkie antes que o ladrão ouvisse alguma coisa. Prendeu o aparelho no cinto e pôs o casaco por cima dele e da bateria.

Na registradora, o assaltante se virou para ela.

– Você! No chão.

O sujeito mascarado apontou a arma para o teto e apertou o gatilho para se fazer entender.

– Tully? Que *droga* está acontecendo? – falou a voz de Johnny no fone de ouvido.

Tully lutou com o fio do ponto de ouvido, tentando escondê-lo. Depois colocou no máximo a captação de som do walkie-talkie, torcendo para que Johnny conseguisse pegar alguma coisa.

– Tem um cara assaltando a loja – sussurrou ela o mais alto que sua coragem permitiu.

No ponto, ouviu Johnny dizer:

– Puta merda. Mutt, ligue para a emergência. Tully, fique calma e se atire no chão. Podemos entrar ao vivo com isso. Ligue seu microfone. Estou entrando em contato com a emissora. Eles estão no ar agora. Stan, você está ouvindo?

Alguns segundos depois, Johnny voltou:

– Ok, Tully, vamos passar isso para o Mike. Ele está no ar com o noticiário das dez. O seu áudio vai entrar ao vivo. Você não vai escutá-lo, mas ele vai ouvir você.

Tully ligou o microfone e suspirou:

– Não sei, Johnny, como…

– Seu áudio está ligado, Tully. Você está ao vivo. Vai.

O sujeito mascarado se virou de novo para Tully, apontando a arma para ela.

– Eu disse para você se abaixar, caramba.

Ela havia acabado de processar a frase "Já me enchi dessa merda", quando ele apertou o gatilho.

Veio um estalo. Tully mal teve tempo de gritar antes que a bala a atingisse, derrubando-a no chão. Caiu sobre as prateleiras, tendo uma vaga noção das caixas coloridas que despencavam ao seu redor. Sua cabeça bateu com força no piso de linóleo.

Por um instante, ficou deitada lá, arfando, olhando fixamente para uma serpente retorcida de luz fluorescente.

– Tully?

Era a voz de Johnny, em seu ouvido. Bem devagar, ela se virou de lado. Sentia o ombro latejando de dor, mas cerrou os dentes e foi adiante. Abaixada, ela rastejou até o final do corredor, abriu uma caixa de absorvente higiênico e enfiou um sobre a ferida, segurando-o com força. A pressão doeu intensamente e a deixou tonta.

– Tully? O que aconteceu? Fale comigo. Você está bem?

– Estou aqui. Acabei de botar... um curativo no meu ferimento. Acho que estou bem.

– Graças a Deus – falou Johnny. – Quer desligar seu microfone?

– De jeito nenhum.

– Tudo bem. Você está ao vivo, lembra? Vá falando. Meu áudio não está no ar, mas estão todos ouvindo você. Essa é a sua grande chance, garota, e eu estou aqui para ajudar. Pode descrever a cena?

Tully se agachou, estremecendo de dor, e avançou lentamente, tentando avaliar quando poderia olhar para cima.

– Há poucos instantes, um homem mascarado entrou neste minimercado em Beacon Hill, armado e exigindo dinheiro do caixa. Ele atirou uma vez para o alto e uma vez contra mim – sussurrou ela o mais alto que considerou seguro.

Ouviu um barulho parecido com choro. Mantendo-se abaixada, ela virou num canto e encontrou um menininho encolhido no corredor de doces.

– Ei – chamou ela, estendendo a mão.

O menino a segurou avidamente, apertando com tanta força que ela não conseguiu se soltar.

– Qual o seu nome? – perguntou ela.

– Gabe. Eu estou aqui com o meu vô. Você viu aquele cara atirando?

– Eu vi. E vou encontrar o seu vô para garantir que ele está bem. Fique aqui. Qual é o seu sobrenome, Gabe, e quantos anos você tem?

– Linklater. Vou fazer 7 em julho.

– Está certo, Gabe Linklater. Fique abaixado e em silêncio. Não precisa mais chorar, está bem? Seja um bom menino.

– Vou tentar.

Ela levou o queixo na direção do pescoço e falou baixinho no microfone. Não tinha certeza se a estavam ouvindo, mas continuou narrando:

– Acabei de encontrar o menino Gabe Linklater, de 7 anos, no corredor dos doces. Agora estou procurando pelo avô, que o trouxe. De onde estou, posso ouvir o homem armado perto da registradora, ameaçando o caixa. Digam à polícia que há um assaltante apenas.

Ela virou no corredor.

Lá, encontrou um velho sentado de pernas cruzadas no chão segurando uma caixa de ração para cachorro.

– O senhor é o avô de Gabe? – sussurrou ela.

– Ele está bem?

– Um pouco assustado, mas bem. Ele está no corredor dos doces. O que o senhor viu?

– O assaltante chegou num carro azul. Eu o vi pela janela – contou o homem e, ao olhar para o ombro de Tully, disse: – Talvez você devesse...

– Vou me aproximar um pouco mais.

Ela apertou o absorvente no ferimento de novo, estremeceu de dor e esperou que a náusea passasse. Desta vez, sua mão ficou empapada de sangue. Ignorando o fato, ela voltou a falar, dirigindo-se ao apresentador, a quem não ouvia.

– Pelo jeito, Mike, o sujeito armado chegou num carro azul, que deve estar parado do lado de fora, em frente a uma das janelas. Fico feliz em informar que o avô de Gabe está vivo e bem. Estou tentando me aproximar da registradora. Posso ouvir o assaltante gritando que tem que haver mais dinheiro, e o caixa dizendo que não sabe abrir o cofre. Posso ver luzes piscando do lado de fora, o que significa que a polícia chegou. Estão iluminando a loja e dizendo para ele sair com as mãos para o alto.

Tully se levantou só por um instante e então se agachou atrás de uma placa publicitária.

– Diga à polícia que ele tirou a máscara, Mike. Ele tem cabelos louros e uma tatuagem de cobra no pescoço. O assaltante está extremamente agitado. Está gritando palavrões e agitando a arma. Acho que…

Mais um tiro foi ouvido. Um vidro se estilhaçou. Segundos depois, uma equipe da SWAT invadiu o local atravessando as portas de vidro.

– Tully! – chamou Johnny no ponto em seu ouvido.

– Estou bem.

Ela se levantou devagar, e o movimento a fez sentir uma onda de dor e náusea. Através da janela quebrada, pôde ver a caminhonete da TV. Mutt estava com a câmera, filmando tudo, mas ela não conseguiu localizar Johnny.

– A SWAT de Seattle acabou de entrar pelas janelas. O assaltante está no chão. Vou tentar me aproximar e fazer algumas perguntas.

Ela deu a volta no estande, prosseguindo lentamente. Estava perto do corredor de cereais e, por uma fração de segundo, pensou nos cafés da manhã de sábado na casa dos Mularkey. A Sra. M. a deixava comer Quisp. Mas só nos finais de semana.

Foi seu último pensamento consciente antes de desmaiar.

※

O trajeto até o hospital pareceu levar uma eternidade. Durante todo o caminho, no para e anda do trânsito da cidade, Kate ficou sentada no banco de trás do táxi malcheiroso rezando para que Tully estivesse bem.

Finalmente, pouco depois das onze horas, o carro parou em frente ao hospital. Kate pagou a corrida e entrou correndo no saguão iluminado.

Johnny e Mutt já estavam lá, atirados em cadeiras de plástico desconfortáveis, com aparências horríveis. Quando ela entrou, Johnny se levantou.

Kate correu até ele.

– Eu assisti ao jornal. O que aconteceu?

– Um cara atirou nela, mas ela continuou transmitindo. Você precisava ver, Mularkey, Tully foi brilhante. Destemida.

Kate ouviu a admiração na voz dele e a viu em seus olhos. Em qualquer outro momento isso poderia tê-la magoado, aquele orgulho evidente. Naquele instante, apenas a deixou furiosa.

– É por isso que você é tão apaixonado por ela, não é? Porque ela tem a coragem que você não tem. Então você a coloca em perigo, faz com que leve um tiro e se orgulha que ela tenha tanta *paixão* – rugiu Kate, e sua voz trêmula fez a última palavra ser lançada como veneno. – Que se foda o heroísmo. Eu não estava falando da notícia, estava falando da vida dela. Você ao menos perguntou como ela está?

Johnny pareceu perplexo com aquela explosão.

– Ela está em cirurgia. Ela…

– Katie!

Ouviu Chad chamando seu nome e se virou, vendo-o entrar correndo no saguão. Os dois se aproximaram com a mesma naturalidade do vento e da chuva, agarrando-se um ao outro. Os braços dele a acolheram num abraço apertado, oferecendo a ela um lugar seguro onde finalmente podia chorar.

– Como ela está? – sussurrou ele no ouvido de Kate, tão frágil quanto ela estava se sentindo.

Ela recuou, desejando ao menos conseguir tentar sorrir.

– Está em cirurgia. É tudo o que eu sei. Mas ela vai ficar bem. Tiros não podem parar uma tempestade.

– Ela não é tão durona como finge ser. Nós dois sabemos disso, não é, Kate?

Kate engoliu em seco e assentiu com a cabeça. Os dois ficaram ali parados num silêncio constrangido, ainda juntos, unidos pelos fios invisíveis da preocupação mútua. Ela viu nos olhos dele, claro como água: ele *realmente* amava Tully, e estava assustado.

– É melhor eu ligar para os meus pais. Eles vão querer vir para cá.

Esperou que Chad respondesse, mas ele simplesmente ficou lá parado, com os olhos vidrados, cerrando os punhos ao lado do corpo como um atirador que pode precisar sacar a arma a qualquer momento. Com um sorriso cansado, ela se afastou. Quando passou por Johnny, não conseguiu deixar de dizer:

– É assim que pessoas de verdade se ajudam em momentos difíceis.

Enfiou 25 centavos no telefone público e ligou para casa. Quando seu pai atendeu – graças a Deus que não foi a mãe, porque isso a faria perder o controle –, ela lhe contou o que havia acontecido e desligou.

Ela se virou e Johnny estava lá, esperando por ela.

– Eu sinto muito.

– É bom sentir mesmo.

– Uma das coisas nesse ramo, Katie, é que a gente aprende a pôr a notícia em primeiro lugar. É um dos perigos do negócio.

– Com gente como você e Tully é sempre a notícia primeiro.

Ela o deixou lá parado e foi até o sofá, onde se sentou. Abaixou a cabeça e rezou novamente.

Depois de um instante, ela o sentiu aproximando-se de novo. Como ele não disse nada, ela olhou para cima.

Johnny não se mexeu, nem sequer piscou, mas Kate percebeu quanto ele estava tenso. Parecia estar mantendo a compostura por um triz.

– Você é mais durona do que parece, Mularkey.

– Às vezes.

Ela queria dizer que o amor a fortalecia, sobretudo num momento como aquele, mas ficou com medo até mesmo de pronunciar aquela palavra olhando para Johnny.

Ele se sentou ao lado dela.

– Quando você passou a me conhecer tão bem?

– É um escritório pequeno.

– Não foi por isso. Ninguém mais me conhece tão bem assim – falou ele, depois suspirou e se recostou. – Eu realmente a coloquei em perigo.

– Ela não aceitaria nada diferente – admitiu Kate. – Nós dois sabemos disso.

– Eu sei, mas...

Quando ele deixou a frase suspensa no ar, ela o encarou.

– Você a ama?

Ele não respondeu, apenas ficou sentado, recostado no sofá, com os olhos fechados.

Ela não podia suportar aquilo. Agora que finalmente ousara fazer a pergunta, queria uma resposta.

– Johnny?

Ele estendeu a mão na direção dela, passou um braço por seu ombro e a puxou para perto de si. Kate mergulhou no conforto que ele oferecia. Estar ao lado de Johnny daquele jeito era tão natural quanto respirar, embora ela soubesse quanto aquela sensação era perigosa.

Ali, sem dizer mais nada, os dois passaram as longas horas vazias da noite. Esperando.

❧

Tully acordou lentamente, avaliando o que a cercava: teto branco de isolamento acústico, lâmpadas fluorescentes, grades na cama e uma bandeja de metal ao lado.

As lembranças começaram a tomar conta da sua consciência: Beacon Hill. O minimercado. Lembrou da arma sendo apontada para ela e do sopro de fumaça. E da dor.

– Você faz qualquer coisa para ganhar atenção, né?

Kate estava parada na porta, usando uma calça de moletom larga da Universidade de Washington e uma camiseta velha da

Semana Grega. Quando se aproximou da cama, estava com os olhos cheios de lágrimas e os secava impacientemente.

– Droga. Eu jurei que não ia chorar.

– Graças a Deus que você está aqui – falou Tully, e apertou o botão da cama até ficar sentada.

– É claro que estou aqui, sua idiota. Todo mundo está aqui. Chad, Mutt, mamãe, papai. Johnny. Ele e o meu pai estão jogando cartas e conversando sobre notícias há horas. A mamãe fez pelo menos duas mantas novas. A gente estava muito preocupado.

– Eu me saí bem?

Kate riu enquanto lágrimas rolavam pelo seu rosto.

– Essa precisava ser a sua primeira pergunta. Johnny disse que você superou Jessica Savitch.

– Será que o *60 Minutes* vai querer me entrevistar?

Kate se aproximou da amiga.

– Não me assuste desse jeito de novo, está bem?

– Vou tentar.

Antes que Kate pudesse dizer mais alguma coisa, a porta se abriu e Chad ficou parado na entrada, segurando dois copos de isopor cheios de café.

– Ela acordou – disse ele baixinho, deixando os copos na mesa ao lado.

– Acabou de abrir os olhos. É claro que está mais interessada nas chances de ganhar um Emmy do que na própria recuperação – brincou Kate, e olhou para a amiga. – Vou deixar vocês a sós por um instante.

– Mas você não vai embora, vai? – perguntou Tully.

– Eu volto mais tarde, quando todo mundo tiver saído.

– Que bom – disse Tully. – Porque eu preciso de você.

Assim que Kate saiu, Chad se aproximou, com os belos olhos brilhando ao encará-la.

– Eu pensei que tinha perdido você.

– Eu estou ótima – disse ela, impaciente. – Você viu a transmissão? O que achou?

– Eu não acho você boa, Tully – disse ele baixinho. – Acho muito melhor do que qualquer pessoa que eu conheça, mas eu te amo. E passei a noite toda pensando no que seria a minha vida sem você e não gostei do que vi.

– Por que você me perderia? Eu estou bem aqui.

– Case-se comigo, Tully.

Ela quase riu, achando que fosse uma piada. Então viu os olhos dele. Ele realmente estava com medo de perdê-la.

– Você está falando sério – disse ela, franzindo a testa.

– Recebi uma oferta de trabalho da Vanderbilt, no Tennessee. Quero que você vá comigo. Você me ama, Tully, mesmo que não saiba disso. E precisa de mim.

– É claro que eu preciso de você. O Tennessee está entre os grandes mercados?

O rosto rude dele franziu diante da pergunta. Seu sorriso esvaneceu.

– Eu te amo – disse ele de novo, dessa vez em voz baixa e sem o beijo para selar as palavras e lhes dar o devido peso.

A porta atrás dele se abriu. A Sra. Mularkey estava ali parada, com as mãos na cintura, vestindo uma saia jeans simples e uma blusa xadrez com gola ao estilo Peter Pan. Parecia uma figurante do *Footloose*.

– A enfermeira disse que temos mais cinco minutos de visitas e depois vai expulsar todo mundo.

Chad se abaixou e a beijou. Foi um beijo bonito e quase melancólico, que de alguma forma conseguiu ao mesmo tempo uni-los e deixar claro quão afastados podiam ficar.

– Eu te amava, Tully – sussurrou ele.

Amava? Ele disse *amava?* No passado?

– Chad...

Ele se virou de costas para a cama.

– Ela é toda sua, Margie.

– Desculpe expulsar você – disse a Sra. Mularkey.

– Não se preocupe. Acho que o meu tempo havia acabado. Adeus, Tully.

Ele saiu do quarto, deixando a porta bater atrás de si.

– Ei, garotinha – disse a Sra. Mularkey.

Tully surpreendeu a si mesma caindo no choro.

A Sra. Mularkey apenas acariciou seus cabelos e a deixou chorar.

– Acho que eu fiquei com muito medo.

– Psiuuu – fez a Sra. Mularkey de modo tranquilizador, secando as lágrimas de Tully com um lenço de papel. – Claro que ficou, mas nós estamos aqui agora. Você não está sozinha.

Tully chorou até aliviar a pressão em seu peito e as lágrimas acabarem. Afinal, sentindo-se melhor, secou os olhos e tentou sorrir.

– Muito bem. Estou pronta para o sermão agora.

A Sra. Mularkey lhe deu *aquele* olhar.

– Seu professor, Talullah?

– Ex-professor. Foi por isso que eu nunca contei. E você me diria que ele era velho demais para mim.

– Você o ama?

– Como eu poderia saber?

– Você saberia.

Tully encarou a Sra. M. Sentiu-se como se fosse a mais velha das duas, a mais experiente. Todos os Mularkey viam o amor como algo durável e confiável, fácil de reconhecer. Tully podia ser jovem, mas sabia que eles estavam errados. O amor podia ser frágil demais. Mas ela não diria isso em voz alta. Em vez disso, tudo o que disse foi:

– Talvez.

Da noite para o dia, Tully se tornou uma sensação da mídia em Seattle. O jornalista Emmett Watson fez uma pausa na rabugice sobre a falta de planejamento do crescimento populacional no estado de Washington para escrever uma coluna sobre coragem sob fogo cerrado e sobre como todos deveríamos sentir orgulho do comprometimento de Talullah Hart com a notícia. A emissora de rádio KJR dedicou um dia inteiro de rock para a "garota da TV que usou um microfone para impedir um assalto", e até mesmo um conhecido programa de comédia local levou ao ar um quadro que fazia piada com o assaltante atrapalhado e mostrava Tully numa fantasia de Mulher Maravilha.

Flores e balões chegavam ao seu quarto, muitos deles enviados por pessoas que normalmente eram notícia. Na quarta-feira, ela precisou começar a doar os lindos buquês e arranjos a outros pacientes. As enfermeiras encarregadas de cuidar dela tiveram de aprender a ser também guarda-costas e leões de chácara.

– E então, você é a gênia. O que eu faço?

Tully estava sentada na cama examinando a pilha de recados em papel cor-de-rosa que Kate havia levado do escritório. Era uma lista impressionante de nomes, mas ela não estava conseguindo se concentrar. Sentia dor no braço, e a tipoia dificultava até as tarefas mais simples. O pior de tudo era que ela não parava de pensar no pedido absurdo de Chad.

– Quero dizer... Tennessee. É mais ou menos como Nebraska.

– É verdade.

– Como eu posso chegar ao topo num lugar desses? Ou talvez seja exatamente onde eu vá conseguir chegar ao topo rápido e ser vista pelas redes nacionais.

Kate estava na outra ponta da cama, com as pernas estendidas ao lado das de Tully.

– Olhe só. Nós estamos conversando sobre isso há quase uma hora. Talvez eu não seja a melhor pessoa para discutir o assunto, mas me parece que em algum momento você precisa pelo menos falar em amor.

– A sua mãe me disse que eu saberia dizer se o amasse.

Tully olhou para a mão nua, tentando imaginar um anel de diamante.

– Você disse que eu devia dar um tiro em você caso sequer pensasse em se casar antes dos 30 – lembrou-a Kate, sorrindo.
– Quer voltar atrás?

– Muito engraçadinha.

O telefone da mesa de cabeceira tocou. Ainda olhando para a própria mão, ela atendeu rapidamente, esperando que fosse Chad.

– Alô?

– Talullah Hart?

Ela suspirou, decepcionada.

– É ela.

– Aqui é Fred Rorbach. Talvez você se lembre de mim...

– Claro que me lembro. KILO TV. Eu lhe mandei um currículo por semana durante todo o meu último ano no colegial, e depois lhe mandei fitas da faculdade. Como vai?

– Estou ótimo, obrigado. Mas estou na KLUE TV agora, não na KILO. Estou à frente do noticiário da noite.

– Parabéns.

– Na verdade, é por isso que estou ligando. Provavelmente não somos os primeiros a ligar para você, mas temos certeza de que faremos a melhor oferta.

Ele havia atraído toda a sua atenção.

– É mesmo?

Kate desceu da cama e ficou parada ao lado de Tully, falando baixinho:

– O que é?

Tully fez um sinal para que esperasse.

– Fale sobre ela.

– Queremos fazer o que for preciso para tê-la como membro da família do departamento de notícias da KLUE. Quando você pode vir conversar comigo a respeito?

– Estou recebendo alta neste instante. Que tal amanhã? Dez horas.

– Nos veremos amanhã, então.

Tully desligou o telefone e deu um gritinho.

– Era da KLUE TV. Querem me contratar!

– Ah, meu Deus – disse Kate, dando pulinhos. – Você vai ser uma estrela. Eu sabia. Mal posso esperar para...

Ela parou no meio da frase, seu sorriso desaparecendo.

– O que foi? – perguntou Tully.

– Chad.

Tully sentiu um aperto no peito. Queria fingir que havia algo em que pensar, uma decisão a ser tomada, mas ela sabia qual era a verdade. E Kate também.

– Você vai ser uma grande estrela – disse Kate com firmeza. – Ele vai compreender.

Quinze

Kate estava fingindo concentrar toda a atenção em dirigir o carro de Tully, mas não era fácil. Desde que a apanhara depois da entrevista, Tully não havia parado de falar, relembrando os velhos sonhos de menina. *Estamos no caminho certo, Kate. Assim que eu assumir como âncora, vou fazê-los contratar você como repórter.*

Kate sabia que devia dar um basta – finalmente – a esse futuro das duas juntas. Estava cansada de seguir Tully. Além disso, ela não queria pedir demissão. Finalmente tinha um motivo para permanecer onde estava.

Johnny.

Que patético. Ele não a amava, mas Kate não conseguia parar de pensar que talvez agora, sem Tully por perto, ela tivesse uma chance.

Era ridículo e constrangedor, mas seus sonhos estavam mais

centrados nele que no telejornalismo. Não que ela fosse capaz de admitir isso a alguém. O que se esperava de mulheres de 25 anos com formação universitária era que sonhassem com mais dinheiro e posições mais altas na carreira corporativa para administrarem as mesmas empresas que haviam se recusado a contratar suas mães. Era preciso evitar maridos antes dos 30. Sempre haveria tempo para casamento e filhos, era o bordão mais comum. Não se devia desistir de *si mesma* por *eles*.

Mas e se o *eles* fosse algo que a mulher desejasse mais do que ser poderosa? Ninguém nunca falava sobre isso. Kate sabia que Tully acharia graça desse tipo de pensamento, diria que Kate estava presa nos anos 1950. Até mesmo sua mãe diria que ela estava errada e mencionaria aquela palavra pesada: *arrependimento*. Ela repetia sempre as palavras que preenchiam as páginas das revistas femininas – que ser apenas mãe era um desperdício de talento. Sua mãe nem notava quanto parecia triste quando falava, como se a vida que escolhera não tivesse servido para nada.

– Ei, você passou da entrada.

– Ah, desculpe.

Kate virou na esquina seguinte e fez o retorno, parando na frente da casa de Chad.

– Vou esperar aqui. Tenho *O talismã* para terminar de ler.

Tully não abriu a porta.

– Ele vai entender por que eu não posso me casar com ele ainda. Ele sabe quanto isso significa para mim.

– Ele sabe, com certeza – concordou Kate.

– Me deseje sorte.

– E eu não faço isso sempre?

Tully saiu do carro e caminhou até a porta da casa.

Kate abriu o livro de bolso e mergulhou na história. Só bem mais tarde ela ergueu o olhar e percebeu que havia começado a chover.

Tully já devia ter aparecido e dito para ela ir para casa, que iria passar a noite com Chad.

Kate fechou o livro e saiu do carro. Caminhando pela calçada, teve um mau pressentimento, como se alguma coisa estivesse errada.

Bateu duas vezes e em seguida abriu a porta.

Tully estava na sala completamente vazia, ajoelhada em frente à lareira, chorando.

A amiga lhe entregou um pedaço de papel todo respingado de lágrimas.

– Leia.

Kate pôs-se de cócoras e olhou para a caligrafia em tinta preta.

Querida Tully,

Fui eu que a recomendei para a KLUE. Então, sei do emprego sobre o qual você veio me falar e estou muito orgulhoso de você. Eu tinha certeza de que você iria conseguir.

Quando aceitei o emprego na Vanderbilt, sabia o que significaria para nós. Eu tinha esperanças... mas sabia.

Você quer muito desse mundo, Tully. Mas eu só quero você.

Não é exatamente uma combinação perfeita, é?

Eis o que importa: eu sempre vou te amar.

Ponha fogo no mundo.

Estava assinado simplesmente C.

– Eu achei que ele me amava – disse Tully quando Kate devolveu a carta.

– Ele parece amá-la.

– Então por que me deixou?

Kate olhou para a amiga, ouvindo o eco distante de todas as vezes que ela havia sido abandonada pela mãe.

– Você já disse a ele alguma vez que o amava?

– Eu não conseguia dizer.

– Talvez você não o ame, então.

– Ou talvez eu o ame – disse Tully, suspirando. – Mas é tão difícil acreditar nisso.

Esta era a diferença fundamental entre as duas. Kate acreditava no amor de todo o coração. Infelizmente, havia se apaixonado por um homem que não notava sua existência.

– De qualquer forma, o que importa agora é a sua carreira. Sempre haverá tempo para casamento e filhos.

– É. Depois de eu ter feito sucesso.

– É.

– Alguém definitivamente vai me amar depois disso.

– O mundo todo vai amar você.

Mas, mais tarde, muito tempo depois de Tully ter dito "Ele que se dane, afinal" e dado uma risada um pouco desesperada, Kate não conseguia tirar aquelas últimas palavras da cabeça. De repente, ficou preocupada.

E se algum dia o mundo todo amasse Tully e isso ainda não fosse o bastante?

※

Tully havia esquecido quanto uma noite podia ser longa e solitária. Por muitos anos, Chad havia sido sua proteção, seu porto seguro. Com ele, ela aprendera a dormir a noite toda, respirando tranquilamente, sonhando apenas com seu futuro brilhante. E, como ele a amava, ela dormia bem em sua própria cama também, nas noites que passavam separados, reconfortada por saber que podia ir até ele a qualquer momento.

Jogou as cobertas para o lado e saiu da cama. Olhou rapidamente para o despertador sobre a mesa de cabeceira e viu que eram pouco mais de duas da manhã.

Como havia imaginado: uma longa e solitária noite.

Na cozinha, pôs uma chaleira no fogo e ficou parada, esperando a água ferver.

Talvez tivesse cometido um erro. Talvez aquele vazio que estava sentindo fosse amor. Com a vida que levara, fazia sentido que ela percebesse o lado negativo de uma emoção em vez do lado positivo. Mas, se ela o amava, que diferença fazia? O que ela faria a respeito? Ir atrás dele no Tennessee, acomodar-se numa casa perto da universidade e virar a Sra. Wiley? Como se tornaria a próxima Jean Enerson ou Jessica Savitch assim?

Pegou uma caneca grande da KTVS do armário e se serviu de chá. Então foi para a sala, onde se sentou de pernas cruzadas, no sofá, aquecendo as mãos na porcelana. Sentiu o vapor fragrante da bebida. Fechou os olhos e tentou esvaziar a mente.

– Não está conseguindo dormir?

Tully olhou para cima e viu Kate parada na frente da porta de seu quarto, usando a mesma camisola de flanela de muitos anos. Tully costumava brincar dizendo que a amiga parecia fazer parte da família que dava nome ao seriado *Os Waltons*, mas, naquela noite, ficou feliz por ter aquela imagem familiar. Era curioso como uma única peça de roupa era capaz de fazer lembrar de anos juntas – festas do pijama, tratamentos de beleza e cafés da manhã de sábado diante da TV assistindo a desenhos animados.

– Desculpe se acordei você.

– Você caminha feito um elefante. Ainda tem água quente?

– A chaleira está em cima do fogão.

Kate foi até a cozinha e voltou com uma xícara de chá e uma caixa de biscoitos. Depois de atirar a caixa entre as duas, ela se sentou de frente para Tully, apoiada no braço do sofá.

– Você está bem?

– Meu ombro está doendo demais.

– Quando você tomou o último comprimido para dor?

– Já passou da hora.

Kate largou a xícara, foi até o banheiro e voltou com o analgésico e um copo d'água.

Tully tomou o remédio.

– Agora quer falar sobre o que realmente está incomodando você? – perguntou Kate, voltando a sentar.

– Não.

– Qual é, Tully? Eu sei que você está pensando no Chad, imaginando se fez a coisa certa.

– Este é o problema das melhores amigas. Elas sabem demais.

– Talvez.

– E o que você e eu sabemos sobre o amor?

O rosto de Kate assumiu aquela expressão triste e quase crítica que Tully detestava. Era quase um olhar de pobre Tully.

– Eu sei alguma coisa sobre o amor – disse ela em voz baixa. – Talvez não sobre estar apaixonada ou ser amada, mas sei como é amar alguém e sei quanto pode doer. Acho que, se realmente amasse o Chad, você saberia e estaria no Tennessee neste momento. Pelo menos, se eu amasse alguém, eu saberia.

– Tudo é sempre preto no branco com você. Eu não vejo o mundo assim. Como você sempre sabe o que quer?

– Você sabe o que quer, Tully. Sempre soube.

– Então eu não posso me apaixonar? Este é o preço da fama e do sucesso? Ficar sempre sozinha?

– É claro que você pode se apaixonar. Só precisa se permitir isso. Não é à toa que se fala em cair de amores.

As palavras de Kate deveriam ter reconfortado Tully. Tinham a intenção de ser otimistas, ela sabia disso, mas, naquele momento, Tully não conseguia sentir esse otimismo. Pelo contrário, estava se sentindo mais fria e mais vazia depois do que ouvira da amiga.

– Tem alguma coisa faltando em mim – disse ela baixinho. – Primeiro foi meu pai quem viu. Quem quer que ele seja, deve ter olhado para mim uma vez e saído correndo. E não vamos nem falar na minha amada mamãe. Eu sou… alguém fácil de abandonar. Por que isso?

Kate se aproximou de Tully e se encostou nela exatamente como costumava fazer tantos anos antes, às margens do rio Pilchuck. A caixa de biscoitos machucou suas costas, então ela a tirou de onde estava e a jogou sobre a mesa de centro coberta de jornais.

– Não tem nada faltando em você, Tully. Na verdade, é justamente o contrário. Você é *mais* do que a maioria das pessoas. Você é muito, muito especial, e se o Chad não viu isso ou não pôde esperar até que você estivesse pronta para ele, então ele não era o cara certo para você. Talvez seja um problema normal quando se fica com alguém mais velho. Ele está pronto para pousar quando a gente está apenas decolando.

– É verdade. Eu sou jovem. Eu me esqueci disso. Ele deveria ter compreendido e esperado por mim. Quero dizer, se ele realmente me amava, como poderia me deixar? Você conseguiria deixar alguém que amasse?

– Depende.

– Do quê?

– Se eu pensasse que ele algum dia iria me amar também.

– Por quanto tempo você esperaria?

– Por muito tempo.

Tully se sentiu então melhor pela primeira vez desde que lera o bilhete de Chad.

– Você tem razão. Eu o amava, mas acho que ele não me amava. Não o bastante, pelo menos.

Kate franziu a testa.

– Não foi exatamente isso que eu disse.

– Foi mais ou menos isso. Somos jovens demais para nos prendermos por amor. Como eu posso ter me esquecido disso?

Tully deu um abraço em Kate.

– O que eu faria sem você?

Foi só muito mais tarde, depois de uma longa noite insone, deitada na cama, assistindo a mais um amanhecer pela janela, que suas próprias palavras retornaram, assombrando-a com sua intensidade. *Alguém fácil de abandonar.*

Dezesseis

Desde o instante em que Tully aceitou o novo emprego, Kate se viu assistindo à vida da amiga a distância. Passaram-se meses com as duas vivendo de forma separada, ligadas apenas pelo lugar. O minúsculo apartamento das duas, que um dia fora o porto seguro de suas vidas, havia se transformado num lugar de passagem. Tully passava doze horas por dia, sete dias por semana, trabalhando. Quando não estava tecnicamente no trabalho, estava indo atrás de informações e gravando reportagens, num esforço tremendo para fazer alguma coisa – qualquer coisa – que a pusesse diante das câmeras.

Sem Tully, a vida de Kate perdeu a forma, e como um suéter velho, não havia o que fazer para que ele voltasse ao normal. Sua mãe insistia para que ela deixasse o medo de lado e começasse a namorar, a se divertir. Mas como ela poderia sair com alguém quando não tinha nenhum interesse pelos caras que se interessavam por ela?

Tully não padecia do mesmo mal. Embora ainda chorasse por Chad quando as duas bebiam juntas tarde da noite, ela não tinha problemas para conhecer caras novos e levá-los para casa. Kate ainda não vira o mesmo cara sair duas vezes do quarto de Tully. Segundo a amiga, este era o plano. Ela não tinha, pelo menos era o que dizia, nenhuma intenção de se apaixonar. Em retrospecto, é claro, Tully passou a acreditar que amara Chad desesperadamente, de tal forma que nenhum outro homem se compararia a ele.

Mas não o bastante, como Kate insistia em observar, para ligar para ele ou se mudar para o Tennessee.

Para ser sincera, Kate estava começando a se cansar das recordações etílicas da amiga sobre o amor épico que sentira por Chad.

Kate conhecia o amor, sabia como era algo capaz de virar a pessoa pelo avesso e secar seu coração. Um amor não correspondido era algo triste e terrível. O dia todo, todos os dias, ela se movimentava como um planeta menos importante na órbita de Johnny, observando, desejando, ansiando por ele num silêncio solitário.

Depois daquela longa noite que os dois tinham passado juntos na sala de espera do hospital, Kate pensara que talvez pudesse haver alguma esperança. Ela sentira que uma porta havia se aberto entre eles. Os dois haviam conversado com facilidade, e sobre coisas importantes. Mas qualquer progresso que tivesse ocorrido sob a luz intensa da sala de espera desaparecera ao amanhecer. Kate jamais se esqueceria da expressão no rosto dele ao saber que Tully ficaria bem. Era mais do que alívio.

Foi quando ele se afastou dela.

Agora, passados todos aqueles meses, Kate sabia que estava na hora de se afastar dele. Estava na hora de ela deixar suas fantasias de menina na caixa de areia junto com outros brinquedos e seguir em frente. Ele não a amava. Quaisquer sonhos sobre isso não passavam de sonhos.

Aquilo não podia mais continuar. Foi a decisão que ela tomou no trabalho naquele dia, parada na porta da sala dele, esperando que ele ao menos percebesse sua presença.

Assim que o expediente terminou, ela foi até a banca de revistas e comprou todos os jornais locais. Enquanto Tully estivesse nos bares com seu escolhido do dia, ou trabalhando até mais tarde, Kate pretendia repensar os rumos de sua vida.

Agora, sentada à mesa da cozinha, com os restos do jantar dentro das caixas ao seu redor, abriu o caderno de classificados do *Seattle Times*. Lá, viu várias opções interessantes.

Pegou uma caneta e estava prestes a marcar uma quando a porta atrás dela se abriu.

Ela se virou e viu Tully. A amiga estava com uma de suas roupas de sair – um blusão cuidadosamente cortado que deixava um ombro à mostra, jeans enfiados em botas de cano curto e um cinto grande e solto. Os cabelos estavam puxados para a esquerda, presos com uma pregadeira comprida, e um conjunto de crucifixos pendia de seu pescoço.

Claro que estava com um cara. Estava atirada em cima dele.

– Ei, Katie – disse ela com a voz de quem já havia tomado umas três margaritas. – Veja quem eu encontrei.

O sujeito saiu de trás da porta.

Johnny...

– Ei, Mularkey – disse ele, sorrindo. – Tully quer que você venha dançar conosco.

Ela fechou o jornal tomando um cuidado exagerado.

– Não, obrigada.

– Qual é, Katie? Vai ser como nos velhos tempos – disse Tully. – Os três mosqueteiros.

– Não vai dar.

Tully soltou a mão de Johnny e meio que tropeçou na sua direção.

– Por favor – disse ela. – Eu tive um dia ruim hoje. Eu preciso de você.

– Não – Kate começou, mas Tully não estava escutando.

– Nós vamos ao Kel's.

– Vamos lá, Mularkey – Johnny disse, indo na direção dela. – Vai ser divertido. Como nos velhos tempos.

Ele sorriu de um jeito que tornava impossível dizer não, embora ela soubesse que era uma péssima ideia se juntar a eles.

– Está bem – disse. – Vou me vestir.

Ela entrou no quarto e pôs um vestido azul brilhante com ombreiras e um cinto ajustado. Quando voltou para a sala, Johnny estava com Tully de costas para a parede, segurando as mãos dela no alto e beijando-a.

– Estou pronta – disse ela, com indiferença.

Tully se desvencilhou de Johnny e sorriu para ela.

– Ótimo. Vamos dançar.

De braços dados, os três saíram do apartamento e caminharam pela rua de paralelepípedos deserta. No pub Kel's, encontraram uma mesinha vazia perto da pista de dança.

No instante em que Johnny saiu para buscar as bebidas, Kate olhou para o outro lado da mesa.

– O que você está fazendo com ele?

Tully riu.

– O que eu posso dizer? Nós nos encontramos depois do trabalho e bebemos um pouco. Uma coisa levou a outra, e… – falou, então olhou diretamente para Kate. – Você se incomoda se eu transar com ele?

Ali estava. A pergunta que importava. Kate não tinha dúvidas de que, se ela abrisse o coração e dissesse a verdade, aquela noite terrível estaria encerrada. Tully iria dar o fora em Johnny num piscar de olhos, sem nem dizer a ele por quê.

Mas do que isso adiantaria? Kate sabia como Johnny se sentia em relação a Tully, como sempre se sentira. Ele queria uma mulher com paixão. Perder Tully não o faria procurar Kate. E talvez estivesse na hora de medidas drásticas, afinal. A esperança de Kate havia suportado muitas coisas, mas isso – ele dormir com Tully – seria o fim de tudo.

Ela olhou para a amiga, torcendo para não estar com os olhos úmidos.

– Qual é, Tully? Não tem por que perguntar.

– Tem certeza? Você quer…

– Não. Mas… ele gosta de você. Você sabe disso, né? Você pode magoá-lo.

Tully riu.

– Meninas católicas se preocupam com todo mundo, hein?

Antes que Kate pudesse responder, Johnny voltou com duas margaritas e uma garrafa de cerveja. Deixando as bebidas em cima da mesa, pegou a mão de Tully e a arrastou para a pista. Lá, os dois se misturaram à multidão, onde ele a abraçou e a beijou.

Kate pegou a bebida. Não fazia ideia do que aquele beijo significava para Tully, mas sabia o que significava para Johnny, e esse pensamento tomou conta dela como uma espécie de veneno.

Pelas duas horas seguintes, ela ficou sentada com eles, bebendo muito, fingindo estar se divertindo. O tempo todo, alguma coisa dentro dela estava morrendo.

A certa altura daquela noite interminável e torturante, Tully foi ao banheiro e deixou Johnny e Kate a sós. Ela tentou pensar em alguma coisa para dizer a ele, mas, sinceramente, não ousava sequer olhar em seus olhos. Com os cabelos cacheados úmidos e o rosto corado, ele estava tão atraente que Kate sentia uma dor no peito.

– Ela é incrível mesmo – disse ele.

Atrás dele, a banda parou de tocar e estava escolhendo a próxima canção.

– Eu achava que nunca iria acontecer... ela e eu – disse ele, bebendo a cerveja e olhando na direção do banheiro, como se pudesse trazê-la de volta com seu desejo.

– Você precisa tomar cuidado – disse Kate quase baixo demais para ser ouvida.

Ela sabia que aquelas palavras, e o alerta, revelariam um pouco do que ela sentia, mas não podia evitar. Johnny podia bancar o insensível no trabalho, mas no hospital ela havia descoberto a verdade. Por dentro, onde importava, ele era um idealista. Ninguém se feria tanto quanto alguém que acreditava nas pessoas. E ela sabia disso.

Johnny se inclinou para ela.

– O que você disse, Mularkey?

Kate sacudiu a cabeça. De jeito nenhum ela repetiria aquilo. Além do mais, Tully havia voltado.

Muito mais tarde, deitada sozinha em seu quarto, ouvindo o barulho do sexo no quarto ao lado, ela finalmente chorou.

Nos dois meses que se passaram desde a noite no pub Kel's, Kate não foi a única a notar a mudança em Johnny. O clima no escritório estava sombrio e silencioso. Mutt se mantinha absolutamente isolado, limpando e arrumando o equipamento, arquivando negativos em pastas. Carol, que havia sido chamada de volta ao trabalho depois da saída de Tully, ficava em sua própria sala, com a porta fechada, mal dizendo qualquer coisa a alguém, mesmo quando pegava seu café.

Ninguém dizia nada sobre a aparência de Johnny, mas todo mundo percebia que nos últimos tempos ele parecia estar simplesmente saindo da cama e indo direto para o trabalho. Estava com os cabelos compridos demais e começando a formar cachos para todos os lados de um jeito esquisito. Passava dias sem fazer a barba e os pelos formavam faixas escuras no rosto encovado. E usava peças de roupa que não combinavam.

Nas primeiras vezes que ele apareceu para trabalhar desse jeito, todos ficaram em volta dele, deixando clara sua preocupação. Falando baixo, mas com firmeza, ele fechava a porta da sala, garantindo que estava ótimo. Mutt montou uma ofensiva que começou com uma oferta de maconha e terminou com: "Você que sabe, cara. Eu estou aqui, se quiser conversar."

A seu modo, Carol também havia tentado atravessar o fosso invisível que Johnny construíra ao seu redor. Suas tentativas fracassaram tão estrondosamente quanto as de Mutt.

A única pessoa que não tentara se aproximar de Johnny foi Kate, e ela era a única que sabia qual era o problema.

Tully.

Naquela manhã mesmo, quando as duas estavam tomando café, Tully dissera: "Johnny não para de me ligar. Será que eu devo sair com ele de novo?"

Felizmente para Kate, aquela acabara se revelando uma pergunta retórica. A própria Tully respondera: "De jeito nenhum. Eu quero um relacionamento tanto quanto uma injeção letal. Achei que ele soubesse disso."

Agora, Kate estava sentada em sua mesa de trabalho, supostamente organizando as novas informações de seguros.

Ela e Johnny estavam a sós no escritório pela primeira vez em dias. Carol e Mutt estavam na rua, trabalhando.

Kate se levantou lentamente e caminhou até a porta fechada da sala dele. Não fazia nenhum sentido ela ir até ele. Certamente, se a situação fosse inversa, ele não iria até ela, mas ele estava sofrendo, e ela não podia suportar aquilo. Depois de um longo instante, bateu à porta.

– Entre.

Ela abriu a porta.

Johnny estava sentado à sua mesa, encurvado, escrevendo furiosamente num bloco de folhas amarelas. Seus cabelos caíram sobre o rosto, ele os puxou impacientemente para trás da orelha e olhou para Kate.

– O que foi, Mularkey?

Ela foi até o frigobar que ficava no canto da sala e pegou duas cervejas. Depois de abrir as duas, entregou uma a ele e se sentou na beira da mesa atulhada.

– Você parece estar se afogando – disse ela simplesmente.

Ele pegou a cerveja.

– Dá para ver, é?

– Dá.

Ele olhou para a porta.

– Estamos sozinhos?

– Mutt e Carol saíram há uns dez minutos.

Johnny tomou um longo gole de cerveja e se recostou na cadeira.

– Ela não retorna as minhas ligações.

– Eu sei.

– Eu não entendo. Naquela noite… na nossa noite juntos, quero dizer… eu pensei…

– Quer saber a verdade?

– Eu sei a verdade.

Os dois ficaram sentados em silêncio por um longo tempo, bebendo cerveja.

– É uma merda querer alguém que não se pode ter.

E, com aquelas poucas palavras, Kate entendeu. Ela nunca tivera uma chance com ele.

– É mesmo.

Ficou em silêncio um instante, olhando para ele.

– Eu sinto muito, Johnny – disse ela, afinal, levantando-se.

– Pelo que você sente muito?

Ela desejou ter coragem de responder, de dizer como se sentia, mas algumas coisas era melhor que permanecessem no silêncio.

❧

– Bem, Srta. Mularkey, seu currículo é bastante impressionante para alguém da sua idade. Posso perguntar por que está pensando em mudar para a publicidade?

Kate tentou parecer relaxada. Havia se vestido com cuidado para aquela entrevista, usando um terninho preto simples de gabardine de lã com uma blusa branca e uma gravata de seda xadrez amarrada num laço ao redor do pescoço.

Ela esperava que fosse um visual profissional.

– Nos anos que trabalhei com telejornalismo, aprendi algumas coisas a meu respeito e algumas coisas a respeito do mundo. As notícias, como você sabe, são uma agitação constante. Estamos sempre andando na velocidade máxima, apurando os fatos e seguindo em frente. Muitas vezes eu me pego mais interessada no que vem depois da história do que na história em si. Acredito que eu seja melhor pensando em longo prazo e fazendo planejamento. Pensando em detalhes, em vez de pinceladas rápidas. E escrevo bem. Eu gostaria de aprender mais sobre isso, mas vai ser impossível trabalhando com trechos de áudio de dez segundos.

– Você tem pensado muito nisso.

– Tenho, sim.

A mulher do outro lado da mesa se recostou, analisando Kate através de um par de óculos modernos incrustado de contas. Pareceu gostar do que estava vendo.

– Está certo, Srta. Mularkey. Vou conversar com meus sócios e voltarei a entrar em contato. Só para que eu saiba, quando você poderia começar a trabalhar?

– Eu teria de dar um aviso prévio de duas semanas, e então poderia começar.

– Excelente – falou a mulher, levantando-se. – Precisa de um vale para o estacionamento?

– Não, obrigada – respondeu Kate, depois apertou a mão da mulher com firmeza e saiu do escritório.

Do lado de fora, a praça Pioneer estava lotada sob um austero céu cinzento. As ruas estreitas e antiquadas estavam repletas de carros, mas poucos pedestres passavam por aqueles caminhos de prédios de tijolos aparentes. Até mesmo os moradores de rua que dormiam nos bancos do parque e pediam cigarros e dinheiro aos passantes estavam em algum outro lugar naquela tarde fria de dezembro.

Kate andou às pressas pela Primeira Avenida, abotoando o velho casaco da faculdade enquanto caminhava. Pegou o ônibus para o centro e desceu no ponto em frente à emissora de TV exatamente às 15h57.

Surpreendentemente, a sala principal estava vazia. Kate pendurou o casaco e atirou a bolsa e a pasta embaixo da mesa, então foi até a sala de Johnny.

– Voltei.

Ele estava ao telefone, mas fez um sinal para que ela entrasse.

– … qual é? – ele estava dizendo num tom exasperado. – Como é que eu posso ajudar vocês com isso?

Ficou em silêncio por um instante, franzindo a testa.

– Tudo bem – voltou a falar. – Mas você fica me devendo uma.

Desligou o telefone e sorriu para Kate, mas não foi seu velho sorriso, aquele que a deixava sem fôlego. Ela não via um daqueles desde a noite com Tully.

– Você está de terno – disse ele. – Aqui, isso quer dizer apenas duas coisas, e como eu sei que você não vai apresentar o noticiário...

– Mogelgaard & Associates.

– A agência de publicidade? Para que vaga você se candidatou?

– Executiva de contas.

– Você vai ser boa nisso.

– Obrigada, mas ainda não consegui o emprego.

– Mas vai conseguir.

Kate esperou que ele dissesse mais alguma coisa, mas ele apenas a encarou, como se algo o estivesse incomodando. Sem dúvida ela o fazia lembrar-se da noite com Tully.

– Bem, é melhor eu voltar ao trabalho.

– Espere. Estou trabalhando numa matéria para o Mike. Preciso de uma ajuda.

– Claro.

Pelas horas seguintes, os dois ficaram sentados colados um ao outro na mesa dele, trabalhando e retrabalhando o texto problemático. Kate tentava manter distância e dizia a si mesma para não olhar em seus olhos. As duas decisões fracassaram. Quando terminaram o trabalho, a noite havia caído. As salas silenciosas lá fora estavam imersas na escuridão.

– Eu lhe devo um jantar – falou Johnny, pondo os papéis de lado. – São quase oito horas.

– Você não me deve nada – respondeu ela sem encará-lo. – Eu só estava fazendo meu trabalho.

Ele olhou para ela.

– Como eu vou me virar sem você?

Meses antes, quando ainda tinha esperanças, ela teria corado num instante como aquele. Talvez até mesmo uma semana atrás isso tivesse acontecido.

– Eu o ajudo a contratar alguém.

– Você acha que vai ser fácil substituí-la?

Ela não soube o que responder.

– Estou indo embora…

– Eu lhe devo um jantar. Só isso. Agora vá pegar seu casaco. Por favor.

– Está bem.

Os dois desceram e entraram no carro dele. Em poucos minutos, estavam parando em frente a uma bela casa flutuante de cedro no lago Union.

– Onde estamos? – perguntou Kate.

– Na minha casa. Não se preocupe, eu não vou cozinhar para você. Só quero me trocar. Você está toda arrumada.

Kate endureceu novamente para não permitir que a emoção se instalasse em seu peito. Não a deixaria entrar. Por muito tempo, ela se permitira ter sonhos de um final feliz que nunca aconteceria.

Ela o seguiu até o deque e para o interior de uma casa surpreendentemente espaçosa.

Johnny foi direto até a lareira, onde a lenha já estava posta. Agachou-se, pôs fogo numa folha de jornal e a usou para acender a lareira. Então ele se virou para ela.

– Quer beber alguma coisa?

– Rum com Coca?

– Perfeito.

Johnny foi até a cozinha, serviu duas bebidas e voltou.

– Aqui está. Eu já volto.

Ela ficou ali parada por um momento, sem saber o que fazer. Olhou ao redor na sala, percebendo como havia poucas fotografias. Sobre o armário da televisão havia uma única foto de um casal de meia-idade usando roupas muito coloridas. Os dois estavam agachados num ambiente parecido com uma selva, cercados de crianças.

– Meus pais – disse Johnny, aparecendo atrás dela –, Myrna e William.

Ela se virou com a sensação de ter sido pega bisbilhotando.

– Onde eles moram? – perguntou ela.

Foi até o sofá e se sentou. Precisava de distância entre eles.

– Eles eram missionários. Foram mortos em Uganda pelos esquadrões da morte de Idi Amin.

– Onde você estava?

– Quando eu tinha 16 anos, eles me mandaram estudar em Nova York. Foi a última vez que eu os vi.

Kate sabia que devia apenas dizer que sentia muito e deixar para lá. Aquelas lembranças, sem dúvida, eram dolorosas para ele. Mas não conseguiu fazer isso, não conseguiu simplesmente deixar passar.

– Então eles também eram idealistas.

– O que quer dizer com *também*?

Kate não viu por que exprimir com palavras aquele conhecimento que havia adquirido ao longo dos anos, montando uma imagem da vida dele.

– Não importa. Você teve sorte de ter sido criado por pessoas que acreditavam em alguma coisa.

Ele a encarou, franzindo a testa.

– Foi por isso que se tornou correspondente de guerra? Para lutar à sua maneira?

Johnny suspirou e balançou a cabeça, então foi até o sofá e sentou ao lado dela. A forma como olhava para ela, como se ela estivesse de algum jeito diluída ou fora de foco, fez o coração de Kate disparar.

– Como você faz isso?

– O quê?

– Me conhecer tão bem.

Ela sorriu, esperando não aparentar a fragilidade que sentia.

– Nós trabalhamos juntos há muito tempo.

Levou algum tempo até ele perguntar:

– Por que você está saindo, de verdade, Mularkey?

Ela se inclinou um pouco para trás.

– Lembra quando você disse que era horrível querer algo

que não se pode ter? Eu nunca vou ser uma grande repórter ou uma produtora incrível. Eu não vivo e respiro notícia. Estou cansada de não ser boa o bastante.

– Eu disse que era horrível querer *alguém* que não se pode ter.

– Bem... é a mesma coisa.

– É mesmo?

Ele largou a bebida sobre a mesa de centro. Ela se virou para encará-lo e sentou em cima das pernas.

– Eu sei como é querer alguém.

Ele pareceu não acreditar. Sem dúvida estava pensando nas vezes que Tully a provocara por nunca sair com ninguém.

– Quem?

Kate sabia que devia mentir, deixar passar a pergunta, mas naquele momento, com ele tão perto, ela sentiu uma necessidade dele que quase a dominou. Que Deus a protegesse, mas aquela porta parecia estar aberta de novo. Embora ela soubesse que não estava, soubesse que era uma ilusão, ela continuou mesmo assim.

– Você.

Ele recuou. Ficou evidente que ele nunca imaginara isso.

– Você nunca...

– E como eu poderia? Eu sabia o que você sentia por Tully.

Kate esperou que Johnny dissesse alguma coisa, mas ele apenas ficou olhando para ela. Ela não sabia o que pensar daquele silêncio. Johnny não lhe dera um não, não achara graça. Talvez aquilo significasse algo.

Durante anos, ela fizera muito esforço para controlar seu desejo por ele, mas, agora, com ele tão perto, não havia como se segurar. Era sua última chance.

– Me beije, Johnny. Mostre que eu estou errada em querer você.

– Eu não quero magoá-la. Você é uma boa garota, e eu não quero entrar num...

– Vou ficar magoada se você *não* me beijar.

– Katie...

Ao menos uma vez Kate não era Mularkey. Ela se aproximou mais dele.

– Agora quem está com medo? Me beije, Johnny.

Pouco antes de tocar seus lábios nos dele, Kate achou que o ouviu dizer "É uma péssima ideia", mas, antes que ela pudesse tranquilizá-lo, Johnny estava correspondendo ao beijo.

Não era a primeira vez que Kate beijava. Não era sequer a primeira vez que ela beijava um homem de quem gostava. Ainda assim, de uma maneira absurda, ela começou a chorar.

Ele tentou se afastar quando percebeu as lágrimas, mas ela não deixou. Num instante eles estavam se agarrando como dois adolescentes no sofá. No instante seguinte, ela estava no chão, em frente à lareira, nua.

Ele se ajoelhou ao lado dela, ainda vestido. As sombras escondiam metade do corpo dele e ressaltavam os ângulos precisos e as partes côncavas do seu rosto.

– Você tem certeza?

– Essa seria uma boa pergunta para fazer antes de eu ficar sem roupa.

Sorrindo, ela se levantou um pouco e começou a desabotoar a camisa dele.

Ele fez um som que era meio desespero, meio rendição, e deixou que ela tirasse sua roupa. Então a tomou nos braços de novo.

Os beijos dele estavam diferentes agora. Mais duros, mais profundos, mais eróticos. Kate sentiu o próprio corpo reagindo de uma forma que nunca havia feito. Era como se ela se tornasse nada e tudo, apenas uma coleção de terminações nervosas. O toque dele era sua tortura e sua salvação.

As sensações se tornaram tudo, tudo o que ela era, tudo com o que ela se importava. Dor, prazer, frustração. Até mesmo a respiração não era dela. Ela estava arfando, engasgando, pedindo que ele parasse e que não parasse, que continuasse e não continuasse.

Ela sentiu o corpo arqueando para cima, como se todo o seu ser estivesse em busca de alguma coisa, algo de que ela precisava com desespero e que a angustiava, mas ela sequer sabia o que era.

E então ele estava dentro dela, ferindo-a. Ela arfou com a dor repentina, mas não fez qualquer som. Em vez disso, agarrou-se a Johnny, beijando-o e movimentando-se com ele até que a dor se dissolvesse e não restasse mais nada dela. Tudo o que havia era aquilo: a sensação do lugar onde os dois se uniam, o desejo feroz e angustiante de algo mais...

Eu te amo, ela pensou, abraçando-o e indo ao encontro dele. As palavras contidas encheram sua cabeça e se tornaram a trilha sonora do ritmo de seus corpos.

– Katie – gritou ele, entrando fundo nela.

O corpo dela explodiu como uma estrela no espaço, partindo-se e flutuando. O tempo parou por um instante, e então se reacomodou lentamente.

– Nossa – disse ela, caindo de costas no tapete quente.

Pela primeira vez na vida, entendeu do que tanto se falava.

Ele deitou ao lado dela, com o corpo molhado de suor aconchegado ao dela. Mantendo um braço ao redor de Kate, Johnny ficou olhando fixamente para o teto. Estavam os dois ofegantes.

– Você era virgem – disse ele, parecendo assustadoramente distante.

– Era – foi tudo o que ela conseguiu dizer.

Ela se virou de lado e passou uma perna por cima dele.

– É sempre assim?

Quando Johnny se virou, Kate viu algo nos olhos azuis dele que a deixou confusa: medo.

– Não, Katie – disse ele depois de um longo tempo. – Não é.

Katie acordou nos braços de Johnny. Os dois estavam deitados com os lençóis amontoados na altura dos quadris. Ela ficou olhando para o teto rebaixado, sentindo o peso pouco familiar da mão dele entre seus seios nus.

O brilho suave do amanhecer invadia o ambiente pela janela aberta, refletindo no piso de madeira. O arrebentar contínuo das ondas no casco ecoava a batida lenta e constante de seu coração.

Ela não sabia o que fazer agora, como agir. Desde o primeiro beijo, aquilo havia sido um presente mágico e inesperado. Os dois fizeram amor três vezes durante a noite. A última, apenas poucas horas antes. Eles haviam se beijado, feito omeletes e comido em frente à lareira, tinham conversado sobre suas famílias, o trabalho e seus sonhos. Johnny havia inclusive contado uma série de piadas extremamente idiotas.

Mas não haviam conversado sobre o amanhã, e agora ele havia chegado, tão presente entre os dois quanto os lençóis macios e o som da respiração deles.

Kate estava feliz por ter esperado para fazer amor, embora esperar pelo cara certo estivesse fora de moda. Tudo o que acontecera na noite anterior mexera com o mundo dela, exatamente como diziam os poetas.

Mas e se Johnny não achasse que ela era a garota certa? Ele não dissera que a amava – é claro que não – e, sem essas palavras, como uma mulher poderia inserir a paixão naquele contexto?

Será que ela devia se vestir, sair às escondidas e fingir que nada havia acontecido? Ou devia descer, preparar o café da manhã e rezar para que a noite anterior tivesse sido um começo e não um fim?

Quando o sentiu se mexer ao seu lado, ficou tensa.

– Bom dia – disse ele, com a voz rouca.

Ela não saberia bancar a tímida ou agir com indiferença. Ela o amava havia muito tempo para isso. O que importava agora era que eles não haviam simplesmente se levantado e seguido cada um o seu rumo.

– Me conte alguma coisa que eu não saiba a seu respeito.

Ele acariciou o braço dela.

– Hum. Eu fui coroinha.

Foi surpreendentemente fácil imaginá-lo como coroinha: um menino magricela com os cabelos úmidos penteados para trás andando com cuidado pelo corredor a caminho do altar. A imagem a fez dar risada.

– A minha mãe ia adorar você.

– Agora me conte alguma coisa de você.

– Sou fã de ficção científica. *Guerra nas estrelas*, *Jornada nas estrelas*, *Os hereges de Duna*. Gosto de tudo isso.

– Achei que você fosse leitora de romances.

– Isso também. Agora me diga alguma coisa importante. Por que você desistiu de ser repórter?

– Você sempre mergulha direto nas águas profundas, não é? – falou ele, com um suspiro. – Acho que já descobriu, de qualquer maneira. Eu fui para lá como uma espécie de bravo cavaleiro, pronto para lançar minha luz sobre o que estivesse acontecendo. E então eu vi o que estava acontecendo…

Ela não disse nada, apenas o beijou no ombro.

– Meus pais haviam escondido muita coisa de mim. Eu me achava preparado, mas não se pode estar preparado para aquilo. É sangue, morte e corpos espalhados. São crianças mortas nas ruas e meninos com metralhadoras. Eu fui capturado…

Sua voz desapareceu. Ele limpou a garganta e voltou a falar.

– Não sei por que me deixaram vivo, mas deixaram. Eu enfiei o rabo entre as pernas e voltei correndo para casa.

– Você não fez nada do que deva se envergonhar.

– Eu fugi como um covarde. Fracassei. Agora você sabe tudo, sabe por que eu estou em Seattle.

– Você acha que isso muda o que eu sinto por você?

Ele fez uma pequena pausa antes de dizer:

– Precisamos ir devagar com isso, Katie.

– Eu sei.

Ela colou seu corpo ao dele. Tentou memorizar todo o rosto dele, e como ele era no começo da manhã. Viu uma sombra de barba que havia crescido durante o sono e pensou: *já há mudanças*.

Ele pôs o cabelo atrás da orelha de Kate.

– Não quero magoar você.

Kate queria dizer simplesmente, *então não magoe*, mas não era o momento para respostas simples ou faz de conta. O momento era de sinceridade.

– Eu assumo o risco de me magoar se você também assumir – disse ela com tranquilidade.

Um pequeno sorriso curvou os cantos da boca de Johnny, mas ela não o viu refletido em seus olhos. Na verdade, ele parecia muito mais do que um pouco preocupado.

– Eu sabia que você era perigosa.

Kate não entendeu.

– Eu? Você deve estar brincando. Nunca ninguém achou que eu fosse perigosa.

– Eu acho.

– Por quê?

Ele não respondeu. Em vez disso, inclinou-se apenas o suficiente para beijá-la. Ela fechou os olhos, esperando pelo beijo. Kate não teve certeza, mas, talvez, pouco antes de os lábios dele tocarem os dela, Johnny tivesse dito: "Porque você é o tipo de garota por quem um cara pode se apaixonar."

E ele não pareceu muito feliz ao dizer isso.

Na frente da porta do apartamento, Kate fez uma pausa. Apenas momentos atrás, ela estava voando alto, revivendo a noite passada nos braços de Johnny. Mas agora estava de volta ao mundo real, onde havia acabado de dormir com um homem com quem a melhor amiga havia dormido antes.

O que Tully iria dizer?

Kate abriu a porta e entrou. Naquela manhã clara e chuvosa, o apartamento estava surpreendentemente silencioso. Atirou a bolsa em cima da mesa da cozinha e preparou uma xícara de chá.

– Onde foi que você se meteu?

Ela se virou, hesitante.

Tully estava parada na frente dela com os cabelos encharcados e enrolada numa toalha.

– Eu quase chamei a polícia ontem à noite. Onde... você está usando o mesmo terninho de ontem.

Um sorriso malicioso tomou conta do rosto de Tully.

– Você passou a noite com alguém? Meu Deus, foi isso. Você está ficando vermelha – constatou Tully, rindo. – E eu pensando que você ia acabar morrendo virgem.

Agarrou o braço de Kate e a arrastou até o sofá.

– Pode ir falando.

Kate encarou a melhor amiga e desejou que tivesse chegado em casa depois de Tully ter saído para trabalhar. Aquela conversa precisava ser pensada, planejada. Tully poderia estragar tudo com uma palavra, um olhar. *Ele é meu*, a amiga poderia dizer, e então o que Kate iria fazer?

– Fale – insistiu Tully, dando um encontrão na amiga.

Kate respirou fundo.

– Eu estou apaixonada.

– Opa, pode ir parando, Penélope Charmosa. Apaixonada? Depois de uma noite?

Era agora ou nunca, e embora nunca parecesse bom, não fazia sentido adiar o inevitável.

– Não – disse ela. – Eu sou apaixonada por ele há anos.

– Quem?

– Johnny.

– O nosso Johnny?

Kate se recusou a deixar o pronome feri-la.

– Sim. Ontem à noite...

242

– Ele transou comigo há... o quê? Dois meses? Depois não parava de me ligar. Ele está se recuperando do trauma; não pode estar apaixonado por você.

Kate tentou não deixar que as palavras de Tully a afetassem, mas afetaram.

– Eu sabia que você faria o assunto girar em torno de você.

– Mas... ele é seu chefe, pelo amor de Deus.

– Eu pedi demissão. Vou começar a trabalhar com publicidade em duas semanas.

– Ah, que ótimo! Agora você vai desistir da sua carreira por um cara.

– Nós duas sabemos que eu não sou boa o bastante para trabalhar em rede nacional. Este sonho é seu, Tully. Sempre foi.

Kate viu que a amiga queria discutir a questão. E viu também que qualquer coisa que tentasse argumentar seria mentira.

– Eu sou apaixonada por ele, Tully – disse ela afinal. – Sou apaixonada por ele há anos.

– Por que não me contou?

– Porque eu tinha medo.

– Do quê?

Katie não pôde responder.

Tully a encarou. Naqueles olhos escuros e expressivos, Kate viu tudo: medo, preocupação e inveja.

– Isso só pode acabar mal.

– Eu desconfiei do Chad no início, lembra? Mas deixei isso de lado, porque você precisava que eu fizesse isso.

– Por falar em acabar mal...

– Você pode ficar feliz por mim?

Tully encarou a amiga e, embora finalmente tenha sorrido, não foi de verdade, e as duas sabiam disso.

– Vou tentar.

Está se recuperando do trauma. A expressão, bem como o que ela fazia relembrar, não saía da cabeça de Kate.

Ele transou comigo há... o quê? Dois meses?

... não pode estar apaixonado por você.

Assim que Tully saiu do apartamento, Kate ligou para o trabalho dizendo que estava doente e se enfiou na cama.

Não fazia vinte minutos que estava deitada quando uma batida na porta a arrancou dos pensamentos num susto.

– Caramba, Tully – resmungou, vestindo o roupão aveludado cor-de-rosa e os chinelos de coelhinho. – Você nunca se lembra de levar a chave?

Abriu a porta.

Johnny estava lá.

– Você não parece doente.

– Mentiroso. Eu estou com uma cara horrível.

Ele se aproximou, abriu o cinto e tirou o roupão dela, que ficou amontoado no chão formando um monte cor-de-rosa.

– Camisola de flanela. Que sexy.

Johnny fechou a porta atrás de si.

Kate tentou não pensar na conversa que tivera com Tully...

Está se recuperando do trauma...

... não pode estar apaixonado por você...

... mas as palavras sucediam uma à outra em sua mente, tropeçando de vez em quando na frase dele... *não quero magoar você.*

Ela via agora, de repente, o perigo que havia aceitado tão ingenuamente. Ele poderia destruir seu coração, e ela não tinha como se proteger.

– Achei que você fosse ficar feliz de me ver – disse ele.

– Eu contei a Tully sobre nós.

– Ah. E houve algum problema?

– Ela acha que você está me usando para se recuperar do trauma.

– Ah, ela acha, é?

Kate engoliu em seco.

– Você a ama?

– É por isso que você está assim?

Ele a pegou nos braços, levando-a para o quarto como se ela não pesasse nada. Já na cama, começou a desabotoar a camisola, espalhando beijos pelo caminho.

– Isso não faz diferença – disse ele, afinal. – Ela não me amava.

Kate fechou os olhos e deixou que ele abalasse o mundo dela mais uma vez. Mas, quando tudo terminou e ela estava enroscada nele de novo, a incerteza voltou. Ela podia não ser a garota mais experiente do mundo, mas também não era a mais ingênua. E de uma coisa tinha certeza: fazia diferença se Johnny havia amado Tully.

Fazia muita diferença.

Dezessete

Estar apaixonada era tudo o que Kate havia sonhado que seria. Nos últimos meses, ela e Johnny haviam se transformado num casal de verdade. Passavam a maior parte dos finais de semana juntos e o máximo de noites da semana possível. Ela afinal o levara para conhecer seus pais, e os dois ficaram encantados. Um bom rapaz católico irlandês, com uma ótima carreira e senso de humor, que gostava de jogos de tabuleiro e de baralho. O pai de Kate o chamou de "gente fina" e a mãe disse que ele era perfeito. "Definitivamente valeu a pena esperar", ela sussurrou para a filha no final do primeiro encontro.

De sua parte, Johnny se encaixou no clã Mularkey como

se tivesse nascido nele. Jamais iria admitir, mas Kate tinha certeza de que ele estava gostando de pertencer a uma família novamente depois de tantos anos solitários. Embora os dois não falassem sobre o futuro, aproveitavam cada instante do presente.

Mas tudo isso estava prestes a mudar.

Ela estava deitada na cama, olhando fixamente para o teto. Ao seu lado, Johnny dormia. Eram quatro da manhã e ela já havia vomitado duas vezes. Não havia sentido em continuar adiando o inevitável.

Levantou lentamente as cobertas, cuidando para não acordá-lo, e saiu da cama. De pés descalços, atravessou o tapete e entrou no banheiro de Johnny, fechando a porta atrás de si.

Revirou suas coisas dentro da bolsa, até encontrar o pacote que havia comprado no dia anterior. Então o abriu e seguiu as instruções.

Pouco menos de duas horas depois, tinha uma resposta: cor-de-rosa, grávida.

Ficou olhando fixamente para o resultado. O primeiro pensamento ridículo que teve foi que, para uma garota que sempre sonhara em ser mãe, não fazia sentido estar com tanta vontade de chorar.

Johnny não ficaria feliz com aquilo. Ele não estava nem um pouco pronto para a paternidade. Nem tinha dito que a amava ainda.

Ela o amava tanto, e tudo estava sendo muito bom nos últimos meses. Ainda assim, não conseguia deixar de pensar que era muito frágil aquele relacionamento deles, que o equilíbrio era tênue. Um bebê poderia estragar tudo.

Kate escondeu o pacote e o resultado na bolsa – aquele objeto extraordinário misturado aos fragmentos ordinários de sua vida – e tomou um banho demorado. Quando já estava vestida e pronta para sair, o despertador começou a tocar. Ela foi até a cama e sentou ao lado de Johnny, acariciando seus cabelos enquanto ele acordava.

Ele sorriu para ela e disse, sonolento:

– Oi.

Ela queria dizer simplesmente *estou grávida*, mas a confissão não saiu. Em vez disso, disse:

– Preciso chegar cedo hoje. É a conta do Red Robin.

Ele pôs a mão na nuca de Kate e a puxou para beijá-la. Quando o beijo terminou, ela tentou se afastar suavemente.

– Eu te amo – sussurrou ela.

Ele a beijou de novo.

– Por isso eu sou o cara mais sortudo do mundo.

Kate se despediu como se fosse apenas mais uma das várias manhãs em que os dois acordavam juntos e saíam para trabalhar. No trabalho, fechou a porta de sua sala e ficou lá parada, tentando não chorar.

– Eu estou grávida – contou para as paredes cobertas de anúncios.

Se pelo menos conseguisse dizer isso a Johnny... Ela deveria ser capaz de dizer qualquer coisa a ele. Não era assim que o amor deveria funcionar? Deus sabia que ela o amava o suficiente, talvez mais do que isso. Não conseguia mais imaginar uma vida sem ele. Ela amava a rotina dos dois. Os dois tomando café da manhã juntos na cozinha da casa flutuante dele, de pé, lado a lado em frente à pia, ou sentados na cama à noite, abraçados, vendo o comediante Arsenio Hall na TV. Quando ele a beijava, fosse um beijo tranquilo de boa-noite ou um beijo apaixonado do tipo vamos-começar- -alguma-coisa, o coração dela sempre disparava. Eles conversavam o tempo todo, sobre tudo e qualquer coisa. Até aquele dia, ela teria garantido a qualquer um que não havia nada que não pudesse dizer a ele.

Durante a maior parte do dia, ela fez tudo no piloto automático, mas, por volta das quatro da tarde, sentiu que não ia suportar. Pegou o telefone, discou o número conhecido e esperou impacientemente.

– Alô? – disse Tully.

– Sou eu. Estou em crise.

– Estarei aí em vinte minutos – disse Tully sem hesitar.

Pela primeira vez no dia todo, Kate sorriu. O fato de simplesmente estar com Tully iria ajudar. Sempre ajudava. Quinze minutos mais tarde, ela arrumou a mesa já organizada, pegou a bolsa e saiu da sala.

Do lado de fora, o sol era uma bola branca pálida num céu cinzento de inverno. Alguns poucos turistas andavam de um lado para outro na praça Pioneer. Do outro lado da rua, os sem-teto que moravam no parque Occidental estavam espalhados pelo piso de pedra e os bancos de ferro, encolhidos embaixo de cobertores imundos e em velhos sacos de dormir.

Kate abotoou o casaco assim que Tully parou seu Corvette conversível azul-metálico novinho em folha.

Como sempre, o carro fez Kate balançar a cabeça e sorrir ao mesmo tempo. Era tão absolutamente… masculino e, no entanto, era perfeito para Tully. A calça de lã e a blusa de seda da amiga eram inclusive do mesmo azul do carro.

Kate se dirigiu para o lado do carona e entrou.

– Aonde você quer ir?

– Surpreenda-me – respondeu Kate.

– Pode deixar.

Rapidamente, elas se livraram do trânsito do centro, dispararam pela ponte West Seattle e chegaram a um restaurante na praia Alki. Naquele dia de inverno, o lugar estava vazio, e elas foram logo encaminhadas para uma mesa com vista para o canal.

– Graças a Deus que você ligou – disse Tully. – Esta semana foi um inferno. Tive que viajar para todos os buracos do estado. Na semana passada, entrevistei um cara em Cheney que construiu um caminhão movido a lenha. Não estou brincando. Ele tem um forno que é do tamanho de um porta-aviões e que consome meia tonelada de lenha por semana. Eu mal conseguia ver o maldito caminhão atrás da fumaça preta que ele soltava, e o homem queria que eu fizesse uma matéria dizendo que ele havia descoberto o combustível do futuro. Amanhã eu devo ir a Lynden filmar com uma galinha que ganhou 32 primeiros lugares numa feira. Viva! Ah, e na semana passada...

– Estou grávida.

Tully ficou de queixo caído.

– Você está brincando comigo?

– Eu pareço estar brincando?

– Puta merda... – falou Tully, atirando-se para trás, parecendo perplexa. – Eu achei que você estivesse tomando pílula.

– E estou. E nunca deixei de tomar um dia sequer.

– Grávida. Nossa. O que o Johnny disse?

– Eu não contei a ele ainda.

– O que você vai fazer?

A pergunta era pesada, levantava o fato de haver uma alternativa.

– Eu não sei – falou Kate, e olhou Tully nos olhos. – Mas sei o que não vou fazer.

Tully a encarou durante um longo tempo, sem dizer nada. Naqueles olhos escuros incrivelmente expressivos, Kate viu um desfile de emoções – descrença, medo, tristeza, preocupação e, finalmente, amor.

– Você vai ser uma ótima mãe, Katie.

Kate sentiu as lágrimas começarem a rolar. Era o que ela queria. Agora, aqui, pela primeira vez, ousava admitir isso para si mesma. Aquilo era o que uma melhor amiga fazia: punha um espelho na nossa frente para nos mostrar nosso coração.

– Ele nunca disse que me ama, Tully.

– Ah. Bem... você conhece o Johnny.

Com isso, Kate sentiu o passado se colocar entre as duas. Ela sabia que Tully estava sentindo o mesmo, aquilo que as duas tentavam tanto esquecer: o que as duas sabiam sobre John Ryan.

– Você é igual a ele – disse Kate, afinal. – Como ele vai se sentir quando souber?

– Preso.

Era exatamente o que Kate dissera a si mesma.

– Então o que eu faço?

– Você está perguntando para mim, a mulher que não consegue manter um peixinho dourado vivo por mais de uma semana?

Tully riu de um jeito que pareceu ligeiramente amargo.

– Vá para casa e diga ao homem que você ama que ele vai ser pai.

– Você faz parecer tão fácil.

Tully estendeu o braço por cima da mesa e segurou a mão da amiga.

– Confie nele, Katie.

Kate sabia que era o melhor conselho que ela poderia receber.

– Obrigada.

– Agora vamos falar sobre as coisas importantes, como o nome. Você não precisa dar a ela o meu nome. Talullah é meio ruim. Não é de estranhar que minha mãe o tenha escolhido, mas meu nome do meio é Rose. Esse não é tão ruim…

O resto da tarde passou com uma conversa tranquila. As duas evitaram falar do bebê e focaram em coisas banais. Quando saíram do restaurante e voltaram para a cidade, o desespero de Kate havia diminuído. Não havia desaparecido, mas ter um plano de ação ajudava.

Quando Tully estacionou atrás da casa flutuante, Kate lhe deu um abraço apertado e se despediu.

Sozinha na casa de Johnny, ela vestiu uma calça de moletom e uma camiseta e foi para a sala esperar por ele.

Sentada lá, com os joelhos colados um ao outro (tarde demais para aquilo) e as mãos unidas, Kate ficou escutando os sons comuns daquela vida com que havia se acostumado – o bater das ondas ao redor, os gritos das gaivotas, o sempre presente ruído de algum barco a motor passando por perto.

Aquilo tudo nunca havia parecido tão frágil antes, ou tão

agridoce. Durante toda a sua vida, Kate imaginara o amor como algo durável, uma emoção que suportaria o desgaste da ação diária, mas agora ela via como aquela percepção era perigosa. Ela tranquilizava a pessoa, fazendo-a se arriscar.

Do outro lado da sala, a fechadura foi destrancada e a porta se abriu. Johnny sorriu quando a viu.

– Oi. Eu liguei para você antes de sair do trabalho. Onde você estava?

– Matei aula com a Tully.

– Happy hour, é?

Ele a puxou para seus braços e a beijou.

Ela se deixou desmanchar nos braços dele. Quando o abraçou, percebeu que não conseguia soltá-lo.

Ela o apertou com tanta força que ele teve que afastá-la.

– Katie? – disse ele, recuando o bastante para olhar para ela. – O que aconteceu?

Ao longo da última hora, ela havia imaginado uma dúzia de formas diferentes de contar a ele, de informá-lo da novidade, mas, agora, parada na frente dele, Kate via que desperdício de tempo foram todos aqueles planos. Não se tratava de um presente que pudesse ser embrulhado em papel bonito, e ela não era o tipo de mulher que poderia ficar em silêncio.

– Eu estou grávida – disse ela, com a voz mais firme que conseguiu.

Ele a encarou por uma eternidade, sem compreender.

– Você está o quê? Como isso aconteceu?

– Do jeito normal, estou segura disso.

Ele soltou um suspiro comprido e lento e afundou no sofá.

– Um bebê.

– Eu não queria que isso acontecesse – disse Kate, sentando-se ao lado dele. – Não quero que se sinta preso.

O sorriso que ele deu a ela foi o sorriso de um estranho, não o sorriso que ela amava, que enrugava os olhos dele e a fazia sorrir também.

– Você sabe quanto eu quero juntar minhas coisas e partir

quando estiver pronto. Ir atrás de uma história importante e me redimir. Isso tem estado na minha cabeça há tanto tempo… desde que eu ferrei com tudo em El Salvador.

Kate engoliu em seco e assentiu. Sentia os olhos ardendo, mas se recusou a atrair atenção para suas lágrimas ao secá-las.

– Eu sei.

Ele estendeu o braço e tocou a barriga dela.

– Mas eu já não posso simplesmente ir embora, posso?

– Por causa do bebê?

– Porque eu te amo – disse ele apenas.

– Eu também te amo, mas não quero que…

Ele saiu do sofá, se posicionou sobre um joelho diante dela, e Kate prendeu a respiração.

– Kathleen Scarlett Mularkey, quer se casar comigo?

Ela queria dizer sim, gritar sim, mas não ousou fazer isso. O medo ainda estava muito presente. Então, em vez disso, teve que dizer:

– Tem certeza, Johnny?

E então, finalmente, ela o viu sorrir.

– Tenho certeza.

❧

Kate havia aceitado o conselho de Tully – é claro – e optado pela elegância atemporal. Seu vestido de noiva era de seda marfim com um corpete bordado e um decote saindo do ombro. Os cabelos, cuidadosamente clareados em três tons de louro, foram presos num coque ao estilo Grace Kelly. O véu, quando ela o baixava, flutuava sobre seu rosto e caía sobre os ombros como uma nuvem cintilante. Pela primeira vez na vida, ela se sentiu bonita como uma estrela de cinema.

Parada diante de um espelho de corpo inteiro que exibia seu reflexo de conto de fadas, ela olhou para Tully, que andava estranhamente quieta durante aqueles dias grandiosos de cabelo e maquiagem. Usando o vestido tomara que caia rosa-claro de dama de honra, ela parecia um tanto deslocada e agitada.

– Você parece estar se aprontando para um funeral ao invés de um casamento.

Tully olhou para ela, tentando fazer o sorriso parecer sincero, mas as duas eram amigas havia muito tempo para conseguirem enganar uma à outra.

– Você tem certeza quanto a se casar? Quero dizer, tem certeza de verdade? Não tem nenhum...

– Eu tenho certeza.

Tully pareceu não estar convencida. Mais do que isso, pareceu estar com medo.

– Que bom – disse ela, mordendo o próprio lábio e assentindo de modo tenso. – Porque é para *sempre*.

– Sabe o que mais é para sempre?

– Fraldas sujas.

Kate estendeu a mão e segurou a de Tully e percebeu como a pele da amiga estava gelada. Como poderia convencê-la de que aquela era a bifurcação no caminho delas, a separação inevitável, mas não um abandono?

– Nós – disse ela, enfaticamente. – Nós seremos amigas apesar dos empregos, filhos e casamentos – garantiu Kate, e sorriu. – Tenho certeza de que vou durar mais do que os seus muitos maridos.

– Ah, que ótimo – Tully riu, dando um encontrão de ombro em Kate. – Você acha que eu não vou conseguir ficar casada.

Kate se apoiou na amiga.

– Eu acho que você vai fazer o que bem entender, Tully. Você tem um brilho. Eu, eu só quero o Johnny. Eu o amo tanto que às vezes dói.

– Como você pode dizer que só quer o Johnny? Você tem uma ótima carreira. Um dia vai estar à frente daquela agência. Esta gravidez não vai tirar você do caminho. Hoje em dia, as mulheres podem ter tudo.

Kate sorriu.

– Esta é você, Tully. E eu tenho tanto orgulho de você que não aguento. Às vezes, no supermercado, eu conto a pessoas totalmente estranhas que sou sua amiga. Mas preciso que você tenha orgulho de mim também. Não importa o que eu faça. Ou não faça.

– Você sempre vai poder contar comigo. Você sabe disso.

– Eu sei.

As duas se encararam e, naquele momento, vestidas como princesas e paradas na frente de um espelho, elas tinham 14 anos de novo e estavam planejando suas vidas.

Tully finalmente sorriu. Desta vez, de verdade.

– Quando você vai contar à sua mãe sobre o bebê?

– Depois que estiver casada – falou Kate, rindo. – Confesso a Deus, mas não à minha mãe até ser a Sra. Ryan.

Por um único e glorioso instante, o tempo simplesmente parou. As duas eram TullyeKate mais uma vez, duas meninas compartilhando segredos.

Então a porta se abriu.

– Está na hora – falou o pai de Kate. – A igreja está lotada. Tully, é a sua vez.

Tully deu a Kate um grande abraço, então saiu correndo do vestiário.

Kate olhou para o pai, que usava um smoking alugado, com os cabelos recém-cortados, e sentiu uma onda de amor por ele. Do outro lado das portas, ouviram a música começando a tocar.

– Você está linda – disse ele depois de um instante, com a voz trêmula, diferente do normal.

Kate foi até o pai e olhou para ele relembrando dezenas de instantes num piscar de olhos. Ele lendo histórias na hora de dormir quando ela era pequena, enfiando trocados no bolso de sua calça quando ela era mais velha, cantando desafinado na igreja.

Ele tocou no queixo da filha e levantou o rosto dela. Foi quando Kate viu as lágrimas nos olhos dele.

– Você sempre vai ser a minha menininha, Katie Scarlett. Não se esqueça disso.

– Eu jamais me esqueceria disso.

Dentro da nave, a música mudou para a marcha nupcial. Os dois se deram os braços e entraram pela porta dupla da igreja. Um passo após o outro, percorreram o corredor.

Johnny estava parado no altar, esperando por ela. Quando segurou sua mão e sorriu, ela sentiu aquele calor no peito novamente, a percepção doce e intensa de que aquele era o homem para ela. Não importava o que mais lhe acontecesse na vida, ela sabia que estava se casando com seu verdadeiro amor, e isso fazia dela uma mulher de sorte.

Dali em diante, a noite assumiu as características nebulosas e insubstanciais de um sonho. Os dois ficaram parados diante da fila de recepção, beijando amigos e parentes e recebendo seus desejos de felicidade.

O futuro parecia completamente em aberto. Qualquer coisa era possível. Kate achou que não conseguiria parar de sorrir ou chorar.

Quando a música começou – "Crazy for You", da Madonna –, Johnny a encontrou no meio das pessoas e segurou sua mão.

– Oi, Sra. Ryan.

… *touch me once and you'll know it's true*…

Ela entrou no círculo formado pelos braços de Johnny, adorando a sensação de estar próxima a ele.

Ao redor dos dois, as pessoas abriram espaço para que os recém-casados dançassem. Ela podia sentir todos observando, sorrindo, dizendo como a música era romântica e como a noiva estava linda.

Foi o instante Cinderela-no-baile que Kate havia sonhado toda a sua vida.

– Eu te amo – disse ela.

– É bom mesmo – sussurrou ele, dando-lhe um beijo suave.

Quando a canção terminou, as pessoas começaram a aplaudir. Taças de champanhe foram erguidas junto com garrafas de cerveja e taças de coquetéis. Depois os convidados brindaram "Aos Ryan!".

Foi apenas perto do final da noite mágica que o sorriso de Kate deixou seu rosto pela primeira vez. Ela estava no bar, pegando mais uma taça de champanhe e conversando com sua tia Georgia quando aconteceu.

Mais tarde, ao longo dos anos que se seguiram, principalmente nos momentos de dificuldade, ela se perguntaria por que havia olhado exatamente naquele instante. Ou por que, com todas as pessoas que estavam no salão, dançando, conversando e se divertindo, ela teve que olhar exatamente naquele momento na direção de Johnny, que estava parado sozinho, tomando uma cerveja.

E olhando para Tully.

— Não sei quem escreve essas orientações, mas não acho que o filho da mãe saiba falar o nosso idioma.

Kate sorriu e desceu cuidadosamente a escada. Sabia que Tully estava a um passo de atirar a chave de fenda na parede recém-pintada.

– Deixe eu ver este papel.

Do lugar em que estava, no meio do quarto, cercada por pilhas de tábuas e pedaços de madeira brancos e montinhos de parafusos e porcas, Tully levantou o pedaço de papel comprido e amarrotado.

– À vontade.

Kate estudou as orientações ridiculamente complicadas.

– A gente começa com aquela peça comprida e achatada. Ela se encaixa naquela peça, está vendo? Daí a gente aparafusa aquela parte ali...

Durante as duas horas seguintes, elas sentaram e levantaram, se agacharam e se abaixaram, montando o berço mais complicado da história.

Quando o berço estava montado e havia sido colocado no lugar contra a parede pintada de amarelo com borda de ursinho Puff, as duas deram um passo para trás e admiraram o móvel.

– O que eu faria sem você, Tully?

Tully passou um braço ao redor da amiga.

– Felizmente, você nunca vai precisar saber. Vamos, vou preparar umas margaritas.

– Eu não posso beber. Você sabe disso.

Tully sorriu para ela.

– Sinto muitíssimo por isso, mas, como pode perceber, eu não tenho nenhum pãozinho no forno. Na realidade, não acredito que esteja a menos de mil quilômetros de uma padaria. Então, não apenas eu posso tomar uma margarita, mas depois de montar esse berço, um trabalho que, devo acrescentar, é totalmente do Johnny e na realidade exigia um escroto para ser realizado em menos de um dia inteiro, eu mereço uma margarita. E você, moça cada vez mais gorda, pode tomar um drinque não batizado. Irônico, não?

De braços dados, as duas foram até a cozinha e prepararam drinques. Por todo o caminho e de volta à sala de estar, onde sentaram diante da lareira, as duas conversaram. Sobre coisas bobas, principalmente – a multa por excesso de velocidade que Tully havia recebido na semana anterior, a nova namorada de Sean, as aulas que a mãe de Kate estava fazendo na faculdade comunitária local.

– Como é? – perguntou Tully quando Kate levantou para pôr uma lenha na lareira. – Estar casada?

– Bem, faz só quatro meses, então eu não sou exatamente uma especialista. Mas até agora está sendo ótimo.

Kate se recostou e pôs os pés em cima da mesa de centro, descansando a mão sobre a barriga ainda pouco perceptível.

– Você vai achar que eu sou maluca, mas eu adoro a rotina, tomar café da manhã juntos, os dois lendo. Eu adoro que ele seja a primeira pessoa que eu veja todas as manhãs e que ele me dê um beijo de boa-noite antes que eu caia no sono – falou, e sorriu para Tully. – Mas sinto falta de dividir o banheiro com você. Ele está sempre mexendo nas minhas coisas e botando em outro lugar, e então se esquecendo de onde botou. E você, Tully? Como está a vida no nosso velho apartamento?

– Solitária – disse Tully, encolhendo os ombros e sorrindo, como se não se importasse. – Estou me acostumando a isso de novo.

– Você pode me ligar a qualquer hora, sabe disso.

– E ligo mesmo – respondeu Tully com uma risada, e se serviu da segunda margarita. – Vocês dois já planejaram a vida para depois do nascimento do meu afilhado? Vão deixar você tirar licença?

Este era o assunto que Kate vinha tentando evitar. Ela sabia o que queria fazer desde o instante em que Johnny havia se casado com ela, mas, nos quatro meses que se passaram desde então, não tivera coragem de contar a Tully. Respirou fundo.

– Eu vou pedir demissão.

– O quê? Por quê? Você está com as melhores contas, e você e o Johnny estão ganhando bem. Podem contratar uma babá.

– Eu não quero que outra pessoa crie meu filho. Pelo menos não até o jardim de infância.

Isso fez Tully se levantar.

– Jardim de infância? Quanto tempo vai levar isso? Oito anos?

Kate sorriu.

– Cinco.

– Mas…

– Nada de *mas*. É importante para mim ser uma boa mãe. Você, de todas as pessoas do mundo, deveria compreender quanto isso é importante para uma criança.

Tully voltou a se sentar. Não havia nada que ela pudesse argumentar contra isso. Tully ainda trazia as cicatrizes de ter uma mãe negligente.

– As mulheres podem fazer as duas coisas, sabia? Não estamos nos anos 1950.

– A minha mãe foi a todas as excursões que eu fiz. Ela ajudou na sala de aula todos os anos, até eu implorar que ela parasse de fazer isso. Eu só comecei a ir de ônibus para a escola no ginásio e ainda me lembro de conversar com a minha mãe na volta da escola. Quero que o meu filho tenha tudo isso. Eu sempre posso voltar a trabalhar mais tarde.

– E você acha que isso vai ser o bastante para você? Levar a criança à escola, ir às excursões dela, ser voluntária na sala de aula?

– Se não for, eu vou encontrar outra coisa para fazer. Qual é, eu não sou uma astronauta – brincou Kate. – Agora me fale sobre o seu trabalho. Eu vou viver indiretamente através de você, então é bom que as histórias sejam boas.

Tully começou um relato hilário sobre sua pauta mais recente.

Kate se recostou e fechou os olhos, ouvindo a amiga.

– Kate? Kate?

Estava tão perdida nos próprios pensamentos que levou um tempo para perceber que Tully estava falando com ela. Deu risada.

– Desculpe. O que você estava dizendo?

– Você dormiu enquanto eu falava. Eu estava contando sobre o cara que me convidou para sair e, quando eu olhei, você estava apagada.

– Não estava, não – respondeu Kate rapidamente, mas a verdade era que ela estava se sentindo letárgica e meio tonta também. – Acho que preciso de um chá.

Kate se levantou e sentiu-se oscilar. Segurou-se nas costas do sofá.

– Nossa, isso foi... – no meio da frase, ela olhou para Tully e franziu a testa. – Tully?

Tully se levantou com tanta agilidade que derrubou a margarita. Passou um braço ao redor de Kate, ajudando a amiga a se equilibrar.

– Estou aqui.

Havia alguma coisa errada. Kate ficou completamente zonza e, de repente, suas pernas falharam.

– Segure firme, querida – disse Tully, levando a amiga gentilmente para a porta. – Precisamos ir até um telefone.

Telefone? Kate balançou a cabeça, confusa, com a visão embaçada.

– Eu não sei o que está acontecendo – murmurou ela. – É uma festa-surpresa para mim? É meu aniversário?

Então Kate olhou para o sofá onde estava sentada.

Uma poça escura de sangue estava manchando a almofada e pingando no piso de madeira aos seus pés.

– Ah, meu Deus – sussurrou ela, tocando na barriga.

Queria dizer mais, orar, mas, enquanto tentava falar, o mundo virou de cabeça para baixo e ela desmaiou.

⁂

Tully obrigou os paramédicos a deixarem que ela fosse na ambulância. Ficou sentada ao lado de Kate dizendo "estou bem aqui" sem parar.

Kate estava quase inconsciente. Estava com a pele branca como papel. Até mesmo seus olhos, normalmente tão brilhantes, estavam parados e vidrados. Lágrimas escorriam por suas têmporas.

A ambulância parou no hospital. Tully foi empurrada para o lado na pressa de tirarem Kate do carro e levá-la até o iluminado ambiente hospitalar. Tully ficou parada na porta de entrada aberta, vendo a equipe levar sua melhor amiga. De repente, sentiu o impacto do que estava acontecendo.

Mulheres abortando podiam sangrar até morrer.

– Por favor, Deus – disse ela, desejando pela primeira vez na vida que realmente soubesse rezar. – Não me deixe perdê-la.

Tully sabia que era a oração errada, não era a oração que Kate desejaria que ela fizesse.

– E cuide do bebê.

Parecia uma coisa absurda, rezar para aquele Deus que nunca a ouvira.

– A Katie vai à igreja todos os domingos – lembrou a Ele, para garantir.

☙

No pequeno quarto verde do hospital com vista para o estacionamento, Kate dormia. Ao seu lado estava a Sra. M., sentada numa cadeira de plástico e lendo um livro de bolso. Como sempre fazia, movimentava os lábios enquanto lia.

Tully chegou ao lado dela e tocou em seu ombro.

– Trouxe um pouco de café.

Manteve a mão no ombro da Sra. M. Fazia quase duas horas desde que Kate havia perdido o bebê e, embora tivessem ligado para Johnny, ele estava numa pauta em Spokane, do outro lado do estado.

– Acho que foi uma bênção isso ter acontecido cedo – disse Tully.

– Quatro meses não é cedo, Tully – sussurrou a Sra. Mularkey. – As pessoas que nunca sofreram um aborto sempre dizem isso. Foi o que o Bud me disse. Duas vezes – contou, e olhou para Tully. – Para mim, nunca pareceu uma bênção. Foi mais como a perda de alguém que eu amava. Você sabe como é isso, não sabe?

– Obrigada – disse ela, apertando o ombro da Sra. Mularkey e então se aproximando da cama. – Agora eu sei o que não dizer. Só queria saber o que fazer para ajudar.

Kate abriu os olhos e viu as duas.

A Sra. Mularkey se levantou, foi até a cama da filha, ficando lado a lado com Tully.

– Oi – sussurrou Kate. – Quanto tempo vai levar para Johnny...

Ao dizer o nome do marido, Kate sentiu a voz falhar e começou a tremer.

– Alguém disse o meu nome?

Tully se virou.

Johnny estava parado na porta com um buquê de flores meio entortado para a esquerda. Tudo nele parecia desarrumado – o rosto com barba por fazer era uma paleta contrastante de pele pálida e barba escura, os cabelos eram um emaranhado e os olhos refletiam uma exaustão profunda. Estava com a calça jeans rasgada e suja, e a camisa cáqui estava mais amarrotada do que uma cama por fazer.

– Aluguei um avião particular. Vai ser uma fatura de cartão e tanto.

Johnny atirou as flores em cima de uma cadeira e foi até a mulher.

– Oi, querida – sussurrou. – Desculpe por ter demorado tanto.

– Era um menino – contou Katie, explodindo em lágrimas e agarrando-se a ele.

Tully ouviu Johnny começar a chorar com Kate.

A Sra. Mularkey passou um braço pela cintura de Tully.

– Ele a ama – disse Tully lentamente.

A lembrança de sua noite com Johnny a havia cegado de alguma forma, mantivera-a presa como um inseto na seiva de um tempo esquecido. Ela imaginara que Kate era de alguma forma a segunda opção dele, a segunda colocada na corrida do amor.

Mas aquilo... aquilo não era uma segunda opção.

A Sra. Mularkey a puxou de perto da cama.

– É claro que ele a ama. Venha, vamos deixá-los sozinhos.

As duas pegaram os cafés e foram para o corredor, onde o Sr. M. estava sentado numa cadeira desconfortável. Quando olhou para elas, viram seus olhos injetados.

– Como ela está?

– Johnny está com ela agora – disse a Sra. M., tocando no ombro do marido.

Pela primeira vez em anos, Tully se sentiu uma estranha naquela família.

– Não se preocupe, Tully – a Sra. M. disse, observando-a de perto. – Ela sempre vai precisar de você.

– Mas as coisas estão diferentes agora.

– É claro que estão. A Katie está casada. Vocês duas estão trilhando caminhos separados, mas sempre serão melhores amigas.

Caminhos separados.

Ali estava, a coisa que ela deveria ter visto, mas, de alguma forma, não vira.

⁂

Nos dias seguintes, todos se revezaram para ficar com Kate. Na quinta-feira, foi a vez de Tully. Ela ligou para o trabalho dizendo que estava doente e passou o dia com a amiga. As duas jogaram cartas, viram televisão e conversaram. A maior parte do tempo, para ser sincera, Tully apenas ouviu. Quando era sua vez de responder, ela tentava dizer a coisa certa, mas, na maior parte das vezes, teve certeza de que não conseguira.

Havia uma tristeza na amiga, um aspecto sombrio tão estranho que Tully tinha a sensação de haver topado com alguma versão negativa da amizade das duas. Nada que ela dissesse estava certo.

Finalmente, por volta das oito horas, Kate disse:

– Sei que você vai achar que eu estou maluca, mas vou para a cama. Johnny vai estar em casa em uma hora. Você pode ir embora. Vá transar loucamente com aquele novo cara, o Ted.

– Todd. E eu não estou exatamente no clima de transar. Por outro lado…

Sorrindo, ajudou Kate a subir a escada e a deitou na cama. Então olhou para a amiga.

– Você não sabe quanto eu queria dizer a coisa certa para fazer você se sentir melhor.

– Você faz. Obrigada.

Kate fechou os olhos.

Tully ficou lá parada por mais um instante, sentindo-se estranhamente impotente. Dando um suspiro, voltou para baixo e começou a lavar a louça. Estava secando o último copo quando a porta se abriu silenciosamente e então se fechou.

Johnny segurava um buquê de rosas cor-de-rosa. Com os cabelos recém-cortados, os jeans desbotados e tênis branco com a lingueta para fora, parecia ter 20 anos. Em todo o tempo que o conhecia, nunca o vira tão triste e acabado.

– Oi – disse ele, deixando as flores em cima da mesa de centro.

– Você parece precisar de uma bebida.

– Que tal uma bebida na veia? – brincou ele, tentando sorrir. – Ela dormiu?

– Dormiu.

Tully pegou uma garrafa de uísque no balcão e preparou uma dose para Johnny. Então serviu uma taça de vinho para si mesma e foi até ele.

– Vamos sentar na doca – disse ele, pegando o copo da mão dela. – Não quero acordá-la.

Tully pegou o casaco e o seguiu até o lado de fora. Os dois

se sentaram lado a lado na doca, como duas crianças, com os pés pendurados acima das águas escuras do lago Union.

Estava silencioso e tranquilo lá fora. A lua cheia no céu iluminava os telhados e era refletida por várias janelas. O barulho distante dos carros na ponte acompanhava o ritmo da água batendo no entorno.

– Como você está de verdade? – perguntou Tully.

– É com a Katie que eu estou preocupado.

– Eu sei – respondeu ela. – Mas eu perguntei por você.

– Já estive melhor.

Johnny tomou um gole do uísque. Tully se encostou nele.

– Você tem sorte – disse ela. – Kate ama você, e quando um Mularkey se apaixona, é para sempre.

No instante em que disse isso, Tully teve aquela estranha sensação de não pertencimento de novo. Aquela sensação de solidão que de alguma forma estava simplesmente fora de vista, mas se aproximando. Pela primeira vez, ela se perguntou como sua vida poderia ter sido se ela tivesse feito como Kate e escolhido o amor. Será que então saberia como era pertencer de verdade a algum lugar, a alguém? Ficou olhando fixamente para a água.

– O que houve, Tully?

– Acho que estou com inveja da Kate e de você.

– Você não quer esta vida.

– Que vida eu quero?

Johnny passou o braço ao redor dela.

– Esta é a única coisa que você sempre soube. Você quer as redes nacionais.

– Isso não faz de mim uma pessoa superficial?

Johnny riu.

– Eu não sou exatamente a pessoa indicada para responder isso. Olhe só: vou tentar fazer uns contatos. Cedo ou tarde vou conseguir uma vaga numa das grandes redes para você.

– Você faria isso?

– É claro. Mas você precisa ter paciência. Essas coisas levam tempo.

Ela se virou de lado e o abraçou, sussurrando "Obrigada, Johnny". Ele a conhecia muito bem. De alguma forma, já sabia o que ela havia acabado de descobrir: estava na hora de ela seguir em frente.

※

Por mais cansada que estivesse, Kate não conseguia cair no sono. Ficou deitada na cama, olhando fixamente para o teto, esperando pelo marido.

Aquela ansiedade dela estava no coração do relacionamento dos dois. Quando as coisas iam mal, ela lembrava que havia sido uma segunda opção. Não importava quanto dissesse a si mesma que isso não era verdade, havia uma versão sombria de si mesma que acreditava nisso e se preocupava.

Era uma neurose destrutiva. Como quando a água do rio Snohomish subia, erodindo tudo ao redor, derrubando porções enormes de terra.

Ouviu um barulho lá embaixo.

Ele estava em casa.

– Graças a Deus.

Saiu dolorosamente da cama e desceu.

As luzes estavam apagadas. O fogo da lareira estava quase extinto. Restava apenas um brilho laranja fraco. Primeiro, Kate pensou que houvesse se enganado, que ele não havia chegado em casa. Então notou as sombras no deque. Duas pessoas, sentadas lado a lado, com os ombros se tocando. O luar revelou suas silhuetas, deixando-os prateados contra a escuridão da água. Atravessou a casa em silêncio, abriu a porta e saiu na noite gelada. Uma brisa suave agitou seus cabelos e a camisola.

Tully se virou, abraçou Johnny e sussurrou alguma coisa

no ouvido dele. A resposta dele foi encoberta pelo barulho da água batendo na doca. Talvez tivesse dado risada. Kate não tinha como saber.

– Estão fazendo uma festa sem mim?

Kate ouviu a própria voz falhando e respirou fundo para disfarçar. No fundo, sabia que Johnny não havia se virado para beijar Tully, mas seu lado sombrio não tinha certeza disso. Aquele pensamento feio e tóxico era menor do que uma gota de sangue, mas envenenava toda a corrente.

Num instante, Johnny estava ao seu lado. Ele a tomou em seus braços e a beijou. Quando ele recuou, Kate procurou por Tully, mas os dois estavam sozinhos no deque.

Pela primeira vez na vida, Kate desejou amá-lo com menor intensidade. Era perigoso ter um sentimento daquele, transformava-a numa criança exposta às intempéries. Frágil e infinitamente assustada. Ele poderia acabar com ela algum dia. Disso, não tinha dúvida.

Enquanto os meses se passavam e um novo ano começava, Tully tentava se manter paciente e acreditar que o melhor aconteceria, mas, no fim de maio, tinha praticamente desistido. O ano de 1987 não prometia ser bom para ela. Agora era a manhã de um dia quente de primavera e ela se esforçava para ficar feliz sendo a âncora substituta. Ao fim da transmissão, voltou para sua sala.

Estava sentando em sua cadeira quando ouviu:

– Linha dois, Tully.

Levantou o fone, apertou o botão quadrado branco da linha dois, que imediatamente se acendeu.

– Talullah Hart.

– Olá, Srta. Hart. Aqui é Dick Emerson. Sou o vice-presidente de programação da NBC em Nova York. Soube que está pensando em trabalhar para uma rede nacional.

Tully controlou um arquejo.

– Estou.

– Estamos com uma vaga de repórter no programa matinal.

– É mesmo?

– Vou entrevistar quase cinquenta candidatos na próxima semana. A concorrência será feroz, Srta. Hart.

– Eu também sou, Sr. Emerson.

– É esse o tipo de ambição que eu gosto de ouvir.

Tully ouviu o som de páginas sendo viradas em cima de uma mesa.

– Vou dizer para a minha secretária enviar uma passagem para você. Ela vai ligar e combinar um lugar na cidade para a senhorita se hospedar e a data da entrevista. Tudo bem para você?

– Perfeito. Obrigada, senhor. Não vou decepcioná-lo.

– Ótimo. Detesto perder tempo – falou ele, e fez uma breve pausa para acrescentar: – E diga a Johnny Ryan que eu mandei lembranças.

Tully desligou e imediatamente discou o número de Kate e Johnny.

Kate atendeu no mesmo instante.

– Alô?

– Eu amo o seu marido.

Houve uma pausa de meio segundo.

– É mesmo?

– Ele conseguiu uma entrevista para mim na NBC.

– Na semana que vem, não é?

– Você sabia?

Kate riu.

– É claro que sabia. Ele vem tentando isso há um tempão. E foi essa que vos fala quem pôs as fitas no correio.

– Com tudo o que você tem na cabeça, ainda estava pensando em mim? – disse Tully, espantada.

– Somos você e eu contra o mundo, Tully. Algumas coisas nunca mudam.

– Desta vez eu sem dúvida vou pôr fogo no mundo – disse ela, dando risada. – Finalmente tenho a porra de um fósforo.

A cidade de Nova York era tudo o que Tully havia sonhado. Na primeira semana, com seus cartões de visita com a logomarca da NBC na mão, ela percorria aquelas ruas movimentadas como Alice no País das Maravilhas, com o rosto sempre voltado para cima. Os arranha-céus intermináveis a impressionavam, assim como os restaurantes que nunca fechavam, as charretes puxadas por cavalos ao longo do parque e as multidões de pessoas vestidas de preto que enchiam as ruas.

Ela havia passado duas semanas explorando a cidade, escolhendo uma vizinhança, procurando um apartamento, aprendendo a andar de metrô. Poderia ter sido um período solitário – afinal, quem gostaria de ver as atrações de uma cidade mágica como Nova York sem companhia? Mas a verdade era que ela estava tão empolgada com o novo emprego que nem estar sozinha a incomodava. Além disso, na cidade que nunca dorme, nunca se está realmente sozinho. Sempre há pessoas nas ruas, mesmo no meio da madrugada.

E também havia o trabalho. Desde o instante em que entrou no prédio da NBC como repórter, Tully se sentiu fisgada. Ela acordava todas as madrugadas às duas e meia, para que pudesse estar no estúdio às quatro. Embora tecnicamente não precisasse chegar tão cedo, adorava ficar por perto e ajudar. Observava cada movimento, cada gesto de Jane Pauley.

Tully havia sido contratada como repórter geral, o que significava ser designada para auxiliar em reportagens de outras pessoas. Algum dia, se tivesse sorte, seria enviada para cobrir uma história que os jornalistas-estrelas não aceitariam de jeito nenhum – a maior abóbora já colhida no estado de Indiana ou algo igualmente importante. E Tully mal podia esperar. Depois que passasse por essa fase, seria designada para uma cobertura *realmente* importante. E quando por fim tivesse essa oportunidade, ia arrasar. Na verdade, ao ver pessoas como Jane Pauley e Bryant Gumbel trabalhando, sabia que ainda precisava evoluir muito. Eles eram como deuses para ela, e Tully passava cada instante livre observando como trabalhavam. Em casa, analisava as transmissões, gravando-as em fitas de vídeo, a que assistia várias vezes.

Quando chegou o outono de 1989, ela finalmente havia encontrado o próprio tom e começava a se sentir menos uma repórter interna e mais uma jovem a caminho de deixar sua marca. No último mês recebera a primeira tarefa séria: fora ao Arkansas fazer uma reportagem sobre um porco premiado. A história não chegou a ir ao ar, mas ela havia feito seu trabalho, feito-o bem, e aprendera muito na viagem.

Tinha certeza de que teria aprendido mais se o programa matinal em que trabalhava não estivesse em tamanha agitação. Havia uma guerra acontecendo nos bastidores e o país inteiro sabia disso. Na semana anterior, uma nova fotografia de divulgação fora feita e Deborah Norville, a apresentadora do programa do primeiro horário, aparecera no sofá ao lado de Jane e Bryant. O efeito dessa imagem repercutiu pela empresa e mesmo pelo país. Várias matérias foram publicadas dizendo que Norville estava tirando Pauley da jogada.

Tully mantinha a cabeça baixa e ficava longe das fofocas. Nenhuma fábrica de boatos atrapalharia suas chances de sucesso. Preferia manter o foco no próprio trabalho. Se trabalhasse mais do que todo mundo, talvez conseguisse um lugar no programa do primeiro horário, o *NBC News at Sunrise*. De lá, sabia que algum dia chegaria ao noticiário *Today* e, depois, o mundo seria seu.

Trabalhando dezoito horas por dia, ela não tinha tanto tempo para sua vida pessoal, mas ainda tinha Kate, apesar da distância. Conversavam pelo menos duas vezes por semana, e todos os domingos Tully ligava para a Sra. M. Contava a elas histórias sobre as pressões do trabalho, as celebridades que via e a vida em Manhattan. Elas respondiam com detalhes sobre a nova casa que Kate e Johnny haviam comprado, a viagem que o Sr. e a Sra. M. haviam planejado para a primavera e – o melhor de tudo – a notícia de que Kate estava grávida novamente e tudo estava indo bem.

Os dias passavam voando, tão rápido que às vezes eram apenas um borrão de som e cores. Mas ela estava no caminho certo. Sabia disso, e isso a mantinha seguindo em frente.

Naquele dia, como em todos os muitos dias que vieram antes, ela havia passado quatorze horas na emissora e estava voltando cansada para casa.

Na rua, foi atraída pelos enfeites de Natal do Rockefeller Center. Mesmo com o clima cinzento de uma noite nublada, havia gente por todos os lados, fazendo compras, tirando fotos da árvore gigante e patinando no gelo.

Estava prestes a voltar a caminhar quando viu a placa do restaurante Rainbow Room e pensou: *por que não?* Estava em Nova York fazia mais de um ano e, embora tivesse conhecido muita gente, não havia saído com ninguém ainda.

Talvez tenha sido a decoração de Natal, ou a forma como o chefe riu quando ela pediu folga no feriado, não sabia ao certo. Tudo o que sabia era que era noite de sexta-feira, pouco antes do Natal (o primeiro que passaria sozinha), e ela não estava a fim de ir para o apartamento vazio. A CNN poderia esperar.

A vista do Rainbow Room era tudo o que ela havia ouvido falar e ainda mais. Era como se estivesse na ponte de alguma nave-mãe do futuro, pairando sobre a grandeza multicolorida da noite de Manhattan.

Como ainda era cedo, havia muitos lugares no bar e às mesas. Escolheu uma mesa perto da janela, sentou-se e pediu uma margarita.

Estava prestes a pedir mais uma quando o bar começou a encher. Homens e mulheres de Wall Street e de Midtown formavam pequenos grupos junto a turistas arrumados demais e se apossavam de todas as mesas e cadeiras, lotando o bar.

– Posso me sentar com você?

Tully ergueu os olhos.

Um louro bonitão de terno caro estava sorrindo para ela.

– Estou cansado de me acotovelar com os yuppies para conseguir uma bebida.

Sotaque britânico. Ela era louca por isso.

– Eu detestaria deixá-lo sentindo sede.

Empurrou a cadeira em frente com o pé apenas o suficiente para que ele pudesse sentar.

– Graças a Deus.

Chamou um garçom, pediu um uísque com gelo para ele e outra margarita para ela e se atirou na cadeira.

– Isso aqui é um matadouro dos infernos, não? Aliás, meu nome é Grant.

Ela gostou do sorriso dele e sorriu também.

– Tully.

– Sem sobrenomes. Ótimo. Isso quer dizer que não precisamos saber da vida um do outro. Podemos apenas nos divertir.

O garçom entregou as bebidas e os deixou a sós novamente.

– Saúde – brindou ele, batendo seu copo no dela. – A vista aqui é melhor do que me fizeram crer – comentou ele, e se inclinou na direção de Tully. – Você é linda, mas imagino que saiba disso.

Ela vinha ouvindo isso a vida inteira. Normalmente, não significava nada para ela, mas, por algum motivo, naquele salão, com as festas de fim de ano se aproximando, aquele elogio era exatamente o que ela precisava escutar.

– Por quanto tempo vai ficar na cidade?

– Mais ou menos uma semana. Trabalho na Virgin Entertainment.

– Você está inventando isso?

– Não, é sério. É uma das empresas de Richard Branson. Estamos em busca de locais nos Estados Unidos para uma *megastore*.

– Tenho medo até de pensar no que vocês vendem.

– Que maliciosa, você. Para começar, é uma loja de música.

Tully tomou um gole do drinque olhando para ele por cima da borda cheia de sal da taça e sorrindo. Kate estava sempre dizendo que ela devia sair mais, conhecer pessoas. Naquele instante, parecia um ótimo conselho.

– Seu hotel é aqui perto?

Parte Três

Os anos 1990

"I'm Every Woman"

Está tudo dentro de mim

Dezenove

Faça eu apagar. É sério. Se não me derem anestesia, bata em mim com um taco de beisebol. Esta história de respiração é balela... aaaaargh!

Kate sentiu a dor a revirando por dentro, como se fosse rasgá-la.

Ao seu lado, Johnny estava dizendo:

– Vamos lá... puxe o ar... você consegue. Inspira... expira... assim. Lembra das aulas? Foco. Visualize. Quer aquela estátua que a gente...

Ela o agarrou pelo colarinho e o puxou para perto.

– Eu juro por Deus que se você falar em respirar de novo eu vou bater em você. Eu quero anestesia...

E a dor voltou, apertando, rasgando, torcendo, até ela gritar. Durante as primeiras seis horas, ela ficara muito bem. Mantivera o foco, respirava ritmadamente, beijava o marido quando ele se aproximava e lhe agradecia quando ele punha uma compressa úmida em sua testa. Durante o segundo período de seis horas, perdera seu otimismo natural. A dor implacável e torturante era como uma criatura terrível atacando-a, arrancando cada vez mais dela, deixando cada vez menos para trás.

Ao fim da décima sétima hora, ela havia se transformado na pessoa mais mal-humorada do mundo. Até a enfermeira fugia do quarto às pressas.

– Vamos lá, querida, respire. É tarde demais para tomar anestesia. Você ouviu o médico. Não falta muito.

Kate percebeu que, mesmo enquanto tentava acalmá-la,

Johnny não chegava muito perto. Estava parecendo um soldado apavorado num campo minado que havia acabado de ver o melhor amigo explodir. Estava com medo até de se mexer.

– Onde está a mamãe?

– Acho que ela desceu para ligar para a Tully de novo.

Kate tentou se concentrar na respiração, mas isso não ajudou. A dor estava aumentando de novo. Ela se agarrou às grades da cama com as mãos suadas.

– Me… dê… um… pouco… de… gelo!

Teria sido engraçado ver Johnny sair correndo pela porta, se ela não estivesse se sentindo aquela menina nadando sozinha em *Tubarão*.

A porta do quarto abriu-se com um estrondo.

– Ouvi dizer que tem uma megera fazendo escândalo aqui.

Kate tentou sorrir, mas outra contração estava vindo.

– Eu… não… quero… mais… fazer… isso.

– Mudou de ideia? Que timing perfeito.

Tully foi para o outro lado da cama.

A dor começou de novo.

– Grite – disse Tully, acariciando sua testa.

– Eu… preciso… respirar.

– Foda-se esse negócio de respirar. Grite.

Kate então gritou, e a sensação foi boa. Quando a dor diminuiu de novo, ela riu fraquinho.

– Imagino que seja contra Lamaze.

– Eu não diria que sou o tipo de garota que defende o parto natural – explicou Tully, e olhou para a barriga inchada e o rosto pálido e suado de Kate. – Naturalmente, este é o melhor comercial de controle de natalidade que eu já vi. De agora em diante, vou começar a usar três camisinhas por vez.

Tully sorriu, mas havia preocupação em seus olhos.

– Você está bem mesmo? Devo chamar o médico?

Kate sacudiu ligeiramente a cabeça.

– Só converse comigo. Me distraia.

– Eu conheci um cara. Passamos a maior parte do último fim de semana juntos. O sexo foi muito bom.

– Qual o nome dele?

– Claro que essa seria a sua pergunta. Grant. E antes que você comece a fazer um monte de perguntas da *Cosmopolitan* do tipo como-conhecer-bem-seu-homem, vou dizer que eu não sei absolutamente nada a respeito dele, exceto que ele beija como um deus e trepa como um diabo.

Mais uma contração. Kate arqueou as costas e gritou de novo. Ao longe, podia ouvir a voz de Tully e sentir a amiga acariciando sua testa, mas a dor foi tão forte que ela não conseguiu fazer nada além de arfar.

– *Merda!* – disse ela quando passou. – A próxima vez que o Johnny chegar perto de mim, vou dar um soco nele.

– Era você quem queria um bebê.

– Vou arrumar outra melhor amiga. Preciso de alguém com uma memória mais curta.

– Eu tenho memória curta. Ah… Saí com um cara que é perfeito para mim.

– Por quê? – disse Kate, arfando.

– Ele mora em Londres. Só nos vemos de vez em quando, e para fazer um sexo arrasador, devo acrescentar…

– Foi por isso que não atendeu quando a mamãe ligou?

– A gente estava no meio da coisa, mas, assim que terminamos, eu comecei a fazer as malas.

– Bom saber que você tem… ah, merda… prioridades.

Kate estava no meio de mais uma contração quando a porta do quarto se abriu de novo. A enfermeira entrou primeiro, seguida de Johnny e da mãe de Kate. Tully recuou, deixando os demais se aproximarem. A certa altura, a enfermeira conferiu o colo do útero de Kate e chamou o médico. Ele invadiu o quarto, sorrindo como se tivesse cruzado com ela no supermercado, e vestiu luvas para examiná-la. Então retirou o apoio que sustentava suas pernas e disse que estava na hora.

– Faça força – mandou o médico, com uma voz completamente razoável e sem dor, que deixou Kate com vontade de arrancar os olhos dele.

Ela gritou e fez força e chorou até que, com a rapidez com que havia começado, a agonia terminou.

– Uma menininha perfeita – anunciou o médico. – Papai, quer cortar o cordão umbilical?

Kate tentou se levantar, mas estava fraca demais. Instantes depois, Johnny estava ao seu lado, dando a ela um embrulho minúsculo, enrolado em um tecido cor-de-rosa. Pegou a filha nos braços e olhou para o rostinho em forma de coração. Ela tinha um monte de cabelos pretos, a pele clarinha da mãe e a boca mais perfeita que Kate já vira. O amor que explodiu dentro dela foi grande demais para descrever.

– Oi, Marah Rose – sussurrou, segurando o pequenino punho da filha. – Bem-vinda, filhinha.

Quando olhou para Johnny, ele estava chorando. Então se abaixou e lhe deu um beijo suave como o bater das asas de uma borboleta.

– Eu te amo, Katie.

Nunca tudo estivera tão perfeito em seu mundo. E ela sabia que, o que quer que acontecesse, o que quer que a vida tivesse reservado para ela, sempre se lembraria daquele único e brilhante instante como seu pedaço de céu.

❧

Tully implorou por mais dois dias de folga do trabalho para que pudesse ajudar Kate em casa. Quando fizera a ligação, parecera algo inquestionavelmente vital.

Mas agora, apenas algumas horas depois de Kate e Marah receberem alta, Tully via a verdade. Ela era tão útil quanto um microfone desligado. A Sra. Mularkey parecia uma máquina. Alimentava Kate antes que a amiga sequer mencionasse estar com fome. Trocava as fraldas minúsculas da bebê como num passe de mágica. E ensinou Kate a amamentar a filha. Aparentemente, isso não era algo instintivo, como Tully imaginara.

E qual era a sua contribuição? Quando tinha sorte, fazia Kate rir. Na maioria das vezes, porém, a melhor amiga apenas suspirava, parecendo ao mesmo tempo impressionantemente apaixonada pela filha e profundamente cansada. Naquele momento, Kate estava deitada na cama, com a bebê no colo.

– Ela não é linda?

Tully olhou para o embrulhinho cor-de-rosa.

– É mesmo.

Kate acariciou o rostinho minúsculo da filha, sorrindo para ela.

– É melhor você ir embora, Tully. De verdade. Volte quando eu estiver animada.

Tully tentou não deixar o alívio transparecer.

– Estão *mesmo* precisando de mim por lá. As coisas devem estar um caos sem a minha presença.

Kate sorriu de forma compreensiva.

– Eu não teria conseguido sem você, sabia?

– É mesmo?

– É mesmo. Agora dê um beijo na sua afilhada e volte ao trabalho.

– Eu voltarei para o batizado.

Tully se abaixou e beijou a bochecha aveludada de Marah, depois a testa de Kate. Quando sussurrou sua despedida e chegou à porta, Kate parecia ter se esquecido completamente dela.

Lá embaixo, encontrou Johnny atirado numa cadeira ao lado da lareira, tomando uma cerveja. Estava muito descabelado, com a camiseta ao contrário e meias de pares diferentes. Estava tomando cerveja às onze da manhã.

– Você está um horror – disse ela, sentando ao lado dele.

– Ela acordou de hora em hora esta noite. Eu dormia

melhor em El Salvador – falou, e tomou um gole. – Mas ela é linda, não é?

– Maravilhosa.

– Katie quer se mudar para o subúrbio agora. Acabou de se dar conta de que esta casa é cercada por água, então agora vamos nos mudar para algum bairro onde vendam bolos e façam encontros de crianças. Você consegue me imaginar em Bellevue ou Kirkland, com todos aqueles yuppies?

O curioso era que ela conseguia.

– E o trabalho?

– Vou voltar a trabalhar na KILO. Vou produzir reportagens internacionais e de política.

– Isso não combina com você.

Johnny pareceu surpreso com a resposta. Quando ele olhou para Tully, ela viu um relance de lembrança: ela o fizera lembrar do passado deles.

– Eu tenho 35 anos, Tul. Tenho mulher e filha. Vou ter que ser feliz com coisas diferentes.

Tully não pôde deixar de notar que ele disse "vou".

– Mas você adora campos de batalha, tiros de morteiro e pessoas atirando em você. Nós dois sabemos que você não pode abrir mão disso para sempre.

– Você só acha que me conhece, Tully. Não somos o que se chamaria de confidentes.

Ela lembrou de repente, enfaticamente, o que deveria esquecer.

– Você tentou.

– Tentei – concordou ele.

– Katie iria querer que você fosse feliz. Você mataria a pau na CNN.

– Em Atlanta? – riu ele. – Um dia você vai entender.

– Quer dizer quando eu me casar e tiver filhos?

– Quero dizer quando se apaixonar. Isso muda a gente.

– Como mudou você? Um dia eu vou ter um filho e querer escrever para o *Queen Anne Bee* de novo, é isso?

– Você precisaria se apaixonar antes, não?

Johnny olhou para ela de uma maneira tão compreensiva, tão inteligente, que Tully se sentiu incomodada. Não era a única pessoa que estava se lembrando do passado.

Tully se levantou.

– Preciso voltar para Manhattan. Sabe como são as notícias. Nunca param.

Johnny largou a cerveja e se levantou, indo na direção dela.

– Faça isso por mim, Tully. Cubra o mundo.

Pareceu triste, a forma como ele disse aquilo. Tully não entendeu se o que havia escutado em sua voz era arrependimento por si mesmo ou tristeza por ela.

Ela se obrigou a sorrir.

– Pode deixar.

❧

Duas semanas depois de Tully voltar de Seattle, uma tempestade cobriu Manhattan de neve e paralisou a cidade frenética. Ao menos por algumas horas. Os carros desapareceram quase que imediatamente. A neve branquíssima cobriu as ruas e calçadas, transformando o Central Park num paraíso de inverno.

Ainda assim, Tully chegou ao trabalho às quatro da manhã. Em seu apartamento gelado sem elevador, com o radiador da calefação fazendo barulho e gelo cobrindo as antigas janelas de vidro fino, ela vestiu meia-calça, jeans, botas de neve e dois suéteres. Cobriu tudo com um casaco de lã azul-marinho e complementou com luvas cinza. Então saiu para enfrentar a intempérie. Inclinava o corpo contra o vento enquanto caminhava pela rua. A neve prejudicava sua visão e lhe queimava o rosto. Ela não se importou. Gostava tanto do trabalho que faria de tudo para chegar lá cedo.

No saguão do prédio, bateu a neve das botas, apresentou-se na recepção e subiu. Quase imediatamente percebeu que a maior parte da equipe não chegara. Apenas um grupo mínimo estava lá.

Em sua mesa, começou logo a trabalhar na pauta que havia recebido no dia anterior. Estava fazendo pesquisa sobre a controvérsia em torno da coruja-pintada no Noroeste. Determinada a incluir um ponto de vista diferente na matéria, estava lendo tudo o que podia encontrar – relatórios de subcomissões do Senado, descobertas ambientais, estatísticas econômicas sobre madeireiras, a fecundidade de florestas de mata nativa.

– Você está trabalhando pesado.

Tully ergueu o olhar de repente. Estava tão absorta na leitura que não havia escutado ninguém se aproximando da sua mesa.

E não era qualquer um.

Edna Guber, usando um terninho de gabardine preto feito por algum estilista famoso, estava parada ao seu lado, fumando um cigarro. Olhos cinza atentos a encaravam de debaixo de uma franja preta reta estilo Anna Wintour. Edna era famosa no jornalismo, uma daquelas mulheres que percorreram ferozmente o caminho até o topo numa época em que outras pessoas do mesmo sexo não conseguiam entrar pela porta da frente a menos que fossem boas secretárias. Edna – apenas o primeiro nome era usado ou necessário – era conhecida por ter uma agenda com os telefones residenciais de todo mundo, de Fidel Castro a Clint Eastwood. Supostamente, não havia entrevista que ela não pudesse conseguir e lugar no mundo aonde ela não iria para encontrar o que quisesse.

– O gato comeu sua língua? – disse ela, exalando fumaça.

Tully ficou de pé num salto.

– Sinto muito, Edna. Sra. Guber. Senhora.

– Detesto quando as pessoas me chamam de senhora. Fico me sentindo velha. Você me acha velha?

– Não, s…

– Ótimo. Como você chegou aqui? Os táxis e ônibus estão uma merda hoje.

– Eu vim a pé.

– Nome?

– Tully Hart. Talullah.

Edna estreitou os olhos. Olhou Tully firmemente de cima a baixo.

– Me siga.

Deu meia-volta no salto da bota preta e marchou pelo corredor, a caminho da sala no canto do prédio.

Caramba.

O coração de Tully disparou. Ela nunca havia sido convidada para aquela sala, nunca sequer havia conhecido Maury Stein, o mandachuva do programa matinal.

A sala era imensa, com duas paredes de janelas, através das quais a neve caindo tornava tudo cinza, branco e sombrio. Era mais ou menos como estar dentro de um globo de neve, olhando para fora.

– Esta aqui vai servir – falou Edna, fazendo sinal para Tully com a cabeça.

Maury ergueu o olhar do que estava fazendo. Mal viu Tully, mas assentiu.

– Ótimo.

Edna saiu da sala.

Tully ficou lá parada, confusa. Então ouviu Edna dizer:

– Está tendo um ataque epilético ou entrou em coma?

Tully a seguiu até o corredor.

– Tem papel e caneta?

– Tenho.

– Não precisa responder, só faça o que eu pedir, e rápido.

Tully pegou uma caneta do bolso e um pedaço de papel de cima de uma mesa próxima.

– Pronto.

– Em primeiro lugar, quero um relatório detalhado da eleição na Nicarágua. Você sabe o que está acontecendo por lá?

– Claro – mentiu Tully.

– Quero que saiba tudo sobre os sandinistas, a política de Bush para a Nicarágua, o bloqueio, as pessoas que moram lá. Quero saber quando Violeta Chamorro perdeu a virgindade. E você tem doze dias para isso.

– Sim…

Tully evitou dizer "senhora" bem a tempo. Edna parou em frente à mesa de Tully.

– Você tem passaporte?

– Tenho. Precisei fazer um quando me contrataram.

– É claro. Nós vamos viajar no dia 16. Antes de irmos…

– Nós?

– Por que diabos você acha que estou falando com você? Tem algum problema com isso?

– Não. Nenhum problema. Obrigada. Eu realmente…

– Vamos precisar tomar vacinas. Chame um médico aqui para cuidar de nós e da equipe. Então pode começar a marcar entrevistas. Entendeu? – falou, e olhou para o relógio de pulso. – O fuso horário de lá tem uma hora a menos. Fale comigo na sexta-feira, digamos, às cinco da manhã?

– Vou começar agora mesmo. E obrigada, Edna.

– Não me agradeça, Hart. Apenas faça o seu trabalho… e faça melhor do que qualquer outra pessoa faria.

– Pode deixar.

Tully voltou para a mesa e tirou o telefone do gancho. Antes de terminar de discar o número, Edna não estava mais por perto.

– Alô? – disse Kate, com a voz grogue.

Tully olhou para o relógio. Eram nove horas. O que significava que eram seis da manhã em Seattle.

– Oops. Errei de novo. Desculpe.

– A sua afilhada não dorme. O sono dela é uma anomalia. Posso ligar de volta em algumas horas?

– Na verdade, estou ligando para falar com o Johnny.

– O Johnny?

No silêncio que antecedera a pergunta, Tully ouvira um bebê começar a chorar.

– Edna Guber está me mandando para a Nicarágua. Quero fazer algumas perguntas a ele.

– Só um instante.

Kate passou o telefone. Houve um barulho como papel sendo amassado, uma porção de sussurros, e então Johnny atendeu.

– Oi, Tully, que bom para você. A Edna é uma lenda.

– É a minha grande chance, Johnny, e eu não quero estragar. Pensei em começar pegando informações com você.

– Eu não durmo há um mês, então não sei quanto ainda restou da minha mente, mas vou fazer o possível – falou Johnny, e parou um instante para pensar. – Você sabe que é perigoso lá, né? Um verdadeiro barril de pólvora. Tem gente morrendo.

– Você parece preocupado comigo.

– Claro que estou preocupado. Agora, vamos começar com a história importante. Em 1960 ou 1961, a Frente Sandinista de Libertação Nacional, ou FSLN, foi fundada…

Tully foi anotando o mais rápido que podia.

❧

Por pouco menos de duas semanas, Tully trabalhou como nunca. Durante dezoito, vinte horas por dia, lia, escrevia, fazia telefonemas, marcava entrevistas. Nas poucas e raras horas em que não estava trabalhando ou tentando dormir, ia ao tipo de lojas a que jamais fora – lojas de camping, de suprimentos militares e coisas do gênero. Comprou canivetes, chapéus de safari e botas de caminhada. Tudo e qualquer coisa em que podia pensar. Se estivesse no meio da selva e Edna quisesse um maldito mata-moscas, Tully teria um.

Quando efetivamente partiram, ela estava nervosa. No aeroporto, bastou que olhasse para a roupa cáqui cheia de bolsos de Tully para Edna cair na gargalhada. Ela estava usando uma calça de linho com friso e uma blusa branca de algodão.

Durante as intermináveis horas de voo, passando por Dallas e pela Cidade do México e finalmente, num avião pequeno, até Manágua, Edna encheu Tully de perguntas.

O avião aterrissou no que Tully achou parecido com um quintal. Homens – meninos, na verdade – usando roupas camufladas estavam postados no perímetro da pista, empunhando rifles. Crianças saíram do meio da selva para brincar diante do vento dos motores. A dicotomia da imagem era algo que Tully sabia que jamais iria esquecer, mas, do instante em que saiu do avião até reembarcar para casa, cinco dias depois, teve muito pouco tempo para pensar em imagens.

Edna estava sempre em movimento.

Elas caminharam através de selvas repletas de guerrilheiros, ouvindo os gritos dos macacos e matando mosquitos, e navegaram rios cheios de jacarés. Às vezes, eram vendadas, às vezes, podiam ver. Nas profundezas da selva, enquanto Edna gravava sua entrevista com El Jefe, o general no comando, Tully conversava com as tropas.

A viagem abriu seus olhos para um mundo que ela nunca vira antes. Mais do que isso, a viagem lhe mostrou quem ela era. O medo e o barato da adrenalina a estimularam mais do que qualquer outra coisa.

Mais tarde, quando a reportagem estava pronta, e ela e Edna estavam de volta ao hotel na Cidade do México, sentadas na varanda do quarto de Edna e tomando tequila, Tully disse:

– Não tenho como agradecer a você, Edna.

Edna tomou mais uma dose e se recostou na cadeira. A noite estava silenciosa. Era a primeira vez em dias que elas não ouviam tiros.

– Você se saiu bem, garota.

O orgulho de Tully atingiu proporções quase dolorosas.

– Obrigada. Eu aprendi mais com você nas últimas semanas do que em quatro anos de faculdade.

– Então talvez queira ir comigo na minha próxima reportagem.

– Para qualquer lugar, a qualquer hora.

– Vou entrevistar Nelson Mandela.

– Conte comigo.

Edna se virou para ela. A luz laranja da lâmpada do outdoor ressaltou suas rugas, deixando-a com olheiras. Com essa iluminação, ela parecia dez anos mais velha, e cansada. Talvez um pouco bêbada.

– Você tem namorado?

– Do jeito que eu trabalho? – rebateu Tully sorrindo, e se serviu de mais uma dose. – Difícil.

– É – falou Edna. – A história da minha vida.

– Você se arrepende? – perguntou Tully.

Se as duas não estivessem bebendo, jamais teria feito uma pergunta tão pessoal, mas a tequila havia esmaecido os limites entre elas por apenas aquele instante. Tully podia fingir que as duas eram colegas em vez de ícone/novata.

– De ter feito disso a sua vida, quero dizer.

– É um preço que se paga, isso é certo. Para a minha geração, pelo menos, não se podia trabalhar nisso e ser casada. Era possível se casar, e eu me casei, três vezes, mas não era possível continuar casada. E pode esquecer de ter filhos. Quando alguma coisa acontecia, eu precisava estar lá, ponto. Poderia ser no dia do casamento do meu filho, que eu teria ido. Então, eu vivi sozinha.

Ela olhou para Tully.

– E adorei. Cada segundo. Se acabar morrendo numa casa de repouso sozinha, quem se importa? Eu estive onde queria estar cada instante da minha vida e fiz algo que importava.

Tully sentiu como se estivesse sendo batizada na religião em que sempre acreditara.

– Amém.

– E então, o que você sabe sobre a África do Sul?

Vinte

Os primeiros doze meses de maternidade foram uma correnteza de águas revoltas e sombrias que com bastante frequência puxaram Kate para baixo. Era constrangedor ela ter se descoberto tão despreparada para esse evento abençoado que fora seu sonho secreto de infância. Na verdade era tão constrangedor que ela não contava a ninguém quanto se sentia sobrecarregada às vezes. Quando perguntavam, ela sorria alegremente e dizia que a maternidade era a melhor coisa que havia lhe acontecido. E até era verdade.

Só que, às vezes, não era.

A verdade era que sua filha maravilhosa, de pele clara, cabelos escuros e olhos castanhos, era mais do que difícil de lidar. Desde o instante em que chegara em casa, Marah estivera doente. Infecções de ouvido se seguiam uma à outra como vagões de um trem. Assim que uma terminava, outra começava. A cólica a fazia chorar inconsolavelmente por horas seguidas. Kate perdera a conta de quantas vezes se vira na sala no meio da noite segurando a filha vermelha e aos berros, enquanto ela própria chorava baixinho.

Marah faria 1 ano em três dias e ainda não havia dormido uma noite inteira. Quatro horas era o recorde até então. Assim, nos últimos doze meses, Kate não havia dormido uma noite inteira sequer. Johnny sempre se oferecia para levantar. No começo, ele chegava até a sair de debaixo das cobertas, mas Kate sempre o parava. Não que quisesse bancar a mártir, embora frequentemente se sentisse uma.

Johnny tinha um emprego, era simples assim. Kate havia desistido da própria carreira para ser mãe. Portanto, levantar no meio da noite era tarefa dela. No começo, ela fazia isso de boa vontade. Depois, pelo menos com um sorriso. Ultimamente, porém, quando Marah dava o primeiro berro às onze da noite, Kate se via rezando para ter força.

Havia outros problemas também. Em primeiro lugar, ela estava com uma aparência terrível. Tinha quase certeza de que era mais um dos efeitos da privação de sono. Não havia maquiagem ou hidratante suficientes. Sua pele, que sempre fora clara, estava absolutamente branca nos últimos tempos, exceto pelas olheiras, que tinham um encantador tom de marrom. Faltavam só 5 quilos para perder todo o peso da gravidez. Mas quando se tem 1,60 metro, 5 quilos representam dois números de roupa. Fazia quase um ano que ela não vestia nada além de agasalhos de moletom.

Precisava começar a fazer exercícios. Na semana anterior, encontrara suas antigas fitas de ginástica de Jane Fonda, um collant e polainas. Agora, tudo o que precisava fazer era apertar o play e começar.

– Vai ser hoje – disse ela em voz alta enquanto levava a filha de volta para a cama e a deitava gentilmente para dormir.

Cobriu-a com o caro cobertor de caxemira rosa e branco dado por Tully. Luxuosamente macio, era com ele que Marah dormia. Não importava que brinquedos e cobertores Kate oferecesse, o presente de Tully era o que ela queria.

– Tente dormir até as sete horas. A mamãe agradeceria.

Bocejando, Kate voltou para a cama e se aninhou no marido, que a beijou devagar, talvez como se quisesse começar alguma coisa, e murmurou:

– Você é tão linda...

Ela abriu os olhos, encarando o marido com os olhos embaçados.

– Muito bem, quem é ela? O único motivo que você teria para dizer que eu sou bonita a essa hora da manhã é culpa.

– Você está brincando? Com as suas alterações de humor, ultimamente parece que eu tenho três esposas. A última coisa que eu quero é mais uma.

– Mas sexo seria bom.

– Sexo seria bom. Engraçado você mencionar isso.

– Engraçado de dar risada ou engraçado por você não se lembrar de quando foi a última vez que fizemos amor?

– Engraçado porque você vai se dar bem neste fim de semana.

– Ah, é? E como?

– Eu já combinei com a sua mãe. Ela vai levar a Marah para a casa dela depois da festa de aniversário, e você e eu vamos ter uma noite romântica no centro de Seattle.

– E se eu não couber em nenhuma das minhas roupas boas?

– Acredite em mim, eu não tenho problemas com nudez. Podemos pedir serviço de quarto em vez de sair. Embora você seja a única pessoa que acha que não perdeu todo o peso. Experimente alguma coisa. Acho que você vai se surpreender.

– Não é de admirar que eu te ame tanto.

– Eu sou um Deus. Não há dúvida quanto a isso.

Ela sorriu e passou os braços ao redor dele, beijando-o suavemente.

Os dois haviam acabado de fechar os olhos de novo quando o telefone tocou. Kate se sentou devagar e olhou para o relógio: 5h37.

Atendeu no segundo toque, dizendo:

– Oi, Tully.

– Oi, Katie – disse Tully. – Como sabia que era eu?

– Arrisquei.

Kate esfregou a ponte do nariz, sentindo o começo de uma dor de cabeça. Ao seu lado, Johnny resmungou alguma coisa sobre pessoas que não sabem ver a hora.

– Hoje é o dia, lembra? A minha reportagem sobre os reservistas que o Bush chamou para o serviço militar.

– Ah. Sim.

– Você não parece muito empolgada. Eu vou ao ar, Katie.

– São cinco e meia da manhã.

– Ah. Pensei que quisesse assistir. Desculpe por incomodar.

– Tully, espere...

Era tarde demais. O único som na linha era o do tom de discagem.

Kate xingou baixinho e desligou o telefone. Parecia não conseguir fazer nada certo nos últimos tempos. Ela e Tully tinham tão pouca coisa em comum ultimamente que não havia muito sobre o que conversar. Tully não queria ouvir intermináveis histórias "de mãe" e Kate não conseguia suportar muitas histórias sobre a vida e a carreira de Tully. Os cartões-postais e as ligações de lugares distantes e exóticos eram um pouco irritantes.

– Ela vai aparecer no *Sunrise* hoje – disse Kate. – Queria nos lembrar.

Johnny jogou as cobertas para o lado e ligou a televisão. Os dois sentaram juntos e viram a reportagem de Deborah Norville sobre o clima de hostilidade no Iraque e a resposta do presidente.

Então, de repente, Tully estava no ar. Estava parada diante de um velho edifício de concreto, conversando com um garoto jovem e saudável com muitas sardas e cabelos vermelhos com corte à escovinha. Ele parecia alguém que estava usando aparelho nos dentes e uma jaqueta colegial dez segundos antes.

Mas era Tully quem chamava a atenção. Ela estava arrumada, extremamente profissional e linda. Havia domado os cabelos castanhos cacheados com um corte elegante e sofisticado e aplicara maquiagem suficiente apenas para acentuar os olhos.

– Nossa – sussurrou Kate.

Quando aquela transformação havia acontecido? Não era mais a Talullah exagerada, saída dos anos 1980, da cocaína e do glitter. Era a repórter Talullah Hart, tão linda quanto Paulina Porizkova, tão profissional quanto Diane Sawyer.

– Nossa mesmo – Johnny disse. – Ela está maravilhosa.

Ele beijou Kate no rosto e foi para o banheiro. Em seguida, ela ouviu o chuveiro ser ligado.

– Ela está *maravilhosa* – resmungou Kate, então suspirou e se virou de lado para o telefone novamente, discando o número de Tully.

A recepcionista da NBC atendeu e disse que ela teria de deixar um recado.

Então Tully estava zangada.

– Diga a ela que Katie ligou para dizer que a reportagem estava ótima.

Tully provavelmente estava parada ao lado do telefone, usando saia e blusa desenhadas por um estilista, remexendo na bolsa de grife, olhando para a luz piscante do aparelho.

Kate saiu da cama e foi até o banheiro. Embaixo do chuveiro, o marido estava cantando uma versão bem desafinada de uma velha canção dos Rolling Stones.

Contrariando o bom senso, ela se olhou no espelho.

Seus cabelos estavam sem corte e compridos demais. As raízes denunciavam quanto tempo fazia desde a última vez que fizera luzes. Estava com bolsas embaixo dos olhos do tamanho de guarda-chuvas abertos e tinha peito suficiente para duas mulheres.

Não era de admirar que tentasse se manter afastada de superfícies reflexivas. Com um suspiro, pegou o creme dental e começou a escovar os dentes. Marah acordou antes que ela terminasse.

Desligou a água e abriu a porta para escutar.

Sim, Marah estava berrando.

O dia de Kate havia começado.

Quando chegou o grande dia, Kate se perguntou por que diabos havia planejado uma festa de aniversário tão ridícula para a filha. De manhã, depois de mais uma noite insone, ela se levantou e começou os preparativos, dando os retoques finais no bolo cor-de-rosa da Barbie e embrulhando os últimos presentes. Num momento de evidente loucura, havia convidado todas as crianças da aula "Mamãe e eu" de Marah, além de seus pais e duas antigas colegas de faculdade que tinham filhas mais ou menos da mesma idade. Até mesmo Johnny havia tirado a manhã de folga para ajudar naquela extravagância.

Quando todos chegaram, no horário marcado, trazendo presentes, Kate imediatamente começou a sentir dor de cabeça. Também não ajudou muito o fato de Marah escolher justo aquele momento para começar a berrar.

Ainda assim, a festa continuou, com todas as mulheres na sala de estar e as crianças no chão, fazendo mais barulho do que um exército em marcha.

– Vi a sua amiga Tully naquele programa de manhã cedo – comentou Mary Kay. – Eu estava acordada com o Danny.

– Eu também estava acordada – falou Charlotte, pegando seu café. – Ela estava ótima, não estava?

– Isso porque ela dorme a noite toda – observou Carol. – E ela não está com as roupas sempre vomitadas.

Kate queria se juntar à conversa, mas não conseguiu. Sua dor de cabeça a estava matando, e ela estava com uma estranha sensação de que havia alguma coisa errada. Isso se intensificou tanto na hora em que Johnny saiu da festa, pouco depois da uma, que ela quase implorou que ele ficasse.

– Você está incrivelmente quieta hoje – observou sua mãe quando o último convidado foi embora.

– A Marah não dormiu de novo esta noite.

– Ela nunca dorme a noite toda, e por quê? Porque...

– Eu sei, eu sei. Eu preciso deixá-la chorar.

Kate atirou o último copo descartável no lixo.

– Eu simplesmente não consigo.

– Eu deixei você chorar. Depois de três noites, você nunca mais acordou de madrugada.

– Mas eu sou um gênio. Minha filha não é tão inteligente assim.

– Não, eu sou o gênio. A *minha* filha não é tão inteligente assim.

A mãe passou um braço pelo ombro de Kate e a levou até o sofá. As duas sentaram lado a lado. Kate se encostou na mãe, que acariciou seus cabelos. O movimento suave e tranquilizador a transportou algumas décadas no passado.

– Lembra quando eu queria ser astronauta e você disse que eu tinha sorte de a minha geração poder ter tudo? Eu poderia ter três filhos, marido e ainda ir à Lua. Que monte de bobagem isso – suspirou Kate. – É difícil ser uma boa mãe.

– É difícil ser uma boa qualquer coisa.

– Amém – disse Kate.

A verdade era que ela amava a filha, a ponto de às vezes esse amor doer, mas a responsabilidade era enorme, e o ritmo da vida, exaustivo.

– Sei quanto você está cansada. Vai melhorar. Eu prometo.

Mal a mãe disse essas palavras, seu pai entrou na sala. Ele havia passado a maior parte da festa escondido na sala íntima, vendo esportes ou outra coisa na TV.

– É melhor irmos embora, Margie. Não quero ficar preso no trânsito. Aprontem a Marah.

Kate sentiu um lampejo de pânico.

– Eu não sei, mamãe.

A mãe tocou sua mão suavemente.

– Seu pai e eu criamos dois filhos, Katie. Podemos cuidar da nossa neta por uma noite. Saia com o seu marido. Coloque um salto e se divirta. A Marah ficará bem conosco.

Kate sabia que a mãe tinha razão. Sabia inclusive que era uma coisa boa a se fazer. Então por que estava com o coração apertado?

– Você tem uma vida inteira para sentir medo – disse o pai.

– Ter filhos é isso. É melhor se acostumar, querida.

Kate tentou sorrir.

– Então era assim, é? Era assim que vocês se sentiam o tempo todo?

– É como ainda nos sentimos – confessou seu pai.

A mãe a pegou pela mão.

– Vamos arrumar as coisas de Marah. Johnny vai estar em casa dentro de duas horas para buscar você.

Kate arrumou as roupas de Marah, garantindo que estivesse levando o cobertor cor-de-rosa, as chupetas e o adorado ursinho Puff. Separou o leite, as mamadeiras e os potinhos com frutas e legumes picados. Fez uma tabela com os horários de refeição e de sono que orgulharia um controlador de tráfego aéreo.

Quando segurou Marah mais uma vez no colo e beijou seu rosto macio, Kate precisou conter as lágrimas. Era ridículo, constrangedor e inevitável, porque não importava que a maternidade estivesse lhe dando uma surra e acabando com sua autoconfiança, a maternidade também a havia inundado de amor, de tal forma que de alguma maneira era apenas metade de si mesma sem a filha.

Kate ficou parada na varanda da casa nova de frente para a praia na ilha Bainbridge, com a mão protegendo os olhos do sol, até muito tempo depois de o carro dos pais ter desaparecido. Depois, dentro de casa, andou de um lado para outro, perdida, por alguns instantes, sem saber ao certo como ficar sozinha.

Tentou de novo ligar para Tully. Deixou outro recado.

Finalmente, foi até o closet e ficou olhando para as roupas de antes da gravidez, tentando encontrar algo adulto e sexy que fosse servir. Havia acabado de arrumar a bolsa quando ouviu a porta lá embaixo abrir e fechar e os passos do marido no piso de madeira.

Ela desceu ao encontro dele.

– Aonde vamos, Sr. Ryan?

– Você vai ver.

Ele segurou a mão dela, pegou sua bolsa de roupas e trancou a casa. No carro, o rádio estava ligado em volume alto, como nos velhos tempos. Bruce Springsteen cantava: *Hey, little girl, is your daddy home...*

Kate riu, sentindo-se jovem de novo. Os dois foram até o terminal da balsa e entraram na embarcação que esperava para zarpar. Em vez de ficarem dentro do carro durante a travessia, como de costume, vestiram casacos e chapéus e foram para o convés com os turistas. Eram cinco horas da tarde, e o céu estava parecendo um quadro de Monet, com tons lavanda e cor-de-rosa. A distância, Seattle cintilava com um milhão de luzes.

– Você vai me dizer aonde estamos indo?

– Não. Mas vou dizer o que vamos fazer.

Kate riu.

– Eu sei o que vamos fazer.

Quando a balsa aportou, os dois voltaram para o carro. Depois de saírem da embarcação, Johnny guiou no trânsito praticamente parado do centro da cidade até chegarem em frente ao hotel, onde um porteiro uniformizado abriu a porta e pegou suas bolsas.

Johnny deu a volta e segurou a mão de Kate.

– Já fiz nosso check-in – falou para a esposa e, virando-se para o carregador, disse: – Quarto 416.

Os dois caminharam pelo pátio silencioso e entraram no saguão com estilo europeu. No quarto andar, foram para seu apartamento, uma suíte de canto com uma vista impressionante. A ilha Bainbridge parecia quase púrpura. A água estava muito azul e as montanhas ao longe tinham uma luz rosada ao fundo. Em cima de uma mesa ao lado da janela, uma garrafa de champanhe repousava dentro de um balde de gelo prateado com uma travessa de morangos ao lado.

Kate sorriu.

– Estou vendo alguém que quer se dar bem de qualquer maneira.

– O que você está vendo é um homem que ama a esposa.

Johnny a pegou nos braços e a beijou.

Quando alguém bateu à porta, os dois se separaram como dois adolescentes pegos em flagrante, e acharam graça da própria paixão.

Kate esperou impacientemente que o carregador saísse. No instante em que a porta se fechou, ela começou a desabotoar a blusa.

– Não sei ao certo o que vestir esta noite.

Quando Johnny olhou para ela – não estava mais sorrindo, parecia tão faminto quanto ela –, Kate abriu o zíper da calça e a deixou cair no chão. Pela primeira vez em muitos meses, não se preocupou com o peso que havia ganhado. Em vez disso, deixou que o olhar do marido lhe servisse de espelho.

Abriu o sutiã, o segurou por alguns instantes na ponta dos dedos, então o deixou cair no chão.

– Não é justo começar sem mim – disse Johnny.

Ele arrancou a camisa, que atirou para o lado, e desabotoou a calça.

Os dois caíram na cama juntos e fizeram amor como se não fizessem havia meses em vez de semanas, entregando-se por completo, mente e corpo. As sensações arrebataram Kate. Quando Johnny finalmente a penetrou com todo o desejo acumulado de muitas noites sem paixão, ela gritou de prazer, e tudo o que havia dentro dela, tudo o que ela era, se fundiu àquele homem a quem amava mais do que à própria vida. Quando chegou ao orgasmo, foi com um tremor que a fez abraçar-se ao corpo úmido de suor dele, totalmente entregue.

Ele a puxou contra seu corpo. Nus, arfando, os dois ficaram deitados enroscados um no outro, com os lençóis caros do hotel enrolados em suas pernas nuas.

– Você sabe quanto eu te amo, não sabe? – disse ele baixinho.

Eram palavras que ele dissera centenas de vezes, tão frequentemente que ela conhecia com exatidão o som de cada uma.

Ela se virou de lado, preocupada.

– O que houve?

– Como assim?

Ele se afastou e foi até a mesa, onde serviu duas taças de champanhe.

– Quer morangos?

– Olhe para mim, John.

Lentamente – lentamente demais – ele se virou, mas não a encarou.

– Você está me assustando.

Ele foi até a janela e olhou para fora. De perfil, de repente pareceu tenso, distante. Os cabelos úmidos e desordenados cobriam seu rosto. Ela não sabia se ele estava sorrindo.

– Não vamos fazer isso agora, Katie. Temos a noite inteira e todo o dia de amanhã para conversar. Agora, vamos...

– Me diga.

Ele pôs a taça de champanhe no peitoril da janela e se virou para ela. Finalmente, deixou o olhar cruzar com o dela, e nos olhos azuis do marido ela viu o tipo de tristeza que a fazia ficar sem fôlego. Ele foi até a cama, se ajoelhou ao lado dela de modo a olhar para cima enquanto conversava com Kate.

– Você sabe o que está acontecendo no Oriente Médio.

As palavras dele foram tão inesperadas que ela apenas o encarou.

– O quê?

– Vai haver uma guerra, Katie. Você sabe disso. O mundo todo sabe.

Guerra.

A palavra se transformou em algo grande e escuro como uma nuvem de tempestade. Ela sabia o que aquilo significava.

– Eu preciso ir.

A forma simples e tranquila com que ele disse isso foi pior do que qualquer berro.

– Você me disse que havia perdido a coragem.

– Essa é a ironia. Você me devolveu a coragem. Cansei de me sentir fracassado, Katie. Eu preciso provar a mim mesmo que vou conseguir desta vez.

– E quer a minha bênção – disse ela com tristeza.

– Eu preciso.

– Você irá independentemente do que eu disser, então por que todo o teatro?

Ele se levantou, segurou o rosto da esposa. Ela tentou se afastar, mas ele não deixou.

– Eles precisam de mim. Eu tenho experiência.

– Eu preciso de você. Marah precisa de você. Mas isso não tem importância, não é?

– Tem, sim.

Kate sentiu o calor das lágrimas enchendo seus olhos, borrando sua visão.

– Se você disser não, eu não vou.

– Está bem. Não. Você não pode ir. Não vou deixar. Eu o amo, Johnny. Você poderia morrer lá.

Ele a soltou, se agachou e a encarou.

– Essa é a sua resposta?

As lágrimas rolaram, molhando seu rosto. Com raiva, Kate as secou. Queria dizer *Sim, porra, sim, essa é a minha resposta.*

Como poderia negar aquilo a ele? Não apenas era o que ele queria, como ainda mais fundo havia outra coisa, aquele resquício surrado e feio de medo que retornava à superfície às vezes, que a lembrava que ele havia amado Tully primeiro. Ele fazia com que Kate tivesse medo de negar qualquer coisa a ele.

Secou os olhos mais uma vez.

– Prometa que não vai morrer, Johnny.

Ele subiu na cama e a tomou nos braços e, embora ela o segurasse com toda a força possível, já não se sentia segura. Sentia como se ele desmanchasse em seu abraço, desaparecendo pouco a pouco.

– Eu prometo que não vou morrer.

Eram palavras vazias, agravadas pelo fervor com que ele as pronunciou.

Kate não conseguiu deixar de pensar na sensação que tivera naquela manhã de que alguma coisa daria errado.

– Estou falando sério, Johnny. Se morrer, vou odiar você para sempre. Juro por Deus.

– Você sabe que vai sempre me amar.

Aquela frase e a facilidade e o ar de vitória com que ele a pronunciou fizeram com que ela tivesse vontade de chorar tudo de novo. Foi apenas muito mais tarde, depois que os dois tiveram um jantar romântico no quarto, fizeram amor e se aninharam nos braços um do outro, que ela pensou no que dissera a ele, no horror absurdo e violento da ameaça que fizera em nome de Deus.

❧

Tully soltou o corpo nu de Grant e se jogou na cama, ainda respirando com dificuldade.

– Nossa – disse ela, fechando os olhos. – Foi ótimo.

– Foi mesmo.

– Estou tão feliz que você esteja na cidade este fim de semana. Era exatamente do que eu estava precisando.

– Nós dois, querida.

Tully adorava ouvir o sotaque dele, sentir o corpo nu dele contra o seu. Era um momento para aproveitar, a que se prender, inclusive, porque assim que ele saísse da sua cama, ela sabia que o desconforto voltaria. Vinha lutando contra aquilo desde o dia anterior, quando brigara com Kate. Nada era capaz de perturbar sua autoconfiança ou deixá-la tensa como ficar irritada com Kate.

Grant sentou na cama.

Ela tocou nas costas dele. Pensou em pedir que passasse a noite com ela, que adiasse sua reunião, mas não era esse o tipo de relacionamento que os dois tinham. Eram amigos que se encontravam para transar e dar risada por algumas horas e depois seguiam seus próprios caminhos.

Ao lado dele, o telefone da mesa de cabeceira tocou. Ele estendeu a mão.

– Não atenda. Não quero falar com ninguém.

– Eu dei este número para o escritório.

Ele levantou o fone e atendeu à ligação.

– Alô? ... Grant – disse. – E quem é você? Ah, entendo. – Ele fez uma pausa, franzindo a testa, e então deu risada. – Eu posso fazer isso. – Segurou o fone contra o peito nu e se virou para Tully. – A sua melhor amiga para todo o sempre está dizendo, e vou citar palavra por palavra, que é para você levantar a sua bunda branca da cama e atender o maldito telefone. Ela disse ainda que se você continuar com essa merda justamente hoje, ela vai bater em você até que implore por misericórdia. – Ele riu de novo. – Ela parece estar falando sério.

– Vou atender.

Grant passou o fone para ela e seguiu nu em direção ao banheiro. Quando ele fechou a porta, Tully levou o fone ao ouvido e perguntou:

– Quem está falando?

– Muito engraçado.

– Tive uma melhor amiga para todo o sempre um dia, mas ela foi uma verdadeira vaca, então eu imaginei que...

– Olhe, Tully, normalmente eu iria rastejar por uma hora ou mais e pediria desculpas, mas não tenho tempo para esse ritual hoje. Sinto muito. A sua ligação foi numa hora ruim, e eu fui insuportável. Tudo bem?

– Qual é o problema?

– É o Johnny. Ele está indo para Bagdá amanhã.

Tully devia ter previsto isso. Toda a emissora estava falando sobre o que acontecia no Oriente Médio. Todo mundo na emissora e ao redor do planeta especulava sobre quando o presidente Bush iria lançar a primeira bomba.

– Um monte de jornalistas está indo para lá, Katie. Ele vai ficar bem.

– Eu estou com medo, Tully. E se...

– Não – disse Tully enfaticamente. – Nem pense nisso. Eu vou acompanhá-lo da emissora. Nós recebemos a maior parte das notícias primeiro. Vou ficar de olho por você.

– E vai me contar a verdade, aconteça o que acontecer?

Tully suspirou. A promessa familiar das duas não pareceu tão leve e cheia de esperanças como de costume. De repente, tinha um componente sombrio e sinistro que ela precisou se forçar a ignorar.

– Aconteça o que acontecer, Katie. Mas não precisa se preocupar. Esta guerra não vai durar muito tempo. Ele vai voltar para casa antes de Marah dar o primeiro passo.

– Vou rezar para você ter razão.

– Eu sempre tenho razão. Você sabe disso.

Tully desligou o telefone e ficou escutando o barulho de Grant tomando banho. A cantoria dele, que normalmente a fazia sorrir, não surtiu efeito.

Johnny em Bagdá.

❧

Katie recebeu a primeira mensagem de Johnny quatro dias depois de ele partir. Até então, ficara caminhando atordoada pela casa, sempre perto do novo aparelho de fax que haviam instalado no balcão da cozinha. Enquanto fazia as atividades do dia – trocar fraldas, contar histórias, ver Marah engatinhar de um móvel potencialmente perigoso a outro –, ela pensava: *Ok, Johnny, me diga que você está vivo e bem*. Ele dissera a ela que os telefonemas só poderiam ser feitos em caso de absoluta necessidade (ao que ela argumentou que a necessidade dela era absoluta e perguntou por que isso não contava), mas que enviar fax não apenas era possível como relativamente simples.

Assim, ela estava esperando.

Quando o telefone tocou às quatro da manhã, Kate atirou o cobertor para longe e rolou para fora do sofá, tropeçando a caminho da cozinha, à espera de a mensagem ser impressa.

Antes que lesse uma palavra, começou a chorar. Só de ver os garranchos dele escritos com caneta de ponta grossa a saudade que sentia ficou quase insuportável.

Querida Katie,

Está uma loucura aqui. Completamente maluco. Não sabemos ao certo o que está acontecendo – agora é esperar. Os jornalistas estão todos no hotel Al-Rashid no centro de Bagdá e temos acesso sem precedentes aos dois lados. A cobertura desta guerra irá mudar tudo. Amanhã vamos deixar a cidade pela primeira vez. Não se preocupe. Vou tomar cuidado.

Preciso correr. Dê um beijo em M. por mim.

Te amo

J.

Depois disso, os faxes começaram a chegar mais ou menos uma vez por semana. Nem de perto a frequência que Kate desejava.

K.,

O bombardeio começou ontem à noite. Ou eu deveria dizer esta manhã? Tínhamos uma visão privilegiada do hotel, e foi algo violento, terrível e impressionante. Era uma noite maravilhosa e estrelada em Bagdá, e as bombas transformaram a cidade num inferno. Uma torre de escritórios explodiu perto do hotel, e o calor foi como o de uma fornalha.

Estou tomando cuidado.

Te amo

J.

K.,

Dezessete horas de bombardeios e eles continuam. Não sobrará nada quando isso chegar ao fim. De volta ao trabalho.

K.,

Desculpe por fazer tanto tempo desde a última mensagem, mas a equipe está tão envolvida em pautas que eu não consigo cinco segundos para mim mesmo. Mas estou bem. Cansado. Caramba, mais do que isso. Exausto. A primeira prisioneira de guerra dos Estados Unidos foi capturada ontem à noite, e preciso dizer que isso nos atingiu em cheio. Espero que algum dia eu consiga lhe contar como é a sensação de ver tudo isso, mas não posso pensar assim agora, não se quiser dormir. De qualquer maneira, estão dizendo que os iraquianos vão incendiar poços de petróleo no Kuwait, e iremos cobrir isso. Beijos em Marah e mais ainda em você.

Kate olhou para o último fax que havia recebido. Estava datado 21 de fevereiro de 1991, fazia quase uma semana.

Estava sentada na sala de estar, assistindo à cobertura da guerra pela televisão. As últimas seis semanas haviam sido os dias mais longos e mais difíceis de sua vida. Ela estava esperando, sempre esperando, por um telefonema que dissesse que ele estava voltando para casa, por um plantão especial que anunciasse o fim da guerra. Agora diziam que o ataque final dos aliados poderia começar a qualquer instante. Um ataque por terra. Isso a assustava tanto ou mais do que qualquer outra coisa, porque ela conhecia seu Johnny. De alguma forma, ele acabaria num tanque, dirigindo uma reportagem que ninguém mais poderia fazer.

A espera a havia reduzido a nada. Ela havia perdido 7 quilos e não tivera uma boa noite de sono desde aquela que os dois passaram no hotel.

Dobrou ao meio o último fax que recebera e o pôs em cima da pequena pilha de faxes. Todos os dias prometia a si mesma que não os desdobraria para reler as palavras dele. Todos os dias voltava àqueles papéis.

Naquele dia, havia começado várias tarefas e deixado todas inacabadas. Em vez de concluí-las, ficara sentada no sofá, vendo televisão. Estava ali havia mais de duas horas.

Marah estava parada ao lado da mesa de centro, segurando as bordas de madeira com as mãozinhas rosadas e gorduchas, dançando como uma dançarina de break e tagarelando em linguagem de bebê. Finalmente, se jogou de bunda no chão e logo começou a engatinhar para longe do sofá.

– Fique perto da mamãe – disse Kate automaticamente.

Na TV, os poços de petróleo estavam queimando. O ar acima deles era uma nuvem espessa de fumaça preta.

Do outro lado da sala, Marah encontrou alguma coisa. Kate percebeu pelo silêncio repentino. Deu um salto e foi até a poltrona ao lado da lareira.

A poltrona de Johnny.

Nem pense nisso. Ele vai estar de volta a qualquer hora para sentar aí novamente e ler o jornal depois do trabalho.

Kate se abaixou e pegou no colo a filha curiosa, que olhou para ela com seus imensos e brilhantes olhos castanhos e começou a falar. Kate não conseguia deixar de sorrir com o esforço que Marah estava fazendo para tentar se comunicar, e, como sempre, a alegria evidente da filha a deixava animada.

– Ei, pequenininha, o que você descobriu aí?

Levou-a de volta para o sofá e desligou a TV no caminho. Chegava daquilo. Preferiu ligar o rádio. Estava sintonizado numa estação de músicas antigas, o que sempre a fazia parar para pensar. Em sua mente, os anos 1970 não eram tão distantes. The Eagles estavam cantando "Desperado".

Kate deixou que a música a transportasse para um tempo em que tudo era mais simples. Segurando a filha no colo, ela dançou pela sala, cantando com o rádio. Marah dava risada e saltitava em seu colo, o que fez Kate dar risada pela primeira vez em dias. Beijou o rosto fofo da filha, cheirou o pescoço aveludado e lhe fez cócegas até que ela desse gritinhos de alegria.

As duas estavam se divertindo tanto que Kate não registrou imediatamente que o telefone estava tocando. Quando o ouviu, correu até o rádio, abaixou o volume e atendeu a ligação.

– Sra. John Ryan?

A ligação estava ruim. Era claramente uma chamada de longa distância. *Apenas em casos de necessidade absoluta.*

Ela congelou, segurou Marah com mais força, e a menininha se agitou em seus braços.

– É ela.

– Aqui é Lenny Golliher. Sou amigo do seu marido. Estou aqui em Bagdá com ele. Sinto ter que lhe dizer isso, Sra. Ryan, mas houve um bombardeio ontem...

❧

O maître levou Edna à sua mesa de sempre, e Tully a acompanhou de perto, tentando não ficar embasbacada com todos os poderosos e famosos que almoçavam lá. Claramente, aquele era um dos lugares para ver e ser visto em Manhattan. Edna parou em quase todas as mesas para cumprimentar alguém e apresentou todos a Tully, dizendo:

– Eis uma garota em quem você precisa ficar de olho.

Quando chegaram à mesa delas, Tully teve a impressão de estar flutuando. Mal podia esperar para ligar para Kate e contar que havia conhecido John Kennedy Jr.

Ela reconhecia o valor do que havia acabado de acontecer. Edna acabara de lhe dar o presente do reconhecimento.

– Por que eu? – perguntou, quando o garçom saiu.

Edna acendeu o cigarro e se recostou na cadeira. Acenando com a cabeça para alguém do outro lado do salão, ela pareceu não ter escutado a pergunta. Tully estava prestes a perguntar de novo, quando Edna disse baixinho:

– Você me lembra de mim mesma. Vejo que ficou surpresa.

– Fiquei lisonjeada.

– Sou de uma cidadezinha de Oklahoma. Quando cheguei a Nova York com um diploma em jornalismo e um emprego de secretária, descobri a crua verdade desta carreira. Praticamente todo mundo é alguém ou é parente de alguém. Um ninguém precisa trabalhar muito. Não acho que eu tenha dormido mais do que cinco horas seguidas, passado um Natal com a família ou feito sexo que significasse alguma coisa por quase uma década.

O garçom trouxe os pratos das duas, os pôs diante delas com um aceno de cabeça e desapareceu novamente. Com o cigarro aceso na mão, Edna começou a cortar seu filé.

– Quando vi você, pensei: ali está a jovem que eu vou ajudar. Não sei por quê, exceto pelo fato de que, como eu disse, você me fez lembrar de mim mesma.

– Meu dia de sorte.

Edna assentiu e voltou à comida.

– Sra. Guber? – Era o maître novamente, trazendo um telefone. – Ligação urgente para a senhora.

Ela atendeu o telefone e disse:

– Pode falar.

Então ficou escutando por um longo tempo.

– Quais os nomes deles? Como? Bomba? – falou, e começou a tomar notas. – Repórter morto, produtor ferido.

Tully não escutou nada depois de *produtor*. A voz de Edna virou apenas um ruído. Inclinou-se para a frente.

– Quem foi?

Edna apertou o telefone contra o peito.

– Dois caras da afiliada de Seattle se feriram num bombardeio. Na verdade, o repórter morreu. O produtor, John Ryan, está em estado grave – explicou Edna, depois voltou para a ligação: – Qual era o nome do repórter?

Tully sentiu o corpo inteiro congelar. Começou a tremer. Tudo o que conseguia pensar era: *Johnny*. Fechou os olhos, mas não ajudou. Na escuridão, reuniu várias lembranças dolorosas: os dois sentados na doca da casa flutuante dele, falando sobre seu futuro... eles dançando naquele clube noturno ridículo na pior parte do centro da cidade tantos anos antes... a vez em que o viu olhando para Marah pela primeira vez, com os olhos cheios de lágrimas.

– Ah, meu Deus – disse ela, levantando-se. – Preciso ir.

Edna olhou para ela e fez com a boca:

– O que foi?

Mal conseguiu formar as palavras, que lhe queimaram a boca.

– Johnny Ryan é o marido da minha melhor amiga.

– É mesmo? – falou Edna, encarando-a, então disse ao telefone: – Maury, ponha Tully nesta história. Ela tem um contato. Já ligo de volta.

Desligou.

– Sente-se, Tully.

Anestesiada, ela obedeceu. Suas pernas estavam praticamente inúteis, de qualquer maneira. Aquelas lembranças não paravam de martelar em sua cabeça.

– Eu preciso ajudar a Katie – murmurou ela.

– É uma matéria importante, Tully – ressaltou Edna.

Tully fez um aceno impaciente com a mão.

– Eu não me importo com isso. Ela é a minha melhor amiga.

– Não se importa? – repetiu Edna com firmeza. – Ah, se importa, sim. Todo mundo quer essa pauta, mas você tem um contato. Sabe o que isso significa?

Tully franziu a testa, tentando mudar de foco. Parecia vagamente errado fazer com que aquilo tivesse relação com sua carreira.

– Não sei.

– Então não é a mulher que eu pensei que fosse. Você pode conseguir uma exclusiva e confortar a sua amiga ao mesmo tempo.

Tully pensou a respeito.

– Vendo por este ângulo...

– Qual é o outro ângulo? Você pode fazer uma entrevista que ninguém mais vai ter. Uma coisa dessas pode botar você no mapa. Pode garantir o seu espaço no núcleo de notícias.

Tully não pôde deixar de se sentir seduzida por isso. O núcleo de notícias era a equipe que cobria as principais matérias do dia. O fator de reconhecimento para qualquer um que fosse designado para essa equipe era alto. Exposição nacional diária. Várias pessoas saltaram direto do núcleo de notícias para a apresentação de programas.

– E eu posso proteger Kate de tudo enquanto estiver lá.

– Exatamente.

Edna pegou o telefone e discou um número.

– A Hart pode nos conseguir uma exclusiva, Maury. Considere como feito. Ela tem o meu aval.

Quando desligou, Edna olhou com firmeza para Tully.

– Não me decepcione – falou.

No caminho do restaurante até a emissora, Tully convenceu a si mesma que havia feito a coisa certa. Em sua mesa, atirou o casaco nas costas da cadeira e ligou para Kate.

O telefone tocou e tocou. Finalmente, a secretária eletrônica atendeu.

Você ligou para a casa dos Ryan. Nem o Johnny nem a Kate podem atender agora, mas deixe um recado que entraremos em contato assim que possível.

Depois do bipe, Tully disse:

– Oi, Katie, sou eu. Acabei de ficar sabendo…

Kate atendeu o telefone e desligou a secretária eletrônica.

– Oi – disse ela, parecendo completamente perdida. – Você recebeu o meu recado. Desculpe pela secretária. Os repórteres sanguessugas não me deixam em paz.

– Katie, como…

– Ele está num hospital na Alemanha. Vou pegar um avião militar em duas horas. Ligo para você quando aterrissar.

– De jeito nenhum. Vou me encontrar com você no hospital.

– Na Alemanha?

– É claro. Não vou deixar você passar por isso sozinha. A sua mãe está com a Marah, certo?

– Isso. Você está falando sério, Tully?

O tom de voz de Kate ficou mais alto ao final da pergunta, ganhando um pouco de esperança.

– Melhores amigas para sempre, não é?

– Aconteça o que acontecer – e, dizendo isso, a voz de Kate embargou. – Obrigada, Tully.

Tully quis dizer que era para isso que serviam as amigas, mas as palavras ficaram presas em sua garganta. Tudo em que conseguiu pensar foi na entrevista exclusiva que havia prometido a Edna.

Vinte e um

Durante dezesseis horas, Kate viveu um pêndulo emocional que oscilou entre esperança e desespero. Inicialmente, ela focou nos detalhes: ligar para os pais, arrumar as coisas de Marah, preencher papeladas. O trabalho burocrático havia sido sua salvação. Sem ele, não haveria nada a fazer além de se preocupar. No voo, ela tomou remédio para dormir pela primeira vez na vida e, embora seu sono tenha sido entrecortado, sombrio e agitado, foi infinitamente melhor do que permanecer acordada.

Naquele momento, estava sendo levada para o hospital. Quando se aproximou da entrada, viu repórteres amontoados na frente do prédio. Algum deles deve tê-la reconhecido, porque todos se viraram ao mesmo tempo, como uma fera despertada subitamente, e vieram para cima dela.

– Sra. Ryan, o que pode dizer sobre as condições dele?

– Foi um ferimento na cabeça?

– Ele já falou...

– ... ou abriu os olhos?

Ela não diminuiu o passo. Se havia uma coisa que a mulher de um produtor sabia era como se movimentar em meio a jornalistas. Eles estavam sendo tão respeitosos quanto conseguiam ser, considerando a profissão. Embora Johnny fosse um deles e todos soubessem que aquilo poderia ter acontecido a qualquer um do grupo, notícia era notícia.

– Sem comentários.

Kate abriu caminho em meio ao grupo e entrou no hospital. Era igual a qualquer outro hospital: paredes nuas, piso utilitário, pessoas impecavelmente uniformizadas percorrendo os corredores amplos.

Eles haviam claramente sido avisados de sua chegada, porque uma mulher grandalhona usando um uniforme branco e uma touca de enfermeira engomada se aproximou dela, sorrindo solidariamente.

– Deve ser a Sra. Ryan – disse ela no idioma de Kate, com forte sotaque.

– Sou eu.

– Vou levá-la ao quarto do seu marido. O médico irá falar com a senhora em breve.

Kate assentiu com a cabeça.

Felizmente, a enfermeira não quis puxar conversa no elevador. No terceiro andar, passaram pela estação de enfermagem e entraram no quarto de Johnny.

Ele parecia frágil e pequeno, como uma criança na cama dos pais. Kate parou, percebendo um pouco tarde demais que havia passado muito tempo imaginando um reencontro e não se dedicara o suficiente a prever a realidade. Aquele homem guardava apenas uma mínima semelhança com seu marido vibrante e bonito.

A cabeça dele estava toda enfaixada com ataduras brancas.

Todo o lado esquerdo de seu rosto estava inchado e sem cor. Os dois olhos estavam enfaixados. Ele estava ligado a vários cabos e fios e com soro intravenoso.

A enfermeira bateu levemente no ombro dela e lhe deu um leve empurrão na direção da cama.

– Ele está vivo – disse ela. – É isso que deve ver quando olhar para ele.

Kate deu o passo mais difícil de sua vida. Até aquele momento, não havia sequer se dado conta de que havia parado de se mexer.

– Ele normalmente é tão forte...

– Agora ele precisa que você seja forte.

Aquelas eram as palavras que Kate precisava ouvir. Ela tinha uma função ali. O momento de desmoronar e sentir tudo seria mais tarde, quando estivesse sozinha.

– Obrigada – disse ela à enfermeira, indo na direção da cama.

Atrás dela, a porta se fechou em silêncio, e ela soube que os dois estavam a sós. Ela e aquele homem que era e não era o seu Johnny.

– Não foi isso que combinamos – disse ela. – Eu me lembro claramente que você me prometeu que ficaria bem. Então, vou partir do princípio que você irá honrar essa promessa.

Kate secou os olhos e se abaixou para beijar o rosto inchado dele.

– A mamãe e o papai estão rezando por você. Marah está com eles. E Tully está vindo para ficar conosco. Você sabe como ela vai ficar furiosa se você não lhe der total atenção. É melhor acordar agora antes que ela o atormente até a morte.

Ela engasgou na última palavra, estremeceu e, só com muita força de vontade, conseguiu ficar ereta.

– Eu não quis dizer isso – sussurrou, segurando as grades da cama com força. – Está me ouvindo, John Ryan? Me dê um sinal de que está aí. Qualquer sinal.

Segurou a mão dele na sua.

– Aperte a minha mão, querido. Você consegue. – E em seguida: – Droga, diga alguma coisa. Eu não vou nem gritar com você por me dar esse susto monstruoso. Pelo menos não agora.

– Sra. Ryan?

Kate nem sequer havia escutado a porta se abrir. Quando se virou, havia um homem parado a menos de três metros dela.

– Eu sou o Dr. Carl Schmidt. Sou o responsável pelo tratamento do seu marido.

O mais educado a se fazer seria ir até o outro lado do quarto cumprimentar o Dr. Schmidt com um aperto de mão. Durante toda a sua vida, Kate sempre fizera tudo corretamente, mas agora não conseguia se mexer, não conseguia sequer fingir que estava bem.

– E aí? – Foi tudo o que conseguiu dizer.

– Ele sofreu um ferimento grave na cabeça, como sem dúvida já sabe. No momento, está bastante sedado, de modo que não podemos fazer um teste muito abrangente do funcionamento cerebral. Ele recebeu excelentes cuidados médicos em Bagdá. Os médicos de lá removeram um pedaço do crânio dele.

– Eles o quê?

– Removeram um pedaço do crânio dele por causa do inchaço do cérebro. Não se preocupe, isso é procedimento de rotina em casos assim.

Kate teve vontade de responder que procedimento de rotina era cirurgia de apêndice, mas não teve coragem.

– Por que os olhos dele estão enfaixados?

– Nós ainda não sabemos se...

A porta atrás dele se abriu violentamente, batendo na parede. Tully invadiu o quarto – não há outra forma de descrever o que ela fez – e estacou. Estava ofegante e tinha um brilho suspeito no rosto.

– Desculpe por ter demorado tanto, Katie. Ninguém queria me dizer onde é que você estava.

– Sinto muito – falou o médico. – Aqui é uma área restrita a familiares.

– Ela é da família – disse Kate, segurando a mão da amiga.

Tully soltou a mão de Kate e a abraçou. As duas choraram juntas, até que finalmente Kate se afastou, secando os olhos.

O médico voltou a falar:

– Ainda não sabemos se ele ficará cego. São coisas que descobriremos se ele acordar.

– Quando ele acordar – corrigiu Tully, mas sua voz estava trêmula.

– As próximas 48 horas serão muito importantes – continuou o médico, como se não tivesse sido interrompido.

Quarenta e oito horas. Parecia uma vida inteira.

– Continue conversando com ele – orientou o médico. – Mal não vai fazer, certo?

Kate assentiu com a cabeça, afastando-se para o lado quando o médico se aproximou da cama para examinar Johnny. O Dr. Carl fez algumas anotações na ficha e saiu.

No instante em que o médico deixou o quarto, Tully segurou Kate pelos ombros e lhe deu um pequeno chacoalhão.

– Nós não vamos acreditar em nada ruim. Herr Doctor não conhece Johnny Ryan. Nós conhecemos. Ele prometeu voltar para você e Marah, e ele é um homem que cumpre o que promete.

A simples presença de Tully animou Kate, fez com que ela respirasse. A força que fora embora tão rapidamente tinha voltado.

– É melhor você ouvir a Kate, Johnny. Sabe bem como ela fica rabugenta quando é contrariada.

As duas passaram as seis horas seguintes ao lado da cama. Kate falava pelo máximo de tempo que conseguia. Quando ficava sem energia ou começava a chorar, Tully assumia, retomando a conversa.

Em algum momento no meio da noite – Kate não tinha noção de que horas eram –, as duas foram até a cafeteria vazia, onde compraram comida em máquinas.

Sozinhas, nas mesas vazias, as duas se sentaram frente a frente.

– O que você vai fazer em relação à imprensa?

Kate olhou para a amiga.

– O que você quer dizer?

Tully encolheu os ombros e tomou um gole de café.

– Você viu os repórteres lá fora. Ele é uma notícia importante, Katie.

– A enfermeira me contou que tentaram tirar fotos dele quando ele estava sendo trazido na maca. Um repórter inclusive tentou subornar um dos faxineiros do andar para tirar uma foto do rosto enfaixado. São uns animais. Não se ofenda.

– Eu não me ofendo. E não somos todos assim, Katie.

– Johnny não iria querer que eles soubessem.

– Você está brincando? Ele é jornalista. Ele certamente seria a favor de passar aos colegas, ou pelo menos a um colega, as informações sobre ele.

– Você acha que ele quer que o mundo saiba que ele pode estar cego ou ter danos cerebrais? Como ele conseguiria trabalho de novo? De jeito nenhum. Esta notícia não sai antes de eu saber como ele está.

– Ele pode ficar com sequelas?

– Tiraram um pedaço do crânio dele. O que você acha? – falou Kate, estremecendo. – O resto do mundo não tem por que olhar embaixo dos curativos.

– É notícia, Kate – disse Tully baixinho. – Se você me conseguir uma exclusiva, eu posso proteger vocês.

– Se não fosse pelas malditas notícias, ele não estaria lutando pela vida agora.

– Não sou só eu que acredito nessa postura.

Foi uma lembrança direta do que Johnny e Tully compartilhavam, aquela ligação que sempre deixou Kate de fora. Ela queria fazer uma observação perspicaz, mas estava cansada demais. Não dormia direito fazia semanas, e cada músculo e tendão de seu corpo doía.

Tully segurou a mão de Kate.

– Deixe-me cuidar da mídia para você. Só eu. Assim você não vai precisar nem pensar no assunto.

Kate sorriu pela primeira vez em 24 horas.

– O que eu faria sem você, Tully?

✦

– Você está brincando comigo? Espero três dias pela sua ligação e, quando você se dá o trabalho de ligar, é para dizer que precisa de mais tempo?

Tully se aproximou mais do aparelho de telefone, tentando obter um mínimo de privacidade num lugar extremamente público.

– A família não está pronta para ir a público ainda, Maury. Os médicos estão respeitando o desejo deles. Sei que pode compreender isso.

– Compreender isso? Quem dá a mínima para o que eu compreendo? Estamos falando de noticiário internacional, Tully, não de fofoca de república universitária. A CNN noticiou que ele tem um ferimento na cabeça.

– Isso não foi oficialmente confirmado.

– Caramba, Tully. Você está me deixando em maus lençóis. Os chefões estão furiosos. Esta manhã falaram em tirar você da história. O Dick quer mandar...

– Eu vou conseguir alguma coisa.

– Consiga esta história, e eu passo você para o núcleo de notícias na semana que vem.

O núcleo de notícias.

– Está falando sério?

– Você tem 24 horas, Tully. Ao final deste período, pode ser uma heroína ou um nada. Você decide.

Tully ouviu o telefone bater. Através das janelas de vidro do saguão vazio, podia ver os repórteres amontoados na calçada. Fazia três dias que estavam esperando por alguma informação oficial sobre a condição de saúde de Johnny. Enquanto isso, reportavam os fatos conhecidos – os acontecimentos que haviam levado ao bombardeio, os relatórios de campo dos ferimentos dele e o seu histórico na América Central. Além disso, usavam a notícia como trampolim para outras histórias relacionadas, como os perigos enfrentados por jornalistas em coberturas de guerra, os desafios específicos da Tempestade no Deserto e a miríade de tipos de ferimentos que costumavam se seguir a bombardeios.

Tully ficou ali parada, imaginando como diabos iria fazer aquilo. Tudo precisava ser feito com precisão, para que tanto Maury quanto Kate conseguissem o que queriam. Cabia a Tully fazer com que as coisas acontecessem. E, se ela fizesse isso bem-feito, poderia mudar seu futuro. Preferia morrer a decepcionar Edna. E, como Edna dissera, Tully poderia fazer seu trabalho e ainda proteger Kate.

Teria de dar a notícia, mas como ela faria isso era o que importava.

Com cuidado. Com tato. Sem mencionar sequelas cerebrais ou possível cegueira. Assim, todos teriam o que queriam.

O núcleo de notícias.

Durante toda a vida ela sonhara com esse trabalho, imaginava como se fosse o começo de tudo. Não poderia deixar escapar a oportunidade de consegui-lo. Claro que Kate compreenderia a importância disso.

Claro que sim.

Sorrindo, foi atrás do cinegrafista. Começariam com o registro de algumas imagens – o ambiente, o hospital por dentro e por fora, esse tipo de coisa. Esconderiam a câmera o máximo possível. Felizmente, todos que importavam sabiam que Kate dera a Tully acesso total a Johnny.

Ela foi até a porta da frente e saiu à rua naquela tarde fria de fevereiro. O cinegrafista estava parado ao lado, afastado do grupo de repórteres. Ao seu sinal, escondeu a câmera embaixo do casacão xadrez e foi até ela.

Kate estava sentada na sala do Dr. Schmidt, prestando atenção.

– Então o inchaço não está diminuindo – disse ela, tentando não retorcer as mãos suadas.

Estava muito cansada daquilo. Era o quarto dia desde a ligação que mudara sua vida. Até manter os olhos abertos era uma luta – ainda que, ao deitar na cama ao lado da do marido, não conseguisse cair no sono.

– Não com a rapidez que gostaríamos. Se não houver uma melhora logo, estou pensando em fazermos mais uma cirurgia.

Ela assentiu.

– Não se preocupe com isso ainda, Sra. Ryan. Seu marido é um homem muito forte. Podemos ver que ele está lutando muito.

– Como podem saber?

– Ora, porque ele ainda está vivo. Um homem mais fraco já não estaria aqui.

Ela tentou tirar força daquilo, realmente acreditar, mas quatro dias antes a esperança era algo mais fácil. Cada dia que passava a derrubava um pouco mais, enfraquecia a estrutura de sua negação. Às vezes o medo se disfarçava de verdade e tomava conta dela.

O Dr. Schmidt se levantou.

– Preciso ir ver um paciente agora. Vou acompanhá-la em parte do caminho até o quarto do Sr. Ryan.

Ela assentiu e começou a caminhar ao lado dele. Por um instante, com o médico ao lado, falando com a voz suave e confiável, sentiu falta do pai.

– Bem, aqui eu me despeço – disse o Dr. Schmidt, apontando para o corredor que levava ao departamento de radiologia.

Kate assentiu. Teria murmurado uma despedida, mas não confiou na própria voz, e a última coisa que queria era deixar transparecer sua fraqueza.

Ficou parada no corredor, vendo o médico se afastar. Quase no final do corredor, ele se fundiu ao mar de corpos vestidos de branco e desapareceu.

Dando um suspiro, ela seguiu para o quarto de Johnny. Se tivesse sorte, Tully estaria lá agora. A mera presença da amiga já era uma grande ajuda. Sinceramente, Kate não sabia como teria conseguido passar os últimos dias sem Tully. Elas jogavam carta, conversavam e cantavam juntas, esperando que Johnny fosse querer acordar para mandar que ficassem quietas. Na noite anterior, Tully havia encontrado um antigo episódio de *A Família Dó-Ré-Mi* passando na TV alemã. Fez Kate dar gargalhadas com um diálogo inventado em que David Cassidy dizia estar a fim da atriz que interpretava sua irmã na série.

As enfermeiras chegaram a ir até o quarto pedir que fizessem silêncio.

Virou no corredor e viu um homem alto de cabelos longos usando casaco azul e jeans surrados à porta do quarto de Johnny. Tinha uma câmera de vídeo no ombro. Pela luz vermelha acesa, Kate percebeu que ele estava gravando.

Saiu correndo pelo corredor e agarrou a manga do casaco do sujeito, fazendo-o girar.

– O que você pensa que está fazendo?

Ela o empurrou com tanta força que ele tropeçou para trás, quase caindo. Foi uma sensação boa. Tão boa que ela desejou ter lhe dado um soco no rosto.

– Abutre – sibilou ela, desligando a câmera com um gesto rápido.

Foi quando viu Tully. A melhor amiga estava parada no pé da cama de Johnny, vestindo um suéter vermelho de gola V e calça preta, com os cabelos e a maquiagem prontos para ir ao ar e um microfone na mão.

– Ah, meu Deus – sussurrou Kate.

– Não é o que você está pensando.

– Você não está fazendo uma matéria sobre a condição de Johnny?

– Eu estou, você sabe que estou, mas eu ia falar com você a respeito. Estou apenas estabelecendo os fatos. Vim aqui para conversar com você...

– Com um cinegrafista – disse Kate, dando um passo para trás.

Tully correu até ela, implorando.

– Meu chefe ligou. Eu vou ser demitida se não conseguir esta matéria. Sabia que você compreenderia se eu simplesmente dissesse a verdade. Você sabe como é o jornalismo e quanto isso é importante para mim. Eu jamais faria nada que magoasse você ou o Johnny.

– Como ousa? Era para você ser minha amiga.

– Eu sou sua amiga.

A voz de Tully ganhara um tom de pânico. A expressão em seus olhos era tão incomum que Kate levou um instante para reconhecê-la: medo.

– Eu não deveria ter começado a filmar, eu admito, mas não achei que você fosse se importar. O Johnny certamente não se importaria. Ele é um jornalista, como eu. Como você era. Ele sabe que a notícia...

Kate deu um tapa no rosto de Tully com o máximo de força que conseguiu.

– Ele não é sua matéria. Ele é meu marido – falou Kate, com a voz embargada na última palavra. – Saia daqui. Vá embora.

Como Tully não se mexeu, Kate gritou.

– Agora! Saia deste quarto! É área restrita à família!

Ao lado da cama de Johnny, um alarme soou.

Enfermeiras vestidas de branco entraram correndo e empurraram Kate e Tully para o lado. Johnny foi transferido para uma maca e levado para fora do quarto.

Kate ficou ali parada, olhando para os lençóis vazios da cama.

– Katie...

– Saia daqui – disse ela com irritação.

Tully segurou sua manga.

– Qual é, Katie? Nós somos melhores amigas para sempre. Aconteça o que acontecer. Lembra? Você precisa de mim agora.

– Você não é exatamente o tipo de amiga de que eu preciso.

Ela se soltou com um puxão e saiu correndo do quarto.

Foi apenas quando chegou ao segundo andar e se viu sozinha no banheiro feminino, olhando fixamente para a porta verde de metal do cubículo, que Kate chorou.

Horas mais tarde, Kate estava sentada na sala de espera. Ao longo do dia havia cruzado com outras pessoas ali, grupos tensos e de olhos vidrados à espera de notícias de alguém querido. Naquele momento, no entanto, o voluntário da mesa de atendimento havia ido para casa e a sala estava vazia.

Nunca, em todos os dias passados naquele hospital, o tempo havia passado tão devagar. Ela não tinha nada para fazer, nenhum truque mental que a fizesse pensar em alguma outra coisa. Folheara revistas, mas todas eram em alemão e nenhuma foto prendeu sua atenção. Nem mesmo telefonar para casa ajudara. Sem Tully ali para animá-la, Kate se sentia afundar no desespero.

– Sra. Ryan?

Kate se levantou rapidamente.

– Olá, doutor. Como foi a cirurgia?

– Ele está muito bem. Havia uma grande hemorragia no cérebro, que consideramos responsável pelo inchaço. Agora ela foi contida. Talvez isso nos dê uma nova esperança, não? Posso acompanhá-la de volta ao quarto dele?

Bastava que ele ainda estivesse vivo.

– Obrigada.

Quando passaram pela estação de enfermagem, ele disse:

– Deseja que eu chame a sua amiga, Talullah? Imagino que não queira ficar sozinha agora.

– Eu não quero ficar sozinha agora, é verdade – disse Kate. – Mas a Talullah não é mais bem-vinda aqui.

– Ah. Bem... A senhora deve continuar acreditando que ele irá acordar. Já vi muitos supostos milagres acontecerem nos meus anos aqui. Muitas vezes acredito que a fé é parte importante do processo.

– Tenho medo de alimentar esperanças – disse Kate em voz baixa.

Ele fez uma pausa diante da porta fechada do quarto de Johnny e olhou para ela.

– Eu não disse que a fé era algo simples. Disse apenas que é necessária. E a senhora está aqui, não está, ao lado dele? Isso demanda um tipo próprio de coragem, não?

O médico bateu no ombro dela e a deixou sozinha ao lado da porta. Kate não sabe ao certo quanto tempo ficou ali, parada, no ambiente estéril do hospital. Depois de um tempo, porém, ela entrou e sentou. Com uma voz baixa e hesitante, fechou os olhos e conversou com ele. Sobre o quê, não saberia dizer. Tudo o que sabia era que uma voz podia ser uma luz a guiar alguém para fora da escuridão.

Quando se deu conta, já era de manhã. A luz do sol brilhou através da janela externa, iluminando o piso bege de linóleo e as paredes cor de gelo.

Ela se levantou da cadeira e ficou parada ao lado da cama, sentindo-se tensa e dolorida.

– Oi, bonitão – murmurou, abaixando-se para beijá-lo no rosto.

Os curativos dos olhos haviam sido retirados. Ela agora podia ver como o olho esquerdo estava ferido e inchado.

– Chega de sangramento no cérebro, está bem? Quando precisar de atenção, tente as maneiras antigas, como ficar bravo ou me beijar.

Kate continuou falando até ficar sem ter o que dizer. Finalmente, ligou a televisão. O aparelho fez um barulho e exibiu uma imagem granulada em preto e branco.

– A máquina que você tanto ama – disse Kate com amargura, levando a mão à do marido.

Segurou seus dedos secos e frouxos. Então se abaixou, beijou o rosto dele e ficou lá parada. Embora ele estivesse com cheiro de hospital, desinfetantes e medicamentos, se ela se esforçasse o bastante, acreditasse o bastante, conseguiria sentir o perfume familiar dele.

– A TV está ligada. Você é a grande notícia.

Nenhuma reação.

Ela passou pelos canais distraidamente, em busca de alguma coisa num idioma que entendesse.

O rosto de Tully preencheu a tela.

Ela estava parada na frente do hospital com o microfone perto da boca. Legendas na parte de baixo da tela reproduziam o que ela estava dizendo:

– Há quase cinco dias, o mundo está preocupado com John Patrick Ryan, o produtor de TV que ficou seriamente ferido quando uma bomba explodiu perto do hotel Al-Rashid. Embora ontem tenha sido realizado o funeral do repórter Arthur Gulder, que estava com ele, a família Ryan e o hospital alemão continuam sem falar com os jornalistas. E como culpá-los? Este é um momento de grande tragédia pessoal para a família Ryan. John, Johnny para os amigos, sofreu grave trauma na cabeça com a explosão. Um complexo procedimento médico foi realizado num hospital de campanha perto de Bagdá. Segundo especialistas, sem essa cirurgia imediata, o Sr. Ryan não teria sobrevivido.

A imagem na tela mudou. Agora, Tully estava parada ao lado da cama de Johnny. Ele apareceu deitado imóvel sobre os lençóis brancos, com a cabeça e os olhos enfaixados. Embora a câmera tenha se fixado por apenas um instante no rosto de Johnny antes de voltar para Tully, era difícil esquecer a imagem dele.

– O prognóstico do produtor ainda é incerto. Especialistas com quem conversei disseram que agora é preciso esperar que o inchaço no cérebro diminua. Se isso ocorrer, ele tem grandes chances de sobreviver. Caso contrário...

Sua voz desapareceu enquanto ela dava a volta até o pé da cama. Lá, ela olhou diretamente para a câmera.

– Tudo o que diz respeito a este caso é incerto no momento, exceto que se trata de uma história de heróis, tanto na zona de guerra quanto em casa. John Ryan queria levar as notícias desta guerra ao povo americano, e eu o conheço bem o bastante para dizer que ele sabia dos riscos que corria e não faria outra escolha. E enquanto ele estava cobrindo os fatos no Irã, sua mulher, Kathleen, estava em casa com a filha de 1 ano do casal, acreditando na importância do que o marido estava fazendo. Como qualquer mulher de soldado, ela fez um sacrifício tão grande quanto o dele para que esse trabalho pudesse ser feito.

A imagem voltou para Tully na entrada do hospital.

– Aqui é Talullah Hart, direto da Alemanha. E, se permite dizer, Bryant: nossas orações certamente estão com a família Ryan neste dia.

Kate ficou olhando fixamente para a televisão muito depois de o segmento terminar.

– Ela fez com que parecêssemos heróis – disse Kate ao quarto vazio. – Até eu.

Sentiu um movimento muito suave na palma da mão. Foi tão suave que, inicialmente, ela quase não sentiu. Franzindo o cenho, ela olhou para baixo.

Johnny abriu os olhos devagar.

Kate soltou um arquejo.

– Johnny? – sussurrou, meio com medo de estar inventando aquilo, de ter sido afinal vencida pelo estresse. – Você está me vendo?

Ele apertou a mão dela. Apertou era modo de dizer, na verdade. Normalmente, não se qualificaria sequer como um toque, mas, naquele momento, o gesto a fez rir e chorar ao mesmo tempo.

– Consegue me ver? – perguntou ela de novo, aproximando-se mais dele. – Pisque uma vez se estiver me vendo.

Lentamente, ele fechou os olhos.

Ela beijou o rosto dele, a testa, os lábios secos e rachados.

– Você sabe onde está? – perguntou ela, afinal, recuando e apertando o botão para chamar a enfermeira.

Percebeu a confusão nos olhos dele e ficou assustada.

– E eu? Você sabe quem eu sou?

Ele a encarou e engoliu em seco. Abriu a boca com esforço e disse:

– Minha... Katie.

– Sim – disse ela, explodindo em lágrimas. – Eu sou a sua Katie.

❧

As 72 horas seguintes foram um turbilhão de reuniões, procedimentos, exames e ajustes de medicação. Kate acompanhou Johnny a consultas com oftalmologistas, psiquiatras, fisioterapeutas, fonoaudiólogos e terapeutas ocupacionais e, é claro, com o Dr. Schmidt. Aparentemente, todo mundo precisava atestar a recuperação de Johnny antes que ela pudesse levá-lo para um centro de reabilitação perto de casa.

– Ele tem sorte de ter você – falou o Dr. Schmidt ao final da reunião dos dois.

Kate sorriu.

– Eu tenho sorte de tê-lo.

– Sim. Agora, sugiro que vá até a cafeteria comer alguma coisa. A senhora perdeu muito peso esta semana.

– É mesmo?

– Certamente. Agora, vá. Levarei seu marido ao quarto dele quando os exames estiverem concluídos.

Kate se levantou.

– Muito obrigada, Dr. Schmidt. Por tudo.

Ele fez um gesto de que não era nada.

– É o meu trabalho.

Sorrindo, ela foi até a porta. Estava quase saindo quando ele a chamou pelo nome mais uma vez.

Ela se virou.

– Sim?

– Não há mais tantos repórteres lá fora, mas podemos emitir um boletim sobre a condição de saúde do seu marido? Gostaríamos muito que eles fossem embora.

– Vou pensar no assunto.

– Ótimo.

Kate deixou a sala do médico e foi até o elevador no final do corredor.

A cafeteria estava quase vazia naquele fim de tarde de quinta-feira. Havia apenas alguns grupos de funcionários reunidos em torno das mesas retangulares e umas poucas famílias de pacientes. Era fácil dizer qual grupo era o quê. Os funcionários conversavam e davam risada enquanto comiam. As famílias ficavam em silêncio, quietas, olhando fixamente para a comida e procurando o relógio de parede de vez em quando.

Kate foi até as mesas próximas à janela. Do lado de fora, o céu estava escuro, cinzento. A qualquer instante, começaria a chover ou nevar.

Mesmo com a distorção do vidro, pôde ver em seu reflexo quanto ela aparentava cansaço, exaustão.

Era estranho, mas, de alguma forma, era mais difícil ficar sozinha com o alívio do que com o desespero. Antes, ela queria basicamente ficar quieta, esvaziar a mente e desejar o melhor. Agora, queria rir com alguém, sorrir e brindar em comemoração e dizer que sempre soubera que aquilo iria terminar assim.

Não. Não com alguém.

Com Tully.

Durante toda a vida de Kate, Tully sempre estivera na primeira fila das comemorações, ela era uma festa pronta para começar. A melhor amiga brindaria até por atravessar uma rua a salvo, se Kate assim desejasse.

Afastando-se da janela, foi até a mesa e sentou.

– Você parece estar precisando beber alguma coisa.

Kate olhou para cima. Tully estava ali parada, vestindo uma calça jeans preta e um suéter de lã branco com gola canoa. Embora estivesse com os cabelos e a maquiagem perfeitos, parecia cansada. E nervosa.

– Ainda está aqui?

– Achou que eu a deixaria sozinha?

Tully tentou sorrir, mas não conseguiu parecer natural.

– Eu lhe trouxe um chá.

Kate olhou fixamente para o copo de isopor na mão de Tully. Ela sabia que era seu chá preferido – Earl Gray –, adoçado com a quantidade certa de açúcar.

Era o único pedido de desculpas que Tully sabia como fazer. Se Kate o aceitasse, sabia que o episódio teria de ser esquecido – a traição e o tapa teriam de se dissolver em nada para que elas pudessem voltar aos trilhos que ligavam suas vidas. Sem arrependimentos, sem ressentimentos. Elas seriam TullyeKate novamente, ou o mais perto disso que mulheres adultas poderiam ser.

– A matéria ficou boa – disse ela, sem alterar a voz.

Os olhos de Tully imploravam por perdão e compreensão, mas o que ela disse foi:

– Vou entrar para o núcleo de notícias na semana que vem. É uma vaga temporária, mas é um começo.

Então foi por isso que você me vendeu, pensou Kate, mas não podia dizê-lo. Em vez disso, falou:

– Parabéns.

Tully estendeu o copo de chá.

– Aceite, Katie. Por favor.

Kate olhou para a amiga por muito tempo. Queria ouvir as palavras – "me desculpe" –, mas sabia que elas jamais viriam. Tully simplesmente não era assim. Por fim, pegou o copo e disse:

– Obrigada.

Tully sorriu e sentou ao lado dela. Antes mesmo de se ajeitar diante da mesa, começou a falar.

Logo, Tully estava fazendo Kate dar risada. Este era o segredo de grandes amigas. Como irmãs e mães, elas podiam nos deixar furiosas, nos fazer chorar e nos magoar, mas, no fim, quando era preciso, elas estavam lá, nos fazendo rir mesmo nos piores momentos.

Vinte e dois

Por pior que tivesse sido aquele ano, Kate sempre pensava que poderia ter sido muito pior. O homem que ela trouxe de volta da Alemanha guardava apenas uma parca lembrança do marido nos primeiros meses. A cabeça dele estava demorando a voltar ao normal, e às vezes ele perdia a paciência consigo mesmo quando não conseguia se lembrar de uma palavra ou transmitir uma ideia. Kate passou intermináveis horas com ele em consultórios, às vezes acompanhando-o na fisioterapia, às vezes esperando no saguão com Marah.

Desde o instante em que chegaram em casa, Marah parecia sentir que havia alguma coisa errada com o pai, e não havia carinho suficiente para confortá-la. Com muita frequência, ela acordava gritando no meio da noite e só ficava em silêncio depois que Kate a levava para a cama com eles (uma prática que fazia a mãe revirar os olhos, acender um cigarro e dizer "Você vai se arrepender").

Quando chegaram as festas de fim de ano, Kate fez uma grande decoração, esperando que a visão de todas as peças que eles colecionavam de alguma forma os reunisse novamente e os transformasse de novo na família que eram antes.

Durante a hora das meninas, enquanto tomava sua taça de vinho branco e dizia à tia Georgia e à sua mãe que estava tudo bem, Kate começou a chorar.

A mãe segurou a mão dela.

– Está tudo bem, querida. Desabafe.

Mas ela teve medo de fazer isso.

– Eu estou bem – garantiu. – Foi um ano difícil, só isso.

A campainha tocou.

– Provavelmente são o Rick e a Kelli.

Era Tully. Parada na varanda usando um casaquinho branco de caxemira com calça combinando, ela estava absolutamente linda. Trazia nos braços presentes suficientes para três famílias.

– Não me digam que começaram a hora das meninas sem mim. Se começaram, vão ter de começar de novo.

– Você disse que teria de ir para Berlim – disse Kate, desejando que tivesse se vestido um pouco melhor e usado um pouco de maquiagem.

– E perder o Natal? De jeito nenhum.

Tully pôs os presentes embaixo da árvore e deu um abraço em Kate. Ela não havia se dado conta do quanto sentira falta da amiga até aquele momento.

Tully transformou a tranquila hora das meninas numa festa. À uma hora, bem depois de quando deveriam ter posto o peru no forno, tia Georgia, Tully e a Sra. Mularkey continuavam dançando ao som de ABBA e Elton John, cantando a toda a altura.

Kate estava de pé ao lado da árvore. De repente, a sala parecia mais iluminada. Como Tully conseguia dar vida a qualquer festa com tanta facilidade? Talvez fosse por não precisar fazer o trabalho pesado – Tully não limpava, cozinhava ou lavava.

Johnny foi até a esposa, que percebeu que ele estava mancando muito pouco.

– Ei, você – disse ele.

– Ei.

Ao redor deles, as pessoas estavam conversando e cantando. Tia Georgia dançava com Sean, a namorada dele e o tio Ralph. A mãe e o pai de Kate conversavam com Tully, que se balançava ao ritmo da música, com Marah no colo.

Johnny foi até os presentes embaixo da árvore, de onde tirou uma caixinha embrulhada em papel prateado e dourado preso com fita adesiva que sobrava nos cantos e um laço vermelho grande demais. Entregou a caixinha à esposa.

– Quer que eu abra agora?

Ele assentiu.

Ela desatou o laço, retirou o papel e encontrou uma caixinha de veludo azul. Ao abri-la, ficou sem fôlego. Lá dentro havia um lindo colar de ouro com um pingente em forma de coração incrustado de diamantes.

– Johnny...

– Eu fiz algumas coisas idiotas na minha vida, Katie, e, pela maioria delas, paguei um preço. Ultimamente, você também pagou. Sei quanto este último ano foi difícil para você. E quero que saiba o seguinte: você é a única coisa que eu fiz certo nesta vida.

Johnny tirou o colar da caixa e o colocou no pescoço dela.

– Aceitei um novo emprego na emissora antiga. Você não vai mais precisar se preocupar comigo. Você é o meu coração, Katie Scarlett, e eu sempre vou estar ao seu lado. Eu te amo.

Kate sentiu a garganta apertada de emoção.

– Eu te amo também.

❧

Durante a faculdade, as cerejeiras marcavam a passagem do tempo. As estações iam e vinham naqueles galhos acinzentados e retorcidos. Nos anos 1980, o tempo era marcado pelos postes de iluminação da rua de paralelepípedos na frente do mercado público. Quando o primeiro enfeite de Natal surgia nos postes, ela sabia que mais um ano havia passado.

Nos anos 1990, foi a vez do cabelo de Tully. Todas as manhãs, enquanto alimentava e dava banho em Marah, Kate assistia ao programa matinal na TV. Como um relógio, os penteados de Tully mudavam duas vezes por ano. Primeiro, foi a franja curtíssima estilo Jane Pauley, depois, o visual bagunçado de Meg Ryan, então o corte espetado que a deixou com uma aparência muito jovem. Mais recentemente, havia deixado os cabelos crescerem o bastante para cortá-lo no estilo mais falado do país – o que Jennifer Aniston usava em *Friends*.

Toda vez que Kate via um novo penteado, estremecia ao ver como o tempo estava passando rápido.

Os anos não estavam apenas passando, eles estavam voando. Já era verão de 1997. Em poucas semanas, sua bebê estaria entrando na escola.

Detestava admitir quanto vinha esperando ansiosamente por este dia.

Durante os últimos sete anos, havia sido a melhor mãe que sabia ser. Registrara cuidadosamente cada progresso no álbum de bebê de Marah e tirara fotografias bastantes para documentar cientificamente uma nova forma de vida. Mais do que isso, ela gostava tanto da filha que às vezes se sentia perdida no mar de amor que as cercava. Ela e Johnny tentaram durante anos conceber mais um filho, mas não tiveram sorte. Isso foi algo difícil para Kate. Com o tempo, porém, aceitou a família pequena e se dedicou a tornar todos os momentos perfeitos. Finalmente, havia encontrado alguma coisa pela qual era apaixonada: a maternidade.

Mas conforme os meses viraram anos, ela começou a sentir uma pontada de insatisfação. No começo, manteve o sentimento preso dentro dela – afinal, do que poderia reclamar? Adorava a própria vida. Passava as horas vagas que tinha fazendo trabalho voluntário na escola e no centro para mulheres carentes. Chegou inclusive a fazer algumas aulas de artes.

Não era suficiente, não preenchia o vazio, mas fazia com que ela se sentisse produtiva e útil. E embora as pessoas que a amavam – Johnny, Tully e sua mãe – comentassem repetidamente que ela parecia estar procurando por algo mais, ela os ignorava. Era muito mais fácil focar no presente, em sua filha. Mais tarde haveria muito tempo para si mesma.

Agora, estava parada diante da janela da sala de estar usando seu pijama de flanela e olhando para o quintal escuro. Mesmo nas sombras, podia ver os brinquedos atirados pelo deque e pelo pátio. Barbies. Bichinhos de pelúcia. Um triciclo deitado de lado. Um Corvette de plástico cor-de-rosa.

Sacudindo a cabeça, virou-se e foi ligar a televisão. Assim que Marah acordasse, ia fazer a filha ir lá fora recolher os brinquedos. Certamente isso resultaria num ataque de birra.

A televisão fez um barulho forte. Um banner de ÚLTIMAS NOTÍCIAS passava embaixo do rosto tenso de Bernard Shaw. Atrás dele, surgia uma sucessão de fotografias da princesa Diana.

– Para quem está ligando a TV agora – disse o apresentador –, acabam de chegar notícias da França. A princesa Diana morreu…

Kate ficou olhando fixamente para a tela, sem entender muito bem.

A princesa. A princesa *delas*. Morta?

Ao seu lado, o telefone tocou. Sem desviar o olhar da TV, ela atendeu.

– Alô?

– Está vendo o noticiário?

– É verdade?

– Estou em Londres para fazer a cobertura.

– Ah, meu Deus.

Kate avaliou as imagens na TV. A jovem e tímida Diana com sua saia xadrez e olhos baixos. Diana grávida, parecendo esperançosa e radiante. Diana elegante num maravilhoso vestido de um ombro só, dançando com John Travolta na Casa Branca. Diana rindo num passeio com os filhos na

Disneylândia. E, finalmente, Diana sozinha, num hospital longe de casa, segurando um bebê negro desnutrido.

Naquelas poucas imagens estava toda a vida de uma mulher.

– Tudo pode acabar tão rápido – disse Kate, mais para si mesma do que para Tully, e percebendo um pouco tarde demais que Tully estava falando e ela a interrompera.

– E ela estava começando a conquistar o próprio espaço.

Talvez ela tivesse esperado demais para começar. Kate sabia como era isso. Como podia ser assustador ver os filhos crescendo e o marido indo para o trabalho e ficar pensando no que fazer com o pedaço de vida que era seu.

Fotografias conhecidas preencheram a tela: Diana caminhando sozinha em algum evento, acenando para a multidão. Então, a imagem mudou para os portões da frente de um dos castelos, diante dos quais flores em homenagem a ela começavam a se amontoar. A vida podia mudar tão rapidamente. De alguma maneira, Kate havia se esquecido disso.

– Kate? Você está bem?

– Acho que vou me matricular na aula de escrita criativa na Universidade de Washington – disse ela.

As palavras pareceram ser arrancadas de dentro dela de alguma forma.

– É mesmo? Que ótimo! Você sempre foi uma excelente escritora.

Kate não disse mais nada. Afundou no sofá e ficou olhando para a TV, surpreendendo-se quando começou a chorar.

Quase que no mesmo instante, Kate se arrependeu da decisão que havia tomado. Bem, isso não era totalmente verdade. Arrependeu-se mesmo foi de ter contado a Tully, que contou à sua mãe, que contou a Johnny.

– Sabe, é uma ótima ideia – falou Johnny algumas noites

mais tarde, quando os dois estavam deitados na cama, vendo televisão. – Vou ajudar no que você precisar.

Kate queria lhe dar uma lista completa de motivos pelos quais aquilo seria muito pesado para seu dia a dia. Ele e Tully faziam tudo parecer muito fácil, como se a vida fosse um combo de restaurante, em que se faz o pedido e se paga por ele. Kate sabia quanto eles estavam errados, como era não se sentir boa o bastante.

No fim, porém, havia um limite de tempo durante o qual ela poderia mentir e inventar desculpas para si mesma. Quando Marah entrou para a escola, acenando de forma animada, Kate ficou com horas livres em seu dia.

Tarefas e compromissos da casa só poderiam preencher parte do tempo.

Assim, num dia quente de verão tardio, em meados de setembro, ela deixou Marah na escola, pegou a balsa do começo da manhã e se fundiu ao trânsito do centro de Seattle. Às 10h30, estacionou numa vaga de visitante na Universidade de Washington, foi até o prédio das matrículas e se inscreveu para um curso de verão: introdução à escrita de ficção.

Passou a semana seguinte completamente nervosa.

– Eu não vou conseguir – choramingou para o marido, sentindo-se enjoada no primeiro dia de aula.

– Vai conseguir, sim. Vou levar Marah para a escola, para você não ter de sair correndo e se estressar.

– Mas eu já estou estressada.

Ele se abaixou e a beijou, então recuou, sorrindo.

– Saia da cama.

Depois disso, ela entrou no piloto automático – tomou um banho, se vestiu e arrumou a mochila.

Durante todo o trajeto até a Universidade de Washington, pensou: o que eu estou fazendo? Tenho 37 anos. Não posso voltar à faculdade.

E então, quando deu por si, estava na sala de aula, a única pessoa ali com mais de 30 anos – incluindo o professor.

Não sabia ao certo quando relaxara, mas, gradualmente, a dor de estômago passou. Quanto mais o professor falava sobre escrever, sobre o dom de contar histórias, mais Kate sentia que pertencia àquele lugar.

❦

Do seu lugar na bancada, Tully encerrou a conversa com os outros apresentadores do programa e se voltou para o teleprompter, lendo as notícias perfeitamente.

– O chefe da polícia de Denver, Tom Koby, admitiu hoje que foram cometidos erros no começo das investigações do caso JonBenét Ramsey. Fontes próximas ao caso alegam que...

Ao terminar, deu o sorriso característico para a câmera e devolveu a apresentação a Bryant e Katie. Enquanto estava reunindo o roteiro e as anotações, uma assistente de produção se aproximou e sussurrou em seu ouvido:

– Seu agente está no telefone, Tully. Ele disse que é urgente.

– Obrigada.

Conversou com vários membros da equipe ao sair do estúdio e no caminho até sua sala. Lá, fechou a porta e atendeu o telefone, apertando a tecla da linha um.

– Aqui é a Tully. Oi, George.

– Tem um carro esperando por você aí na frente. Encontro você no Plaza em quinze minutos.

– O que houve?

– Retoque a maquiagem e vamos lá.

Tully desligou, avisou que ia a uma reunião e saiu do prédio.

No hotel, um porteiro uniformizado surgiu imediatamente para abrir a porta do carro para ela, dizendo:

– Bem-vinda ao Plaza, Sra. Hart.

– Obrigada.

Ela lhe deu uma nota de 10 dólares e entrou no saguão de mármore claro.

Seu agente, George Davison, a esperava, elegante num terno Armani cinza.

– Pronta para realizar seus sonhos?

– Você finalmente vai fazer isso, é?

Ele a levou pelo corredor repleto de vitrines de vidro que exibiam itens caros à venda nas diversas lojas de presentes e na joalheria até o restaurante arejado de pé-direito alto.

Ela viu imediatamente aonde eles estavam indo. Num canto do salão, escondido atrás do bufê internacional, estava o presidente da CBS.

Ele se levantou à sua chegada.

– Olá, Talullah, obrigado por vir.

Ela perdeu o fôlego, mas não o sorriso.

– Olá.

Sentou-se na frente dele e observou George se sentar entre os dois.

– Não vou fazer rodeios. Como sabe, o *Today Show* está matando a nossa audiência matinal.

– Sim.

– Na CBS, acreditamos que você é responsável por grande parte do sucesso do programa. Eu notei especialmente as suas habilidades como entrevistadora. Com Amy Fischer e Joey Buttafuoco, os sobreviventes do atentado a bomba de Oklahoma. Os advogados de O. J. e Lyle Menendez. Você esteve ótima em todas elas.

– Obrigada.

– Nós gostaríamos de lhe oferecer a vaga de coapresentadora do nosso programa, e o seu primeiro iria ao ar em 1998. Nossas pesquisas de mercado indicam que os telespectadores se identificam com você. Eles gostam e confiam em você. É exatamente o que precisamos para reconquistar nossa audiência. O que me diz?

Tully sentiu como se pudesse sair flutuando da cadeira. Não havia como conter sua alegria ou fazê-la sorrir um pouco menos.

– Estou embasbacada. E honrada.

– Qual é a oferta? – perguntou George.

– Um milhão de dólares por ano durante cinco anos.

– Dois milhões por ano – negociou George.

– Feito. O que me diz, Tully?

Tully não olhou para seu agente. Não precisava, os dois vinham sonhando com uma oferta como aquela havia anos.

– Eu digo claro que sim. E posso começar amanhã?

❧

Escrevendo, Kate reencontrou sua voz. Acordava todos os dias às seis da manhã e ia para o escritório que montara no quarto extra. Lá, trabalhava cuidadosamente para criar e recriar frases, polindo cada parágrafo até ele revelar tudo o que ela estava tentando dizer. A certa altura dessa primeira hora, Johnny entrava para se despedir dela com um beijo, e então ela ficava sozinha até Marah acordar e o dia da vida real começar.

Sentia-se muito confiante em seu pseudoescritório, com os dedos no teclado do computador. Se ao menos se sentisse tão segura de si agora...

Estava parada na frente da sala de aula, com uma lousa verde atrás de si. Nos conjuntos de mesa e cadeira diante dela, cerca de uma dúzia de garotos com ar entediado estava atirada nas cadeiras. Vários pareciam dormir. Ao lado dela, o professor – um jovem de cabelo longo e desalinhado, de calça camuflada e tênis – esperava pacientemente.

Kate respirou fundo e começou:

– No pequeno quarto da casa decrépita, a menina estava sozinha novamente. Ou pelo menos acreditava estar. Naquele lugar onde as lâmpadas não acendiam e as janelas estavam cobertas por papel preto e fita isolante, era difícil saber a verdade. Será que devia se arriscar e tentar fugir? Esta era a questão. Da última vez que tentara, fizera um cálculo errado e isso havia lhe custado caro. Inconscientemente, passou a mão na área ainda inchada no queixo.

Kate se perdeu nas palavras que havia escrito, no conto que era dela e somente dela. Tudo acabou muito rápido. Com a última frase lida, ela ergueu o olhar, esperando para ver um novo respeito nos rostos que a observavam.

Não teve essa sorte.

– Bem – disse o professor, aproximando-se –, foi interessante. Parece que temos uma escritora florescendo entre nós. Alguém tem algum comentário?

Durante os vinte minutos seguintes, todos dissecaram a história de Kate, em busca de falhas. Ela ouviu atentamente, recusando-se a se deixar ferir pelas críticas. E daí que ela havia gastado quase quatro semanas naquelas seis páginas? O que importava era que ela podia melhorar. Ela poderia deixar a história mais concisa, aperfeiçoar o ponto de vista e tomar mais cuidado com os diálogos. No final da aula, em vez de se sentir ferida ou abatida, estava se sentindo poderosa, como se um caminho que até então ela não via tivesse acabado de se revelar. Mal podia esperar para chegar em casa e tentar de novo.

Enquanto arrumava o material para ir embora, o professor se aproximou dela e disse:

– Você realmente promete, Kate.

– Obrigada.

Kate saiu radiante e às pressas da sala. Enquanto cruzava o campus e deixava o estacionamento, imaginou novas direções para a história, formas de arrumá-la. Estava tão presa em seu mundo imaginário que perdeu a saída e teve que voltar.

Pouco depois das 13h20, ela parou o carro no estacionamento embaixo do viaduto de concreto e atravessou a rua até o restaurante Ivar's. Sua mãe já estava sentada na mesa do canto.

Através das inúmeras janelas, a baía de Elliott cintilava sob a luz do sol. Gaivotas sobrevoavam o local e mergulhavam atrás das batatas fritas atiradas pelos turistas no píer do lado de fora.

– Desculpe o atraso – disse Kate, sentando em frente à mãe. – Detesto dirigir na cidade.

– Pedi camarão para nós duas. Sei que você precisa pegar a barca das duas e dez.

Sua mãe se inclinou para a frente e apoiou os cotovelos na mesa.

– E então? Seu professor achou que a sua história era melhor do que John Grisham?

Kate não pôde deixar de rir com o que a mãe disse.

– Ele não usou essas palavras exatamente, mas disse que eu tenho talento.

– Ah – fez a mãe, e se recostou na cadeira, parecendo decepcionada. – Eu achei sua história brilhante. Até o seu pai achou.

– O papai também acha que eu sou melhor do que o John Grisham? E na minha primeira história. Acho que sou um gênio.

– Está dizendo que a nossa opinião é um pouco exagerada?

– Um pouco. Mas eu amo vocês por isso.

– Estou orgulhosa de você, Katie – disse ela baixinho. – Eu sempre quis encontrar alguma coisa assim para mim. Acabei fazendo mantas.

– Você criou dois filhos ótimos. Quer dizer, uma filha ótima e um filho bem bom – brincou Kate. – E continuou casada e fez todo mundo feliz. Devia se orgulhar disso.

– E me orgulho, mas...

Kate pôs a mão em cima da mão da mãe. As duas compreendiam. Toda mãe em tempo integral do mundo compreendia. No fim, havia preços a serem pagos pelas escolhas feitas por uma mulher.

– Você é minha heroína, mamãe – disse Kate simplesmente.

A mãe olhou para ela com lágrimas nos olhos. Antes que

pudesse responder, a garçonete chegou com suas saladas e limonadas, pôs a comida em cima da mesa e foi embora.

Kate pegou o garfo e começou a comer.

O enjoo veio do nada.

– Com licença – murmurou Kate, deixando o garfo cair e pondo a mão na boca.

Saiu correndo para o banheiro e lá, num cubículo absurdamente pequeno, vomitou.

Quando não tinha mais nada no estômago, ela foi até a pia, lavou as mãos e o rosto e enxaguou a boca. Sentia o corpo todo trêmulo e fraco. Seu rosto no espelho estava muito pálido e cansado. Pela primeira vez, percebeu as profundas olheiras.

Talvez tivesse pegado uma virose. Todas as crianças do parquinho tinham estado doentes naquela semana.

Ainda se sentindo um pouco trêmula, voltou para a mesa, sob o olhar atento da mãe.

– Eu estou bem – disse Kate, sentando-se. – Levei a Marah ao parquinho no fim de semana. Todas as crianças estavam doentes.

Esperou pela resposta da mãe. Como o silêncio simplesmente continuou, Kate finalmente olhou para ela.

– O que foi?

– Maionese – falou a mãe. – Também deixava você enjoada na gravidez da Marah.

Foi como se a cadeira evaporasse debaixo de Kate – puf!, desapareceu – e ela caísse. Vários incômodos que vinha sentindo ultimamente começaram a fazer sentido como sintomas: seios sensíveis apesar de ela não estar menstruada, dificuldade para dormir, exaustão. Fechou os olhos e sacudiu a cabeça, suspirando. Ela havia desejado outro bebê – ela e Johnny –, mas fazia tanto tempo que haviam desistido… E agora estava indo tudo tão bem com seus textos. Ela não queria voltar a ter noites sem dormir, bebês chorando e dias que a deixavam cansada demais para responder a uma pergunta à mesa de jantar, que dirá escrever uma história.

– Você só vai demorar um pouco mais para ser publicada – disse a mãe. – Você vai conseguir fazer as duas coisas.

– Nós queríamos outro bebê – disse ela, tentando sorrir. – E eu vou continuar escrevendo. Você vai ver só – falou, quase convencendo a si mesma. – Posso fazer isso com dois filhos.

Na quinta-feira, dois dias depois, ela descobriu que teria gêmeos.

Parte Quatro

O novo milênio

"A Moment Like This"
Algumas pessoas esperam por toda uma vida

Vinte e três

Em 2000, Kate raramente fazia uma pausa no caos contínuo de sua vida cotidiana para se perguntar onde os anos tinham ido parar. Contemplar e refletir, assim como relaxar, eram coisas de outra era, ideias de outra vida, a estrada que ela não havia seguido. Uma mulher com três filhos – uma menina de 10 anos se aproximando rapidamente da puberdade e gêmeos de 18 meses de idade – simplesmente não tinha tempo de pensar muito em si mesma, e a diferença de idade de seus filhos criava quase duas famílias distintas. Ela sabia agora por que as mulheres tinham os filhos mais próximos um do outro. Começar de novo dobrava o nível de exaustão de uma mãe.

Seus dias eram consumidos por detalhes, e aquela manhã de março surpreendentemente ensolarada não era uma exceção. A lista de afazeres só aumentava, a ponto de ela se ver correndo desde o nascer do sol até bem depois do anoitecer. A parte ruim era que ela nunca parecia conseguir realizar nada de importante, embora quase nunca tirasse uma hora para si mesma. A vida de mãe em tempo integral era uma corrida eterna, sem linha de chegada. Era sobre coisas assim que as mães conversavam na fila de carros enquanto esperavam os filhos saírem da escola. Isso e divórcio. Nos últimos tempos, parecia que todos os meses um casamento sólido deixava transparecer fundações frágeis.

Só que aquele dia não era apenas mais um elo qualquer na corrente de sua vida. Naquele dia, Tully chegaria a Seattle para uma turnê promocional. Seria a primeira vez que as duas se veriam em meses, e Kate mal podia esperar. Estava precisando de um tempo com a amiga.

Repassou apressadamente a lista de tarefas do dia – deixou Marah na escola, demorou mais do que queria no supermercado, comprou maquiagem nova, chegou a tempo na biblioteca para a hora da leitura, pegou a roupa de Johnny na lavanderia, fez os meninos tirarem uma soneca e limpou a casa.

Às duas horas, novamente na fila de carros esperando para buscar Marah, estava exausta.

– A tia Tully vai passar a noite conosco, não vai, mamãe? – falou Marah do banco traseiro, parecendo muito pequena entre as cadeirinhas enormes dos meninos.

– É isso mesmo.

– Você vai se maquiar?

Kate não conseguiu não sorrir. Não sabia ao certo como aquilo havia acontecido, mas de alguma forma ela havia criado uma menina muito vaidosa. Aos 10 anos, Marah já sabia mais de moda e estilo do que Kate. Ela observava espantada a filha alta e magra ler as revistas adolescentes de moda e memorizar nomes dos estilistas. Fazer compras para a escola era um terror. Se não encontrava exatamente o que queria, Marah enlouquecia. Kate raramente tinha dúvidas de que a filha estava julgando sua aparência. Com bastante frequência, sabia que não era bem avaliada.

– Eu definitivamente vou usar maquiagem. Vou até cachear meus cabelos, que tal?

– Posso usar brilho labial? Só desta vez? Todas as meninas…

– Não. Nós já tivemos essa discussão, Marah. Você é muito nova ainda.

Marah cruzou os braços.

– Eu não sou um bebê.

– Você não é uma adolescente também. Acredite em mim, você vai ter muito tempo para tudo isso.

Ela entrou com o carro na garagem e estacionou.

Marah estava dentro da casa antes que Kate tivesse tempo de pedir que a ajudasse.

– Obrigada pela ajuda – resmungou Kate, tirando os meninos das cadeirinhas.

Lucas e William eram agitados separadamente. Juntos, eram um tornado.

Durante as horas seguintes, Kate fez mais tarefas da tarde. Além das coisas de sempre, arrumou vasos de flores e os espalhou pela casa, posicionou e acendeu velas perfumadas em cômodas altas para que os meninos não as alcançassem e limpou cuidadosamente o quarto de hóspedes para o caso de Tully decidir que podia ficar. Então, com o jantar no forno e os meninos andando atrás dela, subiu para se arrumar.

Ao passar pelo quarto de Marah, pôde ouvir o barulho de passos que indicavam que a filha estava tirando todas as roupas de dentro do armário. Sorrindo, Kate foi para o próprio quarto, colocou os meninos no cercadinho e, ignorando os berros dos dois, tomou um banho. Quando terminou de secar os cabelos (tentando não pensar que precisava desesperadamente de um corte e de luzes), abriu a porta do banheiro.

– Como vocês dois estão agora?

Lucas e William estavam sentados lado a lado, com as perninhas gorduchas nuas estendidas diante deles, conversando na língua dos bebês.

– Que bom – disse ela, afagando as cabecinhas dos dois ao passar por eles.

Diante do armário, deu um suspiro. Todas as roupas que tinha estavam fora de moda ou pequenas demais. Ainda precisava perder alguns quilos da gravidez – os gêmeos haviam transformado a barriga dela num estádio, e esse tipo de expansão não retornava ao lugar facilmente.

Fazer exercícios teria ajudado, e ela desejou ardorosamente que tivesse se planejado para fazê-los naquele inverno.

Agora era tarde.

Escolheu uma calça jeans Levi's que era uma de suas preferidas e um bonito suéter de lã preto que Johnny havia lhe dado de Natal alguns anos antes, logo depois de ele ter aceitado o emprego na KLUE. Era uma de suas únicas roupas de grife.

– Vamos lá, meninos – disse ela, pegando os dois com a tranquilidade de quem sabia o que estava fazendo.

Apoiando um em cada lado do quadril, levou-os para o quarto, trocou as fraldas e os vestiu com as lindas roupas de marinheiro que Tully havia mandado de presente no aniversário de 1 ano. Então, como levaria uma eternidade deixá-los descer a escada sozinhos, ela os levou no colo e os deixou no chão da sala diante de uma pilha de brinquedos e um filme do Ursinho Puff. Isso lhe daria vinte minutos, se tivesse sorte.

Depois de fechar o portãozinho na parte de baixo da escada, foi para a cozinha e começou a pôr a mesa. Como sempre, manteve um olho nos meninos durante seus afazeres.

– Mamãe! – gritou Marah. – Eles chegaram!

Marah desceu correndo a escada, pulou por cima do portão e correu para a janela, apertando o nariz contra o vidro.

Kate foi para o lado da filha, afastando as cortinas. Faróis iluminaram a escuridão. O carro de Johnny vinha na frente pelo longo caminho arborizado, seguido por uma limusine preta. Os dois veículos pararam na entrada de carros.

– Nossa – falou Marah.

O motorista uniformizado foi até a porta do passageiro e a abriu.

Tully saiu devagar, como se para causar efeito. Usava uma calça jeans de cintura baixa de grife e uma impecável camisa em estilo masculino, com blazer azul-marinho. Era a própria definição de casual chique. Os cabelos, cortados em camadas, provavelmente pelo melhor cabeleireiro de Manhattan, ostentavam um maravilhoso tom avermelhado que brilhava sob a luz da garagem.

– Nossa – repetiu Marah.

Kate tentou encolher a barriga.

– Será que ainda dá tempo de fazer uma lipo?

Johnny saiu do carro e foi na direção de Tully. Ficaram perto o bastante para seus ombros se tocarem. Rindo de alguma coisa que o motorista disse, Tully se virou para Johnny, colocando a mão em seu peito enquanto falava.

Os dois pareciam perfeitos juntos, como modelos em uma página de revista de moda.

– O papai gosta mesmo da tia Tully – comentou Marah.

– Gosta mesmo – murmurou Kate, mas Marah já havia saído.

Sua filha abriu a porta e foi correndo para a madrinha, que a pegou no colo e a girou no ar.

Tully entrou na casa da forma como fazia tudo: como um turbilhão de som e luz. Abraçou Kate com força, beijou as bochechas fofas dos meninos, entregou mais presentes do que se dava num Natal da família Ryan e pediu uma bebida.

Durante todo o jantar, ela os divertiu, contou histórias sobre como tinha sido estar em Paris na virada do milênio e sobre o pânico que antecedera o evento, sobre a última cerimônia do Oscar e sobre como colaram um vestido com fita adesiva nos peitos dela e o adesivo acabou descolando quando ela estava tomando uma dose de tequila.

– Todo mundo na sala viu a sua dose – disse ela, dando risada –, se é que vocês me entendem.

Marah prestava atenção a cada palavra de Tully.

– Era um Armani? – perguntou ela.

Kate ficou absolutamente pasma ao ouvir Tully dizer:

– Era sim, Marah. Estou vendo que conhece os estilistas de moda. Fico orgulhosa de você.

– Eu vi fotos na revista. Disseram que você era uma das mais bem-vestidas.

– Dá trabalho ficar assim – disse Tully, radiante. – Tem toda uma equipe trabalhando para que eu fique bonita.

– Nossa! – exclamou Marah mais uma vez. – Que legal!

Quando Tully esgotou o tema de estilo das celebridades, passou para a política mundial. Ela e Johnny discutiram o escândalo Clinton-Lewinsky e a cobertura feita em detalhes. Marah interrompia a cada pausa com intermináveis perguntas sobre celebridades adolescentes que Tully conhecia pessoalmente e de quem Kate nunca havia ouvido falar. Os meninos eram tão agitados que ela precisava de todo o esforço e toda a concentração para mantê-los quietos. Kate queria participar, fazer um ou outro comentário, mas os meninos escolheram aquela noite para ficar atirando comida um no outro, e ela precisava ficar atenta para mantê-los sob controle.

O jantar pareceu durar um nanossegundo. Quando terminou, Marah, numa tentativa patética de impressionar Tully, tirou a mesa.

– Eu lavo a louça – falou Johnny. – Por que você e Tully não pegam uns cobertores e sentam lá fora?

– Você é um príncipe – disse Tully. – Vou fazer uma jarra de margarita. Katie, você bota o Huguinho e o Zezinho na cama, e eu encontro você lá fora em quinze minutos.

Kate assentiu com a cabeça e levou os meninos para cima. Quando terminou o processo de dar banho, vesti-los e ler para eles, já eram quase oito horas.

Sentindo-se um pouco cansada, foi até o andar de baixo, onde encontrou Marah enroscada no colo de Tully.

Johnny a encontrou no pé da escada.

– As margaritas estão no liquidificador. Vou botar a Marah na cama.

– Eu te amo.

Ele deu um tapinha em seu bumbum:

– Eu sei – falou, então se virou para a filha. – Vamos lá, querida. Hora de ir para a cama.

– Ah, papai. Preciso mesmo? Estou contando para a tia Tully sobre a Sra. Hermann.

– Suba e ponha o pijama. Vou lá num instante para ler uma história para você.

Marah deu um abraço apertado em Tully, beijou o rosto dela e se arrastou até onde estavam Johnny e Kate.

Deu um beijo rápido em Kate e subiu a escada.

Tully se levantou.

– Muito bem. Eu fui muito paciente, o que você bem sabe não é o meu forte, mas agora as crianças não estão mais aqui, então pode ir falando.

Kate franziu a testa.

– O quê?

– Você está com uma aparência terrível – disse Tully baixinho. – Qual é o problema?

– São só os hormônios. Ou falta de sono. Os meninos me deixam exausta.

Ela riu da sequência de desculpas de sempre.

– Estou bem – garantiu.

– Acho que ela não sabe qual é o problema – disse Johnny para Tully, como se Kate nem estivesse ali.

– Como estão indo seus textos? – perguntou Tully a ela.

Kate estremeceu.

– Muito bem.

– Ela não está escrevendo – contou Johnny, e Kate pensou em dar um cascudo nele por isso.

Tully pareceu incrédula.

– Nada?

– Não que eu saiba – disse Johnny.

– Parem de falar sobre mim como se eu não estivesse aqui – reclamou Kate. – Eu tenho uma filha dramática de 10 anos que pratica todos os esportes do mundo, faz aulas de dança três vezes por semana e tem uma agenda social mais movimentada do que a das garotas do *Sex and the City*. E não se esqueçam dos gêmeos de 18 meses que raramente estão dormindo ao mesmo tempo e quebram tudo o que tocam. Como é que eu devo fazer tudo isso, preparar o jantar, lavar a louça, limpar a casa e escrever um livro ao mesmo tempo?

Olhou para eles.

– Eu sei o que vocês dois estão pensando. É o que todo mundo parece pensar. Eu preciso arranjar tempo para ir em busca do meu verdadeiro eu. Eu preciso ter *anseios* que vão além da maternidade. E eu tenho, caramba, só não sei como fazer tudo isso e ainda buscar minha filha na escola a tempo.

No silêncio que se seguiu ao seu ataque, um pedaço de lenha estalou na lareira, fazendo um barulho forte.

Tully olhou para Johnny.

– Seu cretino.

– O quê?

Ele pareceu tão perplexo que Kate quase deu risada.

– Ela limpa a casa e busca a sua roupa na lavanderia? Você não pode contratar alguém para a limpeza, pelo amor de Deus?

– Ela nunca disse que precisava de ajuda.

Até aquele momento, Kate não havia se dado conta de quanto estava se sentindo sobrecarregada. Sentiu uma onda de alívio tomando conta do seu corpo, soltando os músculos das costas.

– Eu preciso – finalmente admitiu ao marido.

Johnny a puxou para perto e a beijou, sussurrando.

– Bastava você ter dito alguma coisa – disse ele nos lábios dela.

Kate se agarrou a ele.

– Chega de agarramento – disse Tully, puxando o braço da amiga. – Nós precisamos é de margaritas. Johnny, traga para nós no deque.

Kate se deixou ser levada para fora. Lá, sorriu para a amiga.

– Obrigada, Tul. Não sei por que eu simplesmente não pedi ajuda.

– Você está brincando? Eu adoro ficar dando ordens para o Johnny.

Sentou na cadeira mais próxima. Kate sentou na cadeira ao lado. Johnny voltou, deu um drinque para cada uma e saiu de novo.

Depois de um longo silêncio, Tully disse:

– Vou dizer isto porque eu te amo, Katie: você não tem que ir a todas as excursões e todos os eventos da escola. Precisa arranjar tempo para si mesma.

– Agora me diga alguma coisa que eu não sei.

– Eu leio revistas e vejo televisão. Mães em tempo integral têm quarenta por cento mais chances de...

– *Não*, me diga alguma coisa que eu não sei mesmo. Alguma coisa divertida.

– Eu contei sobre Paris na virada do milênio? E não estou falando dos fogos de artifício. Tinha um cara, um brasileiro...

☙

No dia 1º de julho de 2000, o despertador de Tully tocou como tocava de segunda a sexta, às três e meia da manhã. Dando um grunhido, ela bateu no botão soneca, desejando que ao menos desta vez pudesse dormir por mais dez minutos, e se aninhou em Grant. Adorava acordar perto dos braços dele, embora isso raramente acontecesse. Os dois eram solitários demais para se fundirem, mesmo no sono. Nos anos de relacionamento, haviam estado juntos no mundo todo, participaram de dezenas de festas incríveis e eventos de gala beneficentes. A imprensa o chamava de "amor ocasional" de Tully, e ela sempre considerara o apelido tão bom como outro qualquer. Nos últimos tempos, porém, ela vinha reconsiderando.

Ele acordou lentamente e acariciou o braço dela.

– Bom dia, amor – disse ele com a voz rouca que indicava que ele havia fumado na noite anterior.

– Eu sou? – perguntou ela baixinho, apoiando-se num cotovelo.

– Você é o quê?

Por pouco ele não revirou os olhos, mas o efeito foi o mesmo.

– Essa conversa de novo? Eu sei, você está com 39 anos. Mas isso não muda quem somos, Tully. Não vamos estragar uma coisa boa, está bem?

Ele agia como se ela tivesse pedido para ele se casar com ela ou engravidá-la. Nenhuma das alternativas era verdadeira. Tully saiu da cama e caminhou por seu apartamento espaçoso até o banheiro. Lá, acendeu as luzes.

– Ah, meu Deus.

Ela parecia ter dormido numa lixeira. Os cabelos, curtos com luzes loiras, estavam espetados para todos os lados, de uma forma que só ficariam bem em Annette Bening ou Sharon Stone, e as olheiras estavam imensas.

Nada mais de voos de madrugada. Estava velha demais para passar o fim de semana todo na farra em Los Angeles e trabalhar na segunda-feira de manhã. Esperava que ninguém tivesse feito uma foto dela chegando em casa na noite anterior. Desde a trágica morte de John Kennedy Jr., os paparazzi pululavam. Notícias de celebridades – e pseudocelebridades – eram um grande negócio.

Tomou um banho longo e quente, secou os cabelos e vestiu um agasalho de grife. Quando saiu do banheiro cheio de vapor, Grant estava esperando por ela na porta. Usava o terno da noite anterior e tinha os cabelos cuidadosamente desalinhados. Estava incrivelmente bonito.

– Vamos tirar o dia de folga – disse ela, passando o braço pela cintura dele.

– Desculpe, querida. Tenho um voo para Londres em poucas horas. Preciso ir ver meus pais.

Ela assentiu, sem se surpreender. Ele sempre encontrava um motivo para ir embora. Depois de trancarem a porta do apartamento, os dois desceram juntos no elevador. Nos carros pretos alugados dos dois, parados um atrás do outro na Central Park West, ela lhe deu um beijo de despedida e o observou partir.

Tully costumava adorar a forma como ele ia e vinha em sua

vida, sempre chegando inesperadamente e indo embora antes que ela se entediasse ou se apaixonasse. Nos últimos meses, porém, ela se sentia tão solitária com ele como sem ele.

O motorista uniformizado lhe deu seu *latte* duplo.

– Bom dia, Sra. Hart.

Ela aceitou o café com gratidão.

– Obrigada, Hans – disse, entrando no carro.

Recostando-se, tentou não pensar em Grant ou na própria vida. Em vez disso, ficou olhando pelos vidros com insulfilme. As ruas escuras de Manhattan cintilavam com a chuva do começo da manhã. Aquela hora do dia era o mais próximo que a cidade ficava de dormir. Apenas as almas mais fortes estavam na rua – lixeiros, padeiros, entregadores de jornal.

Vivia aquela rotina havia mais tempo do que era capaz de lembrar. Quase desde seu primeiro dia em Nova York, vinha acordando às três e meia da manhã para ir trabalhar. O sucesso apenas havia deixado seus longos dias ainda mais compridos. Desde que a CBS a cortejara, tivera de incluir reuniões à tarde à rotina das transmissões matinais. Fama, celebridade e dinheiro deveriam ter permitido que ela diminuísse o ritmo e aproveitasse sua carreira, mas havia acontecido o contrário. Quanto mais conquistava, mais desejava, mais medo tinha de perder o que já alcançara e mais trabalhava. Aceitava todos os trabalhos que lhe ofereciam – narrar um documentário sobre câncer de mama, ser apresentadora convidada de um novo programa de perguntas e respostas e até mesmo ser jurada do concurso de Miss Universo. E havia ainda as participações nos programas de Jay Leno, David Letterman, Rosie O'Donnell, etc. E os desfiles de fim de ano que precisavam de uma mestra de cerimônias. Ela garantia que ninguém jamais a esquecesse.

Aos 30 e poucos anos, havia sido fácil seguir esse ritmo. Na época, ela conseguia trabalhar muitas horas, dormir a tarde toda, passar a noite toda se divertindo e acordar se sentindo e parecendo ótima. Mas estava chegando aos 40 e começava a se sentir cansada, um pouco velha demais para ficar correndo de um trabalho para outro e, ainda por cima, de salto alto. Cada vez com mais frequência, quando chegava do trabalho, ela se enroscava no sofá e ligava para Kate, a Sra. M. ou para Edna. Ser vista – e fotografada – na nova casa noturna da moda ou em algum tapete vermelho havia perdido a graça. Em vez disso, se pegava querendo estar com pessoas que realmente a conheciam, que realmente se importavam com ela.

Edna lhe dizia sempre que aquele era o acordo que ela aceitara, a vida que recebera em troca de todo o sucesso. Mas de que servia o sucesso, ela perguntara enquanto tomavam drinques na semana anterior, se não havia ninguém com quem dividi-lo?

Edna sacudira a cabeça e dissera: "É por isso que chamam de sacrifício. Não se pode ter tudo."

Mas e se isso era exatamente o que se queria: tudo?

No prédio da CBS, esperou que o motorista abrisse a porta para ela e saiu para a manhã ainda escura e gelada do final da primavera. O ar ainda tinha cheiro de neve e fumaça de diesel. Em algum lugar próximo, ouviu o barulho de um caminhão de lixo sendo carregado.

Correu para a porta da frente e entrou, acenando para o porteiro com a cabeça e indo direto para o elevador. Lá em cima, na mesa de maquiagem, seu salvador já a esperava. Vestindo uma camiseta vermelha justa demais que exibia seus músculos fortes e uma calça de couro preta colada, Tank pôs a mão na cintura e sacudiu a cabeça.

– Alguém aqui está com uma cara péssima hoje.

– Não seja tão duro consigo mesmo – disse Tully, relaxando na cadeira.

Havia contratado Tank cerca de cinco anos antes para fazer seu cabelo e sua maquiagem. Era uma escolha de que se arrependia quase diariamente.

Ele puxou a echarpe Hermès da cabeça dela e tirou os óculos escuros.

– Você sabe que eu amo você, querida, mas precisa parar de exagerar assim. E está ficando magra demais de novo.

– Cale a boca e trabalhe.

Como sempre, ele começou pelos cabelos. Enquanto trabalhava, ele falava. Às vezes, um ou outro fazia confidências. Era da natureza do negócio em que estavam envolvidos. O tempo passado juntos criava uma intimidade que não chegava exatamente a virar amizade. Um tipo de relacionamento que era a cara de Nova York. Naquele dia, porém, Tully manteve a conversa leve e impessoal. Não queria revelar que estava mal. Ele acabaria querendo lhe ensinar a resolver sua vida.

Por volta das cinco horas, ela parecia dez anos mais jovem.

– Você é um gênio – disse ela, saindo da cadeira.

– Se não mudar a sua vida, mocinha, vai precisar de um cirurgião, não de um gênio da maquiagem.

– Obrigada.

Ela deu um sorriso televisivo e se afastou antes que ele pudesse dizer mais alguma coisa.

No set, ela olhou para a câmera e sorriu de novo. Ali, naquele mundo falso, ela era perfeita. Falava com facilidade, ria das piadas dos convidados e dos colegas de programa e fazia todo mundo que a via acreditar que ela poderia ser amiga deles também. Tully tinha consciência de que ninguém no país sabia como ela realmente estava se sentindo naquele momento. Ninguém imaginava que Talullah Hart poderia querer mais do que tinha.

Fazer compras com os gêmeos e Marah era dor de cabeça na certa. Quando Kate encerrou as últimas tarefas no supermercado, na biblioteca, na drogaria e na loja de tecidos, estava exausta, e não eram ainda sequer três da tarde. Durante todo o caminho até em casa, os meninos choraram e Marah fez cara feia. Aos 10 anos, a filha havia decidido que era grande demais para andar sentada no banco de trás com os bebês e dava um chilique a cada saída. O plano, claramente, era vencer Kate pelo cansaço.

– Pare de discutir comigo, Marah – disse ela pelo menos pela décima vez desde que saíram do supermercado.

– Eu não estou discutindo. Eu estou explicando. A Emily anda no banco da frente. E a Rachel também. Você é a única mãe que não...

Kate entrou na garagem e apertou o freio com força suficiente para fazer os sacos de compras voarem para a frente. Valeu a pena, já que Marah ficou quieta.

– Me ajude a levar as coisas para dentro.

Marah pegou uma única sacola e entrou em casa.

Antes que Kate pudesse chamar a sua atenção, Johnny foi até a garagem e pegou tudo. Kate e os meninos o seguiram para dentro de casa.

Como sempre, a TV estava ligada com o volume alto demais para o gosto de Kate, e sintonizada na CNN.

– Vou botar os meninos para tirar a soneca deles – falou Johnny quando todas as sacolas estavam em cima do balcão. – E depois tenho uma boa notícia para você.

Kate deu um sorriso cansado.

– Estou precisando de uma. Obrigada.

Trinta minutos depois, Johnny desceu a escada. Kate estava na sala de jantar, estendendo o tecido para as últimas fantasias de balé que precisava fazer. Já havia feito nove, faltavam três.

– Eu sou uma idiota – disse ela, mais para si mesma do que para ele. – Da próxima vez que pedirem voluntárias, não vou levantar a mão.

Ele veio por trás dela, fez com que se levantasse e a virou para encará-lo.

– Você diz isso todas as vezes.

– Como eu disse: eu sou uma idiota. E então, qual é a boa notícia? Você vai preparar o jantar?

– A Tully ligou.

– Esta é a minha boa notícia? Ela liga todos os sábados.

– Ela vem para a apresentação da Marah e quer dar uma festinha surpresa para a afilhada.

Kate se afastou do abraço de Johnny.

– Você não está sorrindo – falou ele.

Kate se surpreendeu com a raiva que estava sentindo.

– A dança é a única coisa que a Marah e eu fazemos juntas. Eu ia dar uma festinha para ela aqui.

– Ah.

Kate percebeu que o marido queria dizer mais, mas era inteligente demais para fazer isso. Sabia que não cabia a ele decidir.

Finalmente, Kate suspirou. Estava sendo egoísta e os dois sabiam disso. Marah idolatrava a madrinha e adoraria uma festa surpresa.

– A que horas ela vai chegar?

Vinte e quatro

No dia da apresentação, Marah estava tão nervosa e empolgada que mal conseguia conter as emoções. Como sempre, o estresse de tudo a havia transformado numa minidiva dada a superataques de birra. Naquele momento, estava parada ao lado da mesa da sala de jantar, com uma mão na cintura, usando um jeans desbotado de cintura baixa e uma blusa cor-de-rosa que dizia *Baby one more*

time em pedrinhas brilhantes. Dois centímetros de pele apareciam entre a barra da camisa e a cintura do jeans.

– Onde você colocou as minhas presilhas de borboleta?

Debruçada sobre a máquina de costura, Kate mal ergueu o olhar.

– Estão na sua gaveta do banheiro. Na de cima. E você não vai sair com esta blusa.

Marah ficou boquiaberta.

– Mas foi um presente de aniversário.

– É, bem, a sua tia Tully é uma idiota.

– Todo mundo se veste assim.

– Você está me deixando arrasada. Agora vá se trocar. Não tenho tempo para discutir.

Marah deu um suspiro dramático e subiu correndo a escada.

Kate sacudiu a cabeça. Não era apenas a apresentação. Nos últimos tempos, tudo o que dizia respeito a Marah era um grande drama. Ou a filha estava feliz e risonha ou simplesmente furiosa. Sempre que sua mãe via a neta, dava risada, acendia um cigarro e dizia: "Ah, a adolescência vai ser divertida. É melhor você começar a beber antes que seja tarde demais."

Kate se abaixou para mais perto da máquina, pisou no pedal e voltou ao trabalho.

Aquela acabou sendo a última vez que ela fez uma pausa em quase duas horas. Então, assim que terminou as fantasias para a apresentação de dança, correu para fazer todo o resto – encontrar cabides, arrumar as coisas no carro, ajudar os meninos a escovar os dentes e separar brigas.

Felizmente, Johnny cuidou do jantar e da louça.

Às seis da tarde, reuniu todo mundo no carro e ajudou os meninos a sentarem nas cadeirinhas, então tomou seu lugar no banco do carona.

– Será que me esqueci de alguma coisa?

Do lugar dele, atrás da direção, Johnny olhou para ela.

– Você está com molho de espaguete na testa.

Ela abaixou o para-sol e se viu no minúsculo espelho retangular. E tinha mesmo uma faixa vermelha acima das sobrancelhas.

– Eu não tomei banho – disse ela, horrorizada.

– Eu estava achando isso estranho – Johnny disse.

Ela se virou para ele.

– Você tinha reparado?

– Quando eu disse que eram cinco horas você quase arrancou minha cabeça e me mandou fazer o jantar.

Kate gemeu. Com toda a confusão, esquecera de se arrumar. Ainda estava usando seu jeans mais velho, um moletom largo da Universidade de Washington e um tênis Adidas surrado.

– Estou parecendo uma mendiga.

– Mas uma mendiga que fez faculdade.

Ignorando o que ele disse, ela saiu correndo do carro e ouviu Marah berrar atrás dela:

– Ponha maquiagem, mamãe!

Kate remexeu as gavetas, encontrou uma legging com pezinho preta mais ou menos nova e um suéter preto e branco que ia até a coxa. Leggings com pezinho ainda estavam na moda? Ela não sabia. Fez um rabo de cavalo com um fru-fru branco, escovou os dentes e passou rímel e blush.

Do lado de fora, uma buzina soou.

Pegou um par de meias três quartos pretas e sapatilhas de camurça pretas e voltou para o carro.

– Nós vamos nos atrasar – choramingou Marah. – Todo mundo já deve estar lá.

– Vai dar tempo – garantiu Kate, só um pouco ofegante.

Atravessaram a cidade e estacionaram em frente ao auditório. Lá dentro, o lugar era um pandemônio: doze meninas com idade entre 7 e 11 anos, seus pais estressados, dezenas de irmãos barulhentos e desinteressados e a Sra. Parker, a professora de dança septuagenária que exigia disciplina absoluta o tempo todo e de alguma forma era capaz de dominar aquele bando selvagem sem sequer levantar o tom de voz. Kate levou as fantasias para o camarim, onde ajudou as meninas a se aprontarem, prendeu seus cabelos e passou spray nos coques e as ajudou a passar um pouco de rímel e brilho labial.

Quando terminou, ajoelhou-se na frente da filha.

– Está pronta?

– Vocês trouxeram a câmera de vídeo?

– Claro que sim.

Marah sorriu, exibindo os dentes tortos e grandes demais.

– Estou feliz por você estar aqui, mamãe – disse ela.

E de repente tudo valeu a pena. O prazo maluco, as noites costurando e passando, os dedos cansados e sangrando. Fizera tudo aquilo em troca de uma fração de segundo de união.

– Eu também.

Marah a abraçou.

– Eu te amo, mamãe.

Kate a abraçou com força, sentindo o perfume doce e fresco da filha. Naquele instante, pensou em como estavam perto do fim da infância e do começo da puberdade, e a segurou por muito tempo. Aqueles momentos já eram raros demais.

Marah se afastou, deu mais um sorriso e correu para os bastidores com as amigas.

– Tchau!

Kate se levantou lentamente e foi para o auditório, onde Johnny estava sentado na terceira fileira, ao centro, com um filho de cada lado. Procurou por Tully nos assentos ao redor deles.

– Ela já chegou?

– Não. E também não ligou ainda. Talvez alguma coisa tenha aparecido – falou ele, e, com um sorriso, emendou: – Tipo um encontro com George Clooney.

Sorrindo, Kate sentou ao lado de Lucas. Ao redor, pais e avós se sentavam, pegando as câmeras de vídeo.

Os pais de Kate chegaram na hora, assumindo os assentos

ao seu lado. Como sempre, sua mãe estava com a velha câmera Kodak preta pendurada no pulso.

– Achei que a Tully viria – disse ela.

– Ela disse que viria. Espero que não tenha havido nada.

As luzes piscaram e a plateia ficou em silêncio. A Sra. Parker, usando meia-calça cor-de-rosa, saia de bailarina preta na altura do joelho e collant preto, foi até o centro do palco. Era a perfeita primeira bailarina mais velha.

– Olá a todos – disse ela, com sua voz suave e lamuriante. – Como sabem, eu...

As portas de trás do auditório se abriram com um estrondo. A plateia se virou imediatamente.

Tully estava parada na porta, parecendo que havia acabado de sair da entrega do Grammy. Seus cabelos curtos com mechas loiras lhe davam uma beleza marota que deixava seu sorriso ainda maior. Estava usando um impressionante vestido de seda verde-escuro de um ombro só e justo em sua cintura ainda fina.

A plateia foi tomada por sussurros. *Talullah Hart... ainda mais bonita pessoalmente. O que ela está fazendo aqui?*

– Como ela consegue continuar tão bem? – perguntou a mãe, aproximando-se de Kate.

– Cirurgia plástica e um exército de maquiadores.

A mãe riu e apertou a mão de Kate como que para lembrá-la de que ela era tão bonita quanto a amiga.

Sorrindo para os Mularkey, Tully caminhou até um assento vazio no início da primeira fileira e se sentou.

As luzes do auditório diminuíram e Maggie Levine, vestida de fada azul, entrou dançando no palco. A irmã dela, Cleo, e o restante das meninas a acompanhavam, fazendo piruetas e saltando supostamente em sincronia. As pequenas observavam com atenção as dançarinas mais experientes, executando cada movimento um segundo atrasado.

Os movimentos desajeitados tornavam a apresentação mágica. Kate mal conseguiu conter o choro. Então, Johnny passou o braço por cima de Lucas e segurou sua mão enquanto Marah rodopiava no palco. Na metade da coreografia, ela viu Tully e parou bem no meio do palco, acenando freneticamente.

A plateia foi dominada por uma onda de riso quando Tully acenou de volta.

No final da apresentação, os aplausos foram entusiasmados. As meninas voltaram várias vezes para agradecer, então começaram a rir e correram para suas famílias.

Marah seguiu direto para a madrinha. Saltou de cima do palco e pousou nos braços de Tully. Uma multidão se formou ao redor delas, com pessoas pedindo autógrafos e se apresentando.

O tempo todo, Marah esteve radiante de orgulho.

Quando a multidão se dispersou, Tully seguiu até a família, abraçando a todos, um por vez. Passou um braço por cima do ombro de Kate e usou a outra mão para ficar segurando a mão de Marah.

– Tenho uma surpresa para a minha afilhada – disse ela em voz alta.

Marah riu e deu pulinhos.

– O que é?

– Você vai ver – disse Tully, piscando para Kate.

Em bando, toda a família saiu do auditório. Lá fora, estacionada em frente à porta de saída, estava uma limusine estendida cor-de-rosa.

Marah deu um grito.

Kate se virou para Tully.

– Você está brincando?

– Não é legal? Você não imagina como foi difícil de encontrar. Vamos, vamos entrar todo mundo.

Tully abriu a porta e todos entraram no luxuoso interior preto. Luzinhas vermelhas e azuis iluminavam o teto.

Marah se aninhou em Tully, segurando sua mão.

– Foi a melhor surpresa do mundo – disse ela. – Você achou que eu fui bem?

– Você foi perfeita – disse Tully.

Todos ficaram dentro do carro durante a travessia da balsa. Marah não parou de conversar com Tully por um instante sequer.

No lado de Seattle, o carro deu a partida novamente e deu uma volta pela cidade como se eles fossem turistas de férias, então parou numa entrada coberta muito iluminada, onde um porteiro apareceu para saudá-los. Ele abriu a porta e se abaixou.

– Qual das encantadoras senhoras é Marah Rose?

Marah levantou imediatamente a mão, dando risada.

– Sou eu.

O porteiro puxou uma única rosa e a entregou à menina. Marah ficou encantada.

– Nossa.

– Agradeça, Marah – disse Kate, de forma mais ríspida do que esperava.

Marah olhou para ela com ar irritado.

– Obrigada.

Tully guiou todos para fora da limusine e para dentro do hotel. No andar de cima, abriu a porta de uma suíte gigantesca onde todos os tipos de brinquedos infantis haviam sido instalados – pula-pulas, boxe virtual e carrinhos de batida em miniatura. Todas as meninas da apresentação já estavam lá com suas famílias. No centro do quarto havia uma mesa coberta por uma toalha branca. Sobre ela repousava um bolo cor-de-rosa em camadas enfeitado com minúsculas bailarinas.

– Tia Tully! – gritou Marah, abraçando a madrinha. – Que *máximo*! Eu te amo.

– Eu também te amo, princesa. Agora vá brincar com as suas amigas.

Todo mundo ficou parado por um instante, perplexo. Johnny foi o primeiro a se recuperar. Pegando William no colo, foi para o lado de Tully.

– Isso não é mimá-la?

– Eu queria dar um pônei, mas achei que seria exagero.

A mãe de Kate deu risada. O pai sacudiu a cabeça.

– Vamos, Margie, Johnny – disse ele, afinal. – Vamos ver o que tem no bar.

Quando Kate e Tully ficaram a sós, Kate disse:

– Você definitivamente sabe como fazer uma entrada triunfal. Marah vai passar anos falando sobre isso.

– Exagerei? – perguntou Tully.

– Talvez só um pouquinho.

Tully deu um sorriso largo, mas não foi sincero. Kate reconheceu de imediato o fingimento.

– O que há de errado?

Antes que Tully pudesse responder, Marah voltou saltitante, com o rostinho brilhando de alegria.

– Nós todas queremos uma foto com você, tia Tully.

Kate ficou parada, vendo a filha praticamente se atirar em cima da madrinha. Embora detestasse admitir, sentiu uma pontada de ciúme. Aquela deveria ter sido a noite das duas. Dela e de Marah.

❧

Tully estava sentada na limusine, com a cabeça de Marah no colo, acariciando o cabelo preto e sedoso da afilhada.

Na frente deles, Kate dormia encostada em Johnny, que também estava de olhos fechados. Havia um menininho aninhado em cada um dos dois. Eles pareciam uma família perfeita num cartão de Natal.

A limusine entrou na rua dos Ryan.

Tully beijou o rosto rosado de Marah.

– Chegamos, princesa.

Marah acordou piscando lentamente.

– Eu te amo, tia Tully.

O coração de Tully se agarrou àquelas palavras e ela sentiu

uma emoção quase dolorosa. Costumava pensar que o sucesso era ouro puro, algo que fazia valer a pena chafurdar na lama, e que o amor sempre estaria esperando de alguma forma nas margens dos rios quando ela se cansasse da agitação. Agora, não podia imaginar por que pensara isso, considerando sua história. Deveria ter reconhecido a escassez do amor logo de início. Se o sucesso era ouro, no fundo dos rios, o amor era um diamante, enterrado centenas de metros abaixo da superfície da terra e irreconhecível em sua forma natural. Não era de estranhar que a tocasse tão fundo ouvir aquelas palavras de Marah. Elas eram raras demais em sua vida.

– Eu também te amo, Marah Rose.

A limusine parou na entrada da garagem, esmagando o cascalho sob seus pneus. A família levou uma eternidade para sair do carro e entrar na casa. Todos subiram imediatamente para o segundo andar.

Tully ficou parada na sala vazia, sem saber o que fazer. As tábuas do piso rangiam. Ela tentou se envolver na rotina noturna, mas, como parecia estar o tempo todo no meio do caminho, acabou desistindo.

Kate desceu a escada, afinal, suspirando de cansaço e trazendo uma pilha de mantas de lã.

– Muito bem, Tully, o que está acontecendo?

– Como assim?

Kate agarrou o braço da amiga e a conduziu pela casa repleta de brinquedos. Na cozinha, fez uma pausa suficiente apenas para servir duas taças de vinho branco e então as duas foram para fora, para as cadeiras do gramado. O barulho tranquilo das ondas levou Tully mais de vinte anos no passado, para aquelas noites em que elas costumavam escapar para ficar à margem do rio, fumando e conversando sobre garotos.

Tully sentou numa das velhas cadeiras e estendeu uma manta de tricô sobre o corpo. Depois de todos aqueles anos e certamente inúmeras lavagens, ainda tinha o cheiro de cigarros de mentol e do perfume da Sra. M.

Kate levantou os joelhos cobertos e descansou o queixo sobre eles, então olhou para Tully.

– Fale – disse ela.

– Sobre o que deveríamos conversar?

– Há quanto tempo somos melhores amigas?

– Desde que o David Cassidy era bacana.

– E você acha que eu não consigo perceber quando alguma coisa está errada?

Tully se recostou, bebendo o vinho. A verdade era que ela queria falar sobre aquilo – era, afinal, parte do motivo pelo qual ela havia atravessado o país – e, no entanto, agora que estava ali com a melhor amiga, não sabia como começar. Pior do que isso, ela se sentia uma idiota ao reclamar sobre o que estava faltando em sua vida. Ela tinha tanto...

– Eu achava que você tinha sido louca de abrir mão da sua carreira. Durante quatro anos, sempre que eu ligava, Marah estava aos berros ao fundo. Eu ficava pensando que me mataria se essa fosse a minha vida, mas você parecia frustrada, furiosa e incrivelmente feliz. Eu nunca consegui entender isso muito bem.

– Um dia você vai saber como é.

– Não. Não vou. Estou com quase 40 anos, Kate – disse, olhando finalmente para a amiga. – Acho que a louca fui eu, por não querer nada além da carreira.

– É uma carreira e tanto.

– É. Mas às vezes... não basta. Sei que é algo mesquinho de se dizer, mas estou cansada de trabalhar dezoito horas por dia e voltar para uma casa vazia.

– Você pode mudar a sua vida, sabia? Mas precisa realmente querer.

– Obrigada, Obi-Wan.

Kate ficou olhando fixamente para as ondas que arrebentavam na praia.

– Nos tabloides da semana passada apareceu uma mulher de 60 anos que deu à luz.

Tully riu.

– Você é uma vaca.

– Eu sei. Agora, vamos lá, pobre menina megarrica, que eu vou levar você para o seu quarto.

– Eu vou lamentar ter reclamado, não vou?

– Ah, vai.

Elas caminharam pela casa escura. Na porta do quarto de hóspedes, Kate se virou para a amiga.

– Chega de mimar a Marah. Ela já acha que você pendurou a Lua no céu.

– Qual é, Katie? Eu ganhei mais de 2 milhões de dólares no ano passado, o que vou fazer com tudo isso?

– Doe para a caridade. Só não apareça mais com limusines cor-de-rosa, está bem?

– Você não é nem um pouco divertida, sabia?

Foi apenas bem mais tarde, quando estava deitada no colchão irregular e mole da cama dobrável, olhando para a Ursa Maior pela janela, que Tully se deu conta de que não havia perguntado a Kate sobre a vida dela.

❧

Kate olhou fixamente para o calendário pendurado na parede ao lado do refrigerador. Parecia impossível acreditar que outro ano havia passado tão rápido, mas a prova estava bem ali, na sua frente. Era novembro de 2002, e os últimos 14 meses haviam mudado o mundo. Em setembro do ano anterior, terroristas haviam jogado aviões contra o World Trade Center e o Pentágono, matando milhares de pessoas. Outro avião havia sido sequestrado e acabara caindo, sem deixar sobreviventes. Carros-bomba e homens-bomba haviam se tornado presenças frequentes nos noticiários noturnos, e a busca por armas de destruição em massa começara. Palavras como "Al-Qaeda", "talibã" e "Paquistão" surgiam em qualquer conversa e eram repetidas a cada transmissão de TV.

O medo mudara a tudo e a todos, e, no entanto, como sempre, a vida continuava. Hora após hora, dia após dia, enquanto políticos e militares procuravam bombas e terroristas e enquanto o Departamento de Justiça derrubava as paredes frágeis da Enron, as famílias continuavam com suas vidas comuns. Kate seguia com suas atividades cotidianas, criando os filhos e amando o marido. Se ela os mantinha ainda mais perto, todos compreendiam: o mundo não era mais tão seguro como costumava ser.

Agora faltava uma semana para o Dia de Ação de Graças, e o Natal estava logo ali. Era a época de festas, aquela parte do ano que deixava toda mulher com dupla personalidade. Dividida entre a alegria das festas e a quantidade de trabalho que essa alegria exigia, Kate normalmente tinha dificuldade de diminuir o ritmo e saborear os momentos mais preciosos. Precisava cozinhar – para levar para as festas da escola, para ter bolos para venderem pelo balé, para oferecer às pessoas de seu trabalho voluntário – e fazer compras, é claro. Por mais mágica que a ilha Bainbridge fosse, quando se tratava de comprar presentes, a pessoa era obrigada a lembrar de que se encontrava numa localidade cercada de água por todos os lados. Assim, shoppings e lojas de departamentos ficavam longe. Às vezes ela se sentia uma montanhista aprontando-se para uma subida vertical sem oxigênio. O pico da montanha era a maior loja de departamentos. Quando se tinha três filhos, comprar os presentes deles levava tempo, e tempo era um artigo em falta.

Naquele momento, sentada atrás da direção, parada na primeira posição da fila de carros da escola, Kate começava a fazer a lista de Natal. Havia anotado apenas alguns itens quando o sinal tocou e as crianças começaram a sair em bando.

Marah normalmente saía do prédio com um grupo de meninas. Assim como as orcas, meninas pré-adolescentes andavam em bandos. Mas, naquele dia, ela apareceu sozinha, caminhando rápido, com a cabeça baixa e os braços cruzados com força na frente do peito. Atravessou a pequena multidão sem olhar para ninguém até chegar ao carro.

Kate sabia que alguma coisa estava errada. A questão era: qual era a gravidade da situação? A filha estava com 12 anos. Isso queria dizer que os hormônios estavam em ebulição em seu corpo, entornando as emoções num caldeirão de bruxa. Tudo era um drama ultimamente.

– Oi – disse Kate, hesitante, sabendo que uma palavra errada poderia provocar uma briga.

– Oi – respondeu Marah, sentando no banco da frente e pondo o cinto de segurança. – Cadê os pestinhas?

– É a festa de aniversário do Evan. O papai vai pegá-los a caminho de casa.

– Ah.

Kate saiu do estacionamento e entrou no trânsito quase parado da Sportsman's Club Road. Durante todo o caminho para casa, tentou puxar conversa, mas todas as suas bolas bateram na trave. Na melhor das hipóteses, Marah dava uma resposta de uma palavra; na pior, revirava os olhos e suspirava dramaticamente. Quando entraram na garagem, Kate fez mais uma tentativa.

– Vou fazer biscoitos para a festa de Ação de Graças dos meninos amanhã. Quer me ajudar?

Marah finalmente olhou para ela.

– Aqueles em forma de abóbora com cobertura cor-de-laranja e granulado verde?

Por uma fração de segundo, sua filha ficou parecendo uma menininha novamente, com os olhos escuros cheios de esperança, os lábios formando um sorriso hesitante. Havia anos e anos de festas nas lembranças que as duas compartilhavam.

– É claro – disse Kate.

– Eu adoro esses biscoitos.

– Lembra do ano em que a Sra. Norman levou o mesmo tipo de biscoito e você ficou tão brava que fez todo mundo experimentar os dois só para provar que os nossos eram melhores?

Marah finalmente sorriu.

– O Sr. Robbins ficou muito bravo comigo. Precisei ajudar a limpar tudo depois da festa.

– A Emily ficou para ajudar você.

O sorriso de Marah desapareceu.

– É.

– E então, quer me ajudar?

– Claro.

Kate teve o cuidado de não mostrar uma reação forte. Embora quisesse sorrir e dizer quanto estava feliz, simplesmente assentiu e seguiu a filha para dentro de casa, até a cozinha. Nos últimos anos turbulentos, havia aprendido algumas coisas sobre como lidar com meninas pré-adolescentes. Ainda que elas fossem montanhas-russas de emoção, era preciso manter a calma, sempre.

Durante as três horas seguintes, elas trabalharam lado a lado na grande cozinha. Kate lembrou à filha como misturar os ingredientes e untar uma forma de biscoitos à moda antiga. As duas conversaram sobre várias coisas bobas, nada importante.

Kate estava avaliando a cena como uma caçadora. Instintivamente, soube quando era a hora certa. As duas haviam acabado de enfeitar os últimos biscoitos e estavam pondo a louça suja dentro da pia quando Kate disse:

– Quer fazer mais uma receita? Você poderia levar para a casa da Ashley.

Marah ficou imóvel.

– Não – disse ela, numa voz quase baixa demais para ser ouvida.

– Mas a Ash adora esses biscoitos. Lembra quando…

– Ela me odeia – falou Marah, abrindo as comportas de repente.

Seus olhos se encheram de lágrimas.

– Vocês duas brigaram?

– Eu não sei.

– Como você pode não saber?

– Eu simplesmente não sei, ok?

Marah caiu no choro e virou de costas. Kate se atirou na direção da filha, agarrou-a pela manga e a puxou para um abraço apertado.

– Eu estou aqui, Marah – sussurrou.

Marah abraçou a mãe apertado.

– Eu não sei o que fiz de errado – disse ela chorando e soluçando.

– Calma – fez Kate, acariciando os cabelos da filha como se ela ainda fosse pequenininha.

Quando o choro de Marah finalmente acalmou, Kate recuou apenas o suficiente para olhar para ela.

– Às vezes a vida é...

Atrás delas, a porta abriu de repente. Os gêmeos entraram correndo na casa, gritando um com o outro, fazendo suas lutas de dinossauro. Johnny surgiu correndo atrás dos dois. William deu um encontrão numa mesa lateral, derrubando um copo d'água que não deveria ter sido deixado lá. O barulho de vidro quebrando atravessou a sala.

– Opa – disse William, olhando para Kate.

Lucas deu risada.

– Willy cosa fe-ia – cantou.

Marah se soltou, secou os olhos e correu escada acima, batendo a porta do quarto atrás de si.

– Lucas – chamou Johnny. – Pare de provocar o seu irmão. E fique longe dos cacos de vidro.

Kate suspirou e pegou um pano.

Na manhã seguinte, Kate chegou à escola três minutos antes de o sinal do almoço tocar. Estacionou ilegalmente, correu até a secretaria, autorizou a saída de Marah pelo resto do dia e foi até a sala dela. Na noite anterior, depois da conversa e da breve conexão entre as duas, Marah se isolara de Kate de novo. Nenhuma tentativa de aproximação se mostrara suficiente para retomar o que estava acontecendo, então Kate precisara formular um plano B. Um ataque surpresa.

Depois de espiar pelo vidro retangular, ela bateu uma vez, viu a professora acenar para ela e entrou na sala.

A maioria das crianças sorriu e a cumprimentou. Este era um dos pontos positivos de estar sempre fazendo trabalhos voluntários na escola: todo mundo a conhecia. Todas as crianças pareceram contentes em vê-la – ou pelo menos contentes por aquela interrupção da aula.

Todas as crianças, exceto uma.

Marah parecia estar tentando desaparecer embaixo da mesa. Tinha no rosto aquela careta do tipo "o que você está fazendo, me envergonhando na escola?". Kate conhecia isso muito bem. Conhecia as regras do ensino fundamental: os pais deveriam ser invisíveis.

O sinal tocou, e todos saíram correndo da sala, conversando em voz alta.

Quando estavam sozinhas, Kate foi até Marah.

– O que você está fazendo aqui?

– Você vai ver. Pegue as suas coisas. Vamos sair.

Marah a encarou, evidentemente avaliando a situação sob todos os ângulos sociais possíveis.

– Está bem. Eu me encontro com você no carro, pode ser?

Normalmente, Kate faria um comentário e obrigaria Marah a sair da escola com ela, mas sua filha estava emocionalmente frágil. Era por isso que ela estava ali.

– Pode ser.

A vitória fácil surpreendeu Marah. Kate sorriu para ela, tocando o ombro da filha.

– Vejo você em um minuto.

Na verdade, levou um pouco mais do que isso, mas não muito. Logo Marah estava no assento do carona, apertando o cinto.

– Aonde nós vamos?

– Bom, primeiro vamos almoçar.

– Você me tirou da escola para almoçar?

– E outra coisa. Uma surpresa.

Kate foi até a lanchonete que ficava ao lado do novo cinema multiplex da ilha.

– Quero um cheesebúrguer, fritas e um milk-shake de morango – disse Kate quando as duas sentaram.

– Eu também.

Depois que a garçonete anotou os pedidos e se afastou, Kate olhou para a filha. Atirada na cadeira de vinil azul, parecia magra e angulosa, uma menina entrando na adolescência. Os cabelos pretos desalinhados um dia viriam a ser uma linda moldura e os olhos castanhos revelavam cada nuance de emoção que ela sentia. Naquele momento, ela parecia desolada.

A garçonete entregou os milk-shakes. Kate tomou um gole. Era provavelmente a primeira vez que comia algo com sorvete desde o nascimento dos gêmeos e foi uma delícia.

– Ashley ainda está sendo má com você? – disse ela afinal.

– Ela me odeia. Eu nem sei o que fiz para ela.

Kate havia pensado muito no que dizer, em como administrar essa primeira mágoa. Como todas as mães, ela faria qualquer coisa no mundo para manter a filha bem e sem tristezas, mas contra certos perigos não havia prevenção, eles apenas poderiam ser vividos e compreendidos. Era uma das muitas lições que o país havia aprendido naquele ano; e, embora algumas coisas tivessem mudado para todos, outras seguiam iguais.

– Na quinta série, eu tinha duas grandes amigas. A gente fazia tudo junto: desfilava com os nossos cavalos na feira do condado, dava festas de pijama, ficava no lago no verão. A gente contava tudo umas para as outras e conversava sempre pelo telefone. A vovó nos chamava de três mosqueteiras. E então, um dia, elas deixaram de gostar de mim. Até hoje não sei por quê. Elas começaram a sair com meninos e ir a festas e nunca mais me convidaram. Eu ia todos os dias para a escola sentada sozinha no ônibus e almoçava sozinha, e todas as noites eu chorava antes de dormir.

– É mesmo?

Kate assentiu.

– Eu ainda me lembro de como fiquei magoada.

– O que aconteceu?

– Bem, quando eu estava na minha situação mais miserável, e eu quero dizer miserável mesmo, você precisava me ver de aparelho e óculos enormes...

Marah riu.

– Eu me levantei e fui para a escola.

– E...?

– E aí a tia Tully estava esperando o ônibus. Ela era a menina mais bacana que eu já tinha visto. Achei que ela nunca iria querer ser minha amiga. Mas sabe o que eu descobri?

– O quê?

– Que por dentro, que é onde importa, ela estava tão assustada e sozinha quanto eu. Nós viramos a melhor amiga uma da outra naquele verão. Amigas de verdade. Do tipo que não magoa a outra de propósito ou deixa de gostar sem motivo.

– Como se faz uma amizade assim?

– Esta é a parte difícil, Marah. Para ter amigas de verdade, você precisa se expor. Às vezes, as pessoas vão decepcionar você, e meninas sabem ser cruéis umas com as outras, mas você não pode deixar que isso a impeça de continuar a amizade. Se você se ferir, precisa se levantar, sacudir a poeira e tentar de novo. Em algum lugar da sua sala está a menina que vai ser sua amiga durante toda a escola. Eu prometo. Você só precisa encontrá-la.

Marah franziu a testa, pensando.

A garçonete entregou a comida, deixou a conta e se afastou.

Antes de dar uma mordida no cheesebúrguer, Marah disse:

– A Emily é legal.

Kate esperava que Marah se lembrasse disso. Ela e Emily

haviam sido inseparáveis na pré-escola, mas haviam se afastado nos últimos tempos.

– Ela é, sim.

Kate viu a filha finalmente sorrir, e isso a aqueceu por dentro, aquela pequena mudança. As duas conversaram sobre coisas leves durante o almoço, principalmente sobre moda, assunto pelo qual Marah já era obcecada e de que Kate sabia quase nada. Quando pagou a conta e estavam prontas para sair, Kate disse:

– Tem mais uma coisa.

Ela enfiou a mão na bolsa e tirou de dentro um pequeno embrulho.

– Isto é para você.

Marah rasgou o papel brilhante, revelando um livro de bolso.

– *O hobbit* – leu Marah, erguendo o olhar.

– No ano em que eu não tinha amigas, eu não fiquei completamente sozinha. Eu tinha os livros para me fazer companhia, e este é o começo de uma das minhas histórias preferidas. Eu devo ter lido *O Senhor dos Anéis* dez vezes. Acho que você não está pronta para ler *O hobbit* ainda. Mas algum dia, talvez dentro de uns poucos anos, alguma outra coisa venha a magoá-la novamente. Você pode vir a se sentir solitária com a sua tristeza e não querer conversar sobre ela comigo ou com o papai, e, se isso acontecer, vai se lembrar deste livro na sua mesa de cabeceira. Daí você vai poder lê-lo e deixar que ele a leve para longe. Parece bobo, mas este livro realmente me ajudou quando eu tinha 13 anos.

Marah pareceu um pouco confusa ao receber um presente que ela era jovem demais para aproveitar, mas disse "obrigada" mesmo assim.

Kate encarou a filha por mais um instante apenas, sentindo um aperto no peito. Estava tudo passando tão rápido, aqueles anos de bebê/criança estavam quase no fim.

– Eu te amo, mamãe – disse Marah.

Para qualquer outra pessoa, talvez aquele fosse um momento comum num dia comum, mas, para Kate, foi algo extraordinário. Havia sido por isso que ela escolhera ficar em casa em vez de trabalhar fora. Talvez estivesse julgando o significado de sua vida em nanossegundos, mas não trocaria aquele momento por nada.

– Eu também te amo. É por isso que vamos matar aula o resto do dia. Vamos assistir à matinê do *Harry Potter e a Pedra Filosofal*.

Marah se levantou sorrindo.

– Você é a melhor mãe do mundo.

Kate riu.

– Só espero que você se lembre disso quando for adolescente.

Vinte e cinco

Tully contava os anos pelas reportagens que havia feito. Em 2002, ela tirou férias na Europa, em St. Barts e na Tailândia. Participou da cerimônia do Oscar, ganhou um Emmy, foi capa da revista *People* e redecorou seu apartamento, mas nada disso a marcou. Ela se lembrava era das reportagens. Fizera a cobertura do início da operação Anaconda contra o talibã e da escalada da violência na região, depois acompanhara o julgamento de Milosevic por crimes contra a humanidade e reportara o início da guerra contra o Iraque.

Na primavera de 2003, ela estava exausta, esgotada por tanta violência. E não melhorou muito quando por fim voltou para casa. Aonde quer que fosse, estava no meio de uma multidão, e em nenhum outro lugar ela se sentia mais isolada do que num grupo de gente que a bajulava, adulava, mas não a conhecia de verdade.

Embora ninguém que a visse na televisão pudesse perceber, ela estava se despedaçando em silêncio. Fazia quase quatro meses que Grant não a procurava, e a última vez que os dois haviam se falado antes disso não tinha sido legal. *Eu só não quero o que você quer, meu bem*, ele dissera, sem nem se dar o trabalho de parecer triste. *E o que seria isso?*, ela respondera, surpresa ao sentir os olhos se enchendo de lágrimas. *O que você sempre quer: mais.*

Isso não deveria tê-la surpreendido. Ouvira a mesma coisa várias vezes na vida. Podia até ver a verdade daquilo. Ela realmente vinha querendo mais nos últimos tempos. Queria uma vida real, não aquela vida perfeita, colorida e brilhante que havia criado para si mesma.

Só que não fazia ideia de como começar outra vez na sua idade. Gostava demais do seu trabalho para abrir mão dele. Além disso, era rica e famosa havia tanto tempo que não conseguia se imaginar sendo uma pessoa comum de novo.

Agora, sob um sol surpreendentemente quente, caminhava pelas ruas movimentadas de Manhattan, observando os apressados nova-iorquinos em meio aos turistas de roupas coloridas. Aquele era o primeiro dia de sol depois de um longo inverno cheio de neve, e não havia nada que mudasse o humor de Nova York como o sol.

As pessoas saíam de seus apartamentos minúsculos, punham tênis de caminhada e ganhavam as ruas. À sua direita, o Central Park era um oásis verde. Por um instante, quando olhou para ele, viu o próprio passado: o parque da Universidade de Washington. Jovens correndo, jogando frisbee e altinho. Fazia vinte anos que ela não ia ao campus onde estudara. Muita coisa havia acontecido naquele tempo, mas, naquele instante, o passado parecia tão próximo dela quanto sua própria sombra.

Sorrindo, ela sacudiu a cabeça para afastar o pensamento. Precisava ligar para Katie à noite para conversar sobre aquele momento.

Estava prestes a retomar seu caminho quando o viu.

No sopé de uma colina verde, parado no caminho pavimentado, vendo duas adolescentes andar de patins ao redor dele.

– Chad.

Era a primeira vez que ela dizia o nome dele em voz alta em anos, e foi doce como licor de amêndoas. O simples fato de vê-lo despedaçou a couraça que mantinha havia anos e fez com que Tully se sentisse jovem novamente.

Ela foi até o começo do caminho e se virou na direção dele. Uma árvore imensa se estendia acima como um guarda-chuva, bloqueando a luz do sol e fazendo com que ela sentisse frio.

O que diria a ele depois de todos aqueles anos? O que ele iria dizer a ela? A última vez que tinham estado juntos, ele a pedira em casamento. Os dois nunca mais se viram. Ele a conhecia tão bem na época que não ficara por perto para ouvir o não. Mas os dois se amavam. Com o passar do tempo e a sabedoria que ele dá, Tully tinha certeza disso. Também sabia que o amor não evaporava. Ele esmaecia, talvez, perdia a cor como objetos deixados ao sol, mas não sumia.

De repente, ocorreu a ela que queria estar apaixonada. Como Johnny e Kate. Queria não se sentir tão absurdamente sozinha no mundo.

Ela vacilou apenas uma vez enquanto caminhava na direção dele. Quando saiu da sombra para o sol.

E lá estava ele, parado na frente dela, o homem que ela nunca conseguira banir dos seus sonhos. Ela disse o nome dele em voz alta, mas baixo demais para que ele escutasse.

Quando ele ergueu o olhar e a viu, seu sorriso foi se apagando lentamente.

– Tully?

Ela viu a boca dele se mexendo e o sentiu dizer seu nome,

mas naquele instante um cachorro latiu e uma dupla de skatistas passou por ela.

E então ele estava indo na direção dela. Foi como em todos os filmes que ela vira. Ele a puxou em seus braços e a abraçou.

Porém ele a soltou muito rápido e deu um passo para trás.

– Eu sabia que a veria de novo.

– Você sempre teve mais fé do que eu.

– Quase todo mundo tem – disse ele, sorrindo. – E então, como você está?

– Ótima – disse ela, dando o sorriso de câmera. – Eu estou na CBS. Eu faço...

– Acredite em mim – disse ele suavemente –, eu sei. Tenho orgulho de você, Tully. Sempre soube que chegaria ao topo.

Ele a encarou por um bom tempo, depois perguntou:

– Como está a Katie?

– Ela se casou com o Johnny. Quase não os vejo ultimamente.

– Ah – disse ele, assentindo, como se uma pergunta tivesse sido respondida.

Ela se sentiu exposta pelo olhar dele.

– Ah, o quê?

– Você está solitária. O mundo não é o bastante, afinal.

Ela franziu a testa para ele. Os dois estavam parados tão perto um do outro que o menor dos movimentos se transformaria num beijo, mas ela não conseguiu se imaginar cruzando aquela pequena distância. Ele parecia mais jovem do que ela lembrava, mais bonito.

– Como você faz isso? – sussurrou ela.

– Faço o quê?

– Papai, olhe isto!

A distância, Tully ouviu a voz da garota. Virou-se lentamente e viu duas jovens patinando na direção deles. Estava errada. Elas eram mais velhas do que adolescentes. Uma era idêntica a Chad – traços fortes, cabelos pretos, olhos que fechavam quando ela sorria.

Mas foi a outra mulher que chamou sua atenção. Tinha uns 30 ou 35 anos, com um sorriso alegre e uma risada espontânea. Estava vestida como uma turista: jeans novos, suéter grosso de lã rosa-choque, chapéu e luvas azuis.

– Minha filha. Ela está na Universidade de Nova York – falou Chad. – E Clarissa, a minha companheira.

Tully sabia que era ridículo ficar tão decepcionada.

– Ah. – Ela fez uma pausa. – Você ainda mora em Nashville? Pronunciar aquelas palavras foi como rolar um tronco ladeira acima. A última coisa que ela queria era falar de amenidades com ele.

– Ainda ensinando jovens de olhos brilhantes sobre o mundo das notícias?

Ele a segurou pelos ombros e a virou para ele.

– Você não me quis, Tully – disse ele, e desta vez ela ouviu a aspereza da emoção profunda na voz dele. – Eu estava pronto para amá-la para sempre, mas...

– Não faça isso. Por favor.

Ele tocou o rosto dela num carinho fugaz, quase desesperado.

– Eu deveria ter ido para o Tennessee com você – disse ela.

Ele sacudiu a cabeça.

– Você sonhava alto. Era uma das coisas que eu mais amava em você.

– Amava – repetiu ela, sabendo que era uma tolice ficar magoada.

– Algumas coisas simplesmente não acontecem.

Ela assentiu.

– Principalmente quando temos medo demais de deixá-las acontecer.

Ele a abraçou e houve mais paixão naquele único instante do que Grant havia lhe dado em anos. Tully esperou por um beijo que nunca aconteceu. Em vez de beijá-la, ele a largou, então segurou seu braço e a acompanhou até a rua.

Sob o frio repentino da sombra da árvore, ela estremeceu e se apoiou nele.

– Me dê algum conselho, Wiley. Tenho a impressão de que ferrei com a minha vida.

Na calçada ensolarada, ele olhou de novo para ela.

– Você fez mais sucesso do que jamais sonhou, e isso ainda não é o bastante.

Ela se retraiu com a expressão nos olhos dele.

– Acho que eu devia ter parado para sentir o perfume de algumas das flores. Caramba, eu nem sequer as vi.

– Você não está sozinha, Tully. Todo mundo tem alguém na vida. Uma família.

– Acho que você se esqueceu da Nuvem.

– Ou talvez você a tenha esquecido.

– O que você quer dizer?

Ele olhou para o parque, onde a filha estava de mãos dadas com a namorada dele. Uma ensinando à outra a patinar de costas.

– Eu perdi muitos anos da minha filha. Um dia, eu simplesmente disse *chega* e fui atrás dela.

– Você sempre foi um otimista.

– O curioso é isso. Você também.

Ele se aproximou, deu um beijo em seu rosto e se afastou.

– Continue botando fogo no mundo, Tully – disse ele, e então foi embora.

Eram quase que exatamente as mesmas palavras que ele havia escrito para ela tantos anos antes. Ela não havia reconhecido o triste desespero nelas quando eram apenas letras num pedaço de papel. Agora, ela via a verdade: aquelas palavras eram ao mesmo tempo um estímulo e uma acusação. De que servia incendiar o mundo se ela teria que assistir ao brilho sozinha?

Se havia algo que Tully sempre fizera bem era ignorar coisas desagradáveis. Durante a maior parte da vida, ela havia conseguido encaixotar lembranças ruins e guardá-las bem no fundo da mente, num lugar tão escuro que elas não podiam ser alcançadas. Claro que sonhava com os tempos ruins e às vezes acordava suando frio com as lembranças na superfície da consciência. Mas quando chegava a luz do dia, ela empurrava esses pensamentos de volta ao esconderijo e considerava fácil esquecê-los.

Mas, agora, pela primeira vez, ela encontrara algo que não havia nem arquivado na escuridão nem esquecido.

Chad. Vê-lo daquela maneira, na cidade que ela adotara para si, havia mexido com ela. Tully não parecia ser capaz de desalojar aquela lembrança. Havia tanta coisa que ela não lhe dissera, que não lhe perguntara. Nos meses que se passaram desde que os dois se cruzaram, ela se viu recordando cada detalhe, repassando cada segundo do encontro como uma cientista forense, em busca de pistas para o significado de tudo. Ele se tornara uma espécie de marco de tudo de que ela havia desistido para ter aquela vida. O caminho que ela não havia seguido.

E, ainda pior do que tudo aquilo, era a lembrança do que ele dissera sobre Nuvem. *Você não está sozinha, Tully. Todo mundo tem uma família.* Não foram exatamente estas as palavras, mas havia sido mais ou menos isso. A essência era.

Como uma célula cancerosa, a ideia havia se multiplicado e crescido em sua mente. Ela se pegava pensando em Nuvem, pensando de verdade. Concentrava-se nas vezes em que a mãe havia voltado para ela em vez de recordar as vezes em que a havia deixado. Tully sabia que era perigoso se prender ao lado positivo quando havia tanto de negativo. Porém, de repente se perguntava se o erro havia sido seu. Será que estivera tão decidida a odiar a mãe, a esquecer as decepções, que deixara passar o significado das muitas voltas de Nuvem?

Essa ideia, essa esperança, não caberia na caixa, não se manteria no escuro.

Finalmente, ela desistiu de fugir da ideia e decidiu sentar e estudá-la. Isso a levou para uma estranha e assustadora jornada. Tirou duas semanas de folga, que chamou de férias, arrumou uma mala e embarcou num avião rumo ao oeste.

Um pouco menos de oito horas depois de deixar Manhattan, ela estava na ilha Bainbridge, parando na frente da casa dos Ryan numa elegante limusine preta.

Agora Tully estava na entrada da garagem, vendo a limusine se afastar, ouvindo o barulho dos pneus no cascalho. A distância, podia ouvir as ondas arrebentando na praia de pedras. Isso significava que a maré ia subir. Naquela tarde linda e ensolarada, a velha casa de fazenda parecia saída de um álbum de fotos da revista *The Good Life*. As manchas haviam deixado as telhas parecidas com caramelo, e as bordas brancas refletiam a luz. Flores se espalhavam aleatoriamente pelo jardim, criando explosões de cores aonde quer que ela olhasse. Havia brinquedos e bicicletas em todo lugar, o que lhe trouxe uma lembrança clara dos velhos tempos, quando Kate e ela eram as garotas da alameda dos Vaga-lumes. Quando suas bicicletas eram tapetes mágicos que as levavam a outro mundo.

Vamos lá. Solte-se.

Tully sorriu. Fazia anos que não pensava naquele verão. 1974. O começo de tudo. Conhecer Kate havia mudado sua vida, e tudo porque as duas ousaram ir uma em busca da outra, ousaram dizer *quero ser sua amiga*.

Seguiu pelo caminho de concreto entremeado de grama que levava à frente da casa. Antes mesmo de chegar ao degrau da porta de entrada, pôde ouvir o barulho vindo de dentro. Isso não a surpreendeu. Segundo Kate, os primeiros meses de 2003 haviam sido uma loucura. Marah não havia entrado na adolescência, ela havia se atirado nela. E os gêmeos passaram de bebês barulhentos interessados em tudo a meninos de 4 anos mais barulhentos ainda que quebravam tudo. Toda vez que Tully ligava, parecia que Kate estava levando alguém a algum lugar.

Tully tocou a campainha. Normalmente, é claro, ela apenas entraria. Mas, normalmente, ela estaria sendo esperada. Aquela viagem fora decidida tão de última hora que Tully não havia ligado antes. Para ser sincera, ela não achara que chegaria lá. Pensara que desistiria no caminho. Mas ali estava ela.

A casa foi sacudida por barulhos de passos. Então a porta se abriu e Marah surgiu.

– Tia Tully! – berrou, atirando-se nela.

Tully deu um abraço apertado na afilhada. Quando as duas se afastaram, ela encarou a menina à sua frente, um pouco desconcertada. Fazia apenas sete ou oito meses desde a última vez que vira Marah – um piscar de olhos –, no entanto, a menina à sua frente era uma estranha. Quase uma mulher, Marah estava mais alta do que Tully, com uma pele muito alva, olhos castanhos penetrantes, cabelos negros volumosos que caíam sedosos pelas costas, e maçãs do rosto lindíssimas.

– Marah Rose – disse ela. – Você está uma moça. E está linda. Já tentou ser modelo?

O sorriso de Marah a deixou ainda mais estonteantemente linda.

– Sério? A mamãe acha que eu sou um bebê.

Tully riu.

– Pois, minha querida, você não é nenhum bebê.

Antes que ela pudesse dizer mais alguma coisa, Johnny desceu a escada, segurando em cada braço um menino que se contorcia. No meio do caminho, ele a viu e parou.

Então sorriu.

– Você não deveria tê-la deixado entrar, Marah. Ela trouxe uma mala.

Tully riu e fechou a porta atrás de si.

– Katie! – berrou Johnny escada acima. – É melhor você descer aqui. Não vai acreditar em quem veio nos visitar.

Ele soltou os meninos no chão na base da escada e foi até Tully, passando os braços ao redor dela. Ela não pôde deixar de pensar em como era bom simplesmente ser abraçada. Fazia muito tempo que ninguém a abraçava.

– Tully! – A voz de Kate superou os outros sons na sala quando ela correu escada abaixo e prendeu Tully num abraço.

Quando se afastou, Kate estava sorrindo.

– O que diabos você está fazendo aqui? Você não sabe que precisa me avisar quando vem? Agora vai ficar falando do meu corte de cabelo e das luzes que eu preciso fazer.

– Não se esqueça do fato de que está sem maquiagem. Mas eu posso fazer uma transformação em você. Sou boa nisso. É um dom.

O passado as abraçou e as fez dar risada.

Kate enganchou o braço no de Tully e a levou até o sofá. Lá, com a mala parada na porta como um guarda-costas, as duas passaram pelo menos uma hora pondo a conversa em dia. Mais ou menos às três horas, levaram a festinha para o quintal, onde os meninos e Marah competiram com Kate pela atenção de Tully. Quando a escuridão começou a cair, Johnny acendeu a churrasqueira e, numa mesa de piquenique no gramado, sob o céu estrelado e ao lado do canal tranquilo, Tully fez sua primeira refeição caseira em meses. Depois disso, brincaram animadamente com os meninos.

Quando Kate e Johnny subiram para pôr os gêmeos na cama, Tully ficou sentada do lado de fora com Marah, enroladas numa das muitas famosas mantas da Sra. Mularkey.

– Como é ser famosa?

Tully não pensava nisso fazia anos. Simplesmente considerava natural.

– É muito legal, na verdade. A gente sempre consegue as melhores mesas, tem acesso aos melhores lugares, ganha coisas de graça o tempo todo. Todo mundo espera pela gente. E como eu sou jornalista e não estrela de cinema, os paparazzi me deixam em paz na maior parte do tempo.

– E as festas?

Tully sorriu.

– Faz tempo que eu não dou bola para festas, mas, sim, eu sou convidada para muitas festas. E não se esqueça das roupas. Os estilistas me mandam vestidos o tempo todo. Eu só preciso usá-los.

– Nossa – falou Marah. – Isso é o máximo.

Atrás delas, uma porta de deslizar se abriu e se fechou com força. Ouviu-se o barulho de alguma coisa – uma mesa, talvez – sendo arrastada pelo deque. Então a música começou. Jimmy Buffett, "Margaritaville".

– Você sabe o que isso significa – disse Kate, aparecendo ao lado delas com duas margaritas.

Marah imediatamente reclamou.

– Já tenho idade suficiente para ficar acordada. Além disso, amanhã não tem aula.

– Hora de dormir, pequena – disse Kate, abaixando-se para oferecer um drinque a Tully.

Marah olhou para Tully como que para dizer *está vendo? Eu disse que ela me acha um bebê.* Tully não conseguiu deixar de rir:

– A sua mãe e eu também tínhamos pressa de crescer. Nós costumávamos sair escondidas de casa e roubar a…

– Tully! – disse Kate enfaticamente. – As velhas histórias não vão interessá-la.

– A minha mãe saía escondida de casa? O que a vovó fez quando descobriu?

– Ela a botou de castigo para o resto da vida. E a fez usar roupas de ponta de estoque – respondeu Tully.

Marah estremeceu ao pensar nisso.

– Tudo de poliéster – acrescentou Kate. – Durante um verão inteiro eu tive medo de passar perto de fogo.

– Vocês duas estão mentindo – falou Marah, cruzando os braços.

– Nós? Mentindo? Nunca – disse Tully, tomando um gole do drinque.

Marah se levantou da cadeira em que estava, deu um longo e sofrido suspiro e seguiu para dentro de casa. Assim que a porta bateu, Tully e Kate deram risada.

– Me diga que a gente não era assim – disse Tully.

– A minha mãe jura que eu era. Você era a mocinha perfeita perto dela. Até a gente ser presa, é claro.

– O primeiro trincado na armadura.

Dando risada, Kate se sentou na cadeira ao lado da amiga, enrolando-se em uma das mantas da Sra. M.

Tully não havia se dado conta de quanto andava tensa, de como seu pescoço e seus ombros estavam duros até aquele instante, quando então começou a relaxar. Como sempre, Kate era sua rede de segurança, seu abrigo. Perto da melhor amiga, ela podia enfim confiar em si mesma. Recostou-se na cadeira e ficou olhando fixamente para o céu noturno. Nunca havia sido uma daquelas pessoas que se sentem insignificantes sob o céu, mas, de repente, compreendeu por que algumas pessoas sentiam isso. Era uma questão de perspectiva. Ela havia passado tanto tempo da vida correndo para a linha de chegada que perdera o fôlego. Se prestasse um pouco mais de atenção ao cenário e um pouco menos à linha de chegada, talvez não estivesse ali agora, uma mulher solteira de 42 anos em busca de um resquício de família.

– E então, vai me obrigar a perguntar? – disse Kate afinal.

Não havia por que esconder a verdade, embora ela sentisse uma necessidade quase instintiva de fazer exatamente isso. A música mudou para ABBA. "Knowing me/Knowing you".

– Eu vi o Chad – disse ela baixinho.

– Dois meses atrás, certo? No Central Park?

– É.

– E vê-lo há dois meses fez você entrar num avião e vir me ver agora. Compreendo perfeitamente.

Antes que Tully pudesse responder, a porta se abriu atrás

delas de novo e Johnny surgiu trazendo uma cerveja. Levou mais uma cadeira para onde as duas estavam sentadas e se juntou a elas. Os três formaram um semicírculo meio torto, de frente para o canal escuro. O luar iluminava as ondas que batiam na areia.

– Ela já contou?

– Qual é, vocês dois são telepatas, agora? – disse Tully. – Eu estava começando a contar.

– Na verdade – disse Kate –, ela me lembrou que viu o Chad dois meses atrás.

– Ah – falou Johnny, assentindo com a cabeça, como se isso explicasse a viagem inesperada de Tully através do país.

– O que isso quer dizer, *ah*? – perguntou ela, subitamente irritada.

Era exatamente o que Chad havia feito.

– Ele é o seu Moby Dick, é a baleia que, mesmo ferida, consegue vencer você – explicou Johnny.

Tully olhou para ele de esguelha.

– Eu nunca disse que ele era uma baleia.

– Qual é, Tully? – fez Kate, pondo a mão no braço do marido. – Diga o problema.

Ela olhou para os dois, sentados tão perto um do outro, uma mulher e um marido que ainda davam risada juntos e se tocavam depois de mais de quatorze anos de casamento, e sentiu o peito apertar.

– Estou cansada de ficar sozinha – disse ela, afinal.

Havia segurado as palavras por tanto tempo, que quando elas finalmente saíram, pareceram velhas, gastas como pedras da praia.

– E o Grant? – perguntou Johnny.

– Achei que você tinha dito que Chad estava morando com uma mulher – disse Kate, inclinando-se para a frente.

– Isso não tem a ver exatamente com o Chad. Quero dizer, tem, mas não como você está pensando. Ele disse que eu tenho uma família.

Kate franziu o cenho e recuou.

– Está se referindo a Nuvem?

– Ela é minha mãe.

– Biologicamente, sim. Um réptil é um pai melhor, e eles enterram os ovos e vão embora.

– Eu sei que você só está tentando me proteger, Kate, mas é fácil para você descontar nela. Você *tem* uma família.

– Você fica magoada toda vez que a encontra.

– Mas ela sempre voltava. Talvez isso queira dizer alguma coisa.

– Ela sempre ia embora também – disse Kate suavemente. – E todas as vezes partia o seu coração.

– Eu estou mais forte agora.

– Do que vocês estão falando, exatamente? Parecem estar conversando em código – interferiu Johnny.

– Eu quero ir atrás dela. Tenho seu último endereço, porque ainda mando dinheiro todos os meses. Pensei que, se eu conseguisse botá-la numa clínica, talvez tivéssemos uma chance.

– Ela já foi internada muitas vezes – observou Kate.

– Eu sei, mas nunca com apoio. Talvez seja tudo de que ela precise.

– Estou ouvindo muitos "talvez" – contrapôs Kate.

Tully olhou de Kate para Johnny e finalmente de novo para Kate.

– Eu sei que é loucura e que provavelmente não vai funcionar, e não há dúvidas de que eu vou acabar chorando ou bebendo, ou as duas coisas, mas estou cansada de ser tão absolutamente sozinha e não ter um amor ou filhos com quem possa contar. O que tenho é uma mãe, por pior que ela seja. E, Katie, eu quero que você me ajude a encontrá-la. Não deve levar mais do que alguns dias.

Kate pareceu completamente surpresa com aquilo.

– O quê?

– Eu quero encontrá-la. E não consigo fazer isso sozinha.

– Mas… eu não posso simplesmente sair por alguns dias. Amanhã é a festa de primavera. Eu sou a presidente dos jogos. Preciso estar lá para organizar tudo e distribuir os prêmios.

Tully suspirou de decepção.

– Ah. Bem. E no fim de semana?

– Eu sinto muito, Tul. De verdade. A mamãe e eu vamos fazer a distribuição de comida da igreja no sábado e no domingo. Se eu não aparecer, vai ser um caos. Na segunda e na terça-feira, trabalho como voluntária na escola, mas talvez eu consiga ir com você alguns dias no final da próxima semana.

– Se eu esperar, eu não vou – disse Tully, tentando reunir coragem para ir sozinha. – Acho que posso ir sozinha. Eu só estava preocupada…

– Você deve ir com uma equipe – disse Johnny.

Tully olhou para ele.

– Como assim?

– Sabe, você deve filmar. Você é uma grande estrela com uma história de pobre menina rica. Não quero parecer insensível, mas os seus espectadores adorariam acompanhá-la nesta jornada. Meu chefe daria tudo para transmitir isso.

Tully avaliou a ideia inesperada. Era certamente perigoso para ela. Ela poderia ser humilhada pela mãe. Por outro lado, poderia sair triunfante. Um reencontro de mãe e filha seria ouro na TV. Ficou sinceramente surpresa por não ter pensado nisso. Um retrato íntimo desses poderia fazer sua popularidade disparar. Será que valia o risco?

Precisava era de um produtor que se importasse com ela.

Olhou para Johnny.

– Vá comigo – disse ela, olhando para ele. – Seja o meu produtor.

Kate se endireitou na cadeira.

– O quê?

– Por favor, Johnny – implorou Tully. – Eu preciso de *você* para isso acontecer. Eu não confiaria em mais ninguém. Você vai ganhar exposição nacional. Eu ligo para o seu chefe. Fred e eu somos amigos de longa data. E, como você disse, ele mataria por uma exclusiva nessa história.

Johnny olhou para a mulher:

– Katie?

Tully prendeu a respiração, esperando pela resposta da amiga.

– Você que sabe, Johnny – disse Kate, afinal, embora não parecesse contente com aquilo.

Johnny se recostou.

– Vou conversar com o Fred. Presumindo que ele concorde, começaremos amanhã. Vou chamar o Bob Davies para ser o cinegrafista. – Johnny sorriu. – Vai ser bom sair da emissora por alguns dias, de qualquer maneira.

Tully riu alto.

– Que *ótimo*!

A porta de correr se abriu de chofre. Marah saiu correndo para o pátio.

– Posso ir com vocês, papai? Amanhã não tem aula, e você disse que queria que eu visse você trabalhando um dia.

Tully segurou a mão de Marah e pôs a afilhada no colo.

– Que ideia fantástica. Assim você vai poder ver que grande produtor o seu pai é, e a sua mãe não vai precisar se preocupar com você enquanto estiver fazendo o trabalho voluntário.

Ao seu lado, Kate gemeu. Tully se virou para a melhor amiga:

– Está tudo certo, não está, Katie? Serão só alguns dias. Além disso, vai mostrar a Marah como ela tem sorte de ter você como mãe. Eu a trarei de volta a tempo de ir para a escola na segunda-feira. Eu prometo.

Johnny se levantou e abriu o telefone. Digitou alguns números e entrou na casa. Sua voz começou forte e foi desaparecendo conforme ele se afastava.

– Fred? Aqui é o Johnny. Desculpe incomodá-lo, mas…

– Kate? – disse Tully, aproximando-se. – Me diga que está tudo bem.

O sorriso da melhor amiga saiu lentamente.

– É claro, Tully. Leve minha família inteira, se quiser.

Vinte e seis

— Ela sempre magoa você – disse Kate, horas mais tarde, quando as luzes de Seattle, cintilando entre o canal escuro e o céu sem estrelas, começaram a se apagar.

Tully suspirou, olhando fixamente para a corrente de água cheia de espuma que arrebentava na praia. Mal dava para ver. Ao terminar a terceira margarita, pôs a taça vazia na grama ao seu lado.

— Eu sei.

Tully ficou em silêncio. Na verdade, estava com a cabeça girando e começava a se preocupar com aquela ideia.

— Por que o Johnny? – perguntou Kate afinal.

Ela parecia hesitante, como se talvez não tivesse a intenção de perguntar em voz alta.

— Ele vai me proteger. Se eu disser para cortar, ele vai cortar. Se eu disser para jogar no lixo, ele vai jogar no lixo.

— Eu acho que não.

— Ele vai. Por mim. E sabe por quê?

— Por quê?

— Você.

Ela se levantou desajeitadamente, incapaz de continuar analisando aquela decisão. Num segundo Kate estava ao lado dela, ajudando-a a se firmar.

— O que eu faria sem você, Katie? – disse Tully, apoiando-se na melhor amiga.

— Nós nunca vamos precisar descobrir. Vamos lá, vou levar você ao seu quarto. Precisa dormir um pouco.

Kate a levou para dentro de casa e a guiou até o quarto de hóspedes.

Tully caiu na cama, olhando com os olhos turvos para a melhor amiga. Com o quarto dançando ao seu redor, percebeu como aquele documentário era uma ideia idiota, como havia se colocado numa posição vulnerável. Ela poderia se magoar... de novo. Se ao menos tivesse a vida de Kate, não precisaria correr aquele risco.

– Você tem tanta sorte – sussurrou ela, começando a cair no sono. – Johnny...

Ela queria dizer *e as crianças amam você*, mas as palavras se atrapalharam em sua cabeça antes que ela conseguisse terminar a frase, depois ela começou a chorar e dormiu.

Na manhã seguinte, Tully acordou com uma dor de cabeça terrível. Levou mais tempo do que o normal para arrumar os cabelos e a maquiagem – e Johnny ficar gritando para ela se apressar não ajudou –, mas, finalmente, estava pronta para partir.

Johnny deu um abraço e um beijo em Kate.

– Não deve levar mais de dois dias – disse ele para a esposa, tão baixinho que Tully entendeu que não era para ela ouvir. – Estaremos de volta antes que sinta nossa falta.

– Vai parecer mais tempo – respondeu Kate. – Já estou com saudade.

– Vamos, mamãe – falou Marah apressadamente. – Nós precisamos ir. Certo, tia Tully?

– Dê um beijo de despedida na sua mãe – mandou Johnny.

Marah foi obedientemente até Kate e lhe deu um beijo. Kate abraçou a filha até ela começar a se contorcer, então a soltou.

Tully sentiu uma pontada de inveja daquela intimidade. Eles formavam uma família linda.

Johnny levou Marah para o carro e começou a carregar as coisas.

Tully olhou para Kate.

– Você vai estar em casa, certo? Caso eu precise ligar?

– Eu estou sempre em casa, Tully. É por isso que chamam de "dona de casa".

– Engraçadinha.

Tully olhou para suas coisas. Em cima de tudo havia uma pilha de anotações que havia feito na última conversa que tivera com o advogado. Era uma lista dos últimos endereços que tinham de Nuvem.

– Muito bem, então. Vamos embora.

Pegou a bolsa e foi para o carro. No final da entrada de garagem, ela se virou para trás. Lá estava Kate, ainda parada na porta de casa, com dois menininhos pendurados nela, acenando.

A primeira parada, apenas duas horas mais tarde, foi num camping em Fall City. O último endereço conhecido de Nuvem. Mas tudo indicava que sua mãe se mudara fazia uma semana, e ninguém sabia informar o novo endereço. Falaram com um homem que acreditava que Nuvem tinha ido para um acampamento em Issaquah.

Nas seis horas seguintes, eles foram de lugar em lugar, seguindo pistas – Tully, Johnny, Marah e um cinegrafista que tinha motivos para se apresentar como Bob Gordo.

A cada parada, gravavam um segmento de Tully conversando com pessoas em diversos campings e comunidades. Muita gente conhecia Nuvem, mas ninguém parecia saber onde encontrá-la. Eles foram de Issaquah para Cle Elum, depois para Ellensburg. Marah se fixava em cada palavra que Tully dizia.

Estavam terminando de jantar numa lanchonete no North Bend quando Fred ligou dando a informação de que o último cheque de Nuvem havia sido descontado num banco da ilha Vashon.

– Poderíamos ter chegado lá em uma hora – resmungou Johnny.

– Acha que iremos encontrá-la? – perguntou Tully, pondo açúcar no café.

Era a primeira vez no dia que os dois ficavam sozinhos. Bob Gordo estava na van, e Marah havia acabado de ir ao banheiro.

Johnny olhou para ela.

– Acho que não podemos forçar as pessoas a nos amar.

– Nem os nossos pais?

– Principalmente os nossos pais.

Ela sentiu um pouco da antiga ligação novamente. Lembrou que os dois tinham isso em comum. Infâncias solitárias.

– Como é, Johnny, ser amado?

– Não é esta a pergunta que você quer fazer. Você quer saber como é amar alguém – falou ele, e lhe deu um sorriso que o deixou com cara de garoto de novo. – Além de si mesma, quero dizer.

Ela se recostou.

– Eu preciso de novos amigos.

– Eu não vou recuar, você sabe. É melhor que esteja de acordo com isso. Você me envolveu nesta história agora. A câmera vai estar lá, vendo muito do que estiver acontecendo. Se quiser voltar atrás, a hora é agora.

– Você pode me proteger.

– É isso que estou dizendo, Tully. Não vou proteger você. Eu vou até o fim nesta história. Como você fez na Alemanha.

Ela compreendeu o que ele estava dizendo. A amizade terminava quando começava a história. Era um axioma do jornalismo.

– Mas tente me filmar pelo lado esquerdo. É o meu melhor ângulo.

Johnny sorriu e pagou a conta.

– Vá buscar a Marah. Se nos apressarmos, talvez consigamos pegar a última balsa.

No fim, eles perderam a última balsa e acabaram dormindo em três quartos de um hotel velho perto da praia.

Na manhã seguinte, Tully acordou com uma dor de cabeça tão forte que não houve aspirina capaz de aliviar. Ainda assim, ela se vestiu, se maquiou e tomou um café da manhã gorduroso numa lanchonete recomendada por Bob Gordo. Às nove da manhã, eles estavam na balsa, a caminho de uma comunidade de plantação de morangos na ilha Vashon.

A cada passo do caminho, a cada quilômetro percorrido, a câmera estava em Tully. Quando entrevistou os atendentes do banco e mostrou a velha foto de sua mãe – a única foto que tinha dela –, manteve o sorriso.

Só quando já eram quase dez horas, ao pararem ao lado da placa da fazenda Sunshine, que ela começou a perder o controle.

A comunidade era igual às outras que ela vira: muitos hectares cobertos de plantação, pessoas com aparência amarfanhada vestindo o equivalente moderno de roupas feitas de sacos, fileiras de banheiros químicos. A principal diferença eram os alojamentos. Ali, as pessoas viviam em cabanas arredondadas chamadas iurtas. Havia pelo menos trinta delas ao longo do rio.

Johnny parou numa vaga de estacionamento e desceu da van. Bob Gordo seguiu logo atrás dele, fechando a porta da van.

– Você está bem, tia Tully? – perguntou Marah com tom de preocupação.

– Fique quietinha, Marah – pediu Johnny. – Venha aqui para o lado do papai.

Tully sabia que estavam esperando por ela. Mesmo assim, ficou lá sentada. As pessoas esperavam por ela o tempo todo. Era uma das vantagens de ser uma celebridade.

– Você consegue – disse ela para a mulher com ar assustado no espelho retrovisor.

Havia passado uma vida inteira protegendo o próprio coração, criando essa carapaça em torno dele, e agora a estava abrindo de propósito, expondo sua vulnerabilidade. Mas que escolha tinha? Se fosse para ela e a mãe algum dia terem alguma chance, alguém precisava dar o primeiro passo.

Cuidadosamente, abriu a porta e pisou na rua enlameada.

Bob Gordo e sua câmera estavam a postos.

Tully respirou fundo e sorriu.

– Estamos na fazenda Sunshine. Fomos informados de que

minha mãe está vivendo aqui há quase uma semana, embora ainda não tenha enviado este endereço ao meu advogado, então não sabemos se ela planeja ficar.

Ela caminhou até a longa fileira de mesas, cobertas por telheiros de cedro, onde mulheres de aparência cansada vendiam suas mercadorias. Frutas, geleias, caldas, manteigas e peças de artesanato.

Ninguém pareceu se importar em ter uma câmera em sua direção. Ou uma celebridade.

– Sou Talullah Hart, e estou procurando por esta mulher.

Ela mostrou a fotografia. Bob Gordo foi para a esquerda, mantendo-se perto. As pessoas não faziam ideia de como as câmeras às vezes precisavam chegar perto para captar nuances de emoção.

– Nuvem – a mulher disse sem sorrir.

O coração de Tully deu um salto.

– Sim.

– Ela não está mais na Sunshine. Era trabalho de mais para ela. A última coisa que soube era que ela estava na velha casa Mulberry. O que foi que ela fez?

– Nada. Ela é minha mãe.

– Ela disse que não tinha filhos.

Tully teve certeza de que a câmera captara sua reação àquilo, a forma como ela se encolheu de dor.

– Isso não é exatamente uma surpresa. Como faço para chegar à casa Mulberry?

Enquanto a mulher dava as orientações, Tully sentiu uma onda de ansiedade. Ela se afastou na direção de uma cerca para ficar a sós. Johnny foi até ela, aproximando-se.

– Você está bem? – perguntou ele bem baixo, para que a câmera não pudesse captar a pergunta.

– Estou com medo – sussurrou ela, olhando para ele.

– Você vai ficar bem. Ela não pode mais ferir você. Você é Talullah Hart, lembra?

Era do que ela precisava. Sorrindo, sentindo-se mais forte,

ela voltou e olhou para a câmera. Não se deu o trabalho de secar as lágrimas dos olhos.

– Acho que ainda quero que ela me ame – revelou em voz baixa. – Vamos lá.

Entraram na van e pegaram a rodovia. Na Mill Road, viraram à esquerda e seguiram por uma estrada de cascalho esburacada até avistarem um trailer bege.

O trailer estava apoiado sobre blocos num gramado, cercado por carros quebrados e cheios de ferrugem. Havia um refrigerador tombado no jardim, com uma poltrona surrada do lado. Três pitbulls de aparência furiosa estavam acorrentados à cerca. Os cachorros enlouqueceram quando a van entrou no pátio, latindo, rosnando e pulando para a frente.

– Já assistiram a *Amargo pesadelo*? – disse Tully, dando um sorriso fraco ao estender a mão para a maçaneta.

Todos saíram ao mesmo tempo, seguindo em frente em formação: Tully ia à frente, avançando com falsa confiança. Bob Gordo ia ao lado dela ou alguns passos adiante, gravando, e Johnny seguia atrás deles, segurando a mão de Marah e lhe lembrando que ficasse em silêncio.

Tully foi até a porta e bateu.

Ninguém atendeu.

Ela tentou ouvir passos no interior do trailer, mas o latido dos cachorros tornava isso impossível.

Ela bateu mais uma vez, e estava prestes a se entregar ao alívio e dizer "Não tivemos sorte!" quando a porta se abriu e revelou um homem enorme de cabelos desalinhados e cueca samba-canção. Uma tatuagem de uma mulher vestindo uma saia havaiana cobria a metade esquerda de sua barriga enorme e cabeluda.

– Sim? – disse ele, coçando embaixo do braço.

– Estou aqui para ver a Nuvem.

Ele entortou a cabeça para a direita e desceu do trailer, passando por ela e indo na direção dos cachorros.

Os olhos de Tully lacrimejaram com o cheiro que sentiu.

402

Queria se virar para a câmera e dizer algo espirituoso, mas não conseguia engolir, de tão nervosa que estava. Lá dentro, viu montes de lixo e embalagens velhas de comida. Havia moscas por tudo quanto era lado e caixas de pizza com bordas de massa não comida. Mas, principalmente, o que ela viu foram garrafas vazias de bebida e um baseado. Uma imensa quantidade de maconha repousava sobre a mesa da cozinha.

Tully não fez qualquer observação ou comentário.

Bob Gordo seguiu cada passo seu, gravando sua jornada para dentro daquele trailer do inferno.

Ela foi até a porta fechada atrás da cozinha, bateu e a abriu, revelando o banheiro mais nojento de todos os tempos. Fechou a porta e seguiu para a próxima. Lá, bateu duas vezes e então girou a maçaneta. O quarto era pequeno, ainda menor por conta das pilhas de roupas espalhadas. Ao lado da mesa de cabeceira, havia três garrafas de um litro e meio de gim.

Sua mãe estava enroscada em posição fetal sobre a cama desarrumada, com um velho cobertor azul ao redor do corpo.

Tully se aproximou, notando quanto a pele da mãe havia se tornado acinzentada e enrugada.

– Nuvem?

Ela chamou o nome três ou quatro vezes, sem receber resposta. Por fim, estendeu a mão e tocou no ombro da mãe. Primeiro gentilmente e depois não tanto.

– Nuvem?

Bob Gordo se posicionou e apontou a câmera para a mulher em cima da cama. Lentamente, sua mãe abriu os olhos. Levou muito tempo para focalizar. Tinha um olhar vago e vazio.

– Talullah?

– Oi, Nuvem.

– Tully – disse ela, como se tivesse acabado de se lembrar do apelido que a filha preferia. – O que está fazendo aqui? E quem é esse aí com a câmera?

– Vim procurar você.

Nuvem sentou-se lentamente, pegando um cigarro no bolso sujo. Quando o acendeu, Tully notou como a mão da mãe estava paralisada. Foram necessárias três tentativas para o cigarro tocar a chama.

– Achei que você estivesse em Nova York, ficando rica e famosa.

– Estou fazendo as duas coisas – disse Tully, sem conseguir disfarçar o orgulho.

Detestava que, mesmo depois de todas as decepções, ainda desejasse tanto a admiração daquela mulher.

– Há quanto tempo você está morando aqui?

– Por que se importa? Você mora em algum lugar chique enquanto eu estou apodrecendo.

Tully olhou para a mãe. Os cabelos desalinhados e revoltos agora estavam grisalhos. A calça cargo larga manchada estava com a bainha rasgada. A camisa velha de flanela estava abotoada do jeito errado. E o rosto, enrugado, sujo e cinzento por causa do cigarro, do álcool e da vida desregrada. Nuvem tinha menos de 60 anos, mas parecia ter quinze a mais. A beleza frágil da juventude havia desaparecido, varrida pelos excessos implacáveis.

– Você não pode querer isso, Nuvem. Nem mesmo você...

– Nem mesmo eu, é? Por que você veio atrás de mim, Tully?

– Você é minha mãe.

– Nós duas sabemos que não é bem assim.

Nuvem limpou a garganta e olhou para o outro lado.

– Preciso sair daqui. Talvez eu pudesse ficar com você alguns dias. Tomar um banho. Comer alguma coisa.

Tully detestou a minúscula onda de emoção que se seguiu a essas palavras. Havia esperado toda uma vida que sua mãe quisesse ir para casa com ela, mas sabia quanto um momento desses podia ser perigoso.

– Está bem.

– É sério?

A descrença na expressão de Nuvem foi a coisa mais triste que Tully viu na vida. Demonstrava claramente a absoluta falta de fé que uma tinha na outra.

– É sério.

E, por um instante, Tully chegou a esquecer que a câmera estava lá. Ousou imaginar o impossível: que as duas poderiam se transformar em mãe e filha em vez de estranhas.

– Vamos lá, Nuvem. Deixe-me ajudar você a ir até o carro.

❧

Tully sabia que não devia acreditar na possibilidade de forjar uma ligação com a mãe, mas essa ideia criou um inebriante coquetel de esperança que, depois de consumido, a deixou zonza. Talvez ela pudesse finalmente ter sua própria família.

E a câmera captou tudo: a esperança, o medo e a necessidade de Tully. No longo caminho para casa, enquanto Nuvem dormia atirada num canto, Tully abriu o coração para a lente. Respondeu às perguntas de Johnny com uma sinceridade sem precedentes, revelando afinal quanto havia sido ferida pelo distanciamento da mãe.

Agora, porém, Tully acrescentou uma nova palavra.

Viciada.

Desde que conhecera a mãe, Nuvem estivera presa às drogas, à bebida ou a ambas as coisas.

Quanto mais Tully pensava nisso, mais parecia ser a causa de seus problemas.

Se ela conseguisse levar a mãe para uma clínica de reabilitação e a ajudasse ao longo do programa, talvez elas conseguissem ter um recomeço. Estava tão certa disso que ligou para seu chefe na CBS e pediu por mais tempo de folga para que pudesse ser uma boa filha e ajudar a mãe a se curar.

– Tem certeza de que é uma boa ideia? – perguntou Johnny quando ela desligou o telefone.

Estavam na sala de estar da luxuosa suíte alugada no hotel

Fairmont Olympic, em Seattle. Perto da janela, Bob Gordo estava sentado numa poltrona estofada, filmando a conversa. Havia câmeras e equipamentos de TV espalhados por todo canto. Luzes imensas criavam uma área de palco junto ao sofá. Marah estava enroscada como um gato numa poltrona, lendo seu livro.

– Ela precisa de mim – disse Tully apenas.

Johnny encolheu os ombros e não disse mais nada, apenas olhou para ela.

– Bem – disse ela, enquanto se levantava, espreguiçando-se. – Acho que vou dormir. – E, virando-se para Bob Gordo: – Acho que por hoje é só. Vá dormir. Recomeçamos amanhã às oito.

Bob Gordo assentiu com a cabeça, juntou o equipamento e seguiu para seu quarto.

– Posso dormir com a tia Tully? – pediu Marah, deixando o livro cair no chão.

– Por mim tudo bem – Johnny disse –, se Tully não se importar.

– Você está brincando? Uma festa de pijama com a minha afilhada preferida é um final perfeito para o dia.

Depois que Johnny foi para seu próprio quarto, Tully brincou de mãe com Marah, mandando-a escovar os dentes, lavar o rosto e vestir o pijama.

– Eu estou velha demais para usar pijama – informou Marah.

Mas, quando deitou na cama, ela se aninhou a Tully como a menininha que fora apenas alguns anos antes.

– Foi tão incrível, tia Tully – disse ela, sonolenta. – Eu também vou ser uma estrela de TV quando crescer.

– Eu não duvido.

– Se a minha mãe deixar, o que ela provavelmente não vai.

– Como assim?

– A minha mãe não me deixa fazer nada.

– Você sabe que a sua mãe é a minha melhor amiga, não sabe?

– É – respondeu ela, com um resmungo.

– Por que você acha que somos melhores amigas?

Marah se virou e olhou para ela.

– Por quê?

– Porque a sua mãe é o máximo.

Marah fez uma careta.

– A minha mãe? Ela nunca faz nada legal.

Tully sacudiu a cabeça.

– Marah, a sua mãe ama você incondicionalmente, e ela tem orgulho de você. Acredite em mim, princesa, esta é a coisa mais legal do mundo.

❧

Na manhã seguinte, Tully levantou cedo e foi até o quarto do outro lado do corredor. Lá, fez uma pausa, tomou coragem e bateu. Como ninguém atendeu, abriu lentamente a porta.

Sua mãe ainda estava dormindo.

Sorrindo, saiu da suíte e fechou a porta silenciosamente atrás de si. Diante da porta de Johnny, fez uma pausa e bateu.

Ele respondeu logo, vestido num dos roupões do hotel, com os cabelos encharcados.

– Achei que fôssemos começar às oito.

– E vamos. Eu só vou comprar algumas roupas para Nuvem levar para a clínica e um café para todos nós. Marah ainda está dormindo.

Johnny franziu a testa.

– Você está indo rápido demais, Tully. As lojas ainda não abriram.

– Eu sempre fui rápida. Você sabe disso, Johnny. E tudo está aberto para Talullah Hart. É uma das vantagens da minha vida. Tem uma chave do meu quarto?

– Tenho. Vou até lá agora. Cuide-se.

Ignorando a preocupação dele, ela foi até o mercado e comprou montes de croissants, bolinhos e roscas de canela.

Nuvem precisava ganhar alguns quilos. Então foi até a La Dolce, onde comprou vários itens para a mãe: calças jeans, blusas, sapatos, calcinhas e sutiãs e o casaco mais grosso que conseguiu encontrar. Estava de volta ao hotel às nove.

– Cheguei – disse ela, fechando a porta atrás de si com um chute. – E esperem só para ver o que eu comprei.

Largou as sacolas de roupas em cima do sofá e as demais no chão.

Em cima da mesa da pequena sala de estar, começou a abrir os pacotes com as roscas e os bolinhos.

Bob Gordo estava no canto, filmando sua entrada.

Ela deu a ele o melhor dos sorrisos.

– Minha mãe precisa ganhar alguns quilos. Isso deve ajudar. Comprei praticamente tudo que encontrei para o café da manhã. Não sei do que ela gosta.

Johnny estava sentado no sofá, parecendo triste e cansado.

– Isto aqui está parecendo um velório – comentou Tully, dirigindo-se até a porta da mãe.

Bateu.

– Nuvem?

Não houve resposta.

Bateu novamente.

– Nuvem? Você ainda está no banho? Estou entrando.

Ela abriu a porta.

A primeira coisa que notou foi o cheiro de cigarros e a janela aberta. A cama estava vazia.

– Nuvem?

Ela foi até o banheiro, que ainda estava úmido e enevoado com o vapor. Grossas toalhas de algodão egípcio estavam amontoadas no chão. A toalha de rosto e o tapete estavam sujos, dentro da pia.

Tully entendeu imediatamente o que havia acontecido. Saiu do banheiro e olhou para Johnny e para a câmera.

– Ela foi embora?

– Faz uma meia hora – disse ele. – Eu tentei impedir.

Tully ficou impressionada com quanto se sentiu traída, como a menina que fora abandonada na rua em Seattle. Desprezada e indesejada.

Johnny se aproximou dela e a abraçou. Ela queria perguntar a ele *por quê*, perguntar o que havia de errado com ela para que ninguém nunca ficasse a seu lado, mas a pergunta ficou presa na garganta. Ela ficou abraçada a ele por muito tempo, aceitando o conforto que Johnny oferecia. Ele acariciou sua cabeça e sussurrou *calma* em seu ouvido, como se ela fosse uma criança.

Logo, porém, ela se lembrou da câmera e recuou, secando os olhos e forçando um sorriso.

– Bem, aí está. O fim do documentário. Acabou, Bob.

Passando por Johnny, ela voltou para seu quarto, onde ouviu Marah cantando no chuveiro. Estava com os olhos cheios de lágrimas, mas se recusava a deixá-las cair. Sua mãe não a atingiria de novo. Ela havia sido uma tola de pensar que poderia haver um final diferente deste.

Então notou o criado-mudo vazio ao lado dela.

– A vaca roubou as minhas joias.

Ela fechou os olhos e sentou na beira da cama. Tirando um celular do bolso, digitou o número de Kate e ouviu o telefone tocar. Quando a amiga atendeu, Tully nem se deu o trabalho de cumprimentá-la.

– Tem alguma coisa errada comigo, Katie – disse ela baixinho, com a voz trêmula.

– Ela deu no pé?

– Como uma ladra no meio da noite.

– Talullah Rose Hart, preste atenção no que eu vou dizer. Você vai desligar o telefone e pegar a balsa imediatamente. Eu vou cuidar de você. Entendeu? E traga a minha família junto.

– Não precisa gritar. Estou indo. Todos estamos. Mas é melhor você ter álcool preparado para mim quando eu chegar. E não vou misturar com aquele suco horroroso que os seus filhos tomam.

Kate deu risada.

– Ainda é de manhã, Tully. Eu preparo o café.

– Obrigada, Kate – disse Tully baixinho. – Eu lhe devo uma.

Quando ergueu o olhar, ela viu Bob Gordo. Ele estava gravando tudo da porta, com Johnny parado ao lado dele.

Mas não foi a luz vermelha acesa da câmera ou a consciência de sua humilhação pública ou as lentes onipresentes que a atingiram.

Foi Johnny, e a forma triste e compreensiva com que ele olhou para ela, que finalmente a fez chorar.

Vinte e sete

O documentário foi ao ar duas semanas mais tarde, e mesmo Kate, que estava acostumada com os incríveis sucessos de Tully, foi pega de surpresa pela reação do público. O programa gerou um frenesi midiático. Durante anos, Tully fora vista diante das câmeras como a profissional tranquila e espirituosa que ia atrás de notícias e fazia reportagens com distanciamento de jornalista.

Agora, o público ficara sabendo como ela havia sido decepcionada e abandonada. O público via além da jornalista, via a mulher que havia dentro dela, e não conseguia parar de falar sobre o assunto. A frase ouvida com mais frequência era *exatamente como eu.*

Antes do documentário, as pessoas respeitavam Tully Hart. Depois dele, passaram a adorá-la. Ela foi capa das revistas *People* e *Us* na mesma semana. O documentário ou trechos dele foram passados e reprisados em programas de notícias de entretenimento. Aparentemente, o país não se fartava de Tully Hart.

Mas enquanto todo mundo estava vendo Tully e o triste encontro com sua mãe, Kate via outra coisa completamente diferente naquela fita, a que assistia com a mesma obsessão. Não conseguia deixar de notar a forma como Johnny olhava para Tully no final, quando o desaparecimento de Nuvem foi revelado, o modo como ele foi até ela e a tomou em seus braços.

E houve ainda a conversa silenciosa que Tully e Johnny tiveram na fazenda Sunshine. Foram editadas quaisquer palavras trocadas entre os dois e a cena passou para uma tomada da comunidade, mas Kate não conseguia deixar de imaginar o que eles haviam dito um para o outro.

Kate estudava a linguagem corporal dos dois como uma primatologista, mas, no final, tinha apenas o que tinha no começo: dois velhos amigos trabalhando juntos num documentário emocionante e uma mulher que se preocupava havia muito tempo com eles dois.

Esse deveria ser o fim de tudo. Se mais nada tivesse acontecido, Kate teria encaixotado seus velhos ciúmes e os deixado de lado, exatamente como havia feito dezenas de vezes ao longo dos anos.

Mas algo havia acontecido.

A Syndiworld, a segunda maior empresa de distribuição do mundo, notara o documentário e oferecera a Tully seu próprio programa de uma hora de duração, do qual ela teria a maior parte dos direitos.

A ideia abalou Tully: era sua chance de ser ela mesma diante das câmeras, de mostrar ao mundo quem ela realmente era e como se sentia – além de significar o fim dos turnos de trabalho que começavam às três da manhã.

No instante em que Tully ouviu a oferta, disse que era exatamente do que precisava, mas, mesmo assim, impôs duas condições: primeiro, o programa teria de ser feito em Seattle;

segundo, John Ryan tinha de ser seu produtor. Nenhuma das condições ela se deu o trabalho de discutir antes com os amigos.

Kate e Johnny estavam na varanda dos fundos de casa, tomando drinques depois de um longo dia, quando receberam o primeiro telefonema.

Johnny riu da proposta de Tully e disse a ela para procurar um produtor especializado em divas.

Foi quando Tully mencionou um salário na casa dos milhões.

Agora, dois dias depois, Kate certamente não estava achando graça. Ela e Johnny estavam na sala, tentando manter as vozes baixas porque as crianças estavam na cama. Tully estava em Nova York, sem dúvida sentada ao lado do telefone, esperando para ver se mais uma vez conseguiria as coisas do jeito dela.

– Eu não sei por que você está brigando comigo por causa disso, Katie – disse Johnny, caminhando de um lado para outro na frente da janela. – Isso vai mudar a nossa vida.

– O que há de errado com a nossa vida agora?

– Você está entendendo quanto dinheiro estão nos oferecendo? Nós poderíamos pagar esta casa e mandar as crianças estudarem medicina em Harvard. E eu poderia fazer alguns programas importantes. Tully disse que eu poderia fazer reportagens sobre lugares em conflito. Sabe o que isso significaria para mim?

– É assim que você quer que seja a sua carreira de agora em diante, começando tudo com *Tully disse*?

– Você está perguntando se eu posso trabalhar para ela? A resposta é: claro que sim. Já trabalhei para gente muito pior do que Tully Hart.

– Talvez eu esteja perguntando se você deveria trabalhar para ela – disse Kate baixinho.

Ele parou de repente e se virou para olhar para a esposa.

– Você tem que estar brincando comigo. É tudo por causa disso? Por causa de uma noite há milhões de anos?

– Ela é uma mulher incrivelmente linda. Eu só acho que...

Kate não conseguiu terminar, não conseguiu exprimir seus velhos medos e inseguranças com palavras. O olhar que Johnny lhe deu foi tão furioso que ela se sentiu derretendo, desaparecendo.

– Eu não mereço isso – falou ele.

Ela o viu subindo a escada furioso e ouviu a porta do quarto batendo.

Ficou sentada na sala durante um longo tempo, olhando fixamente para a aliança de casamento. Por que algumas lembranças nunca se apagavam? Lentamente, ela desligou todas as luzes, trancou as portas e subiu.

Diante da porta fechada do quarto ela fez uma pausa, respirando fundo. Sabia o que precisava fazer agora, o que precisava dizer. Ela o havia magoado e insultado. Ambos sabiam que aquela era a oportunidade de uma vida. Suas inseguranças e ciúmes não podiam ficar no caminho.

Ela precisava ir até ele, dizer que sentia muito e que era uma tola de sentir medo, que acreditava no amor dele como acreditava no sol e na chuva. E era verdade. Ela acreditava mesmo.

Por causa de tudo isso, ela devia ter orgulho de Johnny e ficar feliz por aquela oportunidade e pelo que ela significava para ele. Casamento era isso: um esporte em equipe, e agora era a hora de ela ser líder de torcida. Mas, mesmo sabendo de tudo isso, ela não conseguia ficar totalmente feliz.

Ao contrário, estava com medo.

Sim, eles ficariam ricos. Talvez até poderosos.

Mas a que custo?

Tully concluiu seu contrato, fez uma última transmissão emocionada e repleta de celebridades e se despediu de Nova York. Encontrou uma nova cobertura em Seattle, a Cidade Esmeralda, e passou o mês seguinte em reuniões a portas fechadas, planejando seu novo programa, que ela estava chamando de *A Hora das Meninas com Tully Hart*, em homenagem à tradição das festas de fim de ano dos Mularkey. Ela e Johnny vinham passando muitas horas trabalhando juntos, como nos velhos tempos: contratando equipe, desenhando o set e definindo conceitos.

No final de 2003, muito do trabalho estava pronto, e ela começava a se dar conta de que andava tão ocupada que mais uma vez havia se esquecido de viver enquanto trabalhava. Mesmo com Kate do outro lado da baía, Tully raramente a via. Então, pegou o telefone e convidou a melhor amiga e afilhada para passarem o dia com ela.

– Desculpe – disse Kate ao telefone. – Eu não posso ir até a cidade.

– Qual é? – insistiu Tully. – Eu sei que não liguei o bastante durante o verão, mas o Johnny e eu andamos trabalhando doze horas por dia.

– Me conte alguma coisa que eu não saiba. Você o tem visto mais do que nós.

– Eu sinto a sua falta.

Então houve uma pausa.

– Eu também sinto a sua falta. Mas hoje não dá para mim. Os meninos vão receber uns amigos aqui em casa.

– E se eu tirar a Marah das suas mãos? É – disse Tully, começando a gostar da ideia. – Eu posso levá-la ao Gene Juarez para fazer as unhas e ter uma aula de maquiagem. Seria ótimo. Um dia só das meninas.

– Ela é nova demais para um spa, Tully – falou Kate com uma risada, que saiu um pouco tensa. – E pode esquecer a transformação. Ela ainda não pode usar maquiagem.

– Ninguém é jovem demais para um spa, Kate, e você é maluca de proibir maquiagem. Lembra quando a sua mãe tentou fazer isso? A gente simplesmente se maquiava na parada de ônibus. Você não quer que ela aprenda o jeito certo de se maquiar?

– Ainda não.

– Vamos lá – insistiu Tully. – Ponha ela na balsa de 11h15. Eu a encontro no McDonald's. Você disse que vocês duas estão sempre brigando mesmo.

– Bom... acho que tudo bem. Mas nada de filmes não recomendados para a idade dela, não importa quanto ela implore.

– Está bem.

– Talvez isso melhore o humor dela. Amanhã vamos fazer compras para a escola, que é só um pouco menos doloroso do que um tratamento de canal sem anestesia.

– Quem sabe eu a levo à Nordstrom, para comprar alguma coisa especial.

– Quarenta dólares.

– O quê?

– É quanto você pode gastar. Nem um dólar a mais. E, Tully, se você comprar qualquer coisa que deixe a barriga de fora...

– Eu sei. Eu sei. Britney Spears é o anticristo. Entendi.

– Ótimo. Vou dizer à Marah.

Exatamente uma hora e doze minutos mais tarde, Tully mandou o motorista parar do lado do McDonald's na rodovia Alaskan. A contar pelas buzinas, imaginou que era local de estacionamento proibido, mas e daí?

Abriu o vidro e viu Marah correndo na sua direção.

– Aqui – ela gritou, saindo do carro.

Marah lhe deu um abraço apertado.

– Muito obrigada por me tirar de dentro de casa. A mamãe passou o dia inteiro pegando no meu pé. O que vamos fazer?

– Que tal uma transformação no Gene Juarez?

– Que máximo!

– E, depois disso, podemos fazer o que você quiser.

– Você é simplesmente o máximo – disse Marah, olhando para Tully com a mais pura expressão de adoração que Tully já tinha visto.

– Nós duas somos o máximo. Por isso somos um time perfeito.

Vinte e oito

Hora das Meninas foi um sucesso absoluto desde o momento em que foi ao ar. De repente, Tully era mais do que uma jornalista ou uma âncora de noticiário matinal. Ela era uma verdadeira estrela. Tudo naquele programa havia sido pensado para realçar seus pontos fortes e seu talento.

O que ela fazia de melhor – o que sempre fizera – era conversar com as pessoas. Sabia criar uma ligação não apenas com a câmera, mas com os convidados, a plateia e os telespectadores. Nas primeiras duas semanas do programa, ela se tornou uma sensação. Sua foto ganhou as capas das revistas *People*, *Entertainment Weekly*, *Good Housekeeping* e *InStyle*. A Syndiworld teve dificuldades de atender a demanda, de tão rápido que ela abria novos mercados.

O melhor de tudo: Tully tinha os direitos do programa. Não totalmente, claro: ela os dividia com a Syndiworld e os Ryan tinham uma pequena participação, mas os direitos majoritários eram dela. Como qualquer um sabia, metade do sucesso da Oprah era sucesso para caramba.

Naquele momento, ela estava sentada em sua sala repassando as notas para a gravação que iria começar em – olhou para o relógio na parede – 25 minutos. Seria um dos seus programas de celebridades. Uma entrevista cheia de sorrisos do tipo "a gente simplesmente se ama". Na verdade, o lado jornalista de Tully ainda se incomodava com esses segmentos, mas a mulher de negócios superava isso. O público simplesmente não conseguia ficar próximo o bastante de seus astros ultimamente. Johnny levava adiante esses segmentos em troca de fazer suas matérias do tipo "mudar o mundo".

Bateram à porta, e então alguém disse um respeitoso "Sra. Hart?".

Ela girou em sua cadeira.

– Sim?

– Sua afilhada está aqui. Para o segmento sobre levar filhos ao trabalho, eu acho.

– Ótimo! – respondeu Tully, levantando-se. – Mande-a entrar.

A porta se abriu ainda mais, revelando Johnny, que estava ali parado, vestindo jeans desbotados e um suéter de caxemira azul-marinho.

– E aí? – cumprimentou ele.

– E aí?

Ao lado dele, Marah não conseguia ficar parada de tanta empolgação.

– Oi, tia Tully. O papai disse que eu poderia passar o dia todo com você.

Tully foi até eles.

– Eu não poderia ter pedido uma filha melhor. Está pronta para ver como é fazer um programa funcionar?

– Mal posso esperar.

Tully se virou para Johnny, percebendo um pouco tarde demais que estava muito perto dele. Chegou a ver um pedacinho de pele perto da orelha que ele havia deixado de barbear.

– Vou estar na minha sala se precisarem de mim. Não compre um carro ou um cavalo para ela enquanto ela estiver aqui.

– Que tal alguma coisa pequena?

– Normalmente, eu diria que tudo bem, mas, com você, pequeno pode ser um diamante.

– Eu estava pensando numa bolsa do *A Hora das Meninas*.

– Perfeito.

Tully sorriu para ele.

– Você é meu produtor. Você precisa dizer que eu sou perfeita.

Ele a encarou.

– O mundo todo acha que você é perfeita.

De repente, havia muitos anos entre eles, conversas, momentos e oportunidades de que ela se afastara. Pelo menos era o que ela estava pensando. Ela não o conhecia mais tão bem a ponto de interpretar suas expressões. Embora trabalhassem juntos todos os dias, eles estavam sempre cercados de gente e focados no trabalho. Nos fins de semana, quando ela ia à casa dos Ryan, ele era o marido de Katie, e Tully mantinha distância.

Ele não se moveu nem sorriu.

Tully sorriu e se afastou, esperando que seu sorriso parecesse verdadeiro.

– Vamos lá, Marah, vamos brincar de mãe e filha. Estou com a Lindsay Lohan na sala verde. Você pode perguntar como ela começou.

Numa quarta-feira iluminada da primeira semana de setembro, Kate estava parada na calçada em frente à escola de ensino fundamental Ordway. O estacionamento, que poucos instantes antes estivera lotado de ônibus e carros – a maioria caminhonetes e minivans –, agora estava vazio e silencioso. O sinal já havia soado. O diretor voltara para dentro do prédio baixo de tijolos para começar seu dia. Bem à frente, duas bandeiras tremulavam com a brisa do começo de outono.

– Você ainda está chorando?

Tully tentou parecer tranquilizadora, mas seu tom de voz saiu sincero demais para isso. Havia uma pontada de riso por trás das palavras.

– Vá se ferrar, e eu digo isso do jeito mais gentil possível.

– Vamos lá, eu levo você para casa.

– Mas... – Kate olhou para a janela no final da escola. – Um deles pode precisar de mim.

– Eles estão entrando no jardim de infância, não numa sala de cirurgia, e você tem coisas a fazer.

Kate suspirou, secando os olhos.

– Eu sei que é estupidez.

Tully apertou sua mão.

– Não é estupidez. Eu me lembro do meu primeiro dia na escola. Eu senti muita inveja das crianças que tinham mães que choravam.

– Eu realmente agradeço por você estar aqui comigo hoje. Sei como é difícil para você deixar o estúdio.

– Meu produtor me deu o dia de folga – disse ela, sorrindo. – Acho que ele tem uma queda pela minha melhor amiga.

Juntas, elas caminharam pela calçada até onde o carro estava estacionado. Kate sentou no assento do motorista do novo SUV azul da família e deu a partida.

Tully logo se inclinou para a frente e enfiou um CD no aparelho de som. A voz de Rick Springfield retumbou pelos alto-falantes, cantando "Jessie's Girl".

Kate riu. Depois que as duas saíram do estacionamento da escola, passaram num drive-thru para comprar seus *lattes* e chegaram em casa, ela estava se sentindo definitivamente melhor.

Em sua sala bagunçada e cheia de brinquedos, Kate se atirou na poltrona preferida de Johnny e pôs os pés no pufe.

– E agora, destemida líder? Vamos fazer compras?

– Nas ridículas três horas que temos livres, é pouco provável. Você devia botá-los em turno integral.

Kate já ouvira isso antes.

– Estou ciente da sua opinião sobre isso. Só que eu gosto de ter meus filhos por perto.

– Na verdade, eu tenho um plano melhor, de qualquer maneira – falou Tully, atirando-se também no sofá. – Nós vamos conversar sobre os seus textos.

Kate quase deixou o *latte* cair.

– M-meus textos?

– Você sempre disse que voltaria a escrever quando os meninos fossem para a escola.

– Ah, dá um tempo, né? Eles acabaram de começar. Vamos falar sobre o programa. O Johnny me contou que...

– Você não me pega com esta péssima estratégia. Você acha que eu vou me esquecer de tudo se falar sobre mim?

– Normalmente é o que acontece.

– *Touché*. Então, sobre o que você vai escrever?

De repente, Kate se sentiu exposta.

– É um velho sonho, Tully.

– Bem, você está ficando velha, então é perfeito.

– Alguém já disse que você é uma vaca insensível?

– Só os homens que saem comigo. Qual é, Katie? Vamos conversar. Eu vejo como você está sempre cansada. Sei que você quer mais da vida.

Era a última coisa que Kate poderia esperar. Que, do topo do mundo, Tully percebesse a depressão da melhor amiga. Ao se dar conta disso, parou de lutar consigo mesma. Na realidade, ultimamente andava mesmo cansada de fingir.

– É mais do que só isso. Eu me sinto... perdida. O que eu tenho deveria bastar, mas, de alguma maneira, não basta. E a Marah está me deixando exausta. Tudo o que eu faço está errado. Eu a amo tanto, e ela me trata como se eu fosse um par de sapatos velhos.

– É a idade.

– Essa desculpa está começando a ficar gasta. Talvez eu devesse deixá-la fazer o curso de modelo que ela tanto quer. Eu só detesto pensar nela num mundo como esse.

– P.S.: Nós estamos falando sobre você, aqui – disse Tully. – Olhe, Katie, eu não sei pelo que você está passando, mas sei sobre querer mais. Às vezes, você precisa lutar por aquilo que vai completar você.

– Diz a mulher que pega a minha família emprestada quando precisa de uma.

Tully sorriu.

– Que dupla, nós duas, hein?

Pela primeira vez no que parecia uma eternidade, Kate deu risada.

– Sempre fomos. Vamos fazer o seguinte: eu penso em escrever se você pensar em se apaixonar.

Tully olhou para ela.

– Talvez fosse mais fácil pensar em passar o dia na praia – disse. Depois de um tempo, emendou: – Não recebi nem uma ligação do Grant desde que me mudei para cá.

– Eu sei – disse Kate. – Eu sinto muito, mas não acho que ele fosse o cara para você. Se vocês fossem feitos um para o outro, teriam se apaixonado.

– É o que pessoas como você pensam – disse Tully baixinho e então se alegrou. – Vamos lá, vamos fazer umas margaritas.

– Agora sim. Vou ficar bêbada no primeiro dia do jardim de infância, e já de manhã. Perfeito.

❧

Faltavam apenas sete dias para a festa de Halloween da escola e Kate havia sido tola o bastante para se oferecer para montar a área das fotografias. Entre as compras de material, a pintura dos painéis e a construção da casa mal-assombrada, ela ficou sobrecarregada de trabalho. Acrescente-se a isso a recém-adquirida responsabilidade de levar Marah ao curso de modelo, e ela estava perto de seu limite a maior parte do tempo.

Ainda assim, havia a expectativa de que ela escrevesse seu livro. Era o que Johnny, Tully e sua mãe esperavam dela. Ela esperava o mesmo. Tinha certeza de que, quando os meninos fossem para a escola, encontraria tempo para isso.

Infelizmente, ela não havia levado em conta os horários do jardim de infância. Na verdade, ela mal os deixava na escola e já estava na hora de buscá-los, e Johnny, que sempre ajudara tanto, agora passava mais horas do seu dia no estúdio do que em casa.

Então Kate fazia o que sempre fizera: continuava em movimento, esperando que ninguém percebesse que ela não sorria mais tão facilmente como antes, tampouco dormia bem.

Naquela manhã, às seis horas, acordara Johnny com um beijo e fora chamar Marah. Daquele momento em diante, se vira presa no redemoinho das necessidades das outras pessoas. Levara as crianças para a escola, fizera compras e se reunira com a comissão de decoração para uma hora de pesados trabalhos manuais.

Ficara tão envolvida no trabalho que quase perdera a hora de buscar os meninos. Atrasada, correra até o carro e disparara pela ilha, parando diante da escola quando a maioria dos carros já estava saindo. Buzinou para os meninos e acenou para que viessem.

Seu telefone tocou.

– Alô? – atendeu ela, usando o outro braço para destrancar a porta traseira.

– Mamãe? – disse Marah.

– O que houve?

Marah riu, mas foi uma risada forçada.

– Nada. Não quero que você pire, mas estou marcando uma reunião de família para as sete horas hoje.

– Uma *o quê*?

– Uma reunião de família. Bem, mais ou menos. Eu não quero que o Lucas e o William participem.

– Deixe-me ver se entendi: você quer uma reunião com o seu pai e comigo às sete horas.

– E com a Tully.

– Em que tipo de problema você se meteu?

– Que mania de sempre esperar o pior de mim! Eu só quero conversar.

Uma menina de 13 anos querendo conversar com os pais? Especificamente, Marah querendo conversar com Kate? Era como uma nevasca no verão.

– Está bem – disse Kate devagar. – Tem certeza que não está com nenhum problema?

– Tenho certeza. Até mais.

Kate ficou olhando fixamente para o telefone em sua mão.

– O que está acontecendo? – perguntou-se em voz alta.

Mas antes que uma resposta surgisse, a porta do carro se abriu e Kate foi atirada de volta à agitação de sua vida diária. Fez compras, cozinhou e, às três, estava de volta para apanhar Marah.

– Tem certeza de que não quer me adiantar nada agora? – perguntou ela.

Marah estava jogada contra a janela no assento do passageiro, com os longos cabelos pretos cobrindo a maior parte do rosto cabisbaixo. Como sempre, estava usando jeans de cintura baixa, rasteirinhas (embora estivesse chovendo), uma camiseta cor-de-rosa minúscula e uma expressão mal-humorada. A expressão era o único acessório que ela nunca deixava em casa.

– Se eu quisesse conversar agora, não teria marcado uma reunião. Putz. Se liga, mãe.

Kate sabia que não devia deixar a filha falar com ela daquele jeito, e normalmente não deixava, mas naquele dia não estava com vontade de brigar, então relevou tudo.

Em casa, foi direto para o banheiro, tomou duas aspirinas e vestiu o moletom. Ignorando a dor de cabeça, instalou os meninos na mesa da cozinha com seus álbuns de figurinhas e começou a preparar o jantar.

Antes que se desse conta, eram seis horas, e Johnny abriu a porta.

– Oi – disse ele, fazendo Tully entrar na casa. – Olhe quem veio para casa comigo para a grande reunião.

Kate ergueu o olhar dos tacos que estava preparando.

– Oi, vocês dois.

Tampou a frigideira, abaixou o fogo e foi ao encontro deles.

– Vocês sabem o que está acontecendo?

– Eu? Eu nunca sei de nada – disse Tully.

Depois disso, a noite pareceu se arrastar e passar voando alternadamente. Kate observou a filha durante todo o jantar, tentando captar uma pista sobre o que estava por vir, mas, ao final da refeição, não estava mais perto de uma resposta do que naquela tarde.

– Muito bem – disse Marah afinal.

Eram quase sete horas, a louça estava limpa e os meninos já estavam lá em cima, vendo um filme. Ela estava de pé ao lado da lareira, parecendo nervosa e muito jovem.

– A tia Tully achou que eu devia ser...

– Tully sabe do que se trata isso aqui? – perguntou Kate.

– Ah. Não – respondeu Marah rapidamente. – Apenas de um modo geral. Ela acha que eu não devo atirar coisas em você. Que eu devo respeitá-la e dizer quanto alguma coisa é importante para mim.

Kate olhou para Johnny, que respondeu revirando os olhos.

– Então é o seguinte – recomeçou ela, juntando as mãos. – Vai haver uma conferência em Nova York em novembro e eu preciso muito ir. É aonde um monte de agentes e fotógrafos vão em busca de modelos. Tully acha que Eileen Ford com certeza me escolheria. E a minha professora me convidou pessoalmente.

Kate ficou sentada, perplexa demais para falar. *Nova York. Tully acha... Me convidou pessoalmente.* Qual flecha ela devia arrancar primeiro?

– Imagino que isso custe dinheiro – disse Johnny.

– Ah. Certo – fez Marah, assentindo. – Três mil dólares, mas vale a pena. Todo mundo que importa vai estar lá.

– E quando vai ser?

– De 14 a 21 de novembro.

– Durante as aulas? – disse Kate de repente.

– É só uma semana – alegou Marah, mas Kate a interrompeu.

– Só uma semana? Você está brincando?

Marah olhou nervosa para Tully.

– Eu posso levar meus deveres de casa e fazer à noite e no avião, mas, se eu for descoberta, não vou precisar terminar a escola de qualquer maneira. Vou ter professores particulares.

– Quantas meninas da sua aula de modelo foram convidadas a participar? – perguntou Johnny, parecendo calmo e sensato.

– Todas – respondeu Marah.

– Todas? – repetiu Kate, levantando-se. – Todas? Então isso não é nada especial. É só uma picaretagem para tirar dinheiro da gente. Você realmente acha...

– Kate – fez Johnny, lançando-lhe um olhar expressivo.

Ela segurou a irritação, respirou fundo.

– Eu não quis dizer isso, Marah. Eu só... Você não pode perder uma semana de aula, e três mil dólares é muito dinheiro.

– Eu pago – disse Tully.

Kate nunca teve tanta vontade de bater na melhor amiga.

– Ela não pode perder aulas.

– Eu poderia...

Kate levantou a mão pedindo silêncio.

– Não diga mais nada – disse ela a Tully.

Marah caiu no choro.

– Está vendo? – gritou para Tully. – Ela acha que eu sou uma criancinha e não me deixa fazer nada.

Johnny se levantou.

– Marah, qual é, você tem 13 anos.

– Brooke Shields e Kate Moss estavam milionárias aos 14 anos porque as mães delas as *amavam*, certo, Tully?

Marah enxugou os olhos e olhou para Johnny.

– Por favor, papai?

Ele balançou a cabeça.

– Sinto muito, querida.

Marah girou no salto e correu escada acima. Ao longo de todo o caminho, até ela bater a porta do quarto com força, dava para ouvi-la chorando.

– Eu vou falar com ela – disse Johnny, suspirando em direção à escada.

Kate se virou para a melhor amiga.

– Você está *louca*?

– É um encontro de modelos, não uma boca de fumo.

– Caramba, Tully, ela não precisa ir para esse mundo maluco. Eu já disse isso para você. É perigoso.

– Eu vou ajudá-la. Eu vou com ela.

Kate estava tão furiosa que mal conseguia respirar. Mais uma vez Tully havia feito Kate ficar mal diante de Marah e, sinceramente, ela não precisava de nenhuma ajuda para ferrar seu relacionamento com a filha.

– Você não é a mãe dela. Eu sou. Você pode se divertir com ela e viver como se o mundo fosse a sua Terra do Nunca. Meu trabalho é mantê-la em segurança.

– Segurança não é tudo – disse Tully. – Às vezes é preciso se arriscar. Quem não arrisca não petisca.

– Tully, você não sabe do que está falando. A minha filha de 13 anos não vai para a cidade de Nova York numa viagem picareta e você certamente não vai ser a acompanhante dela. Assunto encerrado.

– Tudo bem – disse Tully. – Eu só estava tentando ajudar.

Kate ouviu a mágoa na voz da amiga, mas estava cansada demais e aquilo era importante demais para recuar.

– Tudo bem. E da próxima vez que a minha filha procurar por você com um plano que inclua matar uma semana de aula ou ser modelo em algum lugar distante, eu gostaria que você deixasse que eu discutisse a questão com ela.

– Mas você não faz isso. Vocês duas só gritam uma com a outra. Até o Johnny acha...

– Você conversou com Johnny sobre isso?

– Ele está preocupado com você e a Marah. Ele diz que parece a terceira guerra mundial aqui às vezes.

Aquele foi o terceiro golpe da noite e doeu tanto que ela disse:

— É melhor você ir embora, Tully. Isto é um problema de família.

— Mas... eu achei que fosse da família.

— Boa noite — disse Kate em voz baixa, e então saiu da sala.

Vinte e nove

Tully devia ter ido direto para casa e tentado esquecer toda a história, mas quando a balsa chegou ao centro de Seattle ela estava arrasada. Em vez de virar à esquerda na rodovia Alaskan, virou à direita e pisou no acelerador.

Em tempo recorde, chegou a Snohomish, passando pelas paisagens modificadas de sua juventude. A cidade havia se transformado num ponto turístico, cheia de cafés modernos e antiquários caros.

Nada disso era relevante para ela, o que havia mudado, o que permanecera igual... Ela não se importava. Mesmo na melhor das circunstâncias, tinha uma ligação muito tênue com o próprio passado, e aquela noite estava longe de ser a melhor das circunstâncias. Ainda assim, quando virou na alameda dos Vaga-lumes, foi como voltar no tempo.

Virou na entrada para carros asfaltada e dirigiu até a casinha branca com os detalhes em preto. Com o passar dos anos, a Sra. Mularkey havia transformado o quintal maltratado num jardim ao estilo inglês cheio de flores. Naquele fim de outono, todo ele parecia reluzir em dourado. O gramado e as cestas penduradas eram uma profusão de gerânios vermelhos, visíveis à luz alaranjada da varanda.

Tully estacionou o carro e foi até a porta da frente, onde tocou a campainha.

O Sr. M. atendeu e, por um segundo, parada ali na varanda olhando para ele, Tully sentiu toda a sua vida passando diante dos olhos. Ele parecia mais velho, é claro, com o cabelo rareando e a cintura aumentada, mas, de camiseta branca e jeans surrado, lembrava tanto como era antigamente que ela se sentiu jovem de novo.

– Oi, Sr. M.

– Já é tarde. Está tudo bem?

– Eu só preciso conversar com a Sra. M. Não vou demorar muito.

– Você sabe que pode demorar quanto quiser.

Ele recuou para deixá-la entrar, então foi até o pé da escada e gritou para cima:

– Margie, desça. Temos um problema aqui.

Ele deu um sorriso para Tully que arrancou outro dela.

Rapidamente, a Sra. M. desceu a escada, fechando o roupão aveludado vermelho que usava desde que Tully a conhecera. Não importava quantos conjuntos caros de camisola e penhoar Tully tivesse mandado para a Sra. M. ao longo dos anos, aquele vermelho continuava sendo seu preferido.

– Tully – disse ela, tirando os grandes óculos bifocais bege. – Está tudo bem?

Não fazia sentido mentir.

– Na verdade, não.

A Sra. M. foi direto para o bar – uma aquisição do final dos anos 1980 – e serviu duas taças de vinho. Dando uma para Tully, ela a guiou até a sala de estar e sentou no novo sofá com estampa de leopardo. Atrás delas, a parede estava repleta de fotos da família. Jesus e Elvis ainda tinham a área central, mas ao redor deles havia dezenas de fotos de Marah e dos gêmeos, fotos do casamento de Johnny e Kate, da formatura de Sean na universidade e uma ou outra de Tully.

– Muito bem, qual é o problema?

Tully sentou-se na mais recente edição da poltrona reclinável preferida do Sr. Mularkey.

– Kate está com raiva de mim.

– Por quê?

– Marah me ligou na semana passada querendo falar sobre um evento de modelos em Nova York...

– Ah, puxa.

– Eu me ofereci para ajudar a conversar com os pais dela a respeito, mas no instante em que Kate soube o que era, ela pirou. Ela se recusou até a ouvir Marah.

– Marah tem 13 anos.

– É idade suficiente para...

– Não – a Sra. M. disse com firmeza, e então sorriu gentilmente. – Eu sei que você só está tentando ajudar, Tully, mas a Kate tem razão de tentar proteger a Marah.

– Marah a odeia.

– Parece que as coisas são assim entre meninas de 13 anos e suas mães. Talvez você não saiba porque Nuvem era muito diferente, mas as meninas e as mães costumam passar por períodos difíceis. Não se resolve isso dando às filhas tudo o que elas querem.

– Eu não estou sugerindo que eles devam dar tudo a ela, mas ela tem talento de verdade. Acho que poderia ser uma supermodelo.

– E se fosse, o que aconteceria?

– Ela seria rica e famosa. Poderia estar milionária aos 17 anos.

A Sra. M. se inclinou para a frente.

– Você está mais que rica, não está?

– Estou.

– E se sente realizada com isso? O sucesso vale tudo de que Marah teria de abrir mão? A infância, a inocência, a família? Eu já vi alguns filmes sobre jovens modelos. Há todo tipo de drogas, sexo e coisas assim ao redor delas.

– Eu cuidaria dela. O que importa é que ela encontrou algo que adora. Isso deveria ser alimentado, não ignorado. E eu tenho medo de que aquelas duas não encontrem o caminho de volta. A senhora precisa ver como Marah fala de Kate.

– Você está preocupada com Marah – falou a Sra. M., olhando para Tully por cima da borda da taça. – Acho que está focando na pessoa errada. É Kate quem precisa de você agora.

– Kate?

– Ela está sendo consumida pelos problemas com Marah. As duas precisam descobrir como conversar sem gritar nem chorar.

Ela olhou para Tully.

– E você precisa ser amiga de Katie acima de tudo.

– Está dizendo que a culpa é minha?

– Claro que não. Estou dizendo que Katie precisa da melhor amiga ao lado dela. Vocês sempre foram o escudo uma da outra. Eu sei quanto Marah a idolatra e sei quanto você adora ser idolatrada – falou a Sra. M. com um sorriso. – Mas você não pode escolher um lado nesta história, a menos que seja o de Katie.

– Eu só queria…

A Sra. M. se inclinou para a frente, tocando gentilmente a mão de Tully.

– Ela não é sua filha.

E lá estava. Tully não havia se dado conta até aquele instante, aquele segundo, do que a fizera se envolver tanto. Ela amava Marah, é claro, mas havia mais coisas envolvidas, não havia? E a Sra. M. percebera. Marah era a filha perfeita para Tully – linda, ambiciosa, um pouco egoísta. O melhor de tudo, ela achava que Tully era perfeita.

– Então o que eu digo a Marah?

– Que ela tem a vida toda pela frente. Se ela for boa e talentosa como você acha que é, ela vai conseguir se dar bem quando tiver idade suficiente para lidar com isso.

Tully se recostou na poltrona, suspirando.

– A senhora acha que a Kate vai continuar com raiva de mim?

A Sra. M. deu risada.

– Vocês duas têm mais altos e baixos do que as ações de

empresas de internet. Vai ficar tudo bem. Só pare de tentar ser a melhor amiga de Marah e defenda o lado de Katie.

❧

Kate nunca se cansava da vista dos fundos da própria casa. Naquela noite fresca de fim de outubro, Seattle estava coberta por um céu infinito cheio de estrelas. Sob o magnífico luar, todos os arranha-céus pareciam distintos e definidos, de tal forma que era fácil imaginar acreditar estar vendo cada torre de vidro, granito e aço.

Os sons estavam mais nítidos perto da água também. As folhas das árvores mudavam de cor e caíam, pousando feito passos apressados sobre o chão molhado. Esquilos corriam de galho em galho, sem dúvida juntando alimento para o frio que sentiam se aproximar e, como sempre, havia a maré, indo e vindo contra a costa num ritmo comandado pela lua distante. Ali, nos fundos da casa, apenas as estações mudavam, e cada uma que chegava dava à paisagem um impressionante novo visual.

Apenas alguns metros atrás dela, do outro lado de uma porta antiga de madeira, as mudanças aconteciam rápido o bastante para deixá-la sem fôlego. Sua filha adolescente estava crescendo como uma árvore, brotando a cada dia numa nova variação de quem um dia viria a ser. Os humores a afetavam e a deixavam parecendo às vezes com uma menina que havia acabado de surgir na praia, quase sem conseguir lembrar quem era e quem queria ser.

Seus bebês estavam crescendo também. Agora no jardim de infância, começavam a fazer os próprios amigos, a escolher as próprias roupas e a responder suas perguntas seletivamente. Num piscar de olhos, eles também estariam se aproximando da adolescência, colando fotos de revistas nas paredes do quarto e exigindo privacidade.

Tão rápido...

Ficou parada lá fora por mais alguns minutos, até o céu ficar cinza-chumbo e as estrelas aparecerem acima da cidade ao longe. Então voltou para dentro de casa, trancando a porta atrás de si.

O andar de baixo estava vazio. Ao atravessar a sala, recolheu vários dinossauros de brinquedo que estavam espalhados na frente da TV.

No andar de cima, virou a maçaneta em silêncio, abrindo a porta do quarto dos meninos. Esperava encontrá-los dormindo, mas o que viu foi uma barraca de lençóis na cama de William e a reveladora luz de uma lanterna através das imagens vermelhas e azuis de *Guerra nas estrelas*.

– Eu conheço dois menininhos que deveriam estar dormindo.

Risadas vieram da cabana improvisada.

Lucas foi o primeiro a aparecer. Com os cabelos pretos espetados e o sorriso de dentes separados, ele parecia Peter Pan sendo flagrado por Wendy.

– Oi, mamãe.

– Lucas – chamou William, ainda escondido. – Finja que está dormindo.

Kate foi até a cama e puxou gentilmente os lençóis.

William olhou para ela, com a lanterna numa mão e um tiranossauro cinza de plástico na outra.

– Oooopa – disse ele, e então caiu na risada.

Kate abriu os braços.

– Deem um abraço na mamãe.

Os dois se atiraram em cima dela, entusiasmados como sempre. Ela os abraçou apertado, sentindo seu cheiro conhecido e familiar de xampu de bebê.

– Vocês querem mais uma história para dormir?

– Leia a história do Max, mamãe – pediu Lucas.

Kate pegou o livro e se instalou na posição de sempre – encostada na cabeceira, com as pernas estendidas e um menino encaixado em cada lado. Então abriu o livro *Onde vivem os monstros* e começou a ler. Max estava na metade da aventura quando os dois caíram no sono.

Ela arrumou William, beijou o rosto dele e levou Lucas para sua cama.

– Boa noite, mamãe – murmurou ele quando ela o deitou.

– Boa noite.

Kate desligou a lanterna e saiu do quarto, fechando a porta atrás de si. Do outro lado do corredor, a porta de Marah estava fechada, com uma nesga de luz embaixo.

Fez uma pausa, pensando em entrar, mas isso apenas daria início a mais uma briga. Nada que Kate dizia ou fazia estava certo e, nas semanas desde o fiasco do evento de modelos, a situação ficara ainda mais tensa. Em vez de entrar, bateu à porta, disse "Apague a luz, Marah" e esperou até que a filha obedecesse.

Então foi até o próprio quarto. Johnny já estava na cama. Quando Kate entrou, ele olhou para ela:

– Você parece exausta.

– Marah.

Foi tudo o que disse. Tudo o que tinha a dizer.

– Eu acho que é mais do que isso.

– Como assim?

Ele tirou os óculos, que pôs na mesa de cabeceira, e começou a juntar os papéis ao seu redor. Sem olhar para ela, disse:

– Tully me disse que você ainda está brava com ela.

Kate percebeu, pela voz dele e pela forma cuidadosa com que evitava olhar para ela, que vinha querendo falar do assunto havia algum tempo. *Homens,* pensou. Era preciso ser uma antropóloga para saber o que eles estavam pensando.

– Foi ela que não ligou.

– Mas é você que está brava.

Kate não pôde negar isso.

– Não estou furiosa nem com raiva, só irritada. Aquela merda que ela fez com a história do evento de modelos... Ela podia ao menos ter admitido que estava errada.

– Tully pedindo desculpas?

Kate não pôde deixar de sorrir.

– Eu sei. Eu sei. Mas por que sempre sou eu que tenho que deixar as coisas para trás? Por que sempre sou eu que preciso dar o primeiro telefonema?

– Porque você faz isso.

Era verdade. Sempre fora assim. Nesse sentido, amizades eram como casamentos. Rotinas e padrões são estabelecidos cedo e se firmam como concreto.

Kate foi até o banheiro, escovou os dentes e subiu na cama. Johnny desligou o abajur da mesa de cabeceira e virou para ela. O luar entrava pela janela, iluminando seu perfil. Ele estendeu o braço, esperando que ela se aninhasse nele. Kate sentiu uma onda de amor surpreendentemente intensa, considerando todo o tempo que estavam juntos. Ele a conhecia muito bem, e havia um conforto nisso. Era algo que a abraçava e aquecia.

Não era de admirar que Tully fosse tão rígida. Ela nunca havia se deixado suavizar pelo amor, ser abraçada por ele. Sem filhos, marido ou uma mãe para amar, ela havia se tornado egoísta. Por isso, mais uma vez, Kate abandonaria sua raiva sem um pedido de desculpas. Ela não devia ter deixado aquilo durar tanto, de qualquer maneira. Era impressionante como o tempo passava rápido. Às vezes parecia que elas haviam acabado de brigar. O que importava agora não eram as palavras, faladas ou contidas, mas os anos de amizade.

– Obrigada – sussurrou ela.

No dia seguinte, convidaria Tully para jantar. Como sempre, isso poria fim à briga das duas. Elas voltariam sem problemas à estrada da velha amizade.

– Pelo quê?

Ela lhe deu um beijo suave e tocou em seu rosto. De todas as imagens que amava, a do rosto daquele homem era a sua preferida.

– Por tudo.

Numa manhã cinzenta e chuvosa da metade de novembro, Kate girou o volante e entrou na fila de utilitários e minivans do estacionamento da escola. No trânsito praticamente imóvel, olhou para a direita.

Marah estava estirada no banco do carona, com ar rabugento. Sua expressão e seu humor andavam sombrios desde a briga sobre o evento de modelos em Nova York. Kate sabia que houvera alguns obstáculos entre ela e a filha antes. Ultimamente, havia um muro.

Em geral, cabia a Kate resolver os percalços que surgiam no caminho da família. Ela era a pacificadora, a juíza e a mediadora, mas nada do que ela dissera funcionara. Marah estava com raiva fazia semanas, e isso vinha sendo difícil para Kate. Ela não dormia direito. E ficava incomodada com esses períodos de silêncio, porque sabia que Marah a estava manipulando, tentando vencê-la.

– Está empolgada com a festa? – Kate se obrigou a perguntar.

Pelo menos era algo a dizer. Toda a turma de Marah estava empolgada com a festa de inverno, como deveria estar. Os pais, incluindo Kate, haviam feito um esforço imenso para criar uma noite mágica para as crianças.

– Tanto faz – fez Marah, olhando pela janela, evidentemente procurando pelas amigas no grupo em frente à escola. – Você não vai estar lá, vai?

Kate se recusou a ficar magoada com a observação. Disse a si mesma que era normal. Vinha repetindo isso muito a si mesma nos últimos tempos.

– Eu sou a presidente do comitê de decoração. Você sabe disso. Não pretendo trabalhar tanto neste evento durante dois meses para depois não ver o resultado do meu trabalho.

– Então você vai estar lá – constatou Marah com desânimo.

– Seu pai e eu vamos estar. Mas ainda assim você vai se divertir.

– Tanto faz.

Kate parou na área de desembarque.

– O ônibus escolar dos Mularkey chegou – anunciou ela.

No banco de trás, os meninos riram da brincadeira familiar.

– Isso é tão sem graça – falou Marah, revirando os olhos.

Kate se virou para a filha:

– Tchau, querida. Tenha um bom dia. Boa sorte na prova de estudos sociais.

– Tchau – respondeu Marah, batendo a porta.

Kate suspirou e olhou pelo retrovisor. Os gêmeos estavam brincando no banco de trás, uma luta de dinossauros de plástico.

– *Meninas* – sussurrou ela baixinho.

Imaginou por que as adolescentes precisavam ser cruéis com as mães. Com certeza era um comportamento comum. Ela passara tempo suficiente com as amigas e colegas para saber disso. Então, era provável que fosse parte da evolução. Talvez, por algum motivo oculto e bizarro, a espécie humana precisasse de meninas que acreditassem ser adultas aos 13 anos.

Alguns minutos depois, ela deixou os meninos na escola (deu um beijo de despedida em cada um – em público) e saiu para começar o próprio dia. Sua primeira parada foi na Bainbridge Bakers, onde tomou um *latte*. Depois deixou alguns livros na biblioteca e seguiu para o supermercado. Às dez e meia, estava em casa de novo, na cozinha, guardando as compras.

Quando fechou a porta da geladeira, ouviu a conhecida música tema do *A Hora das Meninas* vindo da TV da sala e foi atrás. Não assistia ao programa inteiro – como poderia, com a agenda que tinha? –, mas sempre ligava para saber o assunto do dia. Às vezes, Johnny e Tully perguntavam a opinião dela.

Kate estendeu a perna no sofá e se sentou.

Na tela, a música tema parou e Tully entrou no cenário aconchegante com jeito de sala de estar. Como sempre, estava linda. No ano anterior, havia decidido deixar os cabelos crescerem até o ombro e voltara ao tom castanho-avermelhado natural. O corte sofisticado com ar natural destacava ainda mais suas maçãs do rosto e os olhos cor de chocolate. Algumas injeções bem-feitas de colágeno haviam lhe deixado com lábios perfeitos, que ela cobria com apenas um pouco de gloss, quase sem cor.

– Bem-vindos de volta ao *A Hora das Meninas* – ela estava dizendo, tentando se fazer ouvir acima dos aplausos entusiasmados.

Kate sabia que às vezes as pessoas ficavam seis horas na fila para estar naquela plateia. E por que não? *A Hora*, como o programa era chamado pelos fãs e pela mídia, era leve e divertido, por vezes até mesmo inspirador. Ninguém nunca sabia o que Tully iria dizer ou fazer, era parte do que mantinha as pessoas sintonizadas, e Johnny garantia que tudo corresse na mais absoluta perfeição. Fiel à sua palavra, Tully enriquecera a todos, e Johnny, por sua vez, sempre fazia Tully ficar bem diante das câmeras.

Tully sentou em sua poltrona creme. A cor clara tornava seu visual ainda mais vibrante, exuberante. Ela se inclinou para a frente para falar de modo mais íntimo tanto com a plateia quanto com a câmera.

Kate foi imediatamente fisgada. Enquanto assistia a Tully revelar seus segredos de maquiagem e cabelos para o país inteiro, pagou contas, tirou o pó das persianas e dobrou a roupa lavada. Depois do programa, desligou a televisão e sentou novamente para começar a fazer a lista de Natal. Estava tão concentrada na tarefa que levou um instante para se dar conta de que o telefone estava tocando. Olhou ao redor, encontrou o telefone sem fio no chão, embaixo de uma pilha de peças de Lego, e atendeu.

– Alô?

– Kate, é você?

– Sim.

– Graças a Deus. Aqui é a Ellen, da escola. Estou ligando

porque a Marah não veio para a aula do quarto tempo. Se você se esqueceu de autorizar a saída dela, tudo…

– Eu não me esqueci – disse Kate, percebendo quanto soara ríspida. – Desculpe, Ellen. Marah deveria estar na aula. Deixe-me adivinhar: Emily Allen e Sharyl Burton também não estão aí.

– Ah, droga – disse Ellen. – Você sabe onde elas estão?

– Faço ideia. Quando eu as encontrar, ligo para você. Obrigada, Ellen.

– Sinto muito, Kate.

Kate desligou o telefone e olhou para o relógio: 12h42.

Não era preciso ser muito inteligente para deduzir onde as meninas estavam. Era quinta-feira, o dia das estreias no Pavillion. Coincidentemente, o novo filme da atual musa dos adolescentes – Kate não conseguia se lembrar do nome dela – estava sendo lançado.

Kate pegou a bolsa e saiu de casa. Chegou ao estacionamento do Pavillion pouco antes da uma da tarde. Teve de se esforçar muito para não deixar transparecer quanto estava furiosa. Depois de falar com o gerente, percorrer os cinemas escuros, encontrar as meninas e levá-las para fora, estava ainda mais difícil se controlar.

Mas a raiva dela não era nada comparada com a da filha.

– Eu não *acredito* que você fez isso – resmungou Marah no instante que a porta se fechou atrás das duas.

Kate ignorou o tom e rebateu, severa:

– Eu disse que você poderia ir à matinê de sábado com as suas amigas.

– Se o meu quarto estivesse arrumado.

Kate não se deu o trabalho de responder.

– Vamos lá, meninas. Para o carro. Estão esperando por vocês na escola.

As meninas entraram em silêncio no banco traseiro, murmurando quanto estavam arrependidas.

– Eu não estou – falou Marah, batendo a porta e pondo o

cinto de segurança. – Nós só perdemos uma aula idiota de álgebra.

Kate deu a partida no motor. Fechando os olhos, se concentrou na respiração para tentar manter a calma. Perder a cabeça nunca resultava em nada bom, embora ultimamente Marah viesse provocando-a demais, fazendo Kate perder a cabeça com uma frequência irritante.

– Vocês deveriam estar na escola. Ponto.

– Ah, como se *você* nunca tivesse me tirado da aula para ir ao cinema – falou Marah. – Eu devo ter sonhado que vi *Harry Potter* num dia de aula.

– Isso me enquadra na categoria "nenhuma boa ação fica impune" – disse Kate, tentando não levantar a voz.

Marah cruzou os braços.

– Tully iria entender.

Kate girou o volante, pegou a entrada de carros na frente da escola e parou o carro.

– Muito bem, meninas, vocês estão sendo aguardadas na secretaria.

– Minha mãe vai pirar – gemeu Emily.

Quando estavam a sós no carro, Kate se virou para a filha.

– Papai iria compreender – falou a garota. – *Ele* sabe quanto cinema e ser modelo são importantes para mim.

– Você acha mesmo?

Kate pegou o celular, fez a discagem automática e estendeu o aparelho para Marah, que sacudiu a cabeça.

– Conte para ele.

– C-conte você.

– Não fui eu quem matou aula e foi ao cinema.

Passou o telefone para a filha. Marah pegou o aparelho e o pôs no ouvido.

– Papai?

A voz de Marah suavizou no mesmo instante, e seus olhos se encheram de lágrimas. Kate sentiu uma pontada de ciúme. Como Johnny conseguia manter um relacionamento tão bom com a filha quando Kate era praticamente a serva da garota?

– Adivinha só, papai. Lembra daquele filme que eu falei para você, aquele que a menina descobre que a tia na verdade é a mãe dela? Eu fui ver ele hoje e... O quê? Ah.

A voz dela virou quase um sussurro.

– Durante o quarto tempo, mas... Eu sei.

A menina ficou escutando por alguns minutos, e então suspirou.

– Está bem. Tchau, pai.

Marah desligou o telefone e o devolveu para Kate. Por uma fração de segundo, ela voltou a ser uma menininha.

– Não vou poder ir ver o filme no fim de semana.

Tudo o que Kate mais queria era aproveitar o momento e abraçar Marah, segurar a filhinha por apenas um instante e dizer *eu te amo*, mas não ousou fazer isso. A maternidade, em momentos como esse – na maioria das vezes –, era uma questão de endurecer, não de amolecer.

– Talvez da próxima vez você pense na consequência dos seus atos.

– Um dia eu vou ser uma atriz famosa e vou contar na TV que você não me ajudou em nada. Vou dar todo o crédito para a tia Tully, que acredita em mim.

Ela desceu do carro e foi andando.

Kate a seguiu. Parou ao seu lado.

– Eu acredito em você.

Marah bufou.

– Rá. Você nunca me deixa fazer nada. Mas assim que eu puder, vou morar com a Tully.

– Quando o inferno congelar – resmungou Kate baixinho.

Felizmente, ela e a filha não tiveram mais oportunidade de falar. Quando entraram na escola, o diretor esperava por elas.

O verão antes de Marah começar o ensino médio foi sem dúvida o pior da vida de Kate. Ter uma filha de 13 anos no ensino fundamental havia sido ruim. Em comparação, porém, ter uma filha de 14 anos se aprontando para o ensino médio era pior.

Também não ajudava o fato de no último ano Johnny vir trabalhando sessenta horas por semana.

– Você não vai para a escola com uma calça jeans que deixa o seu cofrinho à mostra – disse Kate, fazendo um esforço para manter a voz serena.

Em sua movimentada agenda de fim de verão, ela havia reservado quatro horas para comprar as roupas de escola de Marah. As duas já estavam no shopping fazia duas horas, e a única coisa que tinham nos braços era hostilidade.

– Todo mundo usa esse tipo de jeans no ensino médio.

– Todo mundo menos você, então.

Kate esfregou as têmporas, que latejavam. Tinha uma vaga noção dos meninos correndo endiabradamente pela loja, mas deixaria passar por ora. Se tivesse sorte, talvez os seguranças viessem prendê-la por não conseguir controlar os filhos. Naquele instante, o confinamento parecia o céu.

Marah atirou o jeans num provador e saiu pisando duro.

– Nem sair de um lugar você sabe mais? – resmungou Kate, indo atrás da filha.

Quando terminaram as compras, Kate estava se sentindo como Russell Crowe em *Gladiador*; espancada, ensanguentada, mas viva. Ninguém estava feliz. Os meninos reclamavam por causa dos bonecos de *O Senhor dos Anéis* que ela não comprara, Marah estava furiosa por causa do jeans que não havia ganhado e a blusa praticamente transparente que também ficara na loja, e Kate estava furiosa porque as compras para a escola a deixavam exaurida. A única boa notícia era que ela havia estabelecido limites. Kate não saíra vencedora, mas Marah também não.

No caminho de Silverdale para casa, o carro estava dividido

em duas metades distintas: a parte de trás, barulhenta, agitada e cheia de brigas; e a da frente, fria e silenciosa. Kate não parava de tentar puxar conversa com a filha, mas nenhuma frase gerava uma resposta, até que, quando o carro parou na garagem da casa, ela se sentiu absolutamente derrotada. Aquela vaga sensação de triunfo sobre ter conseguido estabelecer limites, ser uma mãe e não amiga, havia perdido o valor.

Atrás dela, os meninos soltaram os cintos e se acotovelaram na pressa para sair. Kate sabia que aquele que chegasse à sala de estar primeiro teria o domínio do controle remoto.

– Calma – disse ela, olhando para os dois pelo retrovisor.

Os dois estavam enroscados um no outro como filhotes de leão tentando sair de um buraco.

Ela se virou para Marah.

– Você comprou umas coisas bem legais hoje.

Marah encolheu os ombros.

– É.

– Sabe, Marah, a vida é cheia de…

Kate parou de falar no meio da frase e quase deu risada. Estava prestes a dar um sermão igual aos de sua mãe.

– O quê?

– Concessões. Você pode pensar no que conseguiu ou focar no que não conseguiu. A escolha que fizer vai acabar determinando o tipo de mulher que você vai se tornar.

– Eu só quero ser aceita – confessou Marah de um jeito inesperadamente frágil que fez Kate se lembrar de quanto a filha era jovem.

Kate estendeu a mão e puxou com delicadeza uma mecha de cabelos de Marah para trás da orelha.

– Acredite em mim. Eu me lembro dessa sensação. Eu precisava ir para a escola usando roupas baratas e de segunda mão quando tinha a sua idade. Todo mundo caçoava de mim.

– Então você entende o que eu quero dizer.

– Eu entendo o que você quer dizer, mas não dá para conseguir tudo o que a gente quer. É simples assim.

– Era uma calça jeans, mamãe, não a paz mundial.

Kate olhou para a filha. Para variar, ela não estava fazendo careta ou dando as costas para ela.

– Eu sinto muito que a gente brigue tanto.

– É.

– Talvez a gente possa matricular você naquele novo curso de modelos. O de Seattle.

Marah se agarrou a essa oportunidade como um cão faminto.

– Você vai *finalmente* me deixar sair da ilha? A próxima turma começa na terça-feira. Eu já vi. Tully disse que me pegaria na balsa – falou Marah, e sorriu timidamente. – A gente tem conversado a esse respeito.

– Ah, é mesmo?

– Papai disse que tudo bem, se eu continuar tendo notas boas.

– Ele sabe disso também? E ninguém fala comigo? Quem sou eu, o Hannibal Lector?

– Você tem ficado muito brava nos últimos tempos.

– E de quem é a culpa disso?

– Posso me inscrever?

Kate não tinha escolha, na verdade.

– Pode. Mas se as suas notas…

Marah deu um abraço apertado em Kate. Ela segurou a filha com força, aproveitando o momento. Não conseguia se lembrar da última vez que Marah tomara a iniciativa de um abraço.

Muito tempo depois de a menina ter entrado em casa, Kate continuava no carro, olhando para a filha, pensando se o curso era uma boa ideia. Este era o lado perverso e devastador da maternidade, o que fazia uma mãe se remoer de culpa e mudar de ideia, baixando o padrão de exigência: ceder era muito fácil.

Não que ela não quisesse que Marah fizesse o curso. Só que não queria que a filha começasse a percorrer aquele caminho tão difícil tão cedo. Rejeições, chantagem, pessoas bonitas e vazias, drogas e anorexia. Tudo isso estava por baixo do mundo das modelos.

A autoestima e a autoimagem eram frágeis demais na adolescência. Só Deus sabia como uma menina podia sair dos trilhos, mesmo sem ter de carregar o fardo da rejeição constante baseada na beleza.

Em resumo, Kate não tinha medo que a linda filha não conseguisse vencer no mundo das passarelas e das roupas presas com fita adesiva. Pelo contrário. Tinha medo que ela conseguisse vencer, e então sua infância estaria perdida.

Por fim, ela saiu do carro e entrou em casa, murmurando:

– Eu devia ter sido mais firme.

O lamento da mãe. Ela estava tentando descobrir como voltar atrás (algo impossível agora) quando o telefone tocou. Kate nem se deu o trabalho de atender. Nas últimas semanas de verão, havia aprendido uma grande verdade: adolescentes vivem no telefone.

– Mamãe! É a vovó para você – gritou Marah escada abaixo. – Mas não demore muito. Estou esperando uma ligação.

Atendeu o telefone e ouviu a mãe soltando fumaça de cigarro do outro lado da linha. Sorrindo, deixou as compras de lado e se atirou no sofá, enroscando-se embaixo de uma manta que ainda tinha o cheiro da mãe.

– Oi, mamãe.

– Você deve estar terrível.

– Dá para deduzir pela minha respiração?

– Você tem uma filha adolescente, não tem?

– Acredite em mim, eu nunca fui tão terrível.

Sua mãe riu, um som entrecortado que lembrava um relincho.

– Acho que você não se lembra de todas as vezes que mandou eu dar o fora da sua vida e bateu a porta na minha cara.

A lembrança era vaga, mas não impossível.

– Eu sinto muito, mamãe.

Houve uma pausa. Então a mãe disse:

– Trinta anos.

– Trinta anos o quê?

– É o tempo que vai levar para você receber um pedido de desculpas também. Mas sabe o que é ótimo?

Kate gemeu.

– Que talvez eu não viva tanto tempo?

– Não. Que você vai saber que ela sente muito antes dela – riu a mãe. – E quando precisar que você seja babá dos filhos dela, ela *realmente* vai amar você.

✢

Kate bateu à porta de Marah e ouviu um abafado "pode entrar".

Ela entrou. Tentando ignorar as roupas, os livros e a bagunça que se espalhavam por todos os lados, percorreu o caminho até a cama branca com dossel, onde Marah estava sentada com os joelhos para cima, falando ao telefone.

– Posso falar com você por um minuto?

Marah revirou os olhos.

– Preciso desligar. Minha mãe quer falar comigo. A gente se fala depois.

Para Kate, ela disse:

– Que foi?

Kate ficou sentada na beira da cama, lembrando-se de repente de todas as vezes que aquela mesma cena havia acontecido em sua própria adolescência. Sua mãe começava cada reconciliação com um sermão do tipo "a vida é".

Sorriu com essa lembrança.

– Que foi?

– Eu sei que andamos brigando muito ultimamente, e sinto muito por isso. A maior parte das vezes é porque eu te amo e quero o melhor para você.

– E no resto das vezes é por quê?

– É porque você realmente me deixou furiosa.

Marah sorriu, só um pouquinho, e foi para a esquerda para

abrir espaço para Katie, exatamente como Kate costumava fazer para a própria mãe.

Ela sentou mais à vontade na cama e segurou a mão da filha. Havia muitas coisas que ela poderia tentar dizer, mas, em vez disso, apenas ficou sentada ali, segurando a mão dela. Era o primeiro momento de silêncio e proximidade que as duas tinham em anos, e ele a encheu de esperança.

– Eu te amo, Marah – disse ela, afinal. – Foi você, mais do que qualquer outra pessoa, que me mostrou como o amor podia ser. Quando botaram você nos meus braços pela primeira vez...

Kate fez uma pausa, sentindo a garganta apertar. O amor que sentia por aquela menina era tão imenso, tão absurdo... Às vezes, no dia a dia da zona de guerra da adolescência, ela quase se esquecia disso. Sorriu.

– Enfim. Eu estava pensando que a gente devia fazer alguma coisa especial juntas.

– Tipo o quê?

– Tipo ir à festa de aniversário do programa do papai.

– Está falando sério?

Marah vinha implorando por isso fazia semanas e Kate insistia em dizer que ela era nova demais.

– A gente pode fazer compras juntas, arrumar os cabelos, comprar vestidos bonitos...

– Eu te amo – falou Marah, dando um abraço em Kate.

Ela abraçou a filha apertado, aproveitando o momento.

– Posso contar para a Emily?

Antes que Kate tivesse dito "sim", Marah estava pegando o telefone e digitando o número da amiga. Enquanto se encaminhava para a porta, ouviu Marah dizendo:

– Emily, você não vai acreditar. Adivinha aonde eu vou no sábado...

Kate foi até o próprio quarto, pensando em como as coisas mudam rápido com os filhos. Num minuto você é uma velha esquimó, distante do mundo e esquecida. No minuto seguinte, é a brava mulher que escala a montanha perigosa e finca sua bandeira na neve. Isso pode deixar a pessoa tonta às vezes. A única maneira de sobreviver é aproveitando os bons momentos e não focando tanto nos ruins.

– Você está sorrindo – disse Johnny quando ela entrou no quarto.

Ele estava sentado na cama, usando os óculos de leitura baratos que havia comprado a contragosto recentemente.

– Isso é tão incrível assim?

– Para ser sincero, é.

Ela deu uma risada.

– Acho que é mesmo. Marah e eu tivemos uma semana ruim. Ela foi convidada para uma festa com meninos que duraria a noite toda, ainda não acredito nisso, e eu não a deixei ir.

– Então por que o sorriso?

– Eu a convidei para a festa de aniversário do programa. Nós vamos ter um dia só das meninas. Shopping, manicure, cabeleireiro, tudo a que temos direito. Precisamos conseguir uma suíte no hotel, ou uma cama extra.

– Eu vou ser o cara mais invejado da festa – disse ele.

Kate sorriu para ele, sentindo-se esperançosa pela primeira vez em mais tempo do que conseguia se lembrar. Ela e Marah iam ter uma tarde perfeita de mãe e filha. Talvez conseguisse até derrubar aquele muro que havia entre elas.

∗✿

Tully deveria ser a pessoa mais feliz do mundo. Aquela era a noite da festa de aniversário do seu programa. Dezenas de pessoas vinham trabalhando havia meses para fazer daquele o evento do ano em Seattle. Haveria famosos e celebridades. Em resumo, todo mundo que importava estaria lá, e todos para homenageá-la, para aplaudir seu sucesso fenomenal.

Ela olhou ao redor no brilhante e tradicional salão de baile do hotel Olympic. Na verdade, ele agora tinha outro nome – as redes hoteleiras estavam sempre comprando e vendendo propriedades –, mas, para quem era de Seattle, aquele sempre fora e sempre seria o Olympic.

O salão estava cheio de colegas e conhecidos, parceiros, celebridades classe A e alguns funcionários-chave. Todos por quem ela passava erguiam a taça para saudá-la. Todos a amavam.

E nenhum deles realmente a conhecia.

Era isso. Edna não pudera comparecer e Grant sequer retornara sua ligação. O último tabloide que ela lera dizia que ele estava se casando com alguma estrela de segundo escalão e, embora a notícia não devesse incomodar Tully, incomodara. Fizera com que se sentisse velha e solitária, sobretudo naquela noite. Como ela havia chegado àquela idade sozinha? Sem alguém especial com quem dividir a vida?

Um garçom passou, e ela deu um tapinha em seu ombro, para pegar uma segunda taça de champanhe.

– Obrigada – disse ela, dando a ele o sorriso Talullah Hart.

Olhou ao redor em busca dos Ryan. Ainda não haviam chegado. Ela estava à deriva num mar de conhecidos.

Virou o champanhe e partiu em busca de outra bebida.

❧

O dia de beleza com a filha foi tudo o que Kate poderia ter desejado. Pela primeira vez em muito tempo, as duas não brigaram. Marah inclusive ouviu a opinião de Kate sobre as coisas. Depois que elas escolheram seus vestidos – um longo de seda preto de um ombro só para Kate e um bonito tomara que caia rosa de chiffon para Marah –, elas foram para o spa de Gene Juarez, onde fizeram pé e mão, corte, penteado e maquiagem.

Agora estavam lado a lado no banheiro no quarto de Marah na suíte do hotel, olhando-se no espelho.

Kate sabia que jamais se esqueceria da visão das duas tão próximas. A filha alta e magra com o rosto perfeito, sorrindo tanto que a alegria chegava a seus olhos, passando o braço magricela ao redor do ombro de Kate.

– A gente é o máximo – disse Marah.

Kate sorriu.

– O máximo.

Marah deu um beijo impulsivo na bochecha da mãe.

– Obrigada, mamãe – disse ela.

Pegou a bolsa bordada com pedrarias em cima da cama e foi andando para a porta.

– Lá vou eu, papai – anunciou, abrindo a porta e entrando na sala da suíte.

– Marah – ela o ouviu dizer, com um assovio. – Você está maravilhosa!

Kate foi logo atrás da filha. Sabia que não estava tão em forma quanto antigamente, nem tão bonita, mas, com aquele vestido e com o colar com o coração de diamante de Johnny no pescoço, estava se sentindo linda e, ao ver a forma como o marido sorriu, ela se sentiu sexy também.

– Nossa! – disse ele, indo na direção dela para beijá-la. – Você está um estouro, Sra. Ryan.

– Você também, Sr. Ryan.

Rindo, os três saíram do quarto e foram para o salão de baile, onde centenas de pessoas já festejavam.

– Olhe, mamãe – sussurrou Marah, aproximando-se. – Brad Pitt e Jennifer Aniston. E lá está Christina Aguilera. Nossa! Mal posso esperar para ligar para a Emily.

Johnny pegou a mão de Kate e a levou até o bar, onde pediu dois drinques para o casal e uma Coca-Cola para Marah.

Então eles relaxaram e ficaram tomando suas bebidas e observando a multidão. Mesmo num salão como aquele, Tully se destacava em seu fluido vestido de seda esmeralda. Flutuava em meio a todos, acenando, com o vestido esvoaçando atrás dela.

– Vocês estão *maravilhosos* – falou emocionada, sorrindo.

Kate não pôde deixar de perceber que Tully já estava parecendo um pouco tonta.

– Você está bem?

– Não poderia estar melhor. Johnny, nós precisamos dizer algumas coisas no palco depois do jantar. Depois temos que abrir a pista de dança.

– Você não tem um acompanhante? – perguntou Johnny.

O sorriso de Tully mal vacilou.

– Marah vai ser a minha companhia desta noite. Você não se importa se eu pegá-la emprestada, se importa, Katie?

– Bem...

– Por que ela se importaria? – disse Marah, olhando para Tully com adoração. – Ela me vê todos os dias.

Tully se aproximou da afilhada.

– Ashton Kutcher está aqui. Quer conhecê-lo?

Marah quase desmaiou.

– Está brincando?

Kate ficou observando enquanto as duas se afastavam de mãos dadas, com as cabeças inclinadas uma para a outra como uma dupla de líderes de torcida cochichando sobre o capitão do time de futebol.

Depois disso, a noite perdeu um pouco da graça para Kate. Bebendo seu champanhe, ela acompanhou o marido pelo salão, sorrindo quando devia, rindo quando parecia apropriado, dizendo "Sou mãe em tempo integral" quando perguntada e vendo como aquelas poucas palavras – uma frase que a fazia sentir tanto orgulho – eram capazes de acabar com uma conversa.

O tempo todo, viu Tully fingindo que Marah era filha dela, apresentando-a a uma celebridade depois da outra, deixando-a tomar goles do seu champanhe.

Quando finalmente chegou a hora do jantar, Kate sentou em seu lugar na mesa principal, com Johnny de um lado e o presidente da Syndiworld do outro. Tully foi cortejada durante toda a refeição. Não havia outra forma de descrever aquilo. Ela estava animada, alegre, divertida. Todas as pessoas sentadas ao seu redor – principalmente Marah – pareciam hipnotizadas.

Kate tentou não se deixar afetar por nada. Algumas vezes

inclusive tentou atrair a atenção da filha, mas era impossível competir com Tully.

Finalmente, não suportou mais. Inventou uma desculpa para Johnny e foi ao banheiro. Na fila, todas as mulheres pareciam estar falando sobre Tully, sobre como estava maravilhosa.

– E você viu a menina com quem ela está...?
– Acho que é filha dela.
– Não é de admirar que sejam tão próximas.
– Queria que a minha filha me tratasse daquele jeito.
– Eu também – murmurou Kate, baixo demais para ser ouvida.

Encarou a si mesma no espelho e viu uma mulher que havia feito o máximo para ficar bonita para o marido e a filha e acabara desaparecendo ao lado da melhor amiga. Sabia que era ridículo se sentir tão magoada e excluída. Aquela noite não era dela, afinal. Ainda assim... tivera tantas esperanças.

Este tinha sido seu erro.

Ela havia vinculado sua felicidade à reação de uma adolescente. *Idiota.* Perceber isso quase a fez sorrir. Ela decerto sabia que as coisas não eram assim. Sentindo-se melhor, mais no controle de suas tolas emoções, voltou para a festa.

Tully não devia ter bebido tanto. Estava de pé em cima do palco, segurando a mão de Johnny para manter o equilíbrio.

– Obrigada a todos – disse ela, sorrindo para a multidão.
– É graças a vocês que *A Hora das Meninas* faz tanto sucesso.

Ergueu um brinde a todos, que responderam com aplausos. Ocorreu a ela que talvez não tivesse dito exatamente o que planejara, mas, como não conseguia se lembrar do que dissera, era difícil consertar.

Ela se virou para Johnny e passou o braço ao redor dele.

– É a nossa vez de dançar.

A banda começou a tocar. Estavam tocando uma música lenta. Tully pegou na mão dele e o levou até a pista. Ela ainda estava dando risada quando reconheceu a canção: "Crazy for You".

Touch me once and you'll know it's true.

Era a música que Johnny e Kate haviam dançado no casamento deles.

Tully levantou a cabeça e olhou para Johnny. De repente, vieram lembranças que ela deveria esquecer, da última vez que dançara nos braços dele. Ao fim da música, ele a beijara. Se ela tivesse feito escolhas diferentes lá atrás, se tivesse ido em busca do amor e não da fama, talvez ele a tivesse amado, tivesse lhe dado Marah e um lar.

À luz dourada suave do lustre antigo, ele parecia mais bonito do que nunca. Johnny tinha aquele visual moreno dos irlandeses que só melhorava com a idade. De alguma forma, o modo como ele olhou para ela, tão sério, a fez pensar nos velhos tempos, quando ele havia sido apenas um pouco ferido pela vida, e ela o fizera rir durante aquela única noite romântica.

– Você sempre dançou bem – disse ela.

Quando disse essas palavras, sentiu um lampejo de cautela. Ela estava bêbada; deveria se afastar. Mas era muito bom estar nos braços de um homem, e não ia acontecer nada.

Ele a fez rodopiar e a puxou para perto de si de novo.

Os convidados aplaudiram.

– Eu não deveria ter bebido tanto champanhe. Não estou conseguindo seguir você.

– Seguir nunca foi o seu forte.

E com aquelas poucas palavras, ela se lembrou de tudo novamente. Dos detalhes. As lembranças vieram derrubando as muralhas que ela construíra para contê-las. Tully parou e olhou para ele.

– Por que não deu certo entre nós?

– E algum dia existiu um "nós", Tully, sério? – perguntou ele baixinho.

A forma como ele disse aquilo, com tanta facilidade, tão rapidamente, fez com que ela imaginasse se ele não vinha querendo fazer aquela pergunta havia anos. Tully não conseguiu entender se o sorriso dele era triste ou caridoso. Tudo o que sabia era que os dois não estavam mais dançando, mas ele não a havia soltado.

– Eu não deixei existir.

– Kate ainda acha que não me recuperei de você.

Tully sabia disso, sempre soubera. Mas elas nunca tinham conversado sobre o que acontecera entre os três. Em nome da amizade, as duas haviam empurrado tudo para debaixo do tapete. No escuro, onde deveria permanecer, mas, como sempre com Tully, bebida e solidão a enfraqueciam, então, apesar de suas melhores intenções, ela se viu perguntando:

– E se recuperou?

❧

Quando Kate voltou para a festa, a banda havia começado a tocar.

"Crazy for You". Essa música sempre a fazia sorrir. Na entrada do salão de baile, ela fez uma pausa, olhando ao redor. As mesas do jantar estavam se esvaziando. Havia filas se formando novamente no bar. Ela viu Marah num canto, conversando com uma menina incrivelmente magricela que usava um vestido menor do que um lenço.

– Perfeito.

Abafando uma onda de irritação, ela seguiu em frente. Foi

quando viu um relance de seda esmeralda e o mundo pareceu sumir debaixo dos seus pés.

Tully estava na pista de dança, agarrada a Johnny. Ele a segurava com uma incrível familiaridade, como se tivessem passado toda uma vida juntos. Embora devessem estar dançando, estavam apenas parados na pista, um par imóvel em meio ao redemoinho colorido dos outros casais. Tully olhava para ele como se tivesse acabado de pedir que a levasse para a cama.

Kate não conseguiu respirar. Por um instante terrível, pensou que ia vomitar. *Você sempre foi a segunda opção.* Ela sabia. Aceitar isso ao longo dos anos não era o mesmo que mudar os fatos.

A música terminou e Johnny se afastou de Tully. Ao se virar, viu Kate. Através da série de vestidos de noite cintilantes, seus olhares se encontraram. Lá, na frente de qualquer um que pudesse estar observando, ela começou a chorar. Constrangida, saiu do salão. Na verdade, saiu correndo do salão.

No andar de baixo, nos elevadores, apertava o botão impacientemente.

– Venha logo… venha logo…

Não queria que ninguém a visse chorando.

O sinal sonoro tocou e a porta se abriu. Ela entrou no elevador, apoiou o corpo na parede e cruzou os braços. Foram necessários longos segundos de espera impaciente para que ela se desse conta de que havia esquecido de apertar o botão.

As portas estavam prestes a fechar quando alguém as puxou.

– Vá embora – disse ela ao marido.

– A gente estava dançando.

– Rá!

Kate apertou de novo o botão do andar deles e secou os olhos. Johnny entrou no elevador.

– Você está sendo ridícula.

O elevador os levou até o andar deles. As portas se abriram. Ela desviou do marido e foi andando.

– Vá se foder! – berrou para trás, enquanto encontrava a chave e abria a porta.

Entrou no quarto, e bateu a porta atrás de si. Então esperou.

E esperou.

Talvez ele tenha ido procurar Tully...

Não.

Ela não acreditava naquilo. Seu marido podia arrastar um bonde por Tully, mas era um homem honrado e Tully era sua melhor amiga.

Em seu ataque de ciúme, ela de alguma forma se esquecera disso.

Ela abriu a porta e viu Johnny sentado no corredor, com uma perna estendida e a gravata-borboleta pendurada.

– Você ainda está aqui.

– Você está com a nossa chave. Espero que vá se desculpar.

Ela foi até ele e se ajoelhou ao seu lado.

– Eu sinto muito.

– Eu não acredito que você possa ter pensado...

– Eu não pensei.

Ela segurou a mão do marido e o fez levantar-se.

– Dance comigo – pediu, odiando a ênfase que deu à palavra "comigo".

– Não tem música.

Ela passou os braços ao redor do pescoço dele e começou a balançar o quadril, aproximando-se lentamente dele até que ele ficasse contra a parede e ela estivesse colada a seu corpo.

Kate abriu o zíper do vestido e o deixou cair no chão.

Johnny olhou para o corredor.

– Katie!

Ele abriu a bolsa dela, pegou a chave do quarto e destrancou a porta. Os dois caíram no sofá, beijando-se com uma paixão que parecia ao mesmo tempo conhecida e nova.

– Eu te amo – disse ele, levando as mãos até a calcinha dela. – Tente não se esquecer disso, está bem?

Kate estava ofegante demais para responder, então só

assentiu, abriu o zíper da calça de Johnny e empurrou o tecido para o lado. Prometeu a si mesma que não deixaria suas inseguranças saírem do controle de novo. Não se esqueceria do amor dele.

❧

Semanas depois, Tully estava parada diante da janela da sua sala imensa, olhando para fora. Fazia muito tempo que sabia que faltava algo em sua vida. Esperava que voltar para Seattle e ter seu próprio programa de alguma forma preenchesse aquele vazio, mas não tivera tanta sorte. Agora era mais famosa, infinitamente rica e ainda vagamente insatisfeita.

Como sempre, quando estava infeliz, se voltava para a própria carreira em busca da solução. Havia levado algum tempo para pensar na resposta, um curso de ação que fosse desafiá-la e preenchê-la, mas, no fim, descobrira.

– Você está louca – disse Johnny, andando de um lado para outro diante da janela que revelava uma baía de Elliott invernal e cinzenta. – Na televisão, o que manda é o formato. Você sabe disso. Nossa audiência só perde para a Oprah, e no ano passado você foi indicada para um Emmy. As empresas não conseguem dar conta de fazer promoções suficientes para o nosso público. Isso tudo é indicador de sucesso.

– Eu sei – disse ela, distraída por um instante pelo próprio reflexo.

No vidro da janela, ela parecia magra e cansada.

– Mas eu não sigo regras, e você sabe disso. Preciso dar uma chacoalhada nas coisas. Misturar um pouco.

– Por quê?

Esta era a pergunta-chave. Por que nada nunca era bastante para ela? E como poderia fazer Johnny, entre todas as pessoas do mundo, compreender isso?

Kate compreenderia, mesmo que discordasse, mas a melhor amiga estava ocupada demais ultimamente para conversar. Talvez isso fosse parte do que estava errado. Ela se sentia... desligada de Kate. Suas vidas seguiam por caminhos muito diferentes naquele momento. Elas mal haviam se falado desde a festa de aniversário do programa.

– Você vai ter que confiar em mim, Johnny.

– A coisa pode virar uma baixaria e nossa credibilidade pode ir por água abaixo.

Ele se aproximou, franzindo a testa.

– Converse comigo, Tul.

– Você não compreenderia – disse ela, revelando tudo o que podia.

– Pois tente.

– Eu preciso deixar uma marca.

– Vinte milhões de telespectadores assistem ao seu programa todos os dias. O que é isso? Nada?

– Você tem a Katie e as crianças.

Ela viu o momento em que Johnny a compreendeu. Ele fez o olhar de pobre Tully. Não importava quão longe ela chegasse, aquele olhar parecia persegui-la de alguma forma.

– Ah.

– Eu preciso tentar, Johnny. Vai me ajudar?

– Quando foi que eu deixei você na mão?

– Só quando se casou com a minha melhor amiga.

Ele riu e seguiu para a porta.

– Uma tentativa, Tully. Então avaliamos. Parece justo?

– Parece justo.

O acordo foi mantido nas semanas que se seguiram. Ela se debruçou sobre os planos e trabalhou feito uma louca, pondo de lado tudo o que tivesse relação com sua já escassa vida social.

Agora, finalmente, a hora da verdade havia chegado, e ela estava preocupada. E se Johnny tivesse razão, e sua brilhante ideia virasse um melodrama televisivo?

Alguém bateu à porta de sua sala.

– Entre – disse ela.

Sua assistente, Helen, uma menina recém-formada em Stanford, enfiou a cabeça para dentro.

– O Dr. Tillman está aqui. Ele está na sala verde. Coloquei a família McAdams no refeitório dos funcionários e a Christy na sala do Ted.

– Obrigada, Helen – disse ela distraidamente enquanto a porta se fechava.

Quase havia se esquecido de como era essa sensação. A impressão assustadora/emocionante de que as coisas podiam não sair direito. Os últimos anos a haviam deixado imune a isso. Agora era como se fosse jovem de novo, como se estivesse começando do zero, tentando algo em que apenas ela acreditava.

Ela se olhou uma última vez no espelho, puxou o papel que protegia sua roupa da maquiagem e seguiu para o estúdio. No palco, encontrou Johnny fazendo dez coisas ao mesmo tempo, dando muitas ordens.

– Está pronta? – perguntou ele.

– Sinceramente? Não sei.

Ele foi até ela, falando no fone ao se aproximar. Afastando o microfone da boca, disse baixinho:

– Você vai se sair muito bem, e sabe disso. Eu confio em você.

– Obrigada. Eu precisava ouvir isso.

– Apenas seja você mesma. Todo mundo te ama.

Ao sinal dele, a plateia começou a entrar no estúdio. Tully se escondeu nos bastidores e ficou esperando por sua deixa. Quando as luzes vermelhas acenderam, ela entrou no palco.

Como sempre, ficou parada lá por um instante, sorrindo, deixando-se ser preenchida pelo aplauso dos estranhos.

– Hoje temos um programa muito especial para vocês. O meu convidado, o Dr. Wesley Tillman, é um renomado psiquiatra especializado em aconselhamento familiar e recuperação de viciados...

Atrás dela, um telão exibiu um clipe de um homem obeso com cabelos rareando. Ele tentava, sem sucesso, não chorar.

– Minha esposa é uma boa mulher, Talullah. Nós estamos casados há vinte anos e temos filhos lindos. O problema é que... – Ele fez uma pausa, secando os olhos. – Ela bebe. Antes ela só bebia socialmente, com os amigos, mas nos últimos tempos...

Com músicas e imagens, o clipe mostrou a desintegração de uma família.

Quando o clipe terminou, Tully se voltou para a plateia. Notou como estavam todos emocionados com o vídeo. Várias mulheres já pareciam estar à beira das lágrimas.

– O Sr. McAdams é como muitos de nós, que sofre em silêncio por causa do vício de alguém que ama. Ele jura que já tentou de tudo para convencer a mulher a fazer um tratamento e deixar a bebida. Hoje, com a ajuda do Dr. Tillman, nós vamos tentar algo radical. Neste momento, a Sra. McAdams está nos bastidores, sozinha. Ela acredita que ganhou uma viagem para as Bahamas e que veio até aqui para receber o prêmio. Na verdade, porém, a família dela, com a ajuda profissional do Dr. Tillman, vai confrontá-la em relação ao alcoolismo. Nossa esperança é que consigamos fazê-la enxergar a verdade e buscar tratamento.

Houve um instante de silêncio na plateia.

Tully prendeu a respiração. *Vamos, gente.*

Então vieram os aplausos.

Tully fez o possível para não sorrir. Ela olhou para Johnny, que estava parado à sombra, ao lado da câmera 1, dando um sorriso maroto, com os polegares para cima.

Isso a ajudaria, faria com que se sentisse completa. Ela iria ajudar aquela família e o país inteiro a amaria por isso.

Ela deu um passo para trás para apresentar seus convidados e, daquele momento em diante, o programa seguiu como um trem a toda a velocidade. Todos no estúdio subiram a bordo e adoraram o passeio. Aplaudiram, se emocionaram, comemoraram, choraram. Como uma experiente mestra de cerimônias, Tully comandou tudo. Ela estava com tudo, não havia dúvidas disso. Nunca estivera tão bem na TV.

O inverno chegou com tudo naquele mês de novembro, fazendo pairar sobre a ilha um clima cinzento e chuvoso. Árvores nuas tremiam no frio, agarradas às folhas escurecidas e mortas, como se deixá-las cair fosse uma derrota. Uma névoa se erguia do canal a cada manhã, obscurecendo a vista e transformando os sons de sempre em ecos abafados e distantes. As balsas apitavam seu lamúrio em meio ao nevoeiro ao se aproximarem e se afastarem do cais.

A estação seria o cenário perfeito para escrever um romance gótico. Pelo menos foi o que Kate disse a si mesma quando, em segredo, voltou a escrever.

Infelizmente, não era tão simples como ela se lembrava.

Releu o que havia acabado de escrever, então suspirou, apertou a tecla "delete" e ficou vendo as letras desaparecerem uma a uma até ficar mais uma vez com a tela em branco. Tentou pensar numa forma melhor de expressar o que queria, mas só lhe ocorreram mais clichês. O pequeno cursor piscava na tela, provocando-a, esperando.

Por fim, ela se afastou da mesa e se levantou. Estava cansada demais para imaginar mundos, pessoas e acontecimentos dramáticos. E, de qualquer forma, estava na hora de preparar o jantar.

Nos últimos tempos, ela parecia estar sempre exausta. No entanto, quando ia para a cama, raramente dormia bem.

Apagou a luz do escritório de Johnny, fechou seu laptop e desceu.

Johnny ergueu o olhar do *The New York Times*.

– O eBay prendeu você de novo?

Ela riu.

– Foi. Os meninos se comportaram?

Ele se inclinou para a frente e fez um cafuné nos filhos.

– Desde que eu cante com os "pobres corações infelizes", eles ficam alegres como moluscos.

Kate teve que sorrir. O filme preferido daquela semana era A Pequena Sereia. O que significava que eles o viam todos os dias, se possível.

A porta da frente abriu de repente, e Marah entrou em casa cheia de empolgação.

– Vocês nunca vão adivinhar o que aconteceu comigo hoje.

Johnny largou o jornal.

– O quê?

– Christopher, Jenny, Josh e eu vamos ao Tacoma Dome para ouvir o Nine Inch Nails. Vocês acreditam nisso? Josh me convidou.

Kate respirou fundo. Havia aprendido a reagir lentamente com Marah.

– Um show, é? – disse Johnny. – Quem são esses garotos? Que idade eles têm?

– O Josh e o Chris estão no terceiro ano. E não se preocupe, vamos usar cinto de segurança.

– Quando é o show? – perguntou ele.

– Na terça-feira.

– Num dia de semana? Você acha que vai ter um encontro, com um menino do terceiro ano, para ir a um show, durante a semana – falou Kate e olhou para Johnny. – Tem muitas coisas erradas aí.

– A que horas o show começa? – perguntou Johnny.

– Às nove. A gente deve chegar em casa às duas.

Kate não conseguiu se segurar: deu risada. Não fazia ideia de como o marido conseguia se manter tão controlado.

– Deve chegar em casa às duas? Você só pode estar brincando, Marah. Você tem 14 anos.

– A Jenny tem 14 anos e vai. Papai? – falou Marah, virando-se para Johnny. – Você precisa me deixar ir.

– Você é nova demais – disse ele. – Eu sinto muito.

– Eu não sou nova demais. Todo mundo pode fazer essas coisas, menos eu.

Kate sentiu pena de Marah. Lembrou-se de quando tinha pressa de crescer, de como essa necessidade podia ser intensa numa menina.

– Eu sei que somos muito rígidos, Marah, mas às vezes a vida...

– Ah, por favor. Não venha com outro sermão idiota "a vida é".

Bufando, ela subiu a escada correndo e bateu a porta do quarto.

Kate sentiu uma onda de exaustão tão profunda que quase se sentou. Em vez disso, olhou para o marido.

– Que bom que eu desci.

Johnny sorriu. E com facilidade. Como ele conseguia lutar as mesmas batalhas com Marah, mas, ao contrário de Kate, sair delas ileso? E amado?

– O seu timing com ela é sempre impecável – falou Johnny, e se levantou para beijar a esposa. – Eu te amo – disse, simplesmente.

Ela sabia que aquelas palavras eram para funcionar como um curativo, e ficou grata a ele.

– Vou fazer o jantar. Depois converso com ela. Vou dar um tempo para ela se acalmar.

Ele se sentou de novo e voltou para a leitura do jornal.

– Ligue para a mãe da Jenny e diga que ela é uma idiota.

– Vou deixar isso para você – falou Kate.

Ela foi para a cozinha e começou a preparar o jantar. Durante quase uma hora, se perdeu picando e fatiando ingredientes para preparar o *teriyaki* preferido da filha.

Às seis da tarde, temperou a salada, pôs os pães no forno e arrumou a mesa. Normalmente, era tarefa de Marah arrumar a mesa, mas não fazia sentido pedir ajuda naquela noite.

– Muito bem.

Ela voltou para a sala, onde Johnny estava jogado no chão com os meninos, construindo alguma coisa com o Lego.

– Vou lá – anunciou ela.

Johnny olhou para a esposa.

– O colete à prova de balas está no armário dos casacos.

Ao som reconfortante da risada dele, Kate subiu. Diante da porta fechada do quarto da filha, que exibia uma placa amarela dizendo "Mantenha distância", ela fez uma pausa, preparando-se, e então bateu.

Não houve resposta.

– Marah? – chamou, depois de um instante. – Eu sei que você está chateada, mas nós precisamos conversar sobre isso.

Kate esperou, bateu novamente e abriu a porta.

Na bagunça de roupas, livros e filmes, Kate levou um instante para processar o que via.

Um quarto vazio.

Com uma janela aberta.

Só para garantir, conferiu em todos os lugares – dentro do armário, embaixo da cama, atrás da poltrona. Olhou no banheiro também, no quarto dos meninos e até no seu quarto. Depois de ter procurado por todo o andar de cima, estava com o coração tão acelerado que sentia uma tontura. No último degrau da escada, teve de segurar no corrimão para se equilibrar.

– Ela sumiu – disse Kate, ouvindo a voz embargar.

Johnny olhou para cima.

– Ahn?

– Ela sumiu. Acho que saiu pela janela e desceu pela treliça.

Johnny ficou de pé num segundo.

– Filha da mãe.

Ele saiu correndo para fora da casa. Kate foi atrás.

Os dois pararam embaixo da janela do quarto de Marah, vendo onde seu peso havia quebrado a treliça de madeira e arrebentado a trepadeira.

– Filha da mãe – repetiu Johnny. – Precisamos ligar para todo mundo que ela conhece.

Mesmo numa noite fria como aquela, Tully adorava ficar na sacada de seu apartamento. Era uma área ampla com tijolos aparentes que havia sido pensada para reproduzir um terraço de *villa* italiana. Árvores frondosas cresciam de vasos de argila, com os galhos enfeitados por pequenas lâmpadas brancas.

Foi até o parapeito e olhou para fora. De lá, podia ouvir os ruídos da cidade abaixo e sentir o ar salgado do canal. A distância, além da faixa de água cinzenta, podia ver os contornos cheios de árvores da ilha Bainbridge.

Perguntou-se o que os Ryan estariam fazendo naquela noite. Estariam reunidos ao redor daquela enorme mesa de cavaletes deles, brincando com jogos de tabuleiro? Ou talvez Marah e Kate estivessem enroscadas uma à outra no sofá, falando sobre meninos. Ou quem sabe ela e Johnny houvessem conseguido um momento a sós para trocar um beijo...

O telefone tocou em seu apartamento. Menos mal. Pensar na família de Kate apenas fazia Tully se sentir mais solitária.

Ela entrou pelas portas abertas e as fechou atrás de si. Então atendeu o telefone.

– Alô?

– Tully?

Era Johnny. Estava com a voz tensa, estranha. Ela ficou preocupada imediatamente.

– O que houve?

– Marah fugiu. Não sabemos exatamente quando, provavelmente uma hora e quinze atrás. Ela procurou você?

– Não. Não me procurou. Por que ela fugiu?

Antes que Johnny pudesse responder, o interfone tocou.

– Só um instante, Johnny. Fique na linha.

Tully correu até o outro aparelho e atendeu:

– O que foi, Edmond?

– Tem uma Marah Ryan aqui para ver a senhora.

– Mande subir – falou Tully e, desligando o interfone, voltou à ligação: – Ela chegou aqui, Johnny.

– Graças a Deus – disse ele. – Ela está lá, querida. Está bem. Nós vamos já para aí, Tully. Não a deixe sair.

– Não se preocupem.

Tully desligou o telefone e foi até a porta. Como morava na cobertura, não havia vizinhos na saída do elevador, então ficou na entrada do apartamento, tentando parecer surpresa para quando Marah chegasse.

– Oi, tia Tully. Desculpe por vir aqui tão tarde.

– Não é tarde. Entre.

Abriu caminho e deixou Marah entrar primeiro. Como sempre, ficou impressionada com a extraordinária beleza da afilhada. Como a maioria das meninas da sua idade, ela era muito magra, uma desarmonia de ossos e pele, mas nada disso importava. Marah era o tipo de menina que seria chamada de jovial até os 30, quando afinal estaria completamente à vontade na própria pele.

Tully foi até ela.

– O que aconteceu?

Marah se atirou no sofá e suspirou de forma dramática.

– Eu fui convidada para ir a um show.

Tully sentou ao lado dela.

– Hã.

– No Tacoma Dome.

– Hã.

– Num dia de semana, à noite – falou Marah, e olhou de esguelha para a madrinha. – O garoto que me convidou para sair é do terceiro ano.

– Isso é o quê, 16, 17 anos?

– Ele tem 17.

Tully assentiu.

– Eu fui ver os Wings no Kingdome quando tinha mais ou menos a sua idade. Qual o drama?

– Meus pais acham que eu sou nova demais.

– Então eles não deixaram?

– Não é um horror? Todo mundo pode fazer esse tipo de coisa, menos eu. A minha mãe não me deixa nem pegar carona com os garotos que têm carteira de motorista. Ela ainda me busca na escola todos os dias.

– Bom, garotos de 16 anos de idade são mesmo maus motoristas e às vezes não é... seguro ficar a sós com eles.

Tully pensou naquela noite no meio das árvores, tantos anos antes.

– A sua mãe só está protegendo você.

– Mas nós vamos estar em um grupo.

– Em grupo. Aí é diferente. Desde que vocês fiquem todos juntos.

– Eu sei. Acho que ela está preocupada por eles dirigirem.

– Ah, bom, eu poderia levar vocês numa limusine.

– Você faria isso?

– Claro. Isso resolveria todos os problemas. Acompanhante. Motorista. Vamos nos divertir. Posso garantir que ninguém se machuque.

Marah suspirou.

– Não vai dar certo.

– Por que não?

– Porque a minha mãe é uma vaca, e eu a odeio.

Isso pegou Tully despreparada. Ficou tão chocada que não soube o que dizer.

– Marah...

– Estou falando sério. Ela me trata como se eu fosse criança. Ela não respeita a minha privacidade. Ela tenta escolher os meus amigos e me dizer o que eu posso fazer. Não posso usar maquiagem, não posso usar fio dental, não posso colocar piercing no umbigo, nem ficar na rua depois das onze, nem fazer tatuagem. Mal posso esperar para ficar longe dela. Acredite em mim, depois que eu me formar, é bye-bye mamãe. Vou direto para Hollywood para ser uma estrela como você.

A última parte deixou Tully tão lisonjeada que ela quase se esqueceu do que viera antes. Precisou se obrigar a voltar ao rumo.

– Você não está sendo justa com a sua mãe. Garotas da sua idade são mais vulneráveis do que você imagina. Muito tempo atrás, quando eu tinha a sua idade e me achava invencível, eu...

– Você me deixaria ir ao show se fosse minha mãe.

– Sim, mas...

– Queria que você fosse minha mãe.

Tully ficou surpresa com quanto aquelas palavras mexeram com ela. Elas a atingiram num ponto sensível.

– Vocês duas vão superar isso, Marah. Você vai ver.

– Não vamos, não.

Durante a hora seguinte, Tully tentou domar a raiva de Marah, mas ela era resistente, impossível de controlar. Ela estava impressionada com a facilidade com que Marah dissera odiar Katie, e teve medo que as duas jamais fossem conseguir consertar aquele relacionamento. Se havia uma coisa que Tully sabia era quanto alguém podia ser prejudicado por crescer sem o amor de uma mãe.

Por fim, o interfone tocou, e a voz de Edmond soou:

– Os Ryan, Sra. Hart.

– Eles sabem que eu estou aqui? – falou Marah, levantando num salto.

– Não foi difícil descobrir – disse Tully, indo até o interfone. – Deixe subirem, Edmond. Obrigada.

– Eles vão me matar – falou Marah.

Ela começou a andar de um lado para outro, contorcendo as mãos e, de repente, ela era uma criança de novo, alta, magra e maravilhosa, mas ainda uma criança, com medo de estar encrencada.

Johnny foi o primeiro a entrar.

– Caramba, Marah – disse ele –, você nos deu um susto tremendo. A gente não sabia se você tinha sido sequestrada ou fugido.

Ele parou de falar de repente, como se tivesse medo de dizer mais alguma coisa.

Kate entrou logo atrás.

Tully ficou impressionada ao ver a amiga. Ela parecia cansada, doente e de alguma forma menor, como se tivesse acabado de levar uma surra.

– Katie? – disse Tully, preocupada.

– Obrigada, Tully – respondeu ela, dando um sorriso cansado.

– A tia Tully disse que pode nos levar ao show na limusine dela – falou Marah. – E fazer companhia.

– A sua tia é uma idiota – reagiu Johnny. – Aquela mãe maluca deve tê-la deixado cair de cabeça. Agora, pegue as suas coisas. Nós vamos para casa.

– Mas...

– Nada de *mas*, Marah – disse Kate. – Pegue as suas coisas.

Marah fez um verdadeiro teatro – suspirou, bateu os pés, grunhiu e choramingou. Então deu um abraço apertado em Tully, sussurrou "Obrigada por tentar" e saiu do apartamento com Johnny.

Tully esperou que Kate dissesse alguma coisa.

– Não prometa nada a ela sem falar conosco antes, está bem?

Foi tudo o que Kate disse. Sua voz saiu sem nenhuma emoção, ela não soou nem mesmo irritada.

– Isso só torna tudo mais difícil – emendou, e se virou para sair.

– Katie, espere...

– Hoje, não, Tul. Eu estou exausta.

Trinta e um

Tully estava preocupada com Kate e Marah. Passara a maior parte da última semana tentando pensar numa maneira de consertar as coisas entre elas, mas nada lhe ocorrera. Agora estava na sua mesa de trabalho, olhando as anotações para o programa do dia.

O telefone tocou. Era sua assistente.

– Tully, os McAdams estão aqui. Do programa da reabilitação.

– Mande entrarem.

O casal que entrou pela porta naquela manhã gelada de novembro tinha apenas uma semelhança superficial com as pessoas que haviam aparecido em seu primeiro programa ao vivo. O Sr. McAdams havia perdido pelo menos 10 quilos e não andava mais encurvado, com a cabeça baixa. A Sra. McAdams havia cortado os cabelos, estava maquiada e sorridente.

– Nossa – disse Tully. – Vocês dois estão ótimos. Por favor, sentem-se.

O Sr. McAdams segurava a mão da esposa. Juntos, os dois se sentaram no caro sofá de couro que ficava de frente para as janelas.

– Desculpe incomodá-la. Sabemos como é ocupada.

– Nunca estou ocupada demais para os amigos – disse Tully, dando seu sorriso de relações-públicas.

Cruzou a perna e olhou para os visitantes.

– Nós só queríamos agradecer – disse a Sra. McAdams. – Não sei se conhece alguém com problema de drogas ou álcool.

O sorriso de Tully esmaeceu.

– Na verdade, conheço.

– Nós às vezes somos cruéis, egoístas, irritados e teimosos. Eu queria mudar. Deus sabe como eu queria parar de beber. Só que eu não parava. Até que você pôs um holofote em cima de mim e eu comecei a enxergar de verdade a minha vida.

– Você não pode imaginar como nos ajudou – disse o Sr. McAdams. – Nós só queríamos agradecer.

Tully ficou tão tocada com as palavras deles que levou um tempo para responder.

– Era isso que eu queria fazer com o programa ao vivo: mudar a vida de alguém. Significa muito para mim que tenha funcionado.

O telefone tocou.

– Com licença – pediu ela, e atendeu. – O que foi?

– O John está na linha um, Tully.

– Obrigada. Passe a ligação.

Quando a ligação entrou, ela disse:

– Com preguiça de andar 15 metros até a minha sala? Você deve estar ficando velho, Johnny.

– Preciso conversar com você e não pode ser por telefone. Posso lhe pagar uma cerveja?

– Onde e quando?

– No Virginia Inn?

Tully riu.

– Meu Deus, eu não vou lá há anos.

– Mentirosa. Venha até a minha sala às três e meia.

Tully desligou o telefone e voltou novamente a atenção aos McAdams, que estavam de pé.

– Bem – disse o Sr. McAdams –, já dissemos o que viemos dizer. Espero que possa ajudar outras pessoas como nos ajudou.

Ela se aproximou dos dois e apertou suas mãos.

– Obrigada. Se não se importam, podemos marcar um programa de acompanhamento para o ano que vem? Para mostrar o progresso de vocês para o país?

– Claro.

Tully os acompanhou até a porta, se despediu e voltou para sua mesa. Durante as horas seguintes, enquanto fazia anotações para o programa do outro dia, se pegou sorrindo.

Havia feito algo de bom com o seu programa. Havia mudado a vida dos McAdams.

Às três e meia, fechou a pasta, pegou o casaco e foi até a sala de Johnny. Juntos, conversando sobre ideias para os programas seguintes, os dois percorreram a quadra que levava ao mercado público e entraram no bar úmido e esfumaçado da esquina.

Ele a levou até o fundo do bar e sentou numa das mesinhas perto da janela. Antes que Tully sentasse, Johnny chamou uma garçonete, pediu um *dirty martini* para Tully e uma cerveja para ele. Tully esperou que as bebidas chegassem para perguntar:

– Muito bem, qual é o problema?

– Você tem falando com a Kate?

– Não. Acho que ela está furiosa comigo por causa da história do show. Ou talvez seja ainda coisa do evento de modelos. Por quê?

Johnny passou a mão pelos cabelos desalinhados.

– Eu não acredito que vou dizer isso sobre a minha própria filha, mas Marah está sendo uma vaca. Batendo portas, gritando com os irmãos, ignorando a hora de chegar em casa, se recusando a fazer as tarefas de casa. Ela e Kate estão o tempo todo brigando, todos os dias. Isso está acabando com a Kate. Ela perdeu peso. Não está dormindo.

– Vocês já pensaram em internato?

– Kate jamais iria.

Johnny deu um sorriso cansado da própria piada.

– Sinceramente, Tully. Estou preocupado com Kate. Pode conversar com ela?

– Claro, mas parece que ela está precisando de mais do que uma conversa de amiga. Ela não precisa procurar ajuda?

– Tipo um terapeuta? Não sei.

– Depressão é comum em donas de casa. Lembra aquele programa que fizemos sobre isso?

– É isso que me preocupa. Eu preciso que você descubra se é algo com que eu deva me preocupar ou não. Você a conhece tão bem...

Tully pegou sua bebida.

– Pode contar comigo.

Johnny sorriu, mas pareceu cansado.

– Eu sei disso.

No sábado, Tully ligou para Johnny no começo da manhã.

– Já sei – disse ela, quando ele atendeu.

– O que você vai fazer?

– Vou levá-la ao Salish Lodge. Fazê-la relaxar e ganhar umas massagens, esse tipo de coisa. E nós vamos conversar.

– Ela vai dizer que está ocupada e mandar você se catar.

– Então eu vou raptá-la.

– Você acha que consegue fazer isso funcionar?

– Você já me viu fracassar?

– Tudo bem. Vou arrumar a mala dela e deixar ao lado da porta. E vou sair com as crianças para ela não ter desculpas – falou Johnny e, depois de uma pausa: – Obrigado, Tully. Ela tem sorte de ter uma amiga como você.

Tully encerrou a ligação e imediatamente fez outra, e mais outra.

Às nove da manhã, estava tudo acertado. Arrumou uma mala rápido, jogou tudo de que precisava dentro do carro e dirigiu até uma loja em Capitol Hill para fazer algumas compras, então seguiu para a balsa. A espera na margem e a travessia pareceram levar uma eternidade, mas enfim chegou à casa de Kate.

O pátio da frente estava parecendo abandonado, como se muito tempo atrás uma jovem mãe tivesse passado os meses de primavera do lado de fora, cultivando o jardim, tendo os filhos sobre cobertores ao seu redor, e, com o passar dos anos, depois que as crianças cresceram e foram atrás de suas próprias diversões de verão, o tempo para o jardim houvesse se perdido. Porém, todas aquelas plantas ainda floresciam no calor do verão do Noroeste, voltando ano após ano, como lembranças de um tempo passado, crescendo e se misturando umas às outras, exatamente como a família que vivia na casa. Agora, no meio de um dia frio e cinzento de inverno, todas as plantas pareciam grandes e secas. Havia folhas espalhadas por todos os lados, respingos multicoloridos pendurados em rosas mortas.

Tully estacionou a Mercedes na frente da garagem e saiu. Enquanto abria caminho em meio a bicicletas, skates e bonecos de ação, pensou em quanto aquele lugar era aconchegante, mesmo naquela época do ano. A casa de telhas de barro, construída nos anos 1920 para os finais de semana de um rico dono de madeireira, ostentava uma nova camada de tinta cor de caramelo e esquadrias pintadas de branco. Embaixo das janelas, havia floreiras cheias dos últimos gerânios da estação.

Na varanda da frente, ela se espremeu para passar por um joão bobo e bateu na porta.

Kate atendeu. Usava uma legging preta velha e uma camiseta larga. Com os cabelos loiros precisando desesperadamente de um corte e um retoque, estava com uma aparência terrível. Cansada.

– Ah – disse ela, botando os cabelos para trás da orelha direita. – Que surpresa boa.

– Eu vou convidar você uma vez, gentilmente, para vir comigo.

– O que quer dizer com ir com você? Eu estou ocupada. O time de beisebol dos meninos está fazendo uma rifa. Assim que eu terminar...

Tully tirou uma pistola d'água amarela do bolso e apontou para Kate.

– Não me faça atirar.

– Você vai atirar em mim?

– Vou.

– Olhe só, eu sei quanto você adora um drama, mas não tenho tempo para isso hoje. Preciso costurar cinquenta pedaços de tecido antes que...

Tully apertou o gatilho. Um jato de água fria voou pelo ar e atingiu Kate bem no peito. A umidade atravessou a camiseta de algodão, deixando uma marca.

– Mas que...

– Isto é um sequestro. Não me faça mirar no seu rosto, embora você sinceramente esteja parecendo precisar de um banho.

– Está *tentando* me irritar?

Tully entregou uma venda de olhos para Kate.

– Tive que ir até aquela sex shop horrorosa em Capitol Hill para comprar isto. Então espero que você dê valor.

Kate parecia absolutamente confusa, como se não soubesse se deveria rir ou ficar furiosa.

– Eu não posso simplesmente sair. Johnny vai voltar com as crianças em uma hora e eu preciso...

– Não, ele não vai voltar – falou Tully e, olhando atrás da amiga, para a sala bagunçada, falou: – Ali está a sua mala.

Kate se virou.

– Como...

– Johnny fez a sua mala esta manhã. Ele é meu cúmplice. Ou meu álibi, se você me der problemas. Agora pegue a sua mala.

– Você espera que eu vá para algum lugar apenas com as coisas que o meu marido acha que eu preciso? Vou abrir esta mala e encontrar lingerie sexy, uma escova de dentes e roupas que não me servem há dois anos.

Tully sacudiu a venda.

– Coloque isto ou eu atiro de novo.

Tully começou a apertar o gatilho novamente. Por fim, Kate atirou as mãos para cima.

– Está bem, você venceu.

Ela pôs a venda nos olhos.

– Mas você sabe, é claro, que os criminosos inteligentes vendam suas vítimas *antes* do crime. Acho que tem alguma coisa a ver com não serem identificados.

Tully conteve uma risada e entrou na sala, onde pegou a mala, e então guiou gentilmente Kate até o carro.

– Não é toda vítima de sequestro que tem a chance de andar numa Mercedes.

Tully pôs um CD no aparelho de som. Em poucos minutos, as duas estavam disparando pela ponte Agate Pass e seguindo até a área de reserva, onde as tribos locais mantinham bancas de fogos de artifício na beira da estrada.

– Aonde estamos indo? – perguntou Kate.

Tully aumentou o volume de Madonna cantando "Papa Don't Preach". Logo as duas estavam cantando. Elas sabiam as letras de todas as músicas que tocaram, e cada uma delas as levava de volta a um tempo em que ambas eram jovens. Madonna. Chicago. The Boss. The Eagles. Prince. Queen. "Bohemian Rhapsody" era a preferida para cantar junto.

Passava um pouco das duas da tarde quando Tully parou o carro.

– Chegamos. O porteiro está olhando de um jeito estranho para você, então talvez seja melhor tirar a venda dos olhos.

Kate arrancou a venda exatamente quando o porteiro lhe deu as boas-vindas ao Salish Lodge e abriu sua porta. Como se o som viesse de todos os lugares ao mesmo tempo, as duas ouviram um ruído distante das quedas de Snoqualmie, mas, de onde estavam, não conseguiam vê-las. O piso vibrava com a força da água caindo. O ar era pesado e úmido.

Tully foi na frente até a recepção, fez o check-in e acompanhou o mensageiro até o quarto das duas, que era uma suíte de canto com dois quartos, uma lareira na sala de estar e vista para o rio Snoqualmie a caminho das quedas.

O mensageiro lhes entregou a programação do spa. Tully deu a ele uma bela gorjeta, e então ela e Kate estavam a sós.

– Primeiro o mais importante – disse Tully.

Trabalhava em televisão havia tempo suficiente para saber quando um roteiro era necessário. Planejara um formato e uma programação para toda a estada. Abriu a mala e tirou de dentro dois limões, um saleiro e a tequila mais cara que já vira.

– É para virar de uma vez só.

– Você é maluca – disse Kate. – Eu não faço isso há...

– Não me obrigue a atirar em você. Estou ficando sem água.

Kate riu.

– Está bem. Pode servir, moça.

– Mais uma – disse Tully assim que Kate bebeu.

Kate encolheu os ombros e virou outro copo.

– Muito bem. Maiôs. Vista o seu. Tem um roupão no seu quarto.

Como sempre, Kate fez o que lhe era mandado.

– Aonde estamos indo? – perguntou enquanto as duas percorriam o piso de ardósia polida do andar principal do Lodge.

– Você vai ver.

As duas chegaram ao spa e seguiram as placas até a hidro-massagem.

Num canto, chegaram à linda piscina térmica cercada por sotaques asiáticos e do noroeste do país. O ar recendia a lavanda e rosas. Plantas verdes viçosas em vasos de cerâmica e bronze quase davam a impressão de se estar ao ar livre.

As duas entraram na água quente e borbulhante.

Kate imediatamente suspirou e se recostou.

– Isto é o paraíso.

Tully encarou a melhor amiga, vendo agora, em meio à suave cortina de vapor, como parecia cansada.

– Você está com uma aparência terrível – disse ela de forma gentil.

Kate abriu os olhos devagar. Tully pôde ver a raiva atravessando seu rosto, mas, assim como veio, desapareceu.

– É a Marah. Às vezes, quando ela olha para mim, eu vejo ódio nos olhos dela. Não sei dizer quanto isso dói.

– Isso vai passar com a idade.

– É o que todo mundo diz, mas eu não acredito. Se ao menos houvesse alguma forma de obrigá-la a conversar comigo e a me ouvir. Nós tentamos terapia, mas ela se recusou a participar.

– Não dá para forçar um adolescente a se abrir. Eles só funcionam sob a pressão dos amigos, não é?

– Ah, eles se abrem. Só não dá para acreditar em tudo o que dizem. Segundo a Marah, eu sou a única mãe do mundo que é absurdamente superprotetora.

Tully viu a profunda infelicidade nos olhos da amiga e, embora quisesse acreditar que era apenas estresse normal de maternidade, de repente sentiu medo. Não era de estranhar que Johnny estivesse tão preocupado. No ano anterior, Tully havia entrevistado uma jovem mãe que estava sobrecarregada e deprimida. Alguns meses depois, a mulher tomara um vidro inteiro de comprimidos. Ficou petrificada só de pensar nisso. *Precisava* encontrar uma forma de ajudar a amiga.

– Talvez você devesse conversar com alguém.

– Você quer dizer um psiquiatra?

Tully assentiu.

– Eu não preciso falar sobre os meus problemas. Preciso me organizar mais, só isso.

– Organização está longe de ser o seu problema. Você não precisa ir a todas as excursões ou fazer fantasias para todas as peças das crianças ou bolos para todas as festas. E eles podem pegar um ônibus para ir à escola.

– Você está parecendo o Johnny. Imagino que agora vá me dizer que tudo iria melhorar se eu fizesse isso tudo e escrevesse um livro também. Bom, eu tentei. Eu venho tentando.

A voz de Kate ficou embargada. Seus olhos se encheram de lágrimas.

– Onde está a tequila?

– Excelente ideia – disse Tully. – A gente não fica completamente bêbada há anos.

– Com *xerteja* – riu Kate.

– Mas nós temos massagem em trinta minutos, então precisamos esperar um pouco.

– Massagem – repetiu Kate e olhou para a amiga. – Obrigada, Tully. Eu estava precisando disso.

Era muito menos do que ela precisava. Tully podia ver isso agora. Katie precisava de ajuda de verdade, não apenas de algumas doses de tequila e uma máscara de lama.

– Se você pudesse mudar uma coisa na sua vida, o que seria?

– A Marah – disse ela baixinho. – Eu a faria voltar a conversar comigo.

Como mágica, Tully soube exatamente como ajudá-la.

– Por que vocês não vão ao meu programa? Você e a Marah. Podemos fazer um segmento mãe e filha. Ao vivo seria melhor, para que ela soubesse que não iria haver edição. Ela veria quanto você a ama e como tem sorte de tê-la como mãe.

A esperança tirou dez anos do rosto de Kate.

– Você acha que daria certo?

– Você sabe quanto a Marah quer aparecer na TV. Ela nunca iria querer ficar mal diante das câmeras. Daí teria que escutar você.

O desespero e o cansaço finalmente abandonaram os olhos de Kate. Em seu lugar ficou uma alegre expectativa.

– O que eu faria sem você, Tully?

O sorriso de Tully ficou tão largo que mal coube no rosto. Ela poderia ajudar a amiga, talvez até salvar sua vida. Exatamente como prometera tantos anos antes.

– Nunca vamos precisar descobrir.

– Você fará os maquiadores esconderem as minhas rugas?

Tully riu.

– Acredite em mim, quando eles terminarem, você vai estar mais nova do que a Marah.

– Ótimo.

❧

Kate voltou do spa com uma atitude diferente. No instante em que entrou em casa, Marah começou a atacá-la, reclamando sobre algum evento a que não podia ir por causa do seu horário de ir para a cama. Pelo menos dessa vez, suas palavras foram flechas que não encontraram o alvo, apenas se espalharam pelo chão. *Logo, logo vamos encontrar um caminho de volta,* pensou Kate, sorrindo sozinha.

Tirou as roupas, tomou um longo banho e então pegou os meninos no colo para lhes contar uma história. Os dois tinham acabado de fechar os olhos quando Johnny enfiou a cabeça para dentro do quarto.

– Psiu – fez ela, encerrando a história e fechando o livro.

Deu um beijo na testa de cada um, pôs os meninos na cama e foi ao encontro do marido.

– Vocês se divertiram? – perguntou Johnny, pegando-a no colo.

– Muito. Tully tem um plano…

Lá embaixo, a campainha tocou. A voz de Marah foi ouvida em seguida.

– Eu atendo!

Johnny e Kate franziram a testa um para o outro.

– É domingo à noite – disse Kate. – Ela não pode receber os amigos; tem aula amanhã.

Mas quando chegaram lá embaixo, viram a mãe e o pai de Kate na sala, trazendo malas.

– Mamãe? – disse Kate. – O que está acontecendo?

– Tully nos mandou vir para cá para cuidar das crianças por uma semana. O carro que está lá fora vai levar vocês dois para o aeroporto. Tully disse para vocês fazerem uma mala com roupa de banho e filtro solar. É tudo o que podem saber.

– Eu não posso deixar o trabalho – disse Johnny. – Nós vamos receber o senador McCain.

– Tully não é a sua chefe? – perguntou o pai de Kate. – Acho que, se ela está dizendo que você vai sair de férias, você vai sair de férias.

Kate e Johnny se entreolharam. Nunca haviam tirado férias sem as crianças.

– Pode ser legal – disse ele, sorrindo.

Durante a hora seguinte, eles correram pela casa fazendo malas, preparando listas, anotando números de telefone. Então beijaram as crianças – inclusive Marah –, agradeceram à mãe e ao pai de Kate e foram para a limusine que os esperava lá fora.

– Ela não faz nada pela metade – disse Johnny, entrando no carro luxuoso.

Kate se aconchegou ao lado dele.

– Eu já estou me sentindo mais relaxada, e nós ainda estamos na frente de casa.

O motor do carro deu a partida.

– Você sabe aonde estamos indo? – perguntou Johnny ao motorista.

– As passagens estão no bolso na sua frente, senhor.

Johnny pegou o envelope e abriu.

– Kauai – disse ele.

Era a ilha do Havaí onde os dois tinham passado a lua de mel. Kate fechou os olhos, imaginando as palmeiras ao vento e a areia cor-de-rosa da praia Anini.

– Não vale dormir – disse Johnny.

– Não estou dormindo – disse ela, jogando-se no colo dele. – Obrigada por ajudar a Tully a me sequestrar.

– Eu andava preocupado com você.

– Eu também ando muito preocupada comigo. Mas estou me sentindo melhor agora.

– Melhor quanto?

Ela olhou para a janela que os separava do motorista.

– Feche a janela que eu mostro para você.

– Estamos falando de sexo?

– Estamos falando de sexo – disse ela, desabotoando a camisa dele. – Mas se você já tivesse fechado a maldita janela, a gente estaria fazendo.

Ele abriu um sorriso.

– Ah, eu vou fechar.

Trinta e dois

Kate e Johnny voltaram para casa, descansados e animados, na noite anterior à grande transmissão. Na manhã seguinte, Kate acordou para ir ao banheiro e não conseguiu voltar a dormir.

A casa estava silenciosa e às escuras. Não se deu o trabalho de acender as luzes ao passar de um ambiente a outro, recolhendo e guardando brinquedos. Ainda não conseguia acreditar que aquele dia iria acontecer. Havia esperado tanto e rezado tanto por uma mudança em seu relacionamento com Marah que quase perdera as esperanças. Tully e seu programa haviam lhe devolvido essas esperanças. Até mesmo Johnny parecia otimista. Ele havia feito o que Tully pedira – exigira, na realidade – e não participara de nada relacionado àquele segmento. Nessa única transmissão, ele seria simplesmente membro da plateia.

No banheiro, depois que tomou um banho e se vestiu, encarou a si mesma no espelho tentando não perceber as rugas que haviam começado a se acumular nos cantos dos olhos e do rosto.

– É isso mesmo, Tully. Eu abri mão da minha carreira para ser mãe em tempo integral. Sinceramente, acho que teria sido mais fácil trabalhar.

A plateia acharia graça.

– Ainda quero ser escritora um dia, mas é muito difícil equilibrar trabalho e maternidade. E Marah precisa mais de mim agora do que quando era bebê. Todo mundo fala sobre os terríveis dois anos iniciais, mas, na minha casa, são os terríveis anos da adolescência. Sinto falta do tempo em que podia deixá-la brincando no cercadinho, tendo certeza de que ela estava segura.

Haveria um murmúrio geral da plateia concordando com ela.

Ela desceu, preparou o café da manhã para todos e pôs a mesa. Os meninos desceram em tempo recorde, passando um por cima do outro para pegar a melhor cadeira.

Quando Marah desceu, claramente empolgada com o programa, Kate sentiu uma nova onda de esperança.

Aquilo ia funcionar. Ela sabia disso.

– Pare de sorrir, mamãe. Você está me assustando – disse Marah, derramando leite sobre a tigela de aveia e levando-a até a mesa.

– Deixe a sua mãe em paz – falou Johnny ao passar por ela.

Fez uma pausa atrás de Kate, apertou os ombros dela e beijou sua nuca.

– Você está linda.

Ela se virou e passou os braços ao redor dele, olhando em seus olhos.

– Estou feliz que você vá ser o meu marido hoje, e não o produtor dela. Preciso de você na plateia.

– Não agradeça a mim. Tully me deixou completamente por fora. Ninguém no set está autorizado a me contar qualquer coisa ou a me mostrar o roteiro. Tully quer que eu seja surpreendido.

Daquele momento em diante, o dia voou. Foi apenas quando já estavam na balsa, atravessando a baía, que Kate começou a ficar nervosa.

A plateia iria rir dela, dizer que ela deveria ter feito mais da própria vida, ter sido mais ela mesma.

Ela pareceria gorda na TV.

Estava tão concentrada em seus pensamentos negativos que, quando estacionaram, ela não conseguia descer do carro.

– Estou com medo – disse a Johnny.

Marah revirou os olhos e se afastou.

Johnny pegou seu braço, soltou o cinto de segurança e a ajudou a sair do carro.

– Você vai se sair bem – disse ele várias vezes, levando-a até o elevador.

No estúdio, havia gente por todo lado, correndo, gritando uns com os outros.

Johnny se aproximou dela.

– É exatamente como nos seus velhos tempos no jornalismo, lembra?

– Kate!

Ela ouviu seu nome soar através do corredor movimentado e ergueu o olhar. Magra e maravilhosa, Tully vinha de braços abertos na sua direção.

Tully lhe deu um abraço apertado e Kate finalmente se sentiu relaxar. Não era apenas um programa de TV, era o programa de TV da Tully. Sua melhor amiga iria garantir que ela se saísse bem.

– Estou um pouco nervosa – confidenciou Kate.

– Um pouco? – zombou Marah. – Ela está parecendo o Rain Man.

Tully riu e enganchou o braço no de Kate.

– Não há nada com o que se preocupar. Você vai se sair superbem. Todo mundo está empolgado de ter você e a Marah no programa.

Levou as duas até a sala de maquiagem e as deixou lá.

– Isso é emocionante – disse Kate, diante do enorme espelho.

A maquiadora – uma mulher chamada Dora – começou imediatamente a preparar Kate.

Marah estava na cadeira ao lado, sendo atendida por outra mulher.

Kate olhava para o espelho. Em minutos uma estranha surgiu ao seu lado: a mulher que Marah se tornaria. No rosto maquiado da filha, ela viu o futuro, enxergou a verdade que até então se escondia sob o belo tecido da infância. Em breve Marah estaria namorando, depois dirigindo e então indo para a faculdade.

– Eu te amo, Pequenininha – disse ela, usando de propósito o apelido que ficara para trás junto com as lancheiras do Ursinho Puff e da Vila Sésamo. – Lembra quando a gente dançava juntas aquelas músicas da Linda Ronstadt?

Marah olhou para ela. Por um segundo – apenas isso –, as duas eram a Mamãe e a Pequenininha de novo. E embora não tenha durado (nem poderia, nos anos tempestuosos da adolescência), aquele instante encheu Kate de esperanças de que um dia as duas estariam unidas novamente e seriam inseparáveis como haviam sido antes.

Marah pareceu prestes a dizer alguma coisa, mas acabou apenas sorrindo.

– Lembro, sim.

Kate queria abraçar a filha, mas isso jamais surtiria o efeito desejado. O contato físico, aprendera, era a forma mais certa de distanciá-las.

– Kathleen e Marah Ryan?

Kate girou na cadeira e viu uma mulher jovem e bonita com uma prancheta parada atrás dela.

– Estamos prontos para vocês.

Kate estendeu a mão para Marah, que estava empolgada o bastante para corresponder ao gesto. As duas seguiram a garota até a sala verde, onde ficaram esperando.

– Tem água naquele frigobar, e fiquem à vontade para comer qualquer coisa da cesta – disse a moça.

Então deu a Kate um microfone de lapela e a bateria para prender na cintura.

– Talullah disse que você sabe como isso funciona.

– Faz algum tempo que não uso, mas acho que ainda consigo me virar. Posso mostrar a Marah como fazer. Obrigada.

– Ótimo. Volto para pegá-las quando chegar a hora. Como sabem, o programa hoje é ao vivo, mas não deixem isso preocupá-las. Apenas sejam vocês mesmas.

E então ela desapareceu.

Isso está realmente acontecendo. Era muito importante para ela, aquela chance de se reconectar com a filha.

Um instante depois, alguém bateu à porta.

– Estamos prontos para você, Kathleen – disse a jovem. – Marah, fique aqui. Voltaremos para buscá-la em seguida.

Kate seguiu, dominada pelos nervos.

– Mamãe! – chamou Marah de repente, como se tivesse acabado de se lembrar de algo importante. – Preciso contar uma coisa.

Kate sorriu.

– Não se preocupe, querida. Vamos nos sair muito bem.

E seguiu a moça pelo corredor movimentado. Através das paredes, ouvia aplausos e até mesmo uma onda de risos.

Na beirada do palco, a garota parou.

– Quando ouvir seu nome, você entra.

Respirar.

Encolher a barriga. Manter a postura.

Kate ouviu Tully dizer:

– E, agora, gostaria que todos conhecessem minha grande amiga, Kathleen Ryan...

Kate entrou no palco e se viu sob as luzes intensas dos holofotes. Eram tão fortes que ela levou um instante para processar o que a cercava.

Lá estava Tully, parada no centro do palco, sorrindo para ela.

Atrás dela estava o Dr. Tillman, o psiquiatra especializado em terapia familiar.

Tully foi até o lado dela e segurou seu braço. Sob os aplausos, ela disse:

– Estamos ao vivo, Katie, então, só deixe rolar.

Kate olhou para o telão atrás delas. Havia uma imagem imensa de duas mulheres gritando uma com a outra. Então olhou para a plateia.

Johnny e seus pais estavam na primeira fileira.

Tully os encarou.

– Hoje vamos falar sobre mães superprotetoras e as filhas adolescentes que as odeiam. Nosso objetivo é abrir o diálogo, quebrar as barreiras de comunicação que surgem com a adolescência e fazer essas duas conversarem.

Kate sentiu o peito apertar.

– O quê?

Atrás dela, o Dr. Tillman saiu do seu lugar nas sombras e foi até uma poltrona no palco.

– Algumas mães, sobretudo as do tipo controlador, acabam prejudicando as frágeis psiques dos filhos sem sequer se darem conta do que estão fazendo. Crianças são como flores que tentam desabrochar em lugares muito pequenos: elas precisam sair, cometer seus próprios erros. Nós não as ajudamos quando as envolvemos em regras e expectativas rígidas, fingindo que podemos mantê-las em segurança.

O impacto do que realmente estava acontecendo atingiu Kate.

Estavam dizendo que ela era uma mãe ruim, em rede nacional de televisão, com a família dela ali.

Ela arrancou o braço da mão de Tully.

– O que você está fazendo?

– Você precisa de ajuda – disse Tully, soando razoável e um pouco triste. – Você e Marah. Vocês duas estão acabando com a família. Johnny me implorou por ajuda. Marah quer confrontá-la, mas tem medo.

Marah entrou no palco, sorrindo alegremente para a plateia. Kate sentiu o começo das lágrimas, e esse sinal de vulnerabilidade apenas aumentou sua raiva.

– Não acredito que você foi capaz de fazer isso comigo.

O Dr. Tillman se aproximou.

– Por favor, Kathleen, Tully está sendo sua amiga. Você está sufocando sua filha. O seu estilo de maternidade...

– Ela vai me ajudar a ser uma mãe melhor? – disse, então se virou para Tully. – Você?

Então ela se voltou para a plateia.

– Vocês estão recebendo conselhos de uma mulher que não sabe absolutamente nada sobre amor, família ou sobre as escolhas difíceis que uma mulher precisa fazer. A única pessoa que Tully Hart já amou na vida foi ela mesma.

– Katie – disse Tully em voz baixa. – Nós estamos ao vivo.

– É só com isso que você se importa, não é? A sua audiência. Bom, espero que seus números de audiência a mantenham aquecida na velhice, porque você não vai ter mais nada nem ninguém. Que diabos você sabe sobre maternidade ou amor? A sua própria mãe não amou você. Você venderia sua alma em troca de fama. Bem, foi exatamente o que acabou de fazer.

Novamente ela se virou para as pessoas na plateia.

– Este é o ícone de vocês, uma mulher tão calorosa quanto o inferno, que se importa tanto com as pessoas que provavelmente nunca disse a um único ser humano que o amava.

Kate arrancou o microfone e a bateria e os atirou no chão. Ao sair correndo do palco, agarrou o braço de Marah e saiu arrastando-a.

Nos bastidores, Johnny correu até ela e a abraçou forte, mas nem o calor do corpo dele a reconfortou. Seus pais e os meninos correram atrás dele, formando um círculo ao redor de Kate e da filha.

– Eu sinto muito, querida – disse ele. – Eu não sabia...

– Eu não acredito que a Tully fez isso – disse a Sra. Mularkey. – Ela deve ter pensado que...

– Não precisa tentar – disse Kate rispidamente, secando os olhos. – Não me importo com o que ela pensou, quis ou acreditou. Não me importo mais.

Tully correu até o corredor de saída do estúdio, mas Kate não estava mais lá.

Ficou parada lá por um longo tempo, então se virou e voltou para o palco, onde olhou para um mar de rostos desconhecidos. Tentou sorrir, tentou de verdade, mas, dessa vez, não conseguiu. Ouviu o murmúrio das pessoas. Era um som de solidariedade. Atrás dela, o Dr. Tillman estava falando, preenchendo o vazio com palavras que ela não conseguia acompanhar nem compreender. Então se deu conta de que ele estava tocando o programa, já que estavam ao vivo.

– Eu só queria ajudá-la – disse ela para a plateia, interrompendo-o.

Sentou-se na beirada do palco.

– Eu não fiz nada de errado, fiz?

O aplauso foi alto e intenso, a aprovação da plateia era incondicional, como sua presença. Isso deveria ter preenchido o vazio dentro dela. Aquele sempre havia sido o papel do aplauso em sua vida. Mas, naquele momento, ele não ajudou.

De alguma forma, ela conseguiu levar o programa até o fim. Depois, porém, ela estava tão sozinha no palco quanto por dentro. A plateia havia se esvaziado e todos os funcionários tinham ido embora. Ninguém falara com ela na saída. Tully entendeu que estavam com raiva dela por ter armado uma cilada para Johnny também.

Ouviu passos que pareciam vir de muito longe. Alguém vinha em sua direção. Lentamente, olhou para cima.

Johnny estava lá.

– Como pôde fazer isso com ela? Ela confiava em você. *Nós* confiávamos.

– Eu só estava tentando ajudar. Você me disse que ela estava desmoronando. O Dr. Tillman me disse que situações drásticas exigem medidas drásticas. Ele falou que o suicídio era...

– Eu me demito – disse ele.

– Mas... Diga para ela me ligar. Eu vou explicar.

– Eu não contaria com isso.

– O que você quer dizer? Nós somos amigas há trinta anos.

Johnny olhou para ela com tanta frieza que Tully começou a tremer.

– Acho que essa amizade terminou hoje.

A luz fraca da manhã entrou pelas janelas, iluminando os peitoris pintados de branco. Do lado de fora, gaivotas grasnavam e mergulhavam no ar. Esse som, combinado com o das ondas que arrebentavam na praia, era sinal de que a balsa estava passando pela casa deles.

Normalmente, Kate adorava esses ruídos matinais. Embora morasse naquela praia havia anos, ainda admirava as balsas passando, em especial à noite, iluminadas como caixas de joias flutuantes.

Naquele dia, porém, nem sequer sorriu. Estava sentada na cama com um livro aberto no colo para que o marido a deixasse em paz. Ela olhava fixamente para as páginas, onde as letras se fundiam e dançavam como pontos difusos em papel creme. O fiasco do dia anterior ficava repassando em sua mente sem parar. Ela o via de uma dezena de ângulos. O título: Mães superprotetoras e as filhas adolescentes que as odeiam.

Que as odeiam.

Você está sufocando sua filha.

E o Dr. Tillman aproximando-se dela, dizendo que ela era uma péssima mãe. A mãe dela na primeira fila, começando a chorar. Johnny pulando de sua cadeira, gritando alguma coisa que Kate não conseguiu ouvir a um cinegrafista.

Ainda estava traumatizada por tudo aquilo, entorpecida. Porém, havia também uma raiva crua e terrível, diferente de tudo o que ela já sentira. Kate tinha tão pouca experiência com raiva de verdade que ficou assustada. Chegou a temer que, se começasse a gritar, não fosse parar nunca mais. Então manteve suas emoções aprisionadas e ficou sentada em silêncio.

Ficava olhando para o telefone, esperando que Tully ligasse.

– Aí eu vou desligar – disse ela.

E desligaria mesmo. Na verdade, estava esperando por isso. Durante todos os anos de amizade das duas, Tully fizera coisas como aquela (bem, na verdade, nada realmente como aquilo) e tudo sempre acabava com Kate se desculpando, fosse culpa sua ou não. Tully nunca pedia desculpas. Ela apenas ficava esperando que Kate resolvesse tudo.

Não desta vez.

Desta vez, Kate estava tão magoada e com tanta raiva que não se importava se elas continuariam a ser amigas ou não. Para elas voltarem a se falar, Tully teria que se esforçar muito.

Vou desligar muitas vezes.

Kate suspirou, desejando que pensar nisso a fizesse se sentir melhor, mas não funcionou. Ela se sentia… arrasada pelo dia anterior.

Alguém bateu à porta. Podia ser qualquer membro da família. Na noite anterior, todos a cercaram de cuidados, tratando-a como uma princesa frágil, protegendo-a. Sua mãe e seu pai passaram a noite lá. Kate achou que a mãe estivesse com medo que ela cometesse suicídio, de tanto que a vigiava. Seu pai ficava dando tapinhas em seu ombro e dizendo como ela estava bonita. E os meninos, que não sabiam exatamente qual era o problema, mas sentiam que era algo importante, não saíam de perto dela. Apenas Marah ficou de fora do drama, assistindo a tudo a distância.

– Entre – disse Kate, se endireitando na cama, tentando parecer mais estável do que se sentia.

Marah entrou no quarto. Vestida para ir à escola com jeans cintura baixa, botas cor-de-rosa e agasalho de moletom cinza com capuz, ela tentou sorrir, mas não conseguiu.

– A vovó disse que eu precisava conversar com você.

Kate ficou extremamente aliviada pela presença da filha. Chegou mais para o meio da cama e bateu no lugar ao seu lado.

Marah preferiu sentar à sua frente, recostando-se no apoio para pés forrado de seda, com as pernas encolhidas. Buracos esfiapados em seus jeans preferidos exibiam a curva dos joelhos.

Kate não conseguiu deixar de sentir saudade do tempo em que podia abraçar a filha e pô-la no colo. Precisava daquilo agora.

– Você sabia sobre o programa, não sabia?

– Tully e eu conversamos sobre ele. Ela disse que nos ajudaria.

– E...?

Marah encolheu os ombros.

– Eu só queria ir ao show.

O show. Kate ficou muito magoada com aquela resposta curta e egoísta. Ela havia se esquecido completamente do show e da fuga de Marah. A viagem a Kauai tirara tudo aquilo da sua cabeça.

Sem dúvida, como Tully pretendera. A viagem também tirara Johnny do caminho, para que ele não pudesse impedir o plano.

– Diga alguma coisa – falou Marah.

Mas Kate não sabia o que dizer, como lidar com aquilo. Queria que Marah compreendesse como havia sido egoísta e como aquele egoísmo magoara Kate profundamente, mas também não queria instilar culpa nela. O peso daquela derrota recaía sobre Tully.

– Enquanto você e Tully estavam armando este plano, você não pensou que eu poderia sair magoada e envergonhada?

– Você pensou que eu poderia ficar magoada e envergonhada por não ir ao show? Ou ao boliche à meia-noite? Ou...

Kate levantou a mão.

– Então ainda estamos falando de você – disse ela, cansada. – Se é tudo o que tem a dizer, pode sair. Estou sem forças para brigar agora. Você foi egoísta e me magoou, e se não consegue ver isso e assumir a responsabilidade, sinto muito por você. Saia daqui. Vá embora.

– Que seja.

Marah saiu da cama, mas lentamente. Na porta, fez uma pausa e se virou.

– Quando tia Tully vier aqui...

– Tully não virá aqui.

– Como assim?

– A sua diva me deve um pedido de desculpas. Não é algo que ela saiba fazer. Eu diria que é outra coisa que vocês têm em comum.

Pela primeira vez, Marah pareceu assustada. E foi pela perspectiva de perder Tully.

– É melhor você pensar na forma como está me tratando, Marah.

A voz de Kate ficou embargada ao dizer isso, e ela se esforçou para parecer controlada.

– Eu te amo mais do que o mundo, e você está me magoando de propósito.

– Não é culpa minha.

Kate suspirou.

– Como poderia ser, Marah? Nada nunca é.

Era exatamente a coisa errada a dizer. Kate soube disso no instante em que disse, mas não podia voltar atrás.

Marah abriu a porta com força e a bateu atrás de si.

O silêncio veio imediatamente. Em algum lugar lá fora, um galo cantou e dois cachorros latiram. Kate ouviu pessoas caminhando lá embaixo. As tábuas do piso da casa antiga rangiam com o movimento.

Ela olhou para o telefone, esperando que tocasse.

***

– Acho que foi a Madre Teresa quem disse que a solidão é o pior tipo de pobreza – disse Tully, bebendo seu *dirty martini*.

O homem com quem ela estava falando pareceu perplexo por um momento, como se estivesse dirigindo em algum trecho deserto e escuro de estrada e um animal tivesse de repente saltado em seu caminho. Então ele riu, e tanta coisa transpareceu naquele som, era algo de um grupo fechado, privilegiado, com um toque de superioridade. Sem dúvida ele havia aprendido a rir daquele jeito nos corredores consagrados de Harvard ou Stanford.

– O que pessoas como nós sabemos sobre pobreza ou solidão? Deve haver cem pessoas aqui, na sua festa de aniversário, e Deus sabe que o champanhe e o caviar não foram baratos.

Tully ficou ali parada, tentando – sem sucesso – se lembrar do nome dele. Ela o convidara, deveria saber quem diabos ele era.

E por que ela dissera algo tão ridiculamente íntimo a um estranho?

Irritada consigo mesma, ela terminou seu martíni – o segundo – e foi até o bar improvisado que havia sido montado no canto de sua cobertura. Atrás do atendente de smoking, o esplêndido horizonte estrelado de Seattle era uma combinação mágica de luzes brilhando e céu negro.

Esperou com impaciência por sua terceira bebida, conversando amenidades com o rapaz. No instante em que o drinque ficou pronto, ela seguiu para o terraço, passando pela mesa repleta de presentes embrulhados com papéis brilhantes e fitas. Sem ter aberto um único pacote, sabia o tipo de presente que havia ganhado: taças de champanhe de cristal, pulseiras e porta-retratos de prata, canetas elegantes, talvez um conjunto de caxemira ou um par de castiçais de vidro soprado. Presentes caros que estranhos e colegas de trabalho davam uns aos outros depois de atingir determinado patamar econômico.

Não haveria nada de pessoal em nenhum daqueles lindos embrulhos.

Tomou mais um gole do martíni e saiu para a sacada. Do parapeito, viu apenas o contorno da ilha Bainbridge. O luar tingia de prateado as colinas cheias de árvores. Queria desviar o olhar, mas não conseguia. Haviam se passado semanas desde o programa. Vinte e um dias. Seu coração ainda doía. As palavras que Kate lhe dissera continuavam voltando à sua mente. E, quando Tully conseguia esquecê-las, encontrava-as impressas, na *People* ou na internet. *Sua própria mãe não amou você... Este é o ícone de vocês, uma mulher tão calorosa quanto o inferno, que se importa tanto com as pessoas que provavelmente nunca disse a um único ser humano que o amava...*

Como Kate podia ter lhe dito essas coisas? E depois nem ligado para se desculpar... ou para dizer um oi... ou para desejar feliz aniversário?

Terminou o drinque e deixou a taça vazia em cima da mesa ao seu lado, ainda olhando fixamente através da extensão escura de água. Atrás dela, ouviu o telefone tocar. Ela sabia! Voltou correndo para dentro do apartamento, passou pelas pessoas que lotavam sua sala e foi até o quarto, batendo a porta atrás de si.

– Alô – disse ela, meio sem fôlego.

– Oi, Tully, feliz aniversário.

– Oi, Sra. M. Sabia que a senhora iria ligar. Eu posso ir ver a senhora e o Sr. M. agora mesmo. Nós poderíamos...

– Você precisa acertar as coisas com a Katie.

Ela sentou na beira da cama.

– Eu só estava tentando ajudar.

– Mas não ajudou. Imagino que tenha percebido isso.

– A senhora ouviu o que ela me disse na TV? Eu estava tentando *ajudá-la*, e ela disse ao país inteiro...

Não conseguiu sequer repetir. Ainda estava magoada demais.

– Ela me deve um pedido de desculpas.

Houve uma longa pausa do outro lado da linha, e então um suspiro cansado.

– Ah, Tully.

Ela ouviu a decepção na voz da Sra. M., e se sentiu novamente como uma menina na delegacia de polícia. Pela primeira vez, não sabia o que dizer.

– Eu amo você como a uma filha – disse a Sra. M., afinal. – Você sabe disso, mas...

Como a uma filha. Havia um mar inteiro naquela única palavra, um oceano de distância.

– Você precisa ver quanto a magoou.

– E quanto ela me magoou?

– O que a sua mãe fez com você é um crime, Tully – falou a Sra. M., e fez um som triste. – Bud está me chamando. É melhor eu ir. Eu sinto muito pela forma como as coisas estão, mas preciso desligar agora.

Tully nem sequer se despediu. Apenas desligou o telefone em silêncio. A verdade que ela vinha tentando superar pousou sobre seu peito, tão pesadamente que ela mal conseguia respirar.

Todo mundo que ela amava era da família de Kate, não da sua família, e, numa situação como aquela, eles tinham que escolher um lado.

E como ela ficava nisso?

Como dizia a canção, *sozinha*.

Ela se levantou lentamente e voltou para a festa – surpresa

que tivesse sido tão cega. Se havia uma lição central de sua vida era esta: as pessoas vão embora. Pais. Namorados. Amigos.

Na sala cheia de conhecidos e colegas, ela sorriu alegremente, conversou amenidades e foi direto para o bar.

Não era tão difícil agir com normalidade, fingir que estava feliz. Era o que ela havia feito durante grande parte da sua vida. Atuado.

Apenas com Katie ela sempre havia sido ela mesma.

❦

No outono seguinte, Kate havia deixado de esperar que Tully ligasse. Nos nove longos meses do afastamento das duas, ela havia se acomodado – ainda que desconfortavelmente – num mundo rarefeito e contido, uma espécie de globo de neve que ela mesma criara. No começo, é claro, chorara pela amizade perdida, sofrera pelo que havia sido, mas, com o tempo, aceitara que não haveria pedido de desculpas de Tully, que se alguém fosse fazer as pazes teria de ser – como sempre – ela.

Era a história de suas vidas.

O ego de Kate, normalmente algo tão fluido e conveniente, agora se endurecera. Pela primeira vez, ela não iria ceder. Assim, o tempo passou, e as paredes curvas do globo de neve se fortaleceram. Pensava em Tully cada vez com menos frequência, e, quando pensava, em vez de chorar, seguia em frente.

Mas isso a deixava exausta, acabava com ela. Nos últimos tempos, precisava de todo o esforço do mundo para se levantar de manhã e tomar um banho. Em novembro, lavar os cabelos começara a lhe parecer algo tão cansativo que ela mal tentava. Fazer o jantar e lavar a louça demandava tanta energia que na metade do caminho precisava se sentar.

Isso tudo não seria um grande problema – ou, diga-se, estaria dentro de um nível aceitável – se terminasse aí. No dia anterior, infelizmente, ela se sentira cansada demais para escovar os dentes de manhã e saíra de pijama para levar as crianças para a escola.

– Não sei por que tanto escarcéu – disse ela ao marido naquela noite, quando ele abordou o assunto.

Johnny voltara a trabalhar em sua antiga emissora, e a diminuição de responsabilidades lhe dava muito mais tempo para perceber os problemas de Kate.

– Foi só um descuido na higiene pessoal, não estou tendo ataques de fúria.

– Você está deprimida – disse ele, puxando-a para perto de si no sofá. – E, para ser sincero, Kate, sua aparência não está boa.

Aquilo a magoou, embora, para ser honesta, não tanto quanto deveria ter magoado.

– Então marque uma consulta com um cirurgião plástico. Não é de exames que eu preciso, vou ao médico regularmente. Você sabe disso.

– Melhor prevenir do que remediar – foi a resposta dele.

Portanto, agora ali estava ela, na balsa, a caminho da cidade. A verdade era que, embora não admitisse isso ao marido, estava feliz de ir a uma consulta. Estava cansada de estar deprimida, cansada de se sentir exausta. Talvez um remédio a ajudasse. Uma pílula para esquecer uma amizade de trinta anos que havia terminado mal.

Quando a balsa atracou, ela saiu pela rampa irregular e pegou o trânsito do começo da manhã. Era um dia cinzento que combinava com seu humor. Cruzou o centro da cidade até o hospital, onde encontrou um lugar no estacionamento e atravessou a rua até o saguão do prédio. Depois de se apresentar rapidamente na recepção, seguiu para o elevador.

Quarenta minutos mais tarde, depois de ter lido todas as matérias da última edição de uma revista sobre família, foi levada de volta à sala de exames, onde a enfermeira pegou as informações iniciais.

Quando ficou sozinha novamente, Kate pegou a nova

People e a abriu. Lá estava uma foto de Tully, posando para a câmera, brindando com uma taça de champanhe vazia. Estava linda, com um vestido Chanel preto e uma echarpe bordada brilhosa. Abaixo da fotografia, a legenda dizia: *Talullah Hart em um evento de gala beneficente na semana passada no Château Marmont, com seu acompanhante, o magnata da mídia Thomas Morgan.*

A porta se abriu e a Dra. Marcia Silver entrou na sala.

– Olá, Kate. Que bom revê-la.

Sentando-se na cadeira com rodinhas, ela foi se empurrando na direção de Kate enquanto lia sua ficha.

– Há alguma coisa que você queira me dizer?

– Meu marido acha que eu estou deprimida.

– E você está?

Kate encolheu os ombros.

– Um pouco triste, talvez.

Marcia fez uma anotação na ficha.

– Faz quase doze meses desde sua última consulta. Muito bem.

– Sabe como são as meninas católicas. Nós obedecemos as regras.

Marcia sorriu e fechou a pasta, vestindo luvas.

– Muito bem, Kate, vamos começar com o papanicolau. Deslize até a ponta da cama...

Durante os minutos seguintes, Kate se entregou às pequenas indignidades que acompanham o cuidado da saúde feminina: o espéculo, os exames invasivos, a coleta de amostras. Durante todo o tempo, ela e a médica conversaram sobre assuntos banais. Falaram sobre o tempo, sobre o último espetáculo no teatro Fifth Avenue e as festas de fim de ano que se aproximavam.

Foi apenas quase trinta minutos depois, quando o exame passou para os seios, que Marcia parou de conversar banalidades.

– Há quanto tempo você tem essa descoloração no seio?

Kate olhou para o pedaço de pele avermelhada abaixo do mamilo direito. A pele estava ligeiramente enrugada, como uma casca de laranja.

– Uns nove meses, mais ou menos. Talvez um ano, pensando bem. Começou com uma picada de inseto. O médico da família achou que tinha infeccionado e me deu um antibiótico. Ela desapareceu por um tempo, mas depois voltou. Às vezes fica quente, por isso sei que é uma infecção.

Marcia olhou fixamente para o seio de Kate, franzindo o cenho. Por tempo suficiente para Kate começar a ficar com medo.

– Não faz muito tempo que fiz a mamografia. Estava tudo bem.

– Entendo.

Marcia foi até o telefone na parede e digitou um número.

– Quero um ultrassom do seio da Kate. Agora. Encaixe-a no horário. Obrigada.

Desligou o telefone e se virou de volta para a paciente. Kate se sentou.

– Você está me assustando, Marcia.

– Espero que não seja nada, Kate, mas quero ter certeza, está bem?

– Mas o que...

– Vamos conversar quando soubermos o que está acontecendo. A Janis vai levá-la até a radiologia, está bem? O seu marido está aqui?

– Ele deveria estar?

– Não. Tenho certeza de que está tudo bem. Ah, Janis chegou.

A mente de Kate estava girando. Antes que se desse conta, ela estava vestida novamente e sendo levada três andares acima, através de um corredor. Lá, depois de uma espera interminável, passou por mais um exame no seio, mais conversa e testa franzida, e um ultrassom.

– Eu sempre faço autoexames – disse ela. – Nunca senti qualquer caroço.

Acima dela, enquanto estava deitada na sala escura, a enfermeira e a radiologista se entreolhavam.

– O que houve? – disse Kate, ouvindo o medo na própria voz.

Quando o ultrassom terminou, foi levada de volta para a sala de espera. Como todas as outras mulheres ali, ficou lendo revistas, tentando se concentrar em frases aleatórias e receitas de bolo, em tudo exceto o resultado do ultrassom.

Vai ficar tudo bem, dizia a si mesma sempre que a preocupação surgia. *Não há nada com o que me preocupar.* Câncer não era algo que chegasse de repente, certamente não o câncer de mama. Havia sinais de alerta, e ela procurava por eles religiosamente. O câncer já havia atingido sua família uma vez, a tia Georgia, então elas eram vigilantes. Uma a uma, as outras mulheres foram embora. Kate continuava esperando.

Enfim, uma enfermeira gorducha de olhar inocente veio chamá-la.

– Kathleen Ryan?

Ela se levantou.

– Sim?

– Vou levá-la para o outro lado do corredor. O Dr. Krantz está esperando para fazer uma biópsia.

– Biópsia?

– Só para ter certeza. Vamos.

Kate parecia não conseguir se mexer, mal conseguiu assentir com a cabeça. Pegou a bolsa e saiu tropeçando atrás da enfermeira.

– A minha última mamografia estava ótima, sabe? Eu sempre faço autoexame também.

De repente desejou que Johnny estivesse ali, segurando sua mão, dizendo que tudo ia ficar bem.

Ou Tully.

Respirou fundo e tentou controlar o medo. Uma vez, muitos anos atrás, ela tivera um resultado ruim no papanicolau e precisara fazer uma biópsia. Tivera um fim de semana terrível, à espera do resultado, mas, no fim, estava tudo bem. Agarrando-se a isso como a uma boia salva-vidas em águas frias e turbulentas, ela acompanhou a enfermeira até a sala no final do corredor. A placa na porta dizia Centro de Oncologia.

Tully foi despertada pelo toque do telefone. Acordou de repente, olhando ao redor. Eram 2h01 da manhã. Estendeu a mão e atendeu a ligação.

– Alô?
– É Talullah Hart?

Ela esfregou os olhos.

– Sim. Quem fala?
– Meu nome é Lori Witherspoon. Sou enfermeira no hospital Harborview. Estamos com a sua mãe aqui. Dorothy Hart.
– O que aconteceu?
– Não temos certeza. Parece uma overdose, mas ela estava muito ferida também. A polícia está esperando para ouvi-la.
– Ela pediu que me chamassem?
– Ela está inconsciente. Encontramos seu nome e telefone nas coisas dela.
– Estou indo para aí.

Tully se vestiu em tempo recorde e estava a caminho às duas e vinte. Parou no estacionamento do hospital e foi até a recepção.

– Olá. Estou aqui para ver a minha mãe, Nu... ahn, Dorothy Hart.

– Sexto andar, Sra. Hart. Vá até a estação de enfermagem.

– Obrigada.

Tully subiu e foi levada até o quarto da mãe por uma mulher muito pequena de uniforme laranja.

Dentro do quarto escuro, havia duas camas. A mais perto da porta estava vazia.

Tully fechou a porta atrás de si, surpresa ao se perceber assustada. Durante toda a sua vida, fora magoada pela mãe. Ela a adorara quando criança, inexplicavelmente, então a odiara quando adolescente e, ao tornar-se adulta, passara a ignorá-la. Nuvem havia partido seu coração mais vezes do que ela era capaz de contar, e a decepcionara em todas as ocasiões possíveis. No entanto, mesmo depois de tudo isso, Tully não conseguia deixar de sentir algo por ela.

Nuvem estava dormindo. Estava com o rosto tomado por ferimentos e um olho roxo. Tinha o lábio cortado e sangrando. Os cabelos grisalhos pareciam cortados com uma faca cega e estavam colados à cabeça.

Não parecia nem um pouco com ela mesma. Ao contrário, parecia uma velha frágil que havia apanhado, mais do que dos punhos de alguém, da própria vida.

– Oi, Nuvem – disse Tully, surpreendida pelo nó na própria garganta.

Acariciou gentilmente a têmpora da mãe, a única parte do rosto dela que não estava ensanguentada ou ferida. Ao sentir a pele aveludada e macia, ela se deu conta de que a última vez que havia tocado a mãe tinha sido em 1970, quando elas seguraram as mãos uma da outra naquela rua movimentada de Seattle.

Desejou que soubesse o que dizer àquela mulher com quem compartilhava um passado, mas nenhum presente. Então, simplesmente falou. Contou a ela sobre seu programa e sua vida e sobre como havia se tornado bem-sucedida. Quando aquilo começou a soar vazio e desesperado, ela falou sobre Kate e a briga das duas e sobre como aquilo a havia deixado solitária. Conforme as palavras se formavam e eram pronunciadas, Tully ouvia a verdade contida nelas. Ter perdido os Ryan e os Mularkey a deixara devastadoramente sozinha. Nuvem era tudo o que lhe restava. Não era patético?

– Estamos todos sozinhos neste mundo. Você ainda não havia se dado conta disso?

Tully não havia percebido que a mãe tinha acordado, mas ela estava consciente, e olhando para Tully com olhos cansados.

– Oi – disse ela, sorrindo e secando os olhos. – O que aconteceu com você?

– Eu levei uma surra.

– Eu não perguntei por que veio parar no hospital. Perguntei o que aconteceu com você.

Nuvem se encolheu e virou de costas para ela.

– Ah. Isso. Acho que a sua querida avó nunca lhe contou nada, não é? – suspirou ela. – Agora não tem importância.

Tully respirou fundo. Aquela era a conversa mais significativa que as duas já haviam tido. Ela se sentiu diante de alguma descoberta essencial que havia evitado durante toda a vida.

– Acho que tem, sim.

– Vá embora, Tully.

Nuvem virou o rosto para o travesseiro.

– Não enquanto você não me disser por quê. Por que você nunca me amou?

Sua voz vacilou ao fazer aquela pergunta, como era de esperar.

– Esqueça de mim.

– Sinceramente, eu gostaria de conseguir fazer isso. Mas você é minha mãe.

Nuvem a encarou e, por um instante, mais breve do que um piscar de olhos, Tully viu tristeza nos olhos da mãe.

– Você me corta o coração – disse Nuvem baixinho.

– Você também corta o meu.

Nuvem sorriu por um segundo.

– Eu gostaria...

– Do quê?

– Eu gostaria de poder ser o que você precisa, mas não posso. Você precisa se afastar de mim.

– Eu não sei como fazer isso. Apesar de tudo, você ainda é minha mãe.

– Eu nunca fui sua mãe. Nós duas sabemos disso.

– Eu vou continuar voltando – disse Tully, percebendo naquele instante que era verdade.

Elas podiam estar arruinadas, ela e a mãe, mas também estavam conectadas, de um modo estranho e profundo. Aquela dança delas, por mais dolorosa que sempre fosse, ainda não acabara.

– Algum dia você vai estar pronta para mim.

– Como você ainda se agarra a um sonho desses?

– Com as duas mãos.

Ela teria acrescentado *aconteça o que acontecer*, mas aquelas palavras a lembravam demais de Kate e doía muito pronunciá-las.

Sua mãe suspirou e fechou os olhos.

– Vá embora.

Tully ficou lá parada por um longo tempo, segurando as grades de metal da cama. Sabia que a mãe estava fingindo dormir. Também percebeu quando o sono se tornou real. Quando roncos intermitentes preencheram o silêncio, ela caminhou até o pequeno armário do quarto, encontrou um cobertor dobrado e o pegou. Foi quando percebeu a pequena pilha de roupas dobradas cuidadosamente no canto da prateleira inferior do armário. Ao lado, havia um saco de papel pardo com a boca enrolada.

Cobriu a mãe até a altura do queixo e voltou ao armário. Não sabia ao certo por que estava examinando as coisas dela, nem o que procurava. Inicialmente, encontrou o que se esperaria: roupas sujas e surradas, sapatos com buracos nas solas, um saco plástico que fazia as vezes de nécessaire, além de cigarros e um isqueiro.

Então ela viu: cuidadosamente enrolado no fundo da sacola, um pedaço de barbante velho amarrado num círculo com dois pedaços de macarrão seco e uma única conta azul pendurados a ele.

O colar que Tully havia feito em sua aula de estudos bíblicos e que dera à mãe naquele dia, tantos anos antes, quando as duas saíram da casa da avó de Tully na Kombi. Sua mãe o havia guardado por todo aquele tempo.

Tully não tocou naquilo. Talvez por medo de descobrir que o colar existisse apenas em sua mente. Virou-se para a mãe, foi até a cama.

– Você guardou o colar – disse ela, sentindo algo muito novo se abrir dentro de si.

Uma espécie de esperança, não do tipo de esperança reluzente de menina, mas algo manchado e gasto, mais adequado a quem elas eram e ao caminho que haviam percorrido. Ainda assim, estava lá, embaixo de toda a ferrugem e desbotamento: esperança.

– Você também sabe se agarrar a um sonho, não é, Nuvem?

Sentou na cadeira de plástico ao lado da cama. Tinha uma pergunta nova e importante para a mãe e pretendia conseguir uma resposta.

Em algum momento por volta das quatro horas, ela se esticou na cadeira e caiu no sono.

O toque do celular a despertou. Ela se endireitou lenta e dolorosamente, esfregando a nuca. Levou um instante para se dar conta de onde estava.

O hospital. Harborview.

Levantou-se. A cama da mãe estava vazia. Correu para abrir as portas do armário. Vazio. O saco de papel fora amassado, deixado para trás.

– Merda.

O celular tocou de novo. Olhou para o número no identificador.

– Oi, Edna – disse ela, atirando-se de volta na cadeira.

– Você está com uma voz horrível.

– Noite ruim.

Tentou não pensar no colar. Agora desejava ter tocado nele. Tudo já estava ficando difuso como um sonho.

– Que horas são?

– Aí, seis. Está sentada?

– Por coincidência, estou.

– Você ainda tira parte de novembro e dezembro inteiro de férias?

– Para que a minha equipe possa aproveitar as festas de fim de ano com suas famílias? – disse ela com amargura. – Sim.

– Eu sei que você normalmente está envolvida com aquela sua amiga...

– Não este ano. Obrigada por me lembrar disso.

– Que bom. Então talvez queira ir para a Antártida comigo. Vou fazer um documentário sobre o aquecimento global. Acho que é um tema importante, Tully. Alguém com a sua fama faria com que ele fosse assistido.

A proposta era uma dádiva. Ainda há pouco ela estava querendo se afastar da própria vida. Não era possível ir muito mais longe do que a Antártida.

– Quanto tempo?

– Seis semanas. Sete, no máximo. Você poderia ficar indo e vindo, mas é uma viagem e tanto.

– Por mim, está ótimo. Preciso me afastar. Quando partimos?

⁂

Nua, Kate estava parada na frente do espelho do banheiro, examinando o próprio corpo. Passara a vida inteira em guerra contra o próprio reflexo. Suas coxas sempre foram carnudas demais, por mais peso que perdesse, e ganhara barriga depois de três filhos. Ela fazia abdominais na academia, mas a barriga continuava mole. Havia parado de usar blusas sem mangas fazia uns três anos – braços flácidos. E os seios... Desde o nascimento dos meninos, passara a usar sutiãs mais reforçados, certamente menos sexy, e apertava as tiras para deixá-los no lugar.

Agora, porém, ao olhar para si mesma, via quanto aquilo tudo era irrelevante, que perda de tempo havia sido.

Aproximou-se do espelho, ensaiando as palavras que diria. Se algum momento em sua vida exigiria força, seria aquele.

Estendeu a mão para a pilha de roupas em cima do balcão e começou a se vestir. Havia escolhido um bonito suéter rosa de caxemira com gola V – presente de Natal das crianças no ano anterior – e uma calça Levi's velha e confortável. Escovou os cabelos e os prendeu num rabo de cavalo. Até passou um pouco de maquiagem. Era importante que parecesse saudável para o que estava por vir. Quando não havia mais nada que pudesse fazer, saiu do banheiro e foi para o quarto.

O marido, que estava sentado na beirada da cama, levantou rapidamente e se virou para ela. Kate viu que ele se esforçava para parecer forte. Ele já estava com os olhos marejados.

Isso deveria fazê-la chorar também, aquela prova do amor e do medo dele, mas, de alguma forma, a deixou mais forte.

– Eu tenho câncer – disse ela.

Ele já sabia disso, é claro. Os últimos dias, enquanto esperavam os resultados dos exames, tinham sido uma agonia. Na noite anterior, a médica finalmente telefonara. Haviam ficado de mãos dadas o tempo todo enquanto ela falava e, até então, tinham repetido diversas vezes um ao outro que tudo ficaria bem. Mas não ficara. Nem perto disso.

Eu sinto muito, Kate... câncer de mama inflamatório... estágio quatro... agressivo... já se espalhou...

Primeiro Kate ficara furiosa – sempre fizera tudo certo,

procurara caroços, fizera mamografias –, só depois o medo se instalara.

Johnny ficara ainda mais abalado do que ela, e Kate vira rapidamente que precisava ser forte pelo marido. Os dois passaram a noite acordados, abraçados um ao outro, chorando, rezando, prometendo que superariam aquilo. Agora, porém, ela se perguntava como.

Foi até ele. Johnny a abraçou o mais forte que conseguiu, e ainda assim não ficaram tão perto quanto queriam.

– Eu preciso contar a eles.

– Nós precisamos.

Johnny recuou ligeiramente, soltando o abraço apenas o bastante para olhar para a esposa.

– Nada vai mudar. Não se esqueça disso.

– Você está brincando? Vão tirar os meus seios.

A voz dela embargou. O medo era um obstáculo na estrada que a fazia tropeçar.

– Depois vão me dar medicamentos tão fortes quanto venenos e queimar minha pele. E isso tudo é a boa notícia.

Ele a encarou, e o amor em seus olhos foi a coisa mais bonita e intensa que ela já vira.

– Entre nós, nada vai mudar. Não importa a sua aparência, o que você vai sentir ou fazer. Eu vou amar você para sempre, exatamente como amo agora.

As emoções que ela havia se esforçado tanto para submergir voltaram à tona mais uma vez, ameaçando consumi-la.

– Vamos lá – disse ela baixinho. – Enquanto eu ainda tenho coragem.

De mãos dadas, os dois saíram do quarto e desceram a escada até a sala de estar, onde as crianças deveriam estar esperando por eles.

Mas a sala estava vazia.

Kate pôde ouvir a televisão na sala íntima. O som era de videogames. Soltou a mão do marido e foi até o canto, perto do corredor.

– Meninos, venham aqui.

– Ahhh, mamãe – choramingou Lucas. – Estamos vendo um filme.

Ela queria tanto dizer para eles continuarem assistindo, para esquecerem, que lhe doeu dizer:

– Venham, por favor. Agora.

Atrás dela, ouviu o marido ir até a cozinha e pegar uma das extensões do telefone.

– Desça, Marah. Imediatamente. Não, eu não me importo com quem você esteja conversando.

Clique.

Kate o ouviu desligar. Em vez de ir até ele, foi até o sofá e se sentou tensa na beira das almofadas. Desejou de repente que tivesse vestido um suéter mais grosso. Estava congelando.

Os meninos entraram correndo na sala juntos, lutando com espadas de plástico e dando risada.

– Tome isto, Capitão Gancho – falou Lucas.

– Eu sou o Peter Pan – reclamou William, fingindo atingir o irmão. – *En garde!*

Aos 7 anos, começavam a mudar. As sardas de menino estavam desaparecendo, os dentes de leite, caindo. Cada vez que ela olhava para eles agora, alguma característica de bebê havia desaparecido.

Em três anos, eles estariam quase irreconhecíveis.

Pensar nisso a assustou tanto que ela agarrou o braço do sofá e fechou os olhos. E se ela não estivesse ali para vê-los crescer? E se…

Nada de pensamentos ruins. Este havia se tornado seu mantra nos últimos quatro dias.

Johnny se aproximou dela, sentou-se ao seu lado e segurou sua mão.

– Não acredito que você pegou o telefone – reclamou Marah, descendo a escada. – Isso é uma invasão enorme da minha privacidade. E era o Brian.

Kate contou até dez em silêncio, acalmou-se o bastante para conseguir respirar e abriu os olhos.

Os filhos estavam na frente dela, parados, parecendo entediados (os meninos) ou irritada (Marah).

Engoliu em seco. Conseguiria fazer aquilo.

– Vocês vão dizer alguma coisa? – perguntou Marah. – Porque se vão só ficar olhando para a gente, eu vou voltar lá para cima.

Johnny começou a se levantar do sofá.

– Pelo amor de Deus, Marah!

Kate pôs uma das mãos na coxa do marido para contê-lo.

– Sente-se, Marah – disse ela, surpresa por ver que falava com naturalidade. – Vocês também, meninos.

Os meninos se atiraram no tapete como marionetes cujos fios fossem cortados, aterrissando lado a lado.

– Vou ficar de pé – desafiou Marah, jogando o quadril para o lado e cruzando os braços.

Deu a Kate o velho olhar raivoso de "você não manda em mim", e Kate não pôde deixar de sentir uma pontada de nostalgia.

– Lembram que eu fui até a cidade na sexta-feira? – começou Kate, sentindo o coração acelerando e uma leve falta de ar. – Bom, eu tinha uma consulta médica.

Lucas sussurrou alguma coisa no ouvido de William, que sorriu e deu um soco no irmão.

Marah olhou ansiosamente para a escada.

Kate apertou a mão do marido.

– Enfim, não é nada com que vocês precisem se preocupar, mas eu estou… doente.

Os três olharam para ela.

– Não se preocupem. Eu vou ser operada amanhã, depois vão me dar um monte de remédios e eu vou ficar bem. Talvez eu fique cansada por algumas semanas, mas deve ser só isso.

– Você promete que vai ficar bem? – perguntou Lucas,

olhando firme e com sinceridade para a mãe, com um pouco de medo.

Kate queria dizer *com certeza, claro*, mas uma promessa dessas seria lembrada.

William revirou os olhos e cutucou o irmão.

– Ela disse que vai ficar bem. Nós vamos poder sair da escola para ir ao hospital?

– Sim – disse Kate, conseguindo encontrar um sorriso.

Lucas correu para abraçá-la primeiro.

– Eu te amo, mamãe – sussurrou.

Ela o abraçou por tanto tempo que o menino precisou se soltar. A mesma coisa aconteceu com William. Então, juntos, os dois se viraram e foram até a escada.

– Vocês não vão terminar o filme? – perguntou Kate.

– Nah – fez Lucas. – Vamos subir.

Kate olhou preocupada para o marido, que já estava se levantando.

– Que tal um jogo de basquete, meninos?

Os dois compraram a ideia e todos foram para fora.

Finalmente, Kate olhou para Marah.

– É câncer, não é? – perguntou a filha depois de um longo silêncio.

– É.

– A Sra. Murphy teve câncer no ano passado e está bem. E a tia Georgia também.

– Exatamente.

Os lábios de Marah estremeceram. Apesar de toda a sua altura, da maquiagem e da pose, de repente ela pareceu uma menininha de novo, pedindo para Kate deixar uma luz acesa à noite. Esfregando uma mão na outra, ela foi até o sofá.

– Você vai ficar bem, não vai?

Estágio quatro. Já se espalhou. Diagnóstico tardio. Kate conteve esses pensamentos. Não poderiam lhe fazer nenhum bem. Aquele momento era de otimismo.

– Sim. Os médicos dizem que eu sou jovem e saudável. Eu devo ficar bem.

Marah deitou no sofá, aconchegou-se perto da mãe e pôs a cabeça em seu colo.

– Eu vou cuidar de você, mamãe.

Kate fechou os olhos e acariciou os cabelos da filha. Parecia que ontem mesmo ela conseguia segurá-la nos braços e niná-la para dormir. Parecia que ontem mesmo Marah havia se enroscado em seu colo para chorar a perda do peixinho dourado.

Por favor, Deus, rezou, *deixe-me envelhecer o suficiente para que algum dia nós sejamos amigas...*

Ela engoliu em seco.

– Eu sei que vai, querida.

❦

As garotas da alameda dos Vaga-lumes...

No sonho de Kate, é 1974 e ela é adolescente de novo, andando de bicicleta à meia-noite com a melhor amiga ao seu lado numa escuridão tão absoluta que é quase como ser invisível. Ela se lembra em detalhes muito vívidos: uma faixa sinuosa de asfalto delimitada dos dois lados por uma vala funda de águas turvas e colinas de gramado desordenado. Antes que as duas se conhecessem, aquela rua parecia não levar a lugar algum, era apenas uma alameda do interior com o nome de um inseto que ninguém jamais vira naquele canto do planeta. Então elas a viram pelos olhos uma da outra...

Vamos lá. Solte-se. Deus não gosta de covardes.

Kate acordou num sobressalto, sentindo lágrimas correndo pelo rosto. Estava deitada na cama, completamente desperta, ouvindo uma tempestade de inverno lá fora. Na última semana, havia perdido a capacidade de se distanciar de suas lembranças. Ultimamente, com muita frequência voltava à alameda dos Vaga-lumes em seus sonhos. E não era de admirar.

Melhores amigas para sempre.

Era a promessa que tinham feito havia tantos anos e que acreditavam que iria durar, que um dia seriam velhinhas numa varanda de piso barulhento, as duas sentadas em cadeiras de balanço, conversando sobre os melhores anos de suas vidas e dando risada.

Agora ela sabia, é claro. Fazia mais de um ano que vinha dizendo a si mesma que estava tudo bem, que ela poderia seguir em frente sem a melhor amiga. Às vezes chegava até a acreditar nisso.

Então ela ouvia as músicas. As músicas das duas. No dia anterior, enquanto fazia compras, uma péssima versão de "You've Got a Friend" a fizera chorar, bem ao lado dos rabanetes.

Afastou as cobertas e saiu da cama, tendo cuidado para não acordar o homem que dormia ao seu lado. Por um instante, ficou ali parada, olhando fixamente para ele na escuridão cheia de sombras. Mesmo dormindo, tinha uma expressão preocupada.

Tirou o telefone da base e saiu do quarto, percorrendo o corredor silencioso até a varanda. Lá, olhou para a tempestade e tomou coragem. Enquanto digitava os números conhecidos, imaginou, depois de todos aqueles meses em silêncio, o que diria àquela pessoa que havia sido sua melhor amiga, como poderia começar. *Tive uma semana ruim... minha vida está desmoronando...* ou, simplesmente: *preciso de você.*

Do outro lado do estuário negro e turbulento, o telefone tocou.

E tocou.

Quando a secretária eletrônica atendeu, Kate tentou transformar sua necessidade em algo tão pequeno e normal como palavras.

– Oi, Tul. Sou eu, a Kate. Não acredito que você não tenha ligado para me pedir desculpas...

Um trovão ecoou e relâmpagos riscaram o céu. Ouviu um clique.

– Tully? Está ouvindo? Tully?

Não houve resposta.

Kate suspirou e continuou.

– Eu preciso de você, Tully. Ligue para o meu celular.

De repente faltou energia e a linha caiu. Só o tom de ocupado vinha do aparelho.

Kate tentou não ver aquilo como um sinal. Em vez disso, entrou de novo em casa e acendeu uma vela na sala de estar. Então, naquele que seria o dia da sua cirurgia, fez algo especial para cada membro da família, uma pequena lembrança de que ela estava ali. Para William, encontrou o DVD do *Monstros S.A.*, que ele havia perdido. Para Lucas, montou um saquinho com seus lanches preferidos para a sala de espera. Carregou o celular de Marah e o pôs ao lado da cama dela, sabendo quanto a filha se sentiria perdida naquele dia se não pudesse ligar para os amigos. Para acabar, encontrou todos os conjuntos de chaves da casa, os etiquetou e os pôs em cima do balcão para Johnny. Ele as perdia quase que diariamente.

Como não conseguia pensar em nada além da própria família, foi até a janela e ficou observando a tempestade ir embora. Lentamente, o mundo foi se iluminando. Nuvens cor de chumbo ganhavam um lindo tom de rosa perolado. Seattle parecia brilhante e nova, aconchegada sob o sol nascente.

Algumas horas mais tarde, a família começou a se reunir ao seu redor. Todo o tempo que passaram juntos, tomando café e levando as coisas para o carro, ela se pegou olhando para o telefone, esperando que ele tocasse.

Seis semanas mais tarde, depois de terem tirado seus dois seios, envenenado seu sangue e jogado radiação em sua carne até ela ficar queimada, Kate ainda esperava que Tully ligasse.

No dia 2 de janeiro, Tully voltou para um apartamento frio e escuro.

– É a história da minha vida – disse ela amargamente, dando uma gorjeta para o porteiro, que carregou suas imensas malas de grife até o quarto.

Quando ele foi embora, ela ficou ali parada, sem saber o que fazer. Eram nove horas de uma noite de segunda-feira, e a maioria das pessoas estava em suas casas com a família naquele último dia de feriado antes que o ano começasse. No dia seguinte, ela voltaria ao trabalho e poderia se jogar de novo na rotina do império que construíra. Em breve conseguiria pôr de lado as imagens que a perseguiram durante as festas de fim de ano, até nos confins do mundo. Ela havia passado o Dia de Ação de Graças, o Natal e o ano-novo no sul gelado, aconchegada perto da fonte de calor, cantando e bebendo vinho. A olho nu, e diante da câmera onipresente, pareceria que ela estava se divertindo.

Mas ela sempre se metia dentro do saco de dormir, de gorro e luvas, e tentava pegar no sono. Então ouvia as velhas canções tocando em sua mente e chorava. Mais de uma vez, havia acordado com gelo no rosto.

Atirou a bolsa em cima do sofá e olhou para o relógio, percebendo que os números vermelhos exibiam 5h55. Devia ter faltado energia enquanto ela estivera fora.

Serviu uma taça de vinho, pegou um pedaço de papel e uma caneta e sentou diante da mesa de trabalho. Os números da secretária eletrônica também estavam piscando.

– Que ótimo.

Agora ela não teria ideia de quem havia tentado ligar para ela depois da falta de energia. Apertou o botão e começou a lenta e árdua tarefa de repassar suas mensagens. Na metade do caminho, fez uma anotação para falar com sua assistente sobre serviço de caixa postal.

Mal estava prestando atenção, quando a voz de Kate a despertou.

"Oi, Tul. Sou eu, a Kate."

Tully se ergueu de imediato e voltou a gravação.

"Oi, Tul. Sou eu, a Kate. Não acredito que você não tenha ligado para me pedir desculpas."

Um clique alto e então: "Tully? Está ouvindo? Tully?", e mais um clique, seguido pelo som de ocupado. Kate desligara.

Era tudo. Fim. Não havia mais recados no aparelho.

Tully sentiu uma decepção tão forte que chegou a se encolher. Ouviu a mensagem sem parar até que tudo o que conseguia escutar era a acusação na voz de Kate.

Aquela não era a Kate de quem ela se lembrava, a menina que, tantos anos antes, prometera ser sua amiga para sempre. Aquela menina jamais ligaria para provocar Tully daquele jeito, para censurá-la e então desligar.

Não acredito que você não tenha ligado para me pedir desculpas.

Tully se levantou de repente, tentando se distanciar daquela voz que havia invadido sua casa, fazendo-a ter esperanças em vão. Apertou o botão para apagar todas as mensagens e se afastou.

– Não acredito que *você* não tenha ligado – disse ao apartamento vazio, tentando ignorar quanto soava estúpida.

Foi até a bolsa e revirou a bagunça em busca do celular. Depois de encontrá-lo, procurou em meio à sua imensa lista de contatos um nome que havia acrescentado apenas alguns meses antes e apertou o ícone de Ligar.

Quando Thomas atendeu, ela tentou parecer alegre e jovial, mas estava difícil fingir. Parecia haver um peso em seu peito que atrapalhava a respiração.

– Oi, Tom. Acabei de voltar do polo Sul. O que você vai fazer esta noite? Nada? Que ótimo. Que tal sairmos?

Era patético quanto se sentia desesperada de repente. Mas não conseguiria ficar sozinha naquela noite, dormir no próprio apartamento.

– Eu encontro você no Kel's. Às nove e meia, pode ser?

Antes mesmo que ele dissesse "combinado", ela já estava a caminho.

Trinta e quatro

Em 2006, a audiência de *A Hora das Meninas* cresceu ainda mais. Semana após semana, mês após mês, Tully fazia mágica com sua seleção de convidados e seu carisma com o público. Ela definitivamente havia atingido seu auge e assumira o controle do jogo. Não se deixava mais pensar no que não tinha na vida. Exatamente como havia feito aos 6, aos 10 e aos 14 anos, encaixotara todas as lembranças ruins e as arquivara na escuridão.

Ela seguia em frente. Era o que sempre fizera na vida quando sofria uma decepção. Erguia a cabeça, endireitava os ombros e se impunha uma nova meta. Naquele ano, lançaria uma revista. No ano seguinte, um retiro para mulheres. Depois disso, quem poderia saber?

Agora, estava sentada em sua sala recém-decorada numa quina do prédio que não dava para a ilha Bainbridge, conversando com sua secretária ao telefone.

– Está brincando? Ele quer cancelar o programa quarenta minutos antes da gravação? Eu tenho um estúdio cheio de gente esperando para vê-lo.

Bateu o telefone no gancho e apertou o intercomunicador.

– Mande Ted vir aqui.

Alguns minutos mais tarde, o produtor bateu à porta e entrou. Estava ofegante e com o rosto vermelho de esforço.

– Você queria falar comigo?

– Jack acabou de cancelar.

– Agora? – fez Ted, e olhou para o relógio. – Filho da mãe. Espero que você tenha dito a ele que, na próxima vez que for lançar um filme, poderá fazer a divulgação no rádio.

Tully abriu sua agenda.

– É 1º de junho, certo? Ligue para a Nordstrom e para o spa de Gene Juarez. Vamos fazer transformações de mães. Vamos distribuir um monte de roupas e outras coisas. Vai ser uma droga, mas é melhor do que nada.

Desde o instante em que Ted deixou sua sala, a equipe trabalhou a todo o vapor. As pessoas saíram correndo atrás de novos convidados, ligando para os diversos contatos em SPAs e de lojas de departamentos e mantendo a plateia distraída no estúdio. A adrenalina estava tão alta que todo mundo, inclusive Tully, trabalhava em velocidade supersônica. Com isso, a gravação do novo bloco começou com apenas uma hora de atraso. A julgar pelo aplauso da plateia, foi um sucesso absoluto.

Depois do programa, como sempre, Tully ficou conversando com fãs. Posou para fotografias e ouviu várias histórias sobre como havia mudado a vida de alguém. Era seu momento preferido de qualquer dia.

Havia acabado de voltar para sua sala quando o intercomunicador tocou.

– Talullah? Tem uma Kate Ryan na linha um.

Tully sentiu o coração descompassar. Ficou irritada por se sentir tão esperançosa. Ficou ao lado de sua enorme mesa e apertou o botão do intercomunicador.

– Pergunte o que ela quer.

Um instante depois, sua secretária passou a mensagem:

– Ela falou que você precisa atender para descobrir.

– Diga a ela para se foder.

Tully desejou que pudesse desdizer as palavras no instante em que as pronunciou, mas não sabia o que fazer agora. Para aguentar os longos meses de afastamento, ela precisara se agarrar à raiva. De outra forma, a solidão teria sido insuportável.

– A Sra. Ryan disse, abre aspas: "Diga para aquela vaca levantar a bunda seca vestida em roupa de grife daquela cadeira de couro ridiculamente cara e atender o telefone." Ela também disse que se você ignorá-la justo hoje, ela irá vender aos tabloides aquelas fotos suas com um permanente malfeito no cabelo.

Tully se segurou para não rir. Como duas frases podiam fazer ruir tantas escolhas ruins e desencavar anos de lembranças?

Ela atendeu o telefone.

– A vaca é você, e eu ainda estou furiosa.

– Claro que está, sua narcisista. E eu não vou pedir desculpas, mas isso não tem mais importância.

– Tem importância. Você devia ter me ligado há muito tempo...

– Estou no hospital, Tully. Sagrado Coração. Quarto andar – disse Kate.

E desligou.

❧

– Rápido – disse Tully ao motorista pelo menos pela quinta vez em cinco quadras.

Quando o carro parou na frente do hospital, ela saiu e foi correndo até as portas de vidro, fazendo uma pausa de uma fração de segundo para os sensores as abrirem. No instante em que entrou no hospital, as pessoas a reconheceram, e algumas se reuniram ao seu redor. Normalmente, ela pararia por uns trinta minutos para dar atenção às pessoas, mas agora não tinha tempo. Passou direto por elas e foi até o balcão de recepção.

– Estou aqui para ver Kathleen Ryan.

A recepcionista olhou para ela espantada.

– Você é Talullah Hart.

– Sim, sou eu. O quarto de Kathleen Ryan, por favor.

A recepcionista assentiu.

– Ah, claro – disse, e consultou o computador. – Quarto 410, setor leste.

– Obrigada.

Tully foi na direção dos elevadores, mas percebeu que estava sendo seguida. Seus fãs a acompanhariam casualmente até o elevador. Os mais corajosos começariam uma conversa entre um andar e outro. Os sem-noção poderiam continuar atrás dela quando saísse do elevador.

Preferiu ir de escada, grata ao fim do terceiro lance de degraus pelas aulas diárias de aeróbica e pelo trabalho com o *personal trainer*. Ainda assim, estava sem fôlego quando chegou ao quarto andar.

No final do corredor, encontrou uma pequena área de espera. A televisão estava sintonizada em seu programa – uma reprise de dois anos antes.

No momento em que entrou, entendeu que o estado de Kate era ruim. Johnny estava sentado num sofazinho azul muito feio com Lucas enroscado ao seu lado. Com a cabeça de um dos filhos no colo, Johnny lia para o outro.

Marah estava sentada na cadeira ao lado de William, com os olhos fechados, ouvindo um iPod com fones de ouvido. Ela se movimentava ao ritmo da música que apenas ela podia escutar. Os meninos estavam tão grandes, uma dolorosa lembrança de quanto tempo Tully havia passado longe deles.

Ao lado de Marah, a Sra. Mularkey estava sentada olhando atentamente para seu tricô. Sean estava ao lado da mãe, falando ao celular. Georgia e Ralph assistiam à TV num canto.

Pelo jeito, eles estavam lá fazia muito tempo.

Precisou de muita coragem para dar um passo adiante.

– Oi, Johnny.

Ao som da voz dela, todos olharam para cima. Por um momento, ninguém disse nada, e Tully se lembrou da última vez que todos haviam estado juntos.

– Kate me ligou – explicou.

Johnny saiu de baixo do filho adormecido e se levantou. Houve apenas um toque de estranhamento, uma pausa desajeitada, antes que ele a abraçasse. Pela ferocidade do abraço, Tully percebeu que era Johnny quem precisava daquele conforto. Ela se agarrou a ele, tentando não sentir medo.

– Me diga o que houve – pediu ela, com mais rispidez do que pretendia, quando ele a soltou e deu um passo para trás.

Ele suspirou e meneou a cabeça.

– Vamos para a outra sala.

Ela olhou para Marah, que ainda estava de olhos fechados, balançando ao ritmo da música, e depois para os Mularkey.

A Sra. M. se levantou lentamente.

Tully ficou impressionada com quanto a Sra. M. havia envelhecido. A mulher parecia frágil e um pouco encurvada. Parara de pintar os cabelos, que estavam brancos como a neve.

– Katie ligou para você? – perguntou a Sra. M., de pé.

– Eu vim imediatamente – disse ela, como se a velocidade importasse agora, depois de tanto tempo.

Então a Sra. M. fez algo incrível: ela abraçou Tully, cercando-a mais uma vez no abraço que tinha o cheiro de perfume Jean Naté e de cigarros mentolados, com uma nota de spray de cabelo.

– Vamos lá – disse Johnny, interrompendo o abraço.

Levou as duas mulheres para uma salinha atrás do aquário. Lá dentro havia uma pequena mesa de compensado e oito cadeiras de plástico.

Johnny e a Sra. M. se sentaram.

Tully continuou de pé. Ninguém disse nada por um instante, e cada segundo que passava aumentava mais a tensão.

– Me digam o que houve.

– Kate está com câncer – contou Johnny. – Câncer de mama inflamatório.

Tully precisou se concentrar em cada respiração para se manter ereta.

– Ela vai fazer mastectomia, radioterapia e quimioterapia, certo? Tenho várias amigas que conseguiram...

– Ela já fez tudo isso – disse ele, suavemente.

– O quê? Quando?

– Ela ligou para você meses atrás – disse ele, e desta vez sua voz tinha uma agressividade que ela nunca ouvira antes. – Queria que você ficasse com ela no hospital. Você não retornou a ligação.

Tully se lembrou da mensagem, palavra for palavra. *Não acredito que você não tenha ligado para me pedir desculpas. Tully? Está ouvindo? Tully?* E o clique. A mensagem teria ficado pela metade? Será que a fita havia chegado ao fim ou fora naquela hora que faltara luz?

– Ela não disse nada sobre estar doente – falou Tully.

– Ela *ligou* – disse a Sra. M.

Tully se sentiu tomada de culpa. Ela devia ter percebido que alguma coisa estava errada. Por que não havia simplesmente pegado o telefone e ligado? Agora todo aquele tempo havia sido perdido.

– Ah, meu Deus, eu deveria...

– Nada disso importa agora – disse a Sra. M.

Johnny assentiu e continuou.

– O câncer teve metástases. Ontem à noite, ela teve um pequeno derrame. Foi levada para a sala de cirurgia o mais rápido possível, mas, depois que a abriram, viram que não havia nada que pudesse ser feito.

A voz de Johnny falhou. A Sra. M. segurou as mãos dele.

– O câncer está no cérebro.

Tully achava que havia sentido medo antes – como naquela rua de Seattle quando era pequena, ou quando Katie abortara, ou quando Johnny fora ferido no Iraque –, mas nada jamais a abalara tanto e a fizera ter tanta vontade de vomitar.

– Vocês estão dizendo que...

– Ela está morrendo – explicou a Sra. M. baixinho.

Tully balançou a cabeça, sem saber o que dizer.

– Onde ela está? Preciso vê-la.

Johnny e a Sra. M. se entreolharam.

– O que foi?

– Só permitem que entre uma pessoa por vez – disse a Sra. M. – O Bud está lá agora. Vou buscá-lo.

Assim que a Sra. M. saiu, Johnny se aproximou e disse:

– Ela está frágil, Tul. As faculdades mentais dela foram afetadas. Tem horas em que ela está bem... e horas em que não está.

– O que você quer dizer? – perguntou Tully.

– Talvez ela não a reconheça.

❧

A caminhada até o quarto de Kate foi a jornada mais longa da vida de Tully. Ela notava as pessoas ao seu redor conversarem baixinho, mas nunca se sentira mais sozinha. Johnny a levou até uma porta e parou.

Tully assentiu, tentando juntar forças ao entrar no quarto.

Fechando a porta atrás de si, tentou sorrir, deu o melhor sorriso que conseguiu, dadas as circunstâncias, e foi até a cama, onde a amiga dormia.

Kate estava recostada, quase sentada, parecendo uma boneca quebrada contra os lençóis brancos e a pilha de travesseiros. Não tinha mais cabelos nem sobrancelhas e sua cabeça quase desaparecia na fronha.

– Kate? – disse Tully baixinho, aproximando-se.

No instante em que ouviu a própria voz, estremeceu. De alguma forma, parecia alta demais naquele quarto, viva demais.

Kate abriu os olhos, e lá estava a mulher que Tully conhecia, a menina com quem havia selado o juramento de que seriam amigas para sempre.

Solte os braços, Katie. É como voar.

Como havia acontecido, depois de tantas décadas juntas, de elas estarem tão distantes agora?

– Eu sinto muito, Katie – sussurrou ela, entendendo quanto aquelas palavras eram pequenas.

Durante toda a sua vida, ela havia acumulado aquelas palavras, tão poucas e tão simples, mantendo-as presas dentro do coração, como se deixá-las sair fosse feri-la. Por que, de todas as lições que devia ter aprendido com a mãe, ela havia se apegado àquela, a que mais machucava? E por que não telefonara ao ouvir a voz de Kate na secretária eletrônica?

– Eu sinto muito, muito – disse ela de novo, sentindo as lágrimas arderem.

Kate não sorriu nem deu qualquer indicação de boas-vindas ou surpresa. Nem mesmo o pedido de desculpas – por menor e mais atrasado que fosse – pareceu surtir efeito.

– Por favor, diga que se lembra de mim.

Kate apenas a encarava.

Tully estendeu a mão e acariciou o rosto de Kate com os nós dos dedos.

– É a Tully, a vaca que costumava ser sua melhor amiga. Eu sinto tanto pelo que fiz com você, Katie. Devia ter lhe dito isso há muito tempo.

Ela deixou escapar um pequeno som desesperado. Achava que não iria suportar se Kate não se lembrasse dela, não se lembrasse delas.

– Eu me lembro de quando conheci você, Katie Mularkey Ryan. Você foi a primeira pessoa que realmente quis me conhecer. É claro, eu tratei você muito mal no começo, mas, quando eu fui estuprada, você estava lá para me ajudar.

Tully foi dominada pelas lembranças. Secou os olhos.

– Você está pensando que eu só estou falando de mim, certo? Típico, você diria. Mas eu me lembro de você também, Katie. De cada segundo. Como quando você leu *Love Story* e não conseguiu entender os palavrões porque não estavam no dicionário... ou quando jurou que nunca iria beijar de língua porque era nojento.

Tully sacudiu a cabeça, fazendo um enorme esforço para

se manter firme. Sua vida inteira estava com elas naquele quarto agora.

– A gente era tão jovem, Katie. Mas não somos mais tão jovens. Você se lembra daquela primeira vez que eu saí de Snohomish e que nós escrevemos mais ou menos um milhão de cartas? Nós terminávamos todas com *amigas para sempre...* ou *melhores amigas para sempre*. Qual foi...

Tully contou em detalhes as histórias do tempo delas. Algumas vezes, chegou a rir, como quando contou sobre as descidas de bicicleta da colina Summer ou da noite em que as duas foram pegas fugindo da polícia.

– Ah. Aqui vai uma de que você vai lembrar. Lembra daquela vez que fomos ao cinema e só lá descobrimos que o que estava passando era *Meu Amigo, o Dragão*? Nós éramos as mais velhas na sala e saímos de lá cantando "You and Me Against the World", e dissemos que sempre seria assim.

– Pare.

Tully respirou fundo.

Havia lágrimas nos olhos da amiga. Elas escorriam por suas têmporas, formando uma pequena faixa escura de umidade na fronha atrás da cabeça dela.

– Tully – disse Kate com a voz baixa e engasgada –, você realmente achou que eu poderia me esquecer de você?

O alívio de Tully foi tão grande que ela sentiu os joelhos fraquejarem.

– Oi – disse ela. – Você não precisava se esforçar tanto para chamar a minha atenção, sabia?

Ela tocou na cabeça careca da amiga e deixou os dedos repousarem na pele macia de bebê.

– Era só ter me ligado.

– Eu liguei.

Tully hesitou.

– Eu sinto muito, Katie. Eu...

– Você é uma vaca – falou Kate, sorrindo de um jeito cansado. – Eu sempre soube disso. E eu podia ter ligado de novo, também. Acho que não dá para ter uma amizade de mais de trinta anos sem algumas mágoas pelo caminho.

– Eu sou uma vaca – falou Tully, com os olhos já cheios de lágrimas. – Eu deveria ter ligado. É que...

Ela não sabia o que dizer, como explicar essa fenda negra que sempre tivera dentro de si.

– Nada de olhar para trás, está bem? – falou Kate.

– Isso só nos deixa com a possibilidade de olhar para a frente – disse Tully, e as palavras saíram como pedaços de metal partido, afiados e frios.

– Não – disse Kate. – Isso nos deixa com o agora.

– Eu fiz um programa sobre câncer de mama alguns meses atrás. Tem um médico em Ontário fazendo coisas incríveis com uma nova droga. Vou ligar para ele.

– Parei com os tratamentos. Já fiz todos, e nenhum funcionou. Apenas... fique comigo.

Tully deu um passo para trás.

– E ficar aqui vendo você morrer? É isso que está me dizendo? Porque eu não posso aceitar. Não vou fazer isso.

Kate olhou para ela, sorrindo um pouquinho.

– É só o que resta, Tully.

– Mas...

– Você realmente acha que o Johnny simplesmente desistiu de mim? Você conhece o meu marido. Ele é igual a você, e nós somos quase tão ricos quanto você. Durante seis meses, eu fui a todos os especialistas do planeta. Tomei remédios convencionais, não convencionais e naturais. Fui até a um curandeiro na floresta amazônica. Eu tenho filhos. Fiz tudo o que pude para continuar saudável para eles. Nada funcionou.

– Então o que eu faço?

O sorriso de Kate foi quase o mesmo dos velhos tempos.

– Esta é a minha Tul. Eu estou morrendo de câncer e você me pergunta sobre você – falou, rindo.

– Isso não tem graça.

– Não sei como fazer isso – confessou Kate.

Tully secou os olhos. A verdade sobre o que elas realmente estavam conversando a atingiu.

– Vamos fazer como fizemos tudo durante trinta anos, Kate. Juntas.

✣

Tully saiu abalada do quarto de Kate. Soltou um pequeno som, uma espécie de grunhido, e cobriu a boca com a mão.

– Você não pode segurar isso – disse a Sra. M., aproximando-se dela.

– Eu não posso soltar.

– Eu sei – falou a Sra. M., e sua voz falhou. – Apenas a ame. Esteja presente. É o que nos resta. Acredite em mim. Eu já chorei, discuti e negociei com Deus. Implorei aos médicos por esperança. Tudo isso já passou agora. A maior preocupação dela é com as crianças. Com Marah, principalmente. As duas se estranharam muito, bem, você sabe disso, e a Marah parece ter se fechado para tudo isso. Nada de lágrimas, nada de drama. Tudo o que ela faz é ouvir música.

Elas voltaram para a sala de espera, onde não havia mais ninguém.

A Sra. M. olhou para o relógio.

– Eles estão na cafeteria. Quer ir conosco?

– Não, obrigada. Acho que preciso de ar puro.

A Sra. M. assentiu.

– É bom ter você de volta, Tully. Senti a sua falta.

– Eu devia ter seguido o seu conselho e ligado para ela.

– Você está aqui agora. É o que importa.

Deu um tapinha no braço de Tully e foi embora.

Tully saiu. Ficou surpresa ao ver que ainda estava claro lá fora. Parecia errado que o sol brilhasse enquanto Kate estava deitada naquela cama estreita, morrendo. Foi andando pela rua, os olhos úmidos escondidos atrás de óculos escuros imensos, para que ninguém a reconhecesse. A última coisa que queria naquele momento era ser abordada.

Passou por uma cafeteria, ouviu o trecho de uma música vazar pela porta quando alguém saiu. "Bye, bye, Miss American Pie".

Suas pernas cederam, e ela caiu, com força, arranhando os joelhos na calçada de concreto, mas ela não percebeu, nem se importou, de tanto que chorava. Nunca fora tão dominada por emoções, eram tantas que ela não podia controlar: medo, arrependimento, culpa, pesar.

– Por que eu não liguei? – sussurrou. – Me desculpe, Kate – disse, notando o desespero na própria voz e sentindo raiva de si mesma por só agora, quando era tarde demais, aquelas palavras saírem tão facilmente.

Tully não saberia dizer quanto tempo ficou ajoelhada ali, com a cabeça abaixada, soluçando, pensando em tudo o que elas tinham vivido juntas. Estava em uma região miserável de Capitol Hill, cheia de moradores de rua, então ninguém parou para ajudá-la. Por fim, cansada e trêmula, ela se levantou e ficou ali parada, sentindo-se como se tivesse levado uma surra. A música a fez voltar no tempo, lembrar-se de tantos momentos juntas.

Prometa que seremos sempre a melhor amiga uma da outra.

– Ah, Katie…

E estava chorando de novo. Desta vez, em silêncio.

Caminhou devagar por uma rua e depois por outra, até que algo numa das vitrines chamou sua atenção.

Lá, numa loja de esquina, encontrou o que nem sabia que estava procurando. Mandou embrulharem o presente e correu de volta para o quarto de Kate.

Estava sem fôlego quando abriu a porta e entrou.

Kate sorriu com ar cansado.

– Deixe-me adivinhar: você trouxe uma equipe de gravação.

– Engraçadinha.

Deu a volta na cortina e ficou parada ao lado da cama.

– A sua mãe me disse que você ainda está tendo problemas com a Marah.

– Não é culpa sua. Ela está com medo de tudo isso e não sabe como é fácil pedir desculpas.

– Eu não sabia.

– Você sempre foi o modelo dela – disse Kate, e fechou os olhos. – Eu estou cansada, Tully...

– Trouxe um presente para você.

Kate abriu os olhos.

– O que eu preciso não pode ser comprado.

Tully tentou não reagir àquilo. Em vez disso, entregou a Kate o presente lindamente embrulhado e a ajudou a abrir o pacote.

Dentro, havia um diário feito à mão e encadernado em couro. Na primeira página, Tully havia escrito: *A história de Katie.*

Kate olhou para a página em branco por um longo tempo, sem dizer nada.

– Katie?

– Eu nunca fui uma escritora de verdade – disse ela, afinal. – Você, o Johnny e a mamãe queriam isso para mim, mas eu nunca consegui. Agora é tarde.

Tully tocou o pulso da amiga e sentiu quanto estava frágil e magro. A menor pressão podia deixar uma marca.

– Pela Marah – disse ela baixinho. – E os meninos. Um dia eles terão idade suficiente para ler. Eles vão querer saber quem você foi.

– Como vou saber o que escrever?

Tully não tinha resposta para aquilo.

– Apenas escreva o que lembrar.

Kate fechou os olhos, como se até pensar nisso fosse demais para ela.

– Obrigada, Tully.

– Eu não vou deixar você de novo, Katie.

Kate não abriu os olhos, mas deu um pequeno sorriso.

– Eu sei.

Kate não se lembrava de ter caído no sono. Num minuto estava conversando com Tully e, no seguinte, estava acordando num quarto escuro que tinha cheiro de flores frescas e desinfetante.

Estava naquele quarto fazia tanto tempo que ele quase parecia sua casa, e às vezes, quando a esperança de sua família era mais do que ela podia suportar, aquele pequeno cômodo bege a confortava com seu silêncio. Entre aquelas paredes nuas, quando ninguém mais estava por perto, ela não precisava fingir ser forte.

Mas naquele momento ela não queria estar ali. Queria estar em casa, em sua própria cama, nos braços do marido, em vez de vê-lo dormir numa cama de hospital ao lado dela.

Ou com Tully, sentada nas margens lamacentas do rio Pilchuck, falando sobre o novo disco de David Cassidy e dividindo um saco de salgadinhos.

A lembrança a fez sorrir, e o sorriso diminuiu o medo que a havia despertado.

Sabia que não voltaria a dormir sem medicação, e não queria acordar a enfermeira da noite. Além disso, já lhe restava pouca vida, qual era o sentido de dormir?

Apenas nas últimas semanas ela havia começado a ter pensamentos mórbidos como aquele. Antes disso, nos meses que se seguiram ao diagnóstico, Kate fizera tudo o que deveria fazer, e sempre com um sorriso para todos ao redor.

Cirurgia – *Claro, podem me cortar e tirar meus seios.*

Radioterapia – *Sem dúvida. Podem me queimar.*

Quimioterapia – *Mais uma dose de veneno, por favor.*

Sopa de missô e tofu – *Hum. Posso repetir?*

Cristais. Meditação. Visualização. Ervas chinesas.

Ela havia feito tudo, e tudo com vigor. Mais importante ainda, ela havia acreditado em tudo aquilo, acreditado que se curaria.

O esforço a cansara. A crença a destruíra.

Ela suspirou e esfregou os olhos. Deitando de lado, acendeu a luz de cabeceira. Johnny, que havia se acostumado aos seus estranhos horários de sono, virou de lado e murmurou:

– Você está bem, querida?

– Estou ótima. Continue dormindo.

Murmurando alguma coisa, ele se virou de novo. Em seguida, ela ouviu seu ronco baixo.

Kate pegou o diário que Tully havia levado para ela. Ao segurá-lo, passou o dedo sobre o entalhe no couro e as bordas douradas das páginas.

Seria doloroso fazer aquilo, não tinha dúvidas. Para pegar uma caneta e escrever a própria vida, ela precisaria se lembrar de tudo, quem ela era, quem queria ser. Aquelas lembranças seriam dolorosas, tanto as boas quanto as ruins iriam feri-la.

Mas seus filhos a veriam além da doença, a mulher de quem sempre se lembrariam, mas não tiveram tempo de conhecer. Tully tinha razão. O único presente que Kate poderia lhes dar agora era a verdade sobre quem ela era.

Abriu o diário. Como não tinha uma ideia clara de por onde começar, simplesmente escreveu.

O pânico sempre me vem da mesma forma. Primeiro, eu fico com um nó na boca do estômago que se transforma em náusea, depois, uma leve falta de ar que, por mais que eu respire fundo, não passa. Mas o que me causa medo é diferente a cada dia, eu nunca sei o que irá trazê-lo. Pode ser um beijo do meu marido, ou a expressão de tristeza em seus olhos quando ele se afasta. Às vezes eu sei que ele já está de luto por mim, sentindo minha falta apesar de eu continuar aqui. Pior ainda é o jeito silencioso com que Marah aceita tudo o que eu digo. Eu daria qualquer coisa por mais uma das nossas brigas barulhentas. Esta é uma das primeiras coisas que eu gostaria de dizer a você agora, Marah: aquelas brigas eram vida de verdade. Você estava lutando para se libertar, para não ser a minha filha, mas ainda não tinha certeza sobre como ser você mesma, ao passo que eu tinha medo de deixá-la livre. É o círculo do amor. Eu só gostaria de tê-lo reconhecido na época. A sua avó me disse que eu perceberia que você lamentava por esses anos antes que você mesma soubesse, e ela tinha razão. Sei que você se arrepende de algumas das coisas que disse para mim, assim como eu me arrependo das minhas próprias palavras. Mas quero que você saiba que nada disso tem importância. Eu te amo e sei que você me ama.

Mas estas são apenas mais palavras, não são? Eu quero ir mais fundo do que isso. Então, se vocês me acompanharem (não escrevo nada há anos), eu tenho uma história para lhes contar. É a minha história, e a de vocês também. Ela começa em 1960 numa pequena cidade rural no norte, numa casa de madeira numa colina acima de um pasto de cavalos. Mas a história ficou boa em 1974, quando a menina mais bacana do mundo se mudou para a casa do outro lado da rua...

Trinta e cinco

De seu lugar na cadeira de maquiagem, Tully encarou a si mesma. Era a primeira vez, em todos os anos passados em cadeiras como aquela, que ela realmente notava o tamanho daqueles espelhos. Não era de admirar que fosse tão fácil para uma celebridade se perder no próprio reflexo.

– Não preciso de maquiagem, Charles – disse ela, e se levantou da cadeira.

Ele a encarou, boquiaberto, com os cabelos muito bem--penteados caindo no rosto.

– Você está brincando comigo, não está? Vai entrar no ar em quinze minutos.

– Deixe que me vejam como eu sou.

Deu a volta no estúdio, seu feudo, observando os funcionários correrem de um lado para outro, indo e vindo para garantir que tudo saísse certo, e isso não era pouca coisa, considerando que ela havia ligado para todo mundo às três horas do dia anterior para mudar o tema daquele programa. Sabia que muitos de seus produtores e assistentes haviam trabalhado até tarde da noite para aprontar tudo. Ela mesma ficara acordada até quase as duas da manhã, fazendo pesquisas. Por fax e e-mail, contatara dezenas dos melhores oncologistas do mundo. Passara horas ao telefone relatando cada pedaço de informação que conseguira compilar sobre o caso de Kate. Todos os especialistas disseram a mesma coisa.

Não restava nada que Tully pudesse fazer. Não havia fama, sucesso ou dinheiro que pudessem ajudá-la agora. Pela primeira vez em anos, ela se sentiu uma pessoa comum. Pequena.

Mas, pelo menos uma vez, Tully tinha algo importante a dizer.

A música tema começou e ela entrou no palco.

– Bem-vindos ao *A Hora das Meninas* – disse ela como sempre fazia.

Mas então alguma coisa deu errado, simplesmente parou. Pela primeira vez em todos aqueles anos, ela olhou para a plateia e viu estranhos. Foi um momento esquisito e desconcertante. Durante a maior parte de sua vida, ela buscara a aprovação de grupos como aquele, e seu apoio incondicional fora sua força durante anos.

Eles notaram que havia alguma coisa errada e ficaram em silêncio.

Tully sentou na beirada do palco.

– Vocês estão todos pensando que eu pareço mais magra e

mais velha pessoalmente. E que eu não sou tão bonita como vocês imaginavam.

A plateia riu de um jeito nervoso.

– Estou sem maquiagem.

A plateia explodiu num aplauso.

– Não estou dizendo isso em busca de elogios. Eu só estou... cansada.

Tully olhou ao redor.

– Vocês são meus amigos há muito tempo. Vocês me escrevem, me mandam e-mails, participam de eventos quando estou na cidade de vocês, e eu sempre gostei muito disso. Em troca, eu lhes dei o meu lado sincero, ou o mais perto disso que eu consigo ser sem algum tipo de medicamento. Vocês se lembram de um programa de alguns anos atrás, em que a minha melhor amiga, Kate Ryan, foi emboscada neste mesmo estúdio? Por mim?

Houve um zum-zum-zum nervoso, cabeças assentindo.

– Bem, Kate está com câncer de mama.

Um murmúrio de solidariedade.

– É um tipo extremamente raro de câncer que começa não com um caroço, mas com uma erupção ou uma descoloração. O médico da família de Kate o diagnosticou como picada de inseto e prescreveu antibióticos. Infelizmente, isso acontece com muitas mulheres, sobretudo as mais jovens. Ele é chamado de câncer de mama inflamatório e pode ser agressivo e extremamente letal. Quando Kate recebeu o diagnóstico correto, já era tarde demais.

A plateia ficou em silêncio absoluto.

Tully olhou para as pessoas através de uma cortina de lágrimas.

– A Dra. Hilary Carleton está aqui para conversar sobre câncer de mama inflamatório e para nos informar sobre os sintomas: as erupções, o calor localizado, as descolorações, a pele enrugada, os mamilos invertidos, para citar alguns. Ela vai nos lembrar que precisamos procurar mais do que apenas caroços. A Dra. Hilary trouxe uma paciente, Merrilee Comber, de Des Moines, Iowa, que percebeu um pequeno pedaço de pele descamando perto do mamilo esquerdo...

O programa seguiu em frente, como sempre acontecia, embalado pela personalidade de Tully. Ela entrevistou os convidados, mostrou fotos e lembrou a seu público de milhões de mulheres de não apenas fazer mamografias anuais como também observar quaisquer mudanças em seus seios. Ao final da transmissão, em vez do *Até amanhã* de sempre, ela olhou para a câmera e disse:

– Katie, você é a melhor amiga que já tive e a melhor mãe que eu conheço. Exceto pela Sra. M., que é ótima também.

Então sorriu para a plateia e disse simplesmente:

– Este será o meu último programa por um longo período. Vou tirar um tempo para ficar com Katie. Como todos vocês fariam.

Ela ouviu um arquejo geral logo depois do anúncio. Desta vez, o som veio dos bastidores.

– Afinal, este programa é apenas isto: um programa. A vida real é com os amigos e a família, e como um velho amigo me disse há algum tempo: eu tenho uma família. E ela precisa de mim agora.

Tully tirou o microfone, largou-o no chão e deixou o palco.

***

Na última noite de Kate no hospital, Tully convenceu Johnny a levar as crianças para casa e assumiu o lugar dele na outra cama do quarto. Empurrou a cama pelo piso de linóleo até praticamente colar na de Katie.

– Trouxe a gravação do meu último programa.

– Só você para pensar que uma moribunda iria querer assistir.

– Rá, rá.

Tully pôs a fita no videocassete e apertou o play, então subiu na cama. Como uma dupla de alunas da oitava série numa festa de pijamas, as duas assistiram ao programa gravado.

Quando a reprodução terminou, Kate se virou para a amiga.

– Fico feliz de ver que você ainda me usa para aumentar sua audiência.

– Pois fique sabendo que foi emocionante e forte. E importante.

– Você acha isso de tudo o que faz.

– Não é verdade.

– Boa resposta.

– Você não reconheceria TV de qualidade se ela estivesse pulando em você.

Kate sorriu, mas foi um sorriso tão pálido quanto sua pele. Com a cabeça careca e os olhos fundos, ela parecia impossivelmente jovem e frágil.

– Está cansada? – perguntou Tully, sentando-se. – Talvez fosse melhor dormir.

– Eu percebi que você me pediu desculpas no ar. Do seu jeito.

O sorriso de Kate se abriu.

– Quero dizer, sem falar palavra por palavra e sem admitir que você foi uma vaca, mas você quis dizer que sentia muito.

– É, bom, você está tomando morfina. Provavelmente me viu voar também.

Kate deu risada, mas logo começou a tossir.

Tully se aproximou de imediato.

– Você está bem?

– Nem um pouco.

Kate estendeu a mão para pegar o copo plástico na mesa ao lado da cama. Tully se inclinou e a ajudou a levar o canudo à boca.

– Comecei a escrever o diário.

– Isso é ótimo.

– Vou precisar que você me ajude a lembrar – disse ela,

pondo o copo de volta ao lugar. – Tanto da minha vida aconteceu com você.

– Acho que a vida inteira de nós duas. Meu Deus, Katie, nós éramos praticamente bebês quando nos conhecemos.

– Ainda somos crianças – disse Katie baixinho.

Tully ouviu a tristeza na voz da amiga. Combinava com a sua própria tristeza. A última coisa em que queria pensar naquele momento era em quanto elas eram jovens. Durante anos, elas provocaram uma à outra sobre ficarem velhas.

– Quanto você escreveu?

– Umas dez páginas.

Como Tully ficou em silêncio, Kate franziu a testa.

– Não vai exigir que eu deixe você ler?

– Não quero me intrometer.

– Não faça isso, Tully – disse Kate.

– O quê?

– Não me trate como se eu estivesse morrendo. Eu preciso que você seja... você. Só assim consigo me lembrar de quem eu sou. Combinado?

– Está bem – disse ela baixinho, prometendo a única coisa que tinha para dar: ela mesma. – Combinado.

Tully precisou forçar um sorriso, e as duas sabiam disso. Algumas mentiras, evidentemente, seriam inevitáveis nos dias que viriam.

– Você vai precisar da minha opinião, é claro. Eu fui testemunha de todos os momentos importantes da sua vida. E eu tenho uma memória fotográfica. É um dom. Como o meu talento para fazer maquiagem e luzes.

Kate riu.

– Esta é a minha Tully.

Mesmo com todos os remédios para dor, Kate teve dificuldades em deixar o hospital. Em primeiro lugar, havia todo mundo: os pais, os filhos e o marido, a tia e o tio, o irmão e Tully. Em segundo, houve tanto movimento – sair da cama, sentar na cadeira de rodas, sair da cadeira de rodas, entrar no carro, sair do carro para os braços de Johnny.

Ele a carregou pela linda casa confortável com cheiro de velas perfumadas e do jantar da noite anterior. Ela percebeu que ele havia feito espaguete. Isso significava que o jantar da noite seguinte seriam tacos. Eram os dois pratos que ele sabia fazer. Kate descansou o rosto na lã macia do suéter do marido.

O que ele vai cozinhar quando eu não estiver mais aqui?

A pergunta a fez inspirar profundamente, para em seguida expirar devagar. Estar em casa doía às vezes, assim como estar com a família. De uma forma estranha, teria sido mais fácil passar os últimos dias no hospital, sem todas aquelas lembranças ao redor.

Mas não fazia sentido optar pelo mais fácil. O que importava era ficar com a família.

Agora, estavam todos dentro de casa, espalhados, como soldados cumprindo diferentes tarefas. Marah havia levado os meninos para verem televisão no seu quarto. Sua mãe estava ocupada cozinhando. Seu pai estava provavelmente cortando a grama. Isso deixava Johnny, Tully e Kate percorrendo o corredor até o quarto de hóspedes, que havia sido redecorado para sua volta para casa.

– Os médicos queriam que você ficasse numa cama hospitalar – disse Johnny. – Eu comprei uma para mim também, está vendo? Vamos ter duas camas de solteiro, igual a Ricky e Lucy em *I Love Lucy*.

– É claro.

Ela quis parecer casual, simplesmente reconhecer o que ambos sabiam: logo ela teria problemas para se sentar, e a cama ajudaria, mas sua voz a traiu.

– V-você pintou – disse ela ao marido.

Da última vez que vira o quarto, ele era vermelho-escuro com detalhes brancos e mobília azul e vermelha – um visual casual e praiano, com muitas peças antigas pintadas e conchas dentro de potes de vidro. Agora ele estava pintado de um verde muito claro, com tons de rosa. Havia fotos de família espalhadas por todos os lugares, em porta-retratos brancos de porcelana.

Tully deu um passo à frente.

– Na verdade, eu pintei.

– Alguma coisa a ver com cracas – disse Johnny.

– Chacras – corrigiu Tully. – Tenho certeza de que é bobagem, mas...

Ela encolheu os ombros.

– Eu fiz um programa sobre isso uma vez. Mal não vai fazer.

Johnny levou Kate até sua cama e a cobriu.

– O banheiro está todo arrumado para você. Foi tudo instalado, barras de apoio, um assento no boxe e todas as coisas recomendadas. Uma enfermeira virá...

Kate não saberia dizer em que momento fechou os olhos. Tudo o que sabia era que estava dormindo. Em algum lugar, um rádio tocava "Sweet Dreams (Are Made of This)", e ela podia ouvir pessoas conversando ao longe. Então Johnny a estava beijando e dizendo que ela era linda e falando sobre as férias que eles iriam tirar um dia.

Ela acordou de repente. O quarto estava escuro agora. Ela havia dormido durante o resto do dia, é claro. Ao seu lado, uma vela com aroma de eucalipto estava acesa. A escuridão a tranquilizou por um instante, fazendo-a pensar que estava sozinha.

Do outro lado do quarto, uma sombra se mexeu. Alguém respirou.

Kate apertou o botão na cama e se sentou.

– Oi – disse ela.

– Oi, mamãe.

Acostumou-se à escuridão e viu a filha sentada numa cadeira no canto. Embora Marah parecesse cansada, estava tão bonita que Kate sentiu um aperto no peito. Estar em casa novamente a fazia ver tudo com perfeita clareza, até mesmo naquela escuridão cinzenta. Quando olhou para a filha adolescente, de longos cabelos negros afastados do rosto por presilhas infantis, teve uma visão de todo o trajeto da vida – a criança que fora, a jovem que se tornara e a mulher que um dia seria.

– Oi, Pequenininha.

Ela sorriu e se apoiou de lado para acender a lâmpada de cabeceira.

– Só que você não é mais Pequenininha, não é?

Marah se levantou e se aproximou, esfregando as mãos uma na outra. Apesar de toda a sua beleza de adulta, o medo em seus olhos fazia com que parecesse ter 10 anos de novo.

Kate tentou imaginar o que dizer. Sabia quanto Marah queria que tudo estivesse normal, mas simplesmente não estava. De agora em diante, as palavras que elas dissessem uma à outra seriam pesadas, lembradas. Era um simples fato da vida. Ou da morte.

– Eu fui má com você – falou Marah.

Kate havia esperado anos por aquele momento. Na realidade, sonhava com isso no tempo em que ela e Marah estavam em guerra. Agora, via tudo a distância e sabia que aquelas batalhas eram apenas parte da vida normal: uma menina tentando crescer e a mãe tentando evitar que isso acontecesse. Ela daria qualquer coisa por mais uma briga, na verdade. Significaria que elas tinham tempo.

– Eu também fui uma vaca com a sua avó. É o que as adolescentes fazem: incomodam as mães. E a sua tia Tully foi uma vaca com todo mundo.

Marah fez um som que foi meio ronco, meio risada e puro alívio.

– Não vou contar a ela que você disse isso.

– Acredite em mim, querida, isso não vai ser uma surpresa para ela. Quero que você saiba de uma coisa: tenho muito orgulho da sua personalidade e da sua coragem. Elas vão levar você longe nessa vida.

Ao dizer essas palavras, Kate viu os olhos da filha se encherem de lágrimas. Abriu os braços, e Marah se abaixou para ela, dando-lhe um abraço muito apertado.

Kate poderia ficar ali para sempre, de tão bom que foi aquele toque. Durante anos, os abraços de Marah haviam sido, na melhor das hipóteses, superficiais, uma recompensa por conseguir o que queria. Aquele era verdadeiro. Quando Marah recuou, estava chorando.

– Lembra quando você dançava comigo?

– Quando você era bem pequenininha. Eu a pegava no colo e ficava girando até você dar gargalhada. Uma vez eu fiz isso por tanto tempo que você acabou vomitando em cima de mim.

– A gente não devia ter parado de dançar – falou Marah. – Eu não devia, quero dizer.

– Nada disso – disse Kate. – Baixe esta grade e sente-se do meu lado.

Marah teve dificuldades, mas no fim conseguiu baixar a grade. Subiu na cama e puxou os joelhos.

– Como está o James? – perguntou Kate.

– Eu estou a fim do Tyler agora.

– Ele é um rapaz legal?

Marah riu.

– Ele é lindo, se é o que você quer dizer. Ele me convidou para ir ao baile de formatura. Posso ir?

– Claro que pode. Mas vai ter hora para voltar.

Marah suspirou. Alguns hábitos estavam no DNA adolescente: aparentemente, o suspiro de decepção não podia ser superado, nem mesmo pelo câncer.

– Está bem.

Kate acariciou os cabelos da filha, sabendo que deveria dizer alguma coisa profunda, alguma coisa que seria lembrada, mas nada lhe veio à mente além da vida cotidiana.

– Você se inscreveu para trabalhar no teatro durante o verão?

– Eu não vou trabalhar este verão. Vou ficar em casa.

– Você não pode deixar sua vida em suspenso, querida. Não é assim que as coisas vão funcionar. E você disse que um trabalho de verão a ajudaria a entrar na Universidade do Sul da Califórnia.

Marah encolheu os ombros e olhou para o outro lado.

– Eu decidi ir para a Universidade de Washington, como você e a tia Tully.

Kate se esforçou para manter o tom da voz, para dar a impressão de que aquela era apenas uma conversa entre uma mãe e sua filha adolescente, não um lampejo do futuro difícil.

– A escola de teatro da Universidade do Sul da Califórnia é a melhor de todas.

– Você não me quer tão longe assim.

Isso era verdade. Kate fizera um esforço enorme para convencer a filha rebelde que a Califórnia ficava longe demais e que teatro não era uma escolha das mais inteligentes.

– Não quero conversar sobre faculdade – falou Marah, e Kate deixou passar por ora.

A conversa das duas derivou para outros assuntos. Durante a hora que se seguiu, elas apenas falaram. Não sobre Aquilo, aquela coisa imensa em seu horizonte e como ela mudaria a todos, mas sobre meninos, escrever e os filmes que estavam estreando.

– Consegui o papel principal na peça de verão – contou Marah depois de um tempo. – Eu não ia fazer o teste porque você estava doente, mas o papai disse que eu deveria fazer.

– Que bom que fez. Sei que vai estar ótima.

Marah deu início a um longo monólogo sobre a peça, os figurinos e seu papel.

– Mal posso esperar para que você veja.

Os olhos de Marah se arregalaram quando ela percebeu o que dissera, o assunto que havia trazido à tona sem querer. Desceu da cama parecendo desesperada para mudar de assunto.

– Desculpe.

Kate estendeu o braço e tocou no rosto da filha.

– Tudo bem. Eu vou estar lá.

Marah olhou fixamente para ela. As duas sabiam que aquela poderia acabar se tornando uma promessa não cumprida.

– Lembra quando eu era mais nova e a Ashley parou de falar comigo e eu não sabia por quê?

– Claro.

– Você me levou para almoçar, e foi como se fôssemos amigas.

Kate engoliu em seco, sentindo o gosto amargo das lágrimas no fundo da garganta.

– Nós sempre fomos amigas, Marah. Mesmo quando não sabíamos disso.

– Eu te amo, mamãe.

– Eu também te amo.

Marah secou os olhos e saiu do quarto, fechando a porta cuidadosamente atrás de si.

A porta se abriu um instante depois, tão rápido que Kate mal teve tempo de secar os olhos antes de ouvir Tully dizer:

– Eu tenho um plano.

Kate riu, grata de ser lembrada que a vida ainda podia ser divertida e surpreendente.

– Você sempre tem.

– Confia em mim?

– Até a minha ruína eterna, sim.

Tully ajudou Kate a passar para a cadeira de rodas e a enrolou em cobertores.

– Estamos indo para o polo Norte?

– Nós vamos lá fora – respondeu Tully, abrindo as portas francesas do quarto que davam para o deque. – Está quentinha?

– Eu estou suando. Pegue aquela bolsa na mesa de cabeceira, por favor.

Tully pegou a bolsa, largou no colo de Kate e então assumiu o controle da cadeira de rodas.

Naquela noite de junho, o jardim estava impressionante

e inesperadamente bonito. O céu estava coberto de estrelas, que lançavam pontos de luz sobre o canal. A lua cheia pairava acima das luzes brilhantes da cidade ao longe. O gramado seguia na direção da água. O luar azulado iluminava uma trilha de brinquedos e bicicletas deixada nas laterais do caminho de terra que levava até a praia.

Tully a levou para fora do deque, descendo uma rampa larga de madeira que havia sido colocada ali recentemente. Então parou.

– Feche os olhos.

– Está escuro aqui fora, Tully. Eu não preciso...

– Eu não posso esperar a noite toda.

Kate riu.

– Está bem. Só vou fazer para que você não dê um dos seus chiliques.

– Eu não dou chilique. Agora feche os olhos e abra os braços, como as asas de um avião.

Kate fechou os olhos e estendeu os braços.

Tully empurrou a cadeira de rodas por cima da vegetação irregular. Lá, no começo da suave descida que levava até a praia, parou mais uma vez.

– Somos meninas de novo – sussurrou no ouvido de Kate. – Estamos nos anos 1970 e acabamos de sair às escondidas da sua casa com as nossas bicicletas.

Tully começou a empurrar a cadeira para a frente, indo lentamente, pulando sobre a grama irregular, caindo em buracos, e continuou falando.

– Estamos na colina Summer, andando sem as mãos, rindo feito malucas, pensando que somos invencíveis.

Kate sentiu a brisa na cabeça nua, nas orelhas, fazendo os olhos se encherem de lágrimas. Podia sentir o cheiro da vegetação e da terra úmida. Jogou a cabeça para trás e riu. Por um instante, uma fração de segundo, na verdade, ela era criança de novo, na alameda dos Vaga-lumes, com a melhor amiga ao seu lado, acreditando que podia voar.

Quando o passeio acabou e as duas estavam na praia, ela abriu os olhos e olhou para Tully. Naquele momento, com aquele único sorriso comovente, Kate se lembrou de tudo a respeito delas. As estrelas pareciam vaga-lumes caindo ao redor das duas.

Tully a ajudou a sentar numa das cadeiras de praia e então sentou também.

Elas ficaram lado a lado, como haviam feito tantas vezes, conversando sobre nada importante, sobre qualquer coisa.

Kate olhou para a casa, viu que não havia ninguém no deque e se inclinou para Tully, sussurrando:

– Quer mesmo se sentir como uma menina de novo?

– Não, obrigada. Eu não trocaria de lugar com a Marah por nada neste mundo. Toda aquela angústia e aquele drama.

– É, porque você realmente nunca faz drama.

Rindo do próprio comentário mordaz, Kate revirou a bolsa roxa que tinha no colo e tirou de dentro um grosso baseado. Diante da expressão de espanto de Tully, Kate riu e o acendeu.

– Prescrição médica – falou.

O aroma doce e estranhamente antiquado do baseado se misturou ao cheiro do mar. Uma nuvem de fumaça se formou entre as duas e desapareceu.

– Passa aí o baseado – disse Tully, e as duas caíram na risada de novo.

Bastou aquela palavra, "baseado", para que voltassem rapidamente aos anos 1970. Ficaram passando o cigarro de uma para a outra e continuaram conversando e rindo. Estavam tão absortas que não ouviram passos atrás delas.

– Eu viro as costas por dez minutos e vocês duas estão fumando maconha.

A Sra. Mularkey estava parada ali, vestindo jeans desbotados e um moletom dos anos 1990, talvez até mesmo dos anos 1980, com os cabelos brancos presos num rabo de cavalo torto.

– Vocês sabem que isso leva para drogas piores, não sabem? Como crack e heroína.

Tully tentou não dar risada. Tentou mesmo.

– Nada de heroína.

– Foi o que eu disse que a Marah não podia levar da loja de roupas – disse Kate, rindo.

A Sra. M. puxou outra cadeira e a posicionou ao lado de Kate. Então sentou e se inclinou na direção da filha.

Por um instante, as três ficaram sentadas ali, entreolhando-se com a fumaça se desmanchando no ar.

– E...? – disse a Sra. M., afinal. – Eu ensinei vocês a dividir, não ensinei?

– Mamãe!

A Sra. M. fez um aceno com a mão.

– Vocês, meninas dos anos 1970, se acham tão descoladas. Pois saibam que eu já estava aqui nos anos 1960, e ninguém tem nada contra mim.

Pegou o baseado e o pôs na boca, dando uma longa e profunda tragada, segurou, depois soltou.

– Caramba, Katie, como você acha que eu passei pelos anos da adolescência de duas meninas que fugiam de casa à noite para andar de bicicleta no escuro?

– Você sabia daquilo? – perguntou Tully.

Kate deu risada.

– Você disse que foi a bebida que a ajudou a passar por tudo.

– Ah – disse a Sra. M. – Isso também.

※

À uma da manhã, elas estavam na cozinha, atacando a geladeira, quando Johnny entrou e viu a pilha de comida calórica em cima do balcão.

– Alguém andou fumando maconha.

– Não conte para a minha mãe – disse Kate.

Com isso, sua mãe e Tully explodiram numa gargalhada.

Kate se recostou na cadeira de rodas, sorrindo torto para o marido. À luz fraca e distante do corredor, usando os óculos comprados na farmácia e uma velha camiseta dos Rolling Stones, ele estava parecendo um professor moderninho.

– Espero que você tenha vindo se juntar à festa.

Ele se aproximou dela, abaixou-se e sussurrou:

– Que tal uma festinha particular?

Kate passou os braços no pescoço dele.

– Você leu a minha mente.

Ele a pegou em seus braços, disse boa-noite para todo mundo e a levou para o novo quarto dos dois. Ela se segurou firme, com o rosto enterrado no pescoço dele e sentindo o resquício do cheiro do pós-barba que ele havia passado naquela manhã. Era o produto barato que as crianças davam a ele todos os natais.

No banheiro, ele a ajudou a sentar-se no vaso, depois serviu de apoio enquanto ela escovava os dentes e lavava o rosto. Quando estava vestida para dormir, estava exausta. Caminhava lentamente pelo quarto, agarrada ao braço de Johnny. Na metade do caminho, ele a pegou de novo no colo e a carregou até a cama.

– Não sei como consigo dormir sem você na cama comigo – disse ela.

– Estou bem aqui. A três metros de distância. Se precisar de mim à noite, basta gritar.

Ela tocou o rosto dele.

– Eu sempre preciso de você. Você sabe disso.

Johnny franziu o rosto. Pela primeira vez, ela viu quanto o câncer estava lhe custando. Ele parecia velho.

– E eu preciso de você.

Johnny se abaixou e lhe deu um beijo na testa.

Isso a assustou mais do que deveria. Beijo na testa era para velhos e estranhos. Ela agarrou a mão dele e disse, com desespero na voz:

— Eu não quebro.

Lentamente, ainda olhando para ela, ele a beijou nos lábios, e, por um instante glorioso, o tempo e o amanhã desapareceram. Eram apenas os dois. Quando ele se afastou, ela sentiu frio.

Se ao menos houvesse algo que eles pudessem dizer. Palavras que pudessem tranquilizá-los ao longo daquele caminho acidentado.

— Boa noite, Katie — disse ele, afinal, virando-se de costas para ela.

— Boa noite — sussurrou ela, vendo-o ir até a sua cama.

Trinta e seis

Durante a semana seguinte, Kate aproveitou o sol do início de verão. Passava os dias aninhada embaixo de suas adoradas mantas numa cadeira na beira da praia, escrevendo em seu diário ou conversando com os filhos, o marido ou Tully. As noites eram usadas para conversas. Lucas e William contavam as histórias mais compridas e enroladas do mundo. No final de cada uma, todos estavam dando risada. Depois, os adultos sentavam ao redor da lareira. Cada vez mais, falavam sobre os velhos tempos, sobre quando eram jovens demais para saber que eram jovens, quando o mundo todo parecia aberto a eles e os sonhos eram tão fáceis de colher como margaridas. A parte mais divertida de tudo era ver Tully tentando assumir as tarefas da casa. Ela deixava jantares queimar, reclamava sobre a vida numa ilha onde ninguém entregava comida em casa, estragava roupas e recebia inúmeras vezes instruções sobre como usar o aspirador de pó. Kate adorava principalmente quando ouvia a amiga resmungar:

– Esta coisa de ficar em casa é *difícil*. Por que você nunca me disse? Não é de admirar que parecesse estar sempre cansada nos últimos quinze anos.

Em qualquer outra circunstância, teria sido o melhor período da vida de Kate. Pela primeira vez ela era o centro das atenções.

Mas não importava quanto todos tentassem parecer normais, a vida deles era como uma vidraça suja que não se podia limpar. Tudo, cada instante, estava impregnado da doença. Como sempre, coube a Kate guiar a todos pelo caminho, ser a sorridente, a otimista. Todos ficariam bem, desde que ela se mantivesse forte e resistente. Então poderiam conversar, rir e continuar fingindo que estavam levando uma vida normal.

Era exaustivo, todo aquele controle dos sentimentos, mas que escolha tinha? Às vezes, quando ficava muito pesado, ela aumentava a dose dos remédios para dor, se enroscava com Johnny no sofá e caía no sono. Quando acordava, invariavelmente estava pronta para sorrir de novo.

As manhãs de domingo eram especialmente cansativas. Naquela, em particular, estavam todos lá – sua mãe, seu pai, Sean e a namorada, Tully, Johnny, Marah e os gêmeos. Eles se revezavam contando histórias, de tal modo que raramente havia uma pausa na conversa.

Kate ouvia, assentia, sorria e fingia comer, embora estivesse nauseada e sentindo dor.

Foi Tully que percebeu. Quando estava passando o quiche que a Sra. M. havia feito, olhou para Kate e disse:

– Você está com uma aparência horrível.

Todos concordaram.

Kate tentou fazer uma piada, mas estava com a boca seca demais para falar. Johnny a tirou da cadeira e a carregou até a cama. Quando Kate já estava deitada e novamente medicada, olhou para o marido.

– Como ela está? – disse Tully, entrando no quarto e parando ao lado de Johnny.

Kate os viu ali, juntos, ombro a ombro, e os amou tanto que chegou a doer. Como sempre, houve uma pitada de ciúme também, mas aquilo lhe era tão familiar como a batida do próprio coração.

– Eu estava esperando me sentir bem o bastante para fazer compras com vocês – disse Kate. – Queria ajudar a Marah a escolher o vestido de baile dela. Você vai ter que fazer isso, Tully.

Tentou sorrir.

– Nada muito decotado, está bem? E cuidado com os sapatos. A Marah acha que pode usar saltos altos, mas eu me preocupo... – Kate franziu a testa. – Vocês dois estão me ouvindo?

Johnny sorriu para Tully.

– Você disse alguma coisa?

Tully pôs uma mão no peito num gesto de inocência à Scarlett O'Hara.

– Eu? Você sabe como eu raramente falo. As pessoas costumam dizer que sou quieta demais.

Kate sentou a cama.

– Qual é a piada? Eu estou tentando dizer uma coisa importante para vocês.

A campainha tocou.

– Quem poderia ser? – disse Tully. – Vou conferir.

Marah enfiou a cabeça no quarto.

– Eles chegaram. Ela está pronta?

– Quem chegou? Eu estou pronta para o quê?

Mal as palavras haviam saído da boca de Kate, começou o desfile dentro do quarto dela. Primeiro entrou um homem de macacão, empurrando uma arara cheia de vestidos longos. Em seguida, Marah, Tully e a Sra. Mularkey.

– Muito bem, papai – falou Marah. – Meninos não entram.

Johnny beijou o rosto de Kate e saiu do quarto.

– A única coisa boa de ser rica e famosa – disse Tully –, bem, tem *muitas* coisas boas, mas uma das melhores é que se pode ligar para a Nordstrom e dizer: por favor, me mandem todos os vestidos de festa que vocês têm em determinado tamanho, que eles fazem isso.

Marah foi até o lado da cama.

– Eu não poderia escolher meu primeiro vestido de baile sem você, mamãe.

Kate não sabia se queria rir ou chorar, então fez as duas coisas.

– Não se preocupe – disse Tully. – Eu disse explicitamente à vendedora para deixar os vestidos de periguete na loja.

E todas caíram na gargalhada.

❦

Com o passar das semanas, Kate foi se sentindo cada vez mais fraca. Apesar de todos os seus esforços e de sua atitude otimista, o corpo começava a falhar. Uma palavra que ela não conseguia encontrar, uma frase que não conseguia terminar, uma fraqueza e um tremor nos dedos que não conseguia conter, uma náusea que frequentemente se tornava insuportável, além do frio – estava sempre congelando.

E também havia a dor. No final de julho, quando as noites começaram a ficar mais longas, ela havia quase dobrado a dose de morfina, e ninguém se importara com isso. Como seu médico dissera: "Vício não é seu problema agora."

Ela era uma atriz boa o bastante para que ninguém parecesse notar quanto estava ficando fraca. Ah, todos sabiam que ela precisava da cadeira de rodas para ir até a praia e que frequentemente caía no sono bem antes de o filme da noite começar, mas, naqueles dias de verão, a casa estava em constante movimento. Tully havia assumido a rotina de Kate da melhor forma que conseguira, o que lhe dava tempo para trabalhar em seu diário. Às vezes, ultimamente, tinha medo de não conseguir terminá-lo, e essa ideia a assustava.

O curioso era que morrer não a assustava. Não tanto quanto antes. Ah, ela ainda tinha ataques de pânico quando pensava no Fim, mas mesmo eles estavam se tornando menos frequentes. Cada vez mais, ela apenas pensava: *me deixe descansar*.

Mas não podia dizer isso. Nem mesmo para Tully, que a ouvia durante horas e horas. Sempre que Kate falava sobre o futuro, Tully demonstrava aflição e fazia um comentário engraçadinho.

Morrer era algo solitário.

– Mamãe? – disse Marah baixinho, abrindo a porta.

Kate se obrigou a sorrir.

– Oi, querida. Achei que você fosse à praia hoje com a turma.

– Eu ia.

– Por que mudou de ideia?

Marah deu um passo à frente. Por um instante, Kate ficou desorientada ao ver a própria filha. Ela tivera mais um estirão de crescimento. Com quase 1,80 metro, estava também ganhando curvas, transformando-se numa mulher diante dos olhos de Kate.

– Eu preciso fazer uma coisa.

– Tudo bem. O que é?

Marah se virou, olhou para o corredor e se voltou novamente para Kate.

– Você pode vir até a sala?

O desejo de Kate de dizer que não aumentou, quase tomou conta dela, mas ela disse:

– É claro.

Vestiu o roupão, luvas e um gorro. Lutando contra a náusea e a exaustão, saiu lentamente da cama.

Marah a segurou pelo braço e a ajudou a se firmar, tornando-se por um instante a mãe. Ela a havia levado até a sala onde, apesar do calor do dia, a lareira estava acesa. Lucas e William, ainda de pijama, estavam sentados juntos no sofá.

– Oi, mamãe – disseram ao mesmo tempo, exibindo o sorriso falhado.

Marah sentou Kate ao lado dos meninos, ajeitou o roupão em torno das pernas dela e então se sentou do outro lado.

Kate sorriu.

– Está parecendo aquelas peças que você fazia quando era pequena.

Marah assentiu e se aninhou perto da mãe. Quando olhou para Kate, porém, ela não estava sorrindo.

– Há muito tempo – disse ela, com a voz trêmula –, você me deu um livro especial.

Kate franziu a testa.

– Eu lhe dei um monte de livros.

– Você me disse que um dia eu estaria triste e confusa e precisaria dele.

Kate quis se afastar de repente, se distanciar, mas os filhos a prendiam ao lugar.

– Sim. – Foi tudo o que conseguiu dizer.

– Durante as últimas semanas, eu tentei lê-lo várias vezes, e não consegui.

– Tudo bem…

– E agora entendi por quê. É porque todos nós precisamos disso.

Estendeu a mão até a mesa lateral e pegou a edição de bolso de *O hobbit* que Kate lhe dera. Parecia ter sido há milênios, e há um instante.

– Viva! – gritou William. – Marah vai ler para a gente.

Lucas cutucou o irmão.

– Cale a boca.

Kate passou um braço ao redor dos filhos e encarou o rosto lindo e sério da filha.

– Está bem.

Marah se recostou, ajeitou-se perto de Kate e abriu o livro.

Sua voz estava apenas um pouco trêmula no começo, mas conforme a história começou a ganhar corpo, ela encontrou sua força novamente.

– Numa toca no chão vivia um hobbit...

Agosto terminou rápido demais e se fundiu num preguiçoso mês de setembro. Kate tentava aproveitar cada instante de cada dia, mas, mesmo de uma perspectiva positiva, não havia como evitar a triste verdade: ela estava murchando.

Ela se agarrou ao braço de Johnny e se concentrou em seus passos. Deslizando um chinelo depois do outro, respirando. Estava cansada de ser levada de cadeira de rodas ou de ser carregada como uma criança, mas caminhar estava cada vez mais difícil. Tinha dores de cabeça, também. Dores furiosas que às vezes a deixavam sufocada e sem conseguir reconhecer as pessoas e as coisas ao redor.

– Precisa de oxigênio? – ofereceu Johnny, aproximando-se do ouvido dela de modo que as crianças não ouvissem.

– Estou parecendo o Lance Armstrong durante o Tour de France – disse, tentando sorrir. – Não, obrigada.

Ele a instalou do lado de fora em sua cadeira preferida e prendeu o cobertor de lã ao seu redor.

– Tem certeza que vai ficar bem enquanto não estivermos em casa?

– É claro. Marah precisa ir ao ensaio, e os meninos detestariam perder o jogo de beisebol. E a Tully vai chegar a qualquer momento.

Johnny deu risada.

– Não sei, não. Eu consigo produzir um documentário inteiro no tempo que ela leva para fazer compras para uma refeição.

Kate sorriu também.

– Ela está aprendendo muitas coisas novas.

Depois que ele foi embora, a casa ficou num silêncio estranho. Kate olhou para o canal azul cintilante e para a tiara formada pela cidade na margem oposta, lembrando de repente de quando morara lá, perto do mercado público: uma jovem profissional com ombreiras, cintos justos e botas largas. Tinha sido na época em que conhecera Johnny e se apaixonara. Ainda se lembrava de muitos dos momentos deles juntos – quando ele a beijou pela primeira vez, a chamou de Katie e disse que não queria magoá-la.

Enfiando a mão na bolsa ao seu lado, ela tirou o diário e o encarou, passando a mão sobre o couro da capa. Já estava quase pronto. Ela havia escrito tudo, ou o máximo que conseguira lembrar, e aquilo a havia ajudado tanto quanto esperava que algum dia fosse ajudar seus filhos.

Abriu na página em que havia parado e começou a escrever.

Esta é a parte curiosa de escrever a história da nossa vida. Começamos tentando nos lembrar de datas, horas e nomes. Pensamos que nossa vida são os fatos, que as coisas marcantes são os sucessos e os fracassos, seja na juventude ou na meia-idade; mas não é isso mesmo.

Amor. Família. Risos. É disso que eu me lembro depois de tudo ter passado. Durante grande parte da minha vida eu achei que não fazia ou queria o bastante. Acho que minha estupidez merece perdão. Eu era jovem. Quero que meus filhos saibam quanto tenho orgulho deles e quanto tenho orgulho de mim. Nós fomos tudo o que precisávamos – vocês, seu pai e eu. Eu tive tudo o que sempre quis.

Amor.

É disso que nos lembramos.

Kate fechou o diário. Não havia mais nada a dizer.

Tully voltou do supermercado sentindo-se triunfante. Pôs as sacolas em cima do balcão e as esvaziou uma a uma. Então abriu uma lata de cerveja e saiu para o quintal.

– Aquele supermercado é uma selva, Kate. Acho que andei na contramão no estacionamento, não sei. Dava a impressão de que eu era a inimiga pública número um. Nunca ouvi tantas buzinas.

– Nós, mães em tempo integral, não temos muito tempo para fazer compras.

– Não sei como você dava conta de tudo. Eu estou sempre exausta antes das dez da manhã.

Kate deu risada.

– Sente-se.

– Se eu rolar e me fizer de morta, ganho um biscoito?

Kate entregou o diário a ela.

– Você ganha isto. Primeiro.

Tully respirou fundo. Durante todo o verão, vira Kate escrevendo naquelas páginas. Inicialmente, com rapidez e facilidade e, aos poucos, cada vez mais devagar. Nas últimas semanas, tudo estava mais lento para ela.

Ela se sentou devagar – se deixou cair, na verdade –, sem conseguir dizer nada, por conta do aperto na garganta. Sabia que aquilo iria fazê-la chorar, mas a faria voar também. Estendeu a mão e segurou a de Kate, então abriu o diário na primeira página.

Uma frase chamou sua atenção.

Na primeira vez que vi Tully Hart, pensei: Nossa! Olhe só aqueles peitos.

Tully riu e continuou lendo.

Você quer que eu saia escondida?

É claro. Pegue a sua bicicleta. E: Só vou raspar as suas sobrancelhas para dar forma... ooops... isso não é nada bom.

O seu cabelo está caindo... talvez eu precise ler as instruções de novo...

Dando risada, Tully se virou para a amiga. Por um glorioso

instante, aquelas palavras, aquelas lembranças, haviam deixado tudo normal:

– Como você pôde ser minha amiga?

Kate sorriu para ela.

– Como eu poderia não ser?

Tully se sentia uma impostora ao deitar na cama de Kate e Johnny. Sabia que fazia sentido ficar naquele quarto, mas, naquela noite, parecia mais errado do que o normal. Ler o diário havia lembrado Tully de tudo o que vivera com Kate, de tudo o que elas estavam perdendo.

Finalmente, em algum momento depois das três da manhã, ela caiu num sono intermitente. Sonhou com a alameda dos Vaga-lumes, com duas meninas andando de bicicleta colina Summer abaixo no meio da noite. O ar tinha cheiro de feno recém-cortado, e as estrelas brilhavam.

Olhe, Katie, sem as mãos.

Mas Kate não estava lá. Sua bicicleta vazia corria pela rua, com as fitas brancas voando das pontas do guidom.

Tully se sentou, ofegante.

Tremendo, saiu da cama e vestiu o roupão. No corredor, passou por dezenas de lembranças, fotos daquela vida que elas dividiam havia décadas, e portas de quartos fechadas. Atrás de cada uma delas, as crianças estavam dormindo, provavelmente sofrendo com sonhos parecidos.

No andar de baixo, preparou uma xícara de chá, abriu a porta e saiu, para onde o ar frio e a escuridão lhe permitiam respirar de novo.

– Pesadelos?

A voz de Johnny a assustou. Ele estava em uma das cadeiras de plástico, olhando para ela. Em seus olhos, Tully viu a mesma tristeza que preenchia cada poro de sua pele e cada célula do seu corpo.

– Oi – disse ela, sentando na cadeira ao lado dele.

Uma brisa fresca veio do canal, assoviando sombriamente acima do barulho familiar das ondas.

– Não sei como fazer isso – disse ele baixinho.

– Foi a mesma coisa que a Katie disse para mim – falou Tully; e apenas isso, perceber quanto os dois eram parecidos, a fez sofrer tudo de novo. – É uma linda história de amor a de vocês dois.

Ele se virou para ela e, sob a fraca luz da lua, Tully viu a tensão no rosto dele, aumentando ao redor dos olhos. Estava guardando tudo dentro de si, fazendo um esforço tremendo para ser forte por todo mundo.

– Você não precisa fazer isso para mim, sabia? – disse ela baixinho.

– Fazer o quê?

– Ser forte.

As palavras pareceram ter soltado alguma coisa dentro dele. As lágrimas brilharam em seus olhos. Ele se inclinou para a frente, sem dizer nada, sacudindo os ombros em silêncio.

Ela estendeu o braço e segurou sua mão, que apertou com força enquanto ele chorava.

– Há vinte anos, toda vez que eu dou as costas, vocês dois estão juntos.

Tully e Johnny se viraram ao mesmo tempo.

Kate estava parada na porta atrás deles, enrolada num imenso roupão atoalhado. Careca e incrivelmente magra, ela parecia uma criança brincando com as roupas da mãe. Ela dissera coisas como aquela aos dois antes, todos sabiam, mas desta vez estava sorrindo. Parecia de alguma forma ao mesmo tempo triste e em paz.

– Katie – disse Johnny, com a voz rouca e os olhos brilhando. – Não...

– Eu amo vocês dois – disse ela, sem ir na direção deles. – Vocês irão confortar um ao outro... cuidar um do outro e das crianças... depois que eu me for...

– Não – disse Tully, começando a chorar.

Johnny se levantou. Com delicadeza, pegou a mulher no colo e a beijou demoradamente.

– Leve ela para a cama de vocês, Johnny – disse Tully, tentando sorrir. – Eu durmo no quarto de hóspedes.

❦

Johnny a levou para o andar de cima com tanto cuidado que Kate não pôde deixar de pensar que estava doente. Ele a pôs no seu lado da cama.

– Acenda o fogo.

– Está sentindo frio?

Congelando. Ela assentiu e tentou se sentar enquanto ele atravessava a sala e acionava o interruptor da lareira a gás. Com um chiado, chamas azuis e laranja começaram a sair da lenha falsa, tingindo o ambiente escuro com uma suave luz dourada.

Quando ele voltou e se instalou ao lado dela, Kate levantou a mão lentamente, traçando o contorno dos lábios dele com a ponta do dedo.

– A primeira vez que você abusou de mim foi no chão, em frente a uma lareira, lembra?

Ele sorriu. Como uma cega, ela sentiu a curva dos lábios dele com a ponta do dedo.

– Se eu me lembro bem, *você* abusou de mim.

– E se eu quisesse abusar de você agora?

Ele pareceu tão assustado que Kate teve vontade de rir, mas não tinha graça.

– Nós podemos?

Ele a pegou em seus braços. Ela sabia que os dois estavam pensando que ela havia perdido tanto peso que não restava quase nada dela.

Não restava quase nada dela.

Ela fechou os olhos e apertou com mais força o pescoço

dele. A cama de repente pareceu imensa, como um mar de algodão branco se comparada com a cama do andar de baixo que havia se tornado sua.

Lentamente, Kate tirou o roupão e a camisola, tentando não notar quanto suas pernas estavam brancas e secas. Pior ainda estava o campo de batalha que haviam sido seus seios. Ela parecia destruída, quase como um menininho, só que havia cicatrizes.

Johnny tirou a própria roupa, chutou-a para o lado e subiu na cama com a esposa, puxando as cobertas até os quadris dos dois.

O coração de Kate disparou quando ela olhou para ele.

– Você é tão linda – disse ele, inclinando-se para beijar suas cicatrizes.

Alívio e amor a abriram por dentro. Ela o beijou, já respirando com dificuldade. Nos vinte e poucos anos de casamento dos dois, haviam feito amor milhares de vezes, e sempre fora ótimo, mas aquilo era diferente. Eles precisavam ser muito suaves. Ela sabia que ele estava morrendo de medo de machucá-la. Mais tarde, Kate não conseguia lembrar como tudo havia acontecido, como havia ficado por cima dele, tudo o que sabia era que precisava de cada pedaço dele, e que tudo o que ela era, o que havia sido, estava irrevogavelmente ligado àquele homem. Quando ele enfim a penetrou, lentamente e com facilidade, preenchendo-a, ela se abaixou para encontrá--lo. Naquele instante glorioso, ela estava inteira de novo. Ela se abaixou e o beijou, sentindo o gosto das lágrimas dele.

Ele gritou o nome dela tão alto que Kate o silenciou com a mão. Se ainda tivesse um resquício de fôlego, teria dado risada da explosão dele e sussurrado *as crianças!*.

Mas seu próprio orgasmo, segundos depois, fez com que ela se esquecesse de tudo, exceto do prazer daquela sensação.

No final, sorrindo, sentindo-se uma menina de novo, ela se aninhou nele. Johnny passou um braço ao seu redor e a puxou para mais perto. Os dois ficaram lá deitados por um longo tempo, meio sentados no monte de travesseiros, olhando o fogo da lareira, sem dizer nada.

Então, baixinho, Kate disse o que estava em sua mente fazia muito tempo.

– Não suporto pensar em você sozinho.

– Eu nunca vou estar sozinho. Nós temos três filhos.

– Você sabe o que eu quero dizer. Vou entender se você e a Tully...

– Não faça isso.

Johnny olhou para ela, afinal, e em seus olhos ela viu uma dor tão profunda que sentiu vontade de chorar.

– Sempre foi você. Só você, Katie. Tully foi um caso de uma noite, vinte anos atrás. Eu não a amava na época e nunca a amei. Nem por um segundo. Você é o meu coração e a minha alma. O meu mundo. Como você pode não saber disso?

Ela viu a verdade no rosto dele, ouviu-a no tremor de sua voz, e ficou envergonhada. Devia ter entendido isso desde o começo.

– Eu sei. Só fico preocupada com você e as crianças. Detesto pensar...

Aquela conversa era como nadar em ácido, queimava a pele e os ossos.

– Eu sei, querida – disse ele, afinal. – Eu sei.

Trinta e sete

O dia da apresentação estava frio e claro. Uma linda tarde de outono do Noroeste. Kate queria ajudar Marah a se preparar para o grande evento, mas estava fraca demais para fazer muita coisa. Até sorrir exigia um grande esforço. Sentia uma dor constante atrás dos olhos, como o tocar de um despertador que não pudesse ser desligado.

Assim, Kate passou suas tarefas a Tully, que as desempenhou à perfeição.

Kate dormiu durante a maior parte do tempo. Quando a noite caiu, estava o mais descansada possível e pronta para encarar o desafio.

– Tem certeza de que está disposta a fazer isso? – perguntou Tully às 18h45.

– Estou pronta. Talvez seja bom passar um pouco de maquiagem em mim para eu não assustar as crianças menores.

– Pensei que você nunca fosse pedir. E trouxe uma peruca, se você quiser.

– Eu adoraria. Eu mesma teria pensado nisso se ainda tivesse algum neurônio.

Pegou a máscara de oxigênio e aspirou um pouco. Tully saiu do quarto e voltou com o estojo de maquiagem. Kate subiu o encosto da cama e fechou os olhos.

– Como nos velhos tempos.

Tully conversou enquanto fazia sua mágica. Riscou sobrancelhas com um lápis e colou cílios postiços. Kate se deixou levar na onda da voz da amiga.

– Eu tenho um dom, sabe? Você tem uma lâmina de barbear?

Kate quis dar risada. Talvez até tenha dado.

– Muito bem – disse Tully, afinal. – Chegou a hora da peruca.

Kate piscou, percebendo que havia caído no sono, e deu um pequeno sorriso.

– Desculpe.

– Não se preocupe comigo. Adoro quando as pessoas caem no sono enquanto estou falando.

Kate tirou o gorro da cabeça e as luvas das mãos. Estava sempre congelando de frio. Tully pôs a peruca, a ajeitou e

então ajudou Kate a vestir um vestido de lã preta com meia-
-calça e botas. Na cadeira de rodas, ela foi enrolada em cobertores, e Tully a levou até o espelho.

– E então?

Kate olhou para o próprio reflexo – rosto magro e pálido
com olhos que pareciam imensos embaixo das sobrancelhas
desenhadas, cabelos muito loiros na altura dos ombros e lábios perfeitamente vermelhos.

– Está ótimo – disse ela, esperando parecer sincera.

– Que bom – disse Tully. – Vamos reunir a tropa e sair.

Meia hora mais tarde, pararam em frente ao auditório.
Chegaram tão cedo que não havia nenhum outro carro no
estacionamento ainda.

Perfeito.

Johnny pôs Kate na cadeira de rodas, cobriu-a com os cobertores e foi na frente de todos até a porta principal. Lá dentro, eles ocuparam a maior parte da primeira fila, guardando
lugares para o restante da família. A cadeira de rodas de Kate
foi posicionada na ponta do corredor.

– Estarei de volta em trinta minutos com seus pais e os meninos – disse Johnny a Kate. – Precisa de mais alguma coisa?

– Não.

Depois que Johnny saiu, ela e Tully ficaram sentadas na
escuridão do auditório vazio. Kate tremeu de frio e apertou
os cobertores ao seu redor. Estava com a cabeça latejando e
se sentindo enjoada.

– Fale comigo, Tully. Sobre qualquer coisa.

Tully não perdeu um instante. Começou a falar sobre o
ensaio do dia anterior e então passou para seus problemas
com o protocolo de ir buscar as crianças na escola.

Kate fechou os olhos, e, de repente, as duas eram meninas
de novo, sentadas à beira do rio Pilchuck, imaginando como
suas vidas seriam.

*Vamos ser jornalistas de TV. Um dia vamos dizer ao Mike Wal-
lace que não teríamos vencido uma sem a outra.*

Sonhos. Elas tinham tantos, e um número surpreendente deles havia se tornado realidade. O curioso era que ela não os havia valorizado o bastante quando tivera a oportunidade.

Recostando-se na cadeira, ela disse baixinho:

– Você ainda conhece o cara responsável pelo curso de teatro da Universidade do Sul da Califórnia?

– Conheço – falou Tully, e olhou para a amiga. – Por quê?

Kate sentiu seu perfil sendo examinado. Sem olhar nos olhos de Tully, ela endireitou a peruca.

– Talvez você possa ligar para ele. Marah adoraria ir para lá.

Com as palavras, veio o pensamento: *eu não vou estar aqui para ajudá-la*. Para nada. Marah iria para a faculdade sem ela...

– Achei que você não quisesse que ela se envolvesse com o meio artístico.

– Morro de medo de pensar no meu bebê em Hollywood. Mas você é uma estrela de TV. O pai dela é produtor de telejornalismo. A pobre menina está cercada de sonhadores. Que chance ela tinha?

Kate estendeu o braço e apertou a mão de Tully. Mais do que qualquer outra coisa, ela queria olhar para Tully, mas não conseguiu, não ousou.

– Você vai cuidar dela e dos meninos, não vai?

– Sempre.

Kate sentiu o começo de um sorriso. Aquela única palavra liberara um pouco de sua tristeza. Uma coisa era verdade em relação a Tully: ela cumpria suas promessas.

– E talvez você deva procurar por Nuvem de novo.

– Engraçado você falar nisso. Eu estava pensando em procurar mesmo. Algum dia.

– Que bom – disse Kate suavemente, mas com firmeza. – Chad tinha razão, eu estava errada quanto a isso. Quando chegamos... ao final, vemos que o amor e a família são tudo o que existe. Nada mais importa.

– Você é a minha família, Katie.

– Eu sei. Você vai precisar de mais depois...

– Por favor, não diga.

Kate olhou para a amiga. A corajosa, abusada e exuberante Tully, que havia atravessado os anos como uma leoa numa selva, sempre rainha. Agora estava quieta, com medo. A simples ideia da morte de Kate a havia desmontado, feito com que ficasse menor.

– Eu vou morrer, Tully. Não falar disso não muda nada.

– Eu sei.

– Eis o que eu quero que você saiba: eu amei a minha vida. Por muito tempo, fiquei esperando que ela começasse, querendo mais. Parecia que tudo o que eu fazia era dirigir, fazer compras e esperar. Mas, sabe de uma coisa? Eu não perdi nada da minha família. Nem um instante. Eu estive com eles o tempo todo. É disso que vou me lembrar, e eles terão uns aos outros.

– Sim.

– Mas estou preocupada com você – disse Kate.

– É claro que está.

– Você tem medo do amor, mas tem muito amor para dar.

– Eu sei que passei muitos anos reclamando por estar sozinha, e tenho um histórico de me envolver com homens inadequados ou indisponíveis, mas a verdade é que a minha carreira tem sido o meu amor e, na maior parte do tempo, tem sido suficiente. Eu sou feliz. É importante para mim que você saiba disso.

Kate deu um sorriso cansado.

– Eu tenho orgulho de você, sabe? Eu lhe disse isso o bastante?

– E eu tenho orgulho de você.

Tully olhou para a melhor amiga e, naquele único olhar, trinta anos se passaram entre elas, fazendo-as lembrar das meninas que haviam sido, dos sonhos que haviam compartilhado e das mulheres que haviam se tornado.

– Nós nos saímos bem, não foi?

Antes que Kate pudesse responder, as portas do auditório se abriram e as pessoas começaram a entrar.

Johnny, a mãe e o pai de Kate e os meninos sentaram em seus lugares exatamente quando as luzes começaram a baixar.

Quando as luzes do palco se acenderam, as pesadas cortinas de veludo vermelho se abriram lentamente, deslizando sobre o piso de madeira e revelando o cenário mal pintado de uma cidadezinha.

Marah entrou em cena, vestindo uma versão de teatro escolar de um vestido do século XIX.

Quando ela começou a falar, foi como mágica.

Não havia outra palavra para descrever.

Kate sentiu a mão de Tully se fechando em cima da sua, apertando suavemente. Quando Marah saiu de cena, aplaudida de pé, o coração de Kate se encheu de orgulho. Ela se apoiou em Tully e sussurrou:

– Agora eu sei por que dei a ela seu nome do meio.

Tully se virou para a amiga:

– Por quê?

Kate tentou sorrir, mas não conseguiu. Levou quase um minuto antes de encontrar voz suficiente para dizer:

– Porque ela é o melhor de nós duas.

❧

O fim chegou numa noite gelada e chuvosa de outubro. Com todos que amava ao redor da cama, Kate disse adeus um a um, sussurrando algo especial para cada um deles. Então, quando a chuva bateu na janela e a escuridão caiu, ela fechou os olhos pela última vez.

❧

A última lista de coisas a fazer de Kate dizia respeito ao seu funeral, e Tully a seguiu ao pé da letra. A igreja católica da ilha estava cheia de fotografias, flores e amigos. De maneira nada surpreendente, Kate havia escolhido as flores preferidas de Tully, e não as suas.

Durante dias, Tully não fez mais nada. Ela tratou dos detalhes e cuidou de tudo, enquanto os Ryan e os Mularkey ficavam sentados na praia, de mãos dadas, às vezes lembrando-se de conversar.

Tully se preparou para o dia também, lembrando a si mesma que era uma profissional. Era capaz de atravessar qualquer coisa com um sorriso.

Mas, quando chegou a hora e eles realmente pararam em frente à igreja, ela entrou em pânico.

– Não vou conseguir fazer isto – disse ela.

Johnny segurou sua mão. Tully esperou por palavras tranquilizadoras, mas ele não tinha nenhuma a dizer.

Enquanto ficaram ali sentados, em silêncio, com as crianças no banco de trás, todos olhando fixamente para a igreja, os Mularkey estacionaram ao lado deles.

Estava na hora. Como uma revoada de corvos pretos, eles seguiram juntos, esperando encontrar forças um no outro. De mãos dadas, passaram pela multidão de presentes e subiram os imensos degraus da igreja.

– Nosso lugar é na primeira fila, à esquerda – a Sra. M. disse, aproximando-se.

Tully olhou para Marah, que estava chorando baixinho, e ver aquilo a destruiu. Queria reconfortar a afilhada, dizer que tudo ficaria bem, mas as duas sabiam que não era bem assim.

– Ela te amava tanto – disse, tendo um estranho e súbito vislumbre do futuro das duas.

Seriam amigas um dia, ela e Marah. Com o tempo, Tully daria a ela o diário, e as duas dividiriam histórias de quem a mãe dela havia sido, e aquelas histórias as reuniriam e trariam Kate de volta por alguns momentos preciosos.

– Vamos lá – disse Johnny.

Tully não conseguiu se mexer.

– Vão vocês na frente. Vou só ficar aqui por um minuto.

– Tem certeza?

– Tenho.

Johnny apertou seu ombro e levou os meninos e Marah para a frente da igreja. O Sr. e a Sra. M., Sean, Georgia e o restante da família os acompanharam. Todos sentaram na primeira fila.

Na frente, um órgão começou a tocar uma versão lenta e arrastada de "You and Me Against the World".

Tully não queria estar ali para aquilo. Não queria escutar aquela música patética que era pensada para fazer as pessoas chorarem, nem ouvir o padre contando histórias sobre a mulher que ele havia conhecido e que era apenas uma sombra da mulher que Tully conhecera. Mais do que tudo, ela não queria ver a montagem de fotos da vida de Kate exibida num telão ao lado do caixão.

Antes que se desse conta, ela se virou e saiu.

O ar fresco e suave encheu seus pulmões. Ela o inspirou avidamente, tentando se acalmar. Atrás dela, através da porta, ouviu a música mudar para "One Sweet Day".

Fechou os olhos, apoiando-se na porta.

– Sra. Hart?

Surpresa, ela abriu os olhos e viu o gerente da funerária parado no primeiro degrau. Ela o vira uma vez antes, quando fora levar as roupas para o enterro e as fotos para a montagem.

– Sim.

– A Sra. Ryan me pediu para lhe dar isto.

Ele entregou a ela uma grande caixa preta.

– Não estou entendendo.

– Ela me confiou esta caixa e pediu que desse à senhora no dia do funeral. Ela disse que estaria de pé aqui fora quando a cerimônia começasse.

Tully sorriu para isso, embora tenha doído como nunca. Claro que Kate saberia disso.

– Obrigada.

Pegou a caixa, desceu a escada e foi até o estacionamento. Do outro lado da rua, sentou num banco de ferro no parque. Lá, respirou fundo e abriu a caixa. Em cima, havia uma carta. A letra clara inclinada para a esquerda era inconfundível.

Querida Tully,

Sei que você não vai conseguir suportar a porra do meu funeral; não é você a estrela. Espero que pelo menos tenha tratado as minhas fotos. Tem tantas coisas que eu gostaria de dizer para você, mas, na nossa vida, dissemos tudo.

Cuide do Johnny e das crianças para mim, está bem? Ensine os meninos a serem cavalheiros e Marah a ser forte. Quando estiverem prontos, dê a eles meu diário e conte a eles sobre mim quando perguntarem. A verdade. Quero que eles saibam tudo.

Agora vai ser duro para você. Esta é uma das coisas que eu mais sinto. Então, aqui está o que eu tenho para dizer na minha carta além-túmulo (muito dramático, não acha?):

Sei que você está pensando que eu a deixei, mas não é verdade. Tudo o que você precisa é se lembrar da alameda dos Vaga-lumes, que vai me encontrar. Sempre vai existir TullyeKate.

A carta terminava assim:

Melhores amigas para sempre ♥
Kate

Tully apertou a carta contra o peito.

Então olhou para a caixa de novo. Havia três coisas dentro dela.

Um cigarro com um post-it amarelo dizendo: *Fume-me.*

Uma foto autografada de David Cassidy que dizia: *Beije-me.*

E um iPod com fones de ouvido que dizia: *Ouça-me e dance.*

Tully riu através das lágrimas e acendeu o cigarro, dando

uma tragada e tossindo ao soltar a fumaça. O cheiro da fumaça imediatamente a fez pensar nas noites que as duas passaram às margens do rio Pilchuck, deitadas em troncos caídos, olhando para a Via Láctea.

Fechou os olhos, jogou a cabeça para trás e virou o rosto para o sol frio de outono. Uma brisa tocou sua face e fez seus cabelos voarem. Com isso, Tully pensou: *Katie*.

De repente, sentiu a amiga ao lado, acima, ao redor, dentro dela. Ouviu Kate no sussurrar do vento e no barulho das folhas secas da calçada.

Abriu os olhos, ofegante com a certeza de que não estava sozinha.

– Oi, Katie – sussurrou.

Então pôs os fones de ouvido e apertou o play.

"Dancing Queen" começou a tocar a toda a altura, fazendo com que ela voltasse no tempo.

Young and sweet, only seventeen…

Tully se levantou, sem saber ao certo se estava rindo ou chorando. Tudo o que sabia era que não estava sozinha, que Kate não se fora. Elas haviam tido três décadas de tempos bons e tempos ruins e tudo o mais entre uma coisa e outra, e nada poderia tirar isso dela. Elas tinham a música e as lembranças e, nelas, estariam sempre, sempre juntas.

Melhores amigas para sempre.

Então, sozinha no meio da rua, ela começou a dançar.

Carta da autora

Querido leitor,

Nas duas décadas da minha carreira de escritora, nunca antes fiquei tentada a escrever qualquer espécie de postscriptum ou carta em meus romances e, sinceramente, tentei neste também. Como pode ver, o plano falhou. O problema, aparentemente, é o livro que você acabou de ler.

Como talvez você saiba, escrever *Amigas para sempre* foi uma jornada muito pessoal para mim. Cresci no final da década de 1970 no oeste do estado de Washington, um lugar e uma época que pareciam tão perigosos e turbulentos então e que agora parecem docemente inocentes em comparação com o mundo atual. Estudei na Universidade de Washington e recebi um diploma em comunicação. Todas as músicas mencionadas ao longo da história me lembram daqueles dias. *Goodbye Yellow Brick Road* foi o primeiro disco que comprei com meu próprio dinheiro.

E eu perdi a minha mãe para o câncer de mama. Como muitas mulheres, passei uma vida inteira vigilante em busca de sinais de perigo. Faço meu autoexame e mamografias anuais. Faço tudo o que devo fazer.

É por isso que o câncer de mama inflamatório é tão assustador. Ele se apresenta de formas dissimuladas e inesperadas. Com frequência, os médicos ignoram ou diagnosticam equivocadamente os sintomas e, como todos sabemos, quando se trata de câncer, tempo é tudo. Então, quero pedir que as mulheres acrescentem os sinais de alerta do câncer de mama inflamatório à lista de sintomas pelos quais procurar. E acrescentaria ainda que, se algo não parece certo, não se deve ter medo de fazer perguntas ou buscar segundas opiniões. Nós, mulheres, conhecemos nossos corpos. Sabemos quando alguma coisa não está ou não parece bem. Precisamos defender o conhecimento que temos de nós mesmas e não aceitar um não como resposta.

Sei que pode ser assustador e difícil, mas medo não é desculpa para ignorar. Se você se flagrar hesitando ou cedendo ao medo, peça ajuda e apoio a uma amiga. Esta é a melhor coisa de ser mulher – sempre estamos disponíveis umas para as outras. Como Tully e Kate diriam: aconteça o que acontecer.

Obrigada por ler.

CONHEÇA OUTRO TÍTULO DA COLEÇÃO POP CHIC

O melhor de mim
NICHOLAS SPARKS

Na primavera de 1984, os estudantes Amanda Collier e Dawson Cole se apaixonaram perdidamente.

Criado em um ambiente violento e desestruturado, o solitário Dawson acreditava que seu sentimento por Amanda lhe daria a força necessária para fugir do destino sombrio que parecia traçado para ele.

De família tradicional, Amanda via no namorado um porto seguro para toda a sua paixão e seu espírito livre.

Infelizmente, quando o verão do último ano de escola chegou ao fim, a realidade os separou de maneira cruel e implacável.

Vinte e cinco anos depois, eles estão de volta à sua cidade natal para o velório de Tuck Hostetler, o homem que acobertou o namoro e se tornou o melhor amigo dos dois.

Seguindo as instruções de cartas deixadas por Tuck, Amanda e Dawson redescobrirão sentimentos sufocados há décadas. Eles vão perceber que não tiveram a vida que esperavam e que nunca conseguiram esquecer o primeiro amor. Um único fim de semana juntos e talvez seus destinos mudem para sempre.

CONHEÇA OS LIVROS DE KRISTIN HANNAH

Quando você voltar

Amigas para sempre

O rouxinol

As cores da vida

O caminho para casa

As coisas que fazemos por amor

A grande solidão

Tempo de regresso

CONHEÇA OS TÍTULOS DA COLEÇÃO POP CHIC

Origem, de Dan Brown
O símbolo perdido, de Dan Brown
O Dossiê Pelicano, de John Grisham
O melhor de mim, de Nicholas Sparks
O príncipe dos canalhas, de Loretta Chase
Uma longa jornada, de Nicholas Sparks
Amigas para sempre, de Kristin Hannah

SÉRIE AS QUATRO ESTAÇÕES DO AMOR, DE LISA KLEYPAS
Segredos de uma noite de verão
Era uma vez no outono

PRÓXIMOS LANÇAMENTOS

O rouxinol, de Kristin Hannah
Não conte a ninguém, de Harlan Coben
A estrada da noite, de Joe Hill
As espiãs do dia D, de Ken Follett
O código Da Vinci, de Dan Brown
A mulher na janela, de A. J. Finn
Inferno, de Dan Brown
Uma curva na estrada, de Nicholas Sparks
A revolta de Atlas, de Ayn Rand
Tempo de matar, de John Grisham

SÉRIE AS QUATRO ESTAÇÕES DO AMOR, DE LISA KLEYPAS
Pecados no inverno
Escândalos na primavera

SÉRIE A MALDIÇÃO DO TIGRE, DE COLLEEN HOUCK
A maldição do tigre
O resgate do tigre
A viagem do tigre
O destino do tigre

SÉRIE AS SETE IRMÃS, DE LUCINDA RILEY
As sete irmãs
A irmã da tempestade
A irmã da sombra
A irmã da pérola

POP *(s.m.)*

popular, relativo ao público geral, conveniente à maioria das pessoas, aceito ou aprovado pela maioria.

CHIC *(adj.)*

elegante, gracioso, que se destaca pelo bom gosto e pela ausência de afetação, preparado com cuidado e com esmero.

A coleção Pop Chic é nossa maneira de reafirmar a crença de que milhões de brasileiros desejam e poderão ler mais se oferecermos nossas melhores histórias em livros leves e fáceis de carregar, impressos em papel de qualidade, com texto em tamanho agradável aos olhos e preços acessíveis.

Para saber mais sobre os títulos e autores da Editora Arqueiro, visite o nosso site e siga as nossas redes sociais. Além de informações sobre os próximos lançamentos, você terá acesso a conteúdos exclusivos e poderá participar de promoções e sorteios.

editoraarqueiro.com.br